PENDRAGON

8
Les Pèlerins de Rayne

DANS LA MÊME SÉRIE
DÉJÀ PARUS

D. J. MACHALE

BOBBY
PENDRAGON

8

Les Pèlerins de Rayne

Traduit de l'américain par Thomas Bauduret

Jeunesse
éditions du
ROCHER

Titre original : *Pendragon 8. The Pilgrims of Rayne*.

La présente édition est publiée en accord avec l'auteur, représenté par Baror International Inc., Armonk, New York, USA.

Tous droits de reproduction, de traduction et d'adaptation réservés pour tous pays.

ISBN 978 2 268 06544 1

Pour mon frère T.J.

PRÉFACE

Bonjour à tous.

Eh oui ! Une fois de plus, le moment est venu de sauter dans le flume et de découvrir le nouveau chapitre de la saga de Bobby Pendragon. Ceux d'entre vous qui ont suivi ses aventures savent que le plan de Saint Dane pour conquérir Halla commence à prendre forme. Quant aux nouveaux venus, eh bien, hmmm, que puis-je vous dire, sinon que le plan de Saint Dane pour conquérir Halla commence à prendre forme ? Bien sûr, si c'est la première fois que vous ouvrez un de ces romans, vous n'avez pas la moindre idée de ce que je raconte, alors je vous conseille fortement de suivre le programme et de commencer par le commencement. Allez-y, je vous attends. *(Tape du pied, sifflote, joue au solitaire.)*

Bon. Je suis désolé, mais tout compte fait, il va falloir y aller.

Comme toujours, avant de sauter dans le flume, je tiens à prendre le temps de remercier quelques personnes grâce à qui vous pouvez lire les aventures de Bobby. Cela fait maintenant des années que le staff de mon éditeur américain, Simon & Schuster, soutient la série de Pendragon. Une fois de plus, Julia Richardson m'a servi de guide, et son aide est immense. Rick Richter, Rubin Pfeffer, Ellen Krieger, Elizabeth Law, Paul Crichton, tous les gens du département marketing et des ventes et, et, et... Pour les énumérer tous, il faudrait rajouter un chapitre entier. Mais je tiens à leur dire à quel point je leur suis reconnaissant pour leur soutien, leur talent et leur sagesse.

Je voudrais aussi remercier tous les éditeurs de mes traductions à l'étranger qui ont contribué à faire de Pendragon un phénomène international. Le nombre de publications en langues autres que l'anglais ne cesse de croître, ce qui me ravit, bien sûr.

9

Une fois de plus, Heidi Hellmich a fait un travail de relecture de premier ordre. Aussi bizarre que cela puisse paraître, je commence à croire qu'elle en sait plus sur Bobby Pendragon que moi-même. Merci, Heidi.

À mes acolytes personnels, je dois une éternelle gratitude. Sans Richard Curtis, Danny Baror et Peter Nelson, peut-être écrirais-je toujours ces romans, mais ils ne toucheraient sans doute pas un public aussi important. Merci, les gars.

Bien que Pendragon ait de nombreux fidèles de par le monde, j'ai parfois l'impression d'écrire pour un seul lecteur : ma femme, Évangeline. Elle est toujours la première à découvrir quels dangers et quels dilemmes doivent affronter les Voyageurs. Pour moi, son opinion est d'une valeur incalculable. Du moment qu'elle est satisfaite, je le suis. Et je pense que vous aussi. Jusqu'à présent, cela marche très bien comme ça !

J'attends avec impatience le jour où ma fille Keaton pourra lire mes récits. Du moins, je crois. Je me demande souvent ce qui se passera lorsqu'elle réalisera que ce type qui la baigne, l'habille, joue à cache-cache avec elle et lui lit des histoires est en fait un cinglé capable de concocter des bouquins qui traitent de la destruction potentielle de tout ce qui existe. En attendant, je me contente de la remercier de ne pas venir trop souvent me déranger dans mon bureau alors que je planifie des conflits interdimensionnels.

Durant mes voyages (sans flume) pour parler de mes livres, j'ai eu la chance de rencontrer des bibliothécaires, libraires et professeurs d'un peu partout, mais qui, tous, ont amplement contribué à diffuser les histoires de Bobby. De même, les parents qui m'amènent de nouveaux lecteurs méritent toute ma gratitude.

Finalement, sans vous qui lisez ces lignes, il n'y aurait pas de Pendragon. Comme bon nombre d'entre vous le savent déjà, j'adore recevoir des lettres et des e-mails où vous me faites part de vos impressions. C'est vraiment formidable de savoir que mes écrits sont si importants pour vous. C'est un grand honneur. Merci.

Bon, je crois que j'ai fait le tour de la question. Maintenant, passons au plat de résistance. La dernière fois que nous nous sommes retrouvés, Bobby était rentré chez lui pour découvrir que la Seconde Terre avait changé. Une technologie nouvelle avait fait son apparition, et elle avait engendré des applications qui semblaient impossibles, dont un chat mécanique doué de parole portant l'étiquette de la Dimond Alpha Digital Organisation. Oui, Dimond. *Ce* Dimond. Mark avait disparu. Il ne voulait plus être un Acolyte et avait sauté dans le flume. Mais où était-il allé ? Il avait laissé son anneau à Courtney. Impossible de deviner ce qu'il entendait faire. La tâche de Bobby était évidente : il devait retrouver Mark et comprendre quel rôle il jouait dans le plan de Saint Dane pour conquérir Halla.

Si vous n'avez pas lu les tomes précédents, n'avez-vous pas un tout petit peu envie de savoir ce que je raconte ? Allez, vous pouvez bien me le dire. Alors revenez en arrière. Commencez par *Le Marchand de peur*. Une fois que vous serez à jour, vous n'aurez qu'à revenir pour découvrir comment Bobby et les Voyageurs vont faire une tentative désespérée pour empêcher la destruction de tout ce qui a jamais existé, ou existera dans l'avenir.

Pour tous les autres… Hobie-ho, c'est parti !

D.J. MacHale

Journal n° 28

TROISIÈME TERRE

L'avenir n'est plus ce qu'il était.

Je sais : ça ne veut rien dire. Mais ce n'est pas vraiment étonnant, non ? Il y a maintenant trois ans que je suis parti de chez moi pour tenter d'empêcher un démon aux mille visages de détruire l'humanité entière, et pendant tout ce temps il ne m'est pas arrivé grand-chose de logique. Enfin, je dis trois ans, mais je ne peux pas en être sûr. C'est difficile de tenir le compte quand on voyage à travers le temps et l'espace vers des mondes tous plus démentiels les uns que les autres. Je m'appelle Bobby Pendragon, et je suis un Voyageur. Le chef des Voyageurs, plus précisément. Notre tâche est d'empêcher un type du nom de Saint Dane de changer le cours naturel de la destinée des dix territoires de Halla pour les plonger dans le chaos.

Vous me suivez ? Alors accrochez-vous, parce que ce n'est qu'un début.

La mission des Voyageurs est de protéger Halla. Autant dire le Grand Tout. Le normal et l'exceptionnel, le commun et l'impossible. Halla est tout ce qui a toujours été et tout ce qui sera. Je sais, on dirait un mauvais film de SF. C'est probablement ce que je penserais si je n'étais pas plongé en plein dedans. Tous les jours. Quand je suis parti de chez moi, je n'étais qu'un adolescent de quatorze ans comme les autres dont le plus grand souci était de savoir si je plaisais à mon amie Courtney Chetwynde… Et si elle avait remarqué le bouton qui avait poussé sur mon front comme un troisième œil. Maintenant, j'ai dix-sept ans et je suis le leader d'un petit groupe chargé de protéger l'éternité. L'avenir et le passé sont entre mes mains. Personne d'autre ne peut arrêter Saint Dane.

À côté, cette histoire de bouton sur le front semble bien insignifiante, non ?

Pourquoi ce démon se fait-il appeler « Saint » Dane ? Je n'en ai pas la moindre idée. Il n'a rien d'un saint. Il n'est même pas humain. D'abord, j'ai cru qu'il faisait le mal pour le plaisir, tout simplement. Mais plus j'en apprends sur lui, plus je réalise qu'il a d'autres motivations. C'est difficile à expliquer, vu que je n'y comprends pas grand-chose, mais j'en suis venu à croire que, par un raisonnement pervers, Saint Dane est persuadé de faire le bien. Je sais : comment un homme qui pousse des sociétés entières à la catastrophe peut-il trouver une justification à ses crimes ? Lorsque j'aurai trouvé la réponse à cette question, je pourrai enfin savoir ce que je viens faire dans cette histoire. Pourquoi ai-je été choisi pour être Voyageur ? Qu'est devenue ma famille ? D'où vient Saint Dane ? Pourquoi a-t-il ces extraordinaires pouvoirs de transformation ? Pourquoi m'a-t-il dit que les Voyageurs n'étaient que des illusions ? (Une révélation qui m'a causé plus d'une nuit blanche.) Et où tout cela va-t-il nous mener ?

Saint Dane a parlé de ce qu'il appelle la « Convergence ». Je ne sais pas ce que c'est et ne suis pas sûr d'avoir envie de le savoir. Et pourtant, je n'ai pas le choix. Est-ce une de ses créations ou un événement qui doit arriver de toute façon ? Je n'en ai pas la moindre idée. Tout ce que je sais, c'est que les Voyageurs doivent s'assurer que cette Convergence ne se déroule pas de la façon dont l'entend Saint Dane. C'est la seule façon de s'assurer que Halla continuera à exister comme il l'a toujours fait. Tel qu'il est, tel qu'il doit rester.

Si j'écris ces journaux, c'est pour deux raisons. La première est de garder pour la postérité le récit de mes aventures. L'Histoire avec un grand H et tout ça. Dans mille – non, dans un million d'années, je crois qu'il sera important qu'on sache ce qui s'est passé. La seconde, c'est de tenir au courant mes meilleurs amis, Mark Dimond et Courtney Chetwynde, les seuls habitants de Seconde Terre à connaître la vérité.

13

Mais tout a changé. Mark a disparu. Pire encore, j'ai bien peur qu'il ait enclenché une réaction en chaîne dont les effets pervers se font déjà sentir dans tout Halla. On ne doit pas mélanger les cultures des différents territoires. Je l'ai appris à mes dépens, plus d'une fois. Chaque territoire doit suivre sa propre destinée indépendamment des autres. Les entremêler ne peut rien donner de bon. Et pourtant, à chaque fois qu'il en avait l'occasion, Saint Dane ne s'en est pas privé, et je crois qu'il a fait de Mark son assistant involontaire. Du moins j'espère que Mark ne l'a pas aidé de son plein gré. C'est impossible, inconcevable. Comme je voudrais ne jamais l'avoir impliqué dans cette histoire en lui envoyant mes journaux !

Quant à Courtney Chetwynde, elle se trouve actuellement à mes côtés. Ensemble, nous devons trouver Mark et tenter de tout remettre en ordre. Courtney et moi avons fait bien du chemin depuis le temps où nous étions rivaux à l'école. Elle est mon Acolyte et compte parmi mes meilleurs amis. Et comme Mark, je préférerais qu'elle n'ait rien à voir avec tout ça. Elle en a sacrément bavé. Mais je ne peux pas me permettre de regarder en arrière. Il faut aller de l'avant, ce qui, d'une certaine façon, signifie se tourner vers le passé. Ne vous inquiétez pas, tout finira par s'éclaircir en cours de route. Enfin, je l'espère.

Maintenant que Mark a disparu et que Courtney est avec moi, je n'ai personne à qui envoyer mes journaux. Et pourtant, je dois continuer à les écrire. Pour l'Histoire-avec-un-grand-H, mais aussi pour moi. Oui, j'ai une troisième raison de les rédiger. Ils m'aident à ne pas perdre la tête. Ils me permettent de prendre le recul nécessaire pour chercher à débrouiller toute cette histoire. Quoique, pour l'instant, je n'y comprenne toujours rien ; mais le simple fait de ne pas devenir fou est déjà une bonne chose en soi.

Ami lecteur, je ne sais pas qui tu es, ni comment ce journal a fini par arriver entre tes mains. J'espère que tu as déjà parcouru les précédents, parce que je ne vais pas répéter tout ce qui m'est déjà arrivé. Ces journaux commencent par le n° 1 (qui l'eût cru ?) et racontent toute l'histoire. Vous pouvez les trouver à la Banque nationale de Stony Brook, dans le Connecticut, en Seconde Terre. Ma ville natale. Dans cette banque, il y a un coffre au nom

14

de Bobby Pendragon. C'est là que mes journaux sont conservés. Trouvez un moyen de les récupérer et gardez-les au péril de votre vie. Une fois terminée, cette histoire vous racontera tout ce qui a précédé la destruction ou le sauvetage de tout ce qui existe. De Halla. Une lecture passionnante, si je puis me permettre de le dire moi-même.

Au moment où j'écris ces lignes, Courtney et moi sommes partis en Troisième Terre. Nous sommes en l'an 5010, trois mille années après notre naissance. C'est là qu'on espère obtenir une réponse à nos questions. Et retrouver Mark. Il ne nous a pas fallu longtemps pour découvrir quelque chose d'assez effrayant.

L'avenir n'est plus ce qu'il était.

Et c'est là que commence le chapitre suivant de mes aventures.

Accrochez-vous, c'est parti.

Journal n° 28
(suite)

TROISIÈME TERRE

J'espère ne pas avoir commis une grave erreur en partant de Seconde Terre en compagnie de Courtney Chetwynde.

Elle n'est pas une Voyageuse. Or seuls les Voyageurs sont censés emprunter les flumes – ces autoroutes menant d'un territoire à l'autre. Je l'ai constaté lorsque Mark et Courtney sont partis pour Eelong de leur propre initiative. Le flume s'est effondré, piégeant Spader et Gunny sur ce territoire et tuant Kasha, la Voyageuse d'Eelong[1]. Depuis, j'ai appris que tant qu'on emprunte les flumes en compagnie d'un Voyageur, il ne se passe rien. Du moins, les flumes ne sont pas endommagés. Quant à l'avenir d'un territoire lorsqu'un non-Voyageur y pose le pied, eh bien, c'est une autre histoire. Comme je l'ai déjà écrit, on n'est pas censés les mélanger.

Et c'est exactement pour cela que Saint Dane ne s'en prive pas.

Il a volontairement importé des humains et des technologies, et même des animaux, d'un territoire à un autre. J'ignore s'il l'avait planifié dès le début, mais maintenant il ne se gêne plus, et les conséquences sont désastreuses. J'ai bien peur qu'en remportant la bataille de Quillan il ait fait pencher la balance en sa faveur[2]. Il est bien parti pour gagner la guerre et faire tomber Halla. Je le sens. Je ne désespère pas pour autant, mais il est temps de remettre

---

1. Voir Pendragon n° 5 : *La Cité de l'Eau noire.*
2. Voir Pendragon n° 7 : *Les Jeux de Quillan.*

les pendules à l'heure. J'ai peut-être déjà trop attendu. Pourquoi est-ce que les bons doivent toujours respecter les règles alors que les méchants font ce qu'ils veulent ? Est-ce écrit quelque part ? Ce n'est pas comme si je voulais tout chambouler au hasard. Ça non. Mais si le fait d'amener un élément d'un territoire dans un autre peut me donner l'avantage sur Saint Dane, je ne vais pas me gêner.

Et en ce moment, cet élément s'appelle Courtney Chetwynde.

Tout est différent en Seconde Terre. L'Histoire a changé. La technologie a changé. L'élément qui a tout bouleversé a forcément un rapport avec ce que Saint Dane a prévu pour notre territoire à nous. Courtney est la seule qui puisse m'aider à résoudre ce mystère. Ensemble, nous découvrirons ce qui s'est passé et tenterons de rectifier la situation. L'avenir de Halla est en jeu. Tout comme celui de la Seconde Terre.

Sans oublier Mark Dimond.

Donc : ai-je fait une erreur en faisant venir Courtney avec moi ? Je ne le sais pas. L'oncle Press m'a toujours formellement déconseillé de mélanger les territoires, mais il n'est plus là. Ai-je fait le bon choix ? Je ne le saurai que lorsque les Voyageurs auront remporté la dernière bataille.

Ou qu'ils l'auront perdue.

Durant le voyage, Courtney et moi avons flotté côte à côte sur ce coussin d'air magique qui nous a propulsé dans le flume. On portait tous deux des jeans, des chaussures de marche et un tee-shirt. L'uniforme de base de Seconde Terre, quoi. Il faut le dire, Courtney n'a jamais été aussi belle. Elle a bien grandi depuis la dernière fois que je l'ai vue. Comme nous tous, je suppose. Ses cheveux châtains incroyablement longs étaient noués en une tresse. Ses grands yeux gris étincelaient, reflétant la clarté des étoiles qui brillaient derrière les murs de cristal du flume. Je me suis souvenu de la première fois que je l'avais vue. C'était à la maternelle, pendant la récréation. J'avais décidé de lui chiper son ballon. Du coup, elle avait cru bon de me donner un coup sur le crâne.

– Touche pas mes affaires, m'avait-elle dit d'un ton rogue en m'arrachant son ballon.

17

J'aurais dû me mettre en colère, mais son sourire moqueur m'avait indiqué qu'elle n'était pas qu'une terreur de bac à sable parmi tant d'autres. J'avais ravalé mes larmes, lui avais rendu son sourire et avais répondu :

– On ne cherche pas la bagarre quand on n'est pas sûr de gagner.

Alors j'avais pris le ballon et étais parti en courant. Elle s'était lancée à ma poursuite d'un bout à l'autre de la cour bien encombrée. Dix bonnes minutes plus tard, lorsqu'on s'était arrêtés, à bout de souffle, on riait tous les deux. C'est ainsi qu'était née une relation d'amour-haine qui se perpétue à ce jour. On a toujours gardé cette rivalité amicale, chacun cherchant à surclasser l'autre en cours de sport. Parfois, c'était elle qui l'emportait, parfois c'était moi. Aucun d'entre nous ne se croyait meilleur que l'autre, mais cela ne nous empêchait pas d'essayer. Et le plus étrange, c'est qu'au fil des années notre rivalité s'est muée en affection. La nuit où je suis parti de chez moi avec l'oncle Press pour devenir un Voyageur, Courtney et moi nous sommes embrassés pour la première fois.

Il s'est passé tant de choses depuis ! On n'est plus les mêmes. Alors qu'on flottait dans le flume, je l'ai lu dans ses yeux – elle était plus âgée. Ce qui est un terme bien réducteur. L'un comme l'autre, on a vécu bien des choses qui dépassent le commun des adolescents de notre âge. Et même des adultes. Les gamins de quatorze ans qui se sont embrassés ce soir-là ont cessé d'exister. Désormais, nous sommes les gardiens de Halla.

Courtney m'avait expliqué ce qui s'était produit quand, suivant les instructions de Mark, elle s'était rendu au flume situé dans la cave de la maison Sherwood. C'est là que Mark avait laissé à son intention son anneau de Voyageur. Lorsqu'elle l'avait vu, elle avait compris la terrifiante vérité : Mark avait emprunté le flume. Mais où était-il allé ? Et pourquoi ? Il était clair que Mark ne voulait plus être un Acolyte, puisqu'il avait laissé son anneau. Le flume était intact, ce qui signifiait qu'il était parti avec un autre Voyageur. Mais lequel ? Saint Dane ? Ne sachant que faire, Courtney avait passé l'anneau à son doigt. Le flume s'était alors animé. Quelques secondes plus tard, Saint Dane en personne avait jailli du couloir reliant les territoires et épaissi le mystère en révélant une vérité plutôt dérangeante.

Il avait toujours été là. En Seconde Terre. Toutes nos vies durant.

– C'est tellement bizarre, a dit Courtney alors que nous filions dans le couloir. Dire qu'Andy Mitchell n'est autre que Saint Dane ! Incroyable, non ? Moi, ça m'a fait un choc. Il nous a surveillé pendant toute notre vie, Bobby. Ça ne t'angoisse pas ? Il nous a manipulés.

– Non, ai-je corrigé, c'est Mark qu'il manipulait.

On avait enfin découvert la cruelle vérité. On savait ce que Saint Dane mijotait en Seconde Terre. Enfin, si l'on veut. Il avait pris l'identité d'un certain Andy Mitchell, une brute de la pire espèce qui, pendant des années, n'avait cessé de harceler Mark. Après que je suis parti de chez moi pour devenir un Voyageur, Andy Mitchell avait dévoilé à Mark un autre aspect de sa personnalité. Contrairement aux apparences, il était intelligent. Extrêmement intelligent, même. Assez pour se joindre au club scientifique dont Mark faisait partie. Mark avait eu du mal à l'accepter. Courtney m'avait dit qu'il lui avait semblé impossible qu'un abruti comme Mitchell puisse se transformer en génie du jour au lendemain. Mais Mark, lui, n'en doutait pas. Peu à peu, la victime s'est rapprochée de son bourreau.

– C'est tout lui, ai-je rappelé à Courtney. Il te fait croire qu'il est un ami, il te fait agir d'une façon qui te semble positive, mais qui te mène tout droit à la catastrophe. Et il en est fier. Il prétend qu'il n'est pas responsable de ce qui arrive. Il croit que les habitants des territoires prennent leurs décisions tout seuls.

– C'est n'importe quoi ! a rétorqué Courtney. Comment peuvent-ils décider par eux-mêmes s'il les oriente dans la mauvaise direction ?

– Exactement. En Seconde Terre, c'est ce qu'il a fait avec Mark.

Andy Mitchell et Mark travaillaient sur un projet qu'ils appelaient « Forge ». C'était une petite balle de plastique avec un squelette commandé par ordinateur lui permettant de changer de forme suivant des ordres verbaux. Ils allaient prendre l'avion

19

pour la Floride afin de participer à un concours scientifique national lorsque Andy avait demandé à Mark de rester pour l'aider à nettoyer la boutique de fleurs de son oncle qui avait été inondée accidentellement. Les parents de Mark étaient partis pour la Floride sans eux.

M. et Mme Dimond ne devaient jamais arriver à destination. Leur avion avait disparu au-dessus de l'Atlantique. Il n'y avait pas eu un seul survivant. D'une façon ou d'une autre, Saint Dane a certainement provoqué cette tragédie. Il a tué les parents de Mark.

– Sauver la Première Terre n'a rien changé, a repris Courtney. Saint Dane va s'en prendre à la Seconde Terre. Et à la Troisième.

– Oui, ça, j'avais compris.

– Et Mark a un rôle à jouer dans ses plans, a ajouté Courtney. Saint Dane a affirmé que leur relation entrait dans une nouvelle phase. Que voulait-il dire par là ?

– Je ne sais pas, ai-je répondu honnêtement. Mais ça nous donne une idée de ce qui s'est passé.

La Seconde Terre a changé. C'est la façon la plus simple de résumer la situation. Saint Dane a sauté dans le flume et Courtney a été entraînée à sa suite. Mais, au lieu d'être projetée dans un autre territoire, elle s'est retrouvée dans la cave de la maison Sherwood, de retour à son point de départ. Sauf que ce n'était pas le même monde qu'elle avait quitté quelques instants plus tôt. La Seconde Terre avait changé. Courtney avait bien vite remarqué quelques différences étonnantes dont la plupart avaient trait à la technologie. Elle était rentrée chez elle pour tomber sur un ordinateur bien plus perfectionné que tous ceux qu'elle avait vus et sur un chat robotique doué de parole qui lui avait collé la frousse de sa vie. Moi-même, lorsque je l'ai vu à mon tour, ça m'a fait un choc. On a découvert qu'il avait été construit par une boîte du nom de Dimond Alpha Digital Organisation, ou DADO. Peut-être était-ce une coïncidence, mais les robots de Quillan étaient aussi appelés des dados. Ajouté au fait que la compagnie qui avait fabriqué ce chat mécanique portait le nom de famille de Mark, cela faisait un peu trop de coïncidences.

– Je pense que quand tu as joué les boomerangs dans le flume, l'histoire de Seconde Terre a été modifiée, ai-je conclu. Et comme tu étais encore dans le flume, tu n'as pas changé avec elle. Tu te souviens encore de l'ancienne Seconde Terre.

– Sans doute parce que Saint Dane le voulait.

– Probablement, ai-je convenu. Je crois que Saint Dane s'est servi de Mark pour créer une nouvelle technologie qui, d'une façon ou d'une autre, va définir le moment de vérité de la Seconde Terre. En tuant les Dimond, il rendait Mark plus vulnérable. Dieu sait ce que Saint Dane a pu lui raconter pour le pousser à quitter la Seconde Terre.

– Et pourtant, a repris Courtney, quoi qu'il ait pu ressentir après avoir perdu ses parents, je vois mal Mark s'en aller avec ce monstre.

– Je sais, ai-je répondu doucement.

– Il faut qu'on le retrouve, a conclu sobrement Courtney.

L'amas de notes musicales qui accompagnait chaque voyage par le flume se fit plus sonore et plus rapide. On approchait de notre destination – la Troisième Terre. C'est là que commencerait notre enquête. Patrick, le Voyageur local, pourrait fouiller son incroyable base de données, celle de la Terre de l'an 5010, pour retrouver l'origine de cette Dimond Alpha Digital Organisation et ce qui était arrivé à Mark. On allait prendre pied dans l'avenir pour tenter de reconstituer le passé. Mais quand on est arrivé en Troisième Terre…

Disons que l'accueil n'a pas été très amical.

À peine mes pieds avaient-ils touché le sol que j'ai reçu un choc qui m'a projeté en arrière. Les secondes suivantes n'ont été qu'un tourbillon. Tout d'abord, je n'ai pas compris ce qui m'arrivait. Du moins jusqu'à ce que je sente un souffle chaud sur mon visage et qu'une pointe de douleur chauffée à blanc traverse mon avant-bras. Il m'a suffi de quelques secondes pour comprendre. Un chien-quig m'avait attaqué, et cette bête aux yeux jaunes pesait sur ma poitrine. Ses dents acérées comme des rasoirs grinçaient en cherchant à atteindre ma gorge, et sa bave me coulait dans les yeux.

– Courtney ! À l'aide ! ai-je crié, dans l'espoir qu'elle ne soit pas également aux prises avec un quig.

La bête était puissante et avait l'avantage de la surprise. J'ai vu du coin de l'œil qu'elle m'avait lacéré le bras. Je n'étais pas assez fort pour la repousser. Dans quelques instants, ses crocs allaient me déchirer la gorge...

Foummmmm ! J'ai entendu un bruit sec qui m'était familier. Le quig a poussé un petit cri avant de s'affaler sur le côté. Je me suis relevé d'un bond, prêt à me défendre. Cela ne serait pas nécessaire. Cette bête nuisible gisait, inconsciente, à l'entrée du flume. Je me suis retourné pour voir Courtney brandir un petit cylindre de la taille d'un rouleau de pièces de monnaie qu'elle tenait braqué devant elle comme une arme. Normal, puisque c'en était une. Lorsqu'elle était allée à la maison Sherwood pour y retrouver Mark, elle avait emporté deux bombes anti-agression au cas où elle tomberait sur des quigs. Mais après son aller et retour dans le flume, ils s'étaient transformés pour devenir ces gadgets argentés tirant des jets d'énergie qu'on trouvait sur Quillan. Encore un exemple de la métamorphose qu'avait subie la Seconde Terre.

– Bien visé, ai-je hoqueté.

Elle a ouvert de grands yeux.

– Il ne fallait pas ? a-t-elle demandé. Tu penses que j'aurais dû laisser ces machins en Seconde Terre ?

– Quoi ? me suis-je exclamé en aspirant de grandes goulées d'air. Si tu ne les avais pas emmenés, cette bestiole m'aurait égorgé !

– C'est vrai. Je... Je l'ai tuée ?

– Si seulement..., ai-je répondu en donnant un petit coup de pied dans le flanc du quig, qui n'a pas réagi. En tout cas, sa présence est plutôt bon signe.

– Comment ça ? a-t-elle demandé, incrédule.

– S'il y a des quigs sur ce territoire, ça veut dire que Saint Dane y est aussi. On est au bon endroit.

– Je dois m'en réjouir ou avoir peur ?

– Les deux.

Courtney a regardé mon bras et fait la grimace. Elle a pris délicatement ma main pour mieux examiner la plaie. Une coupure de six bons centimètres lacérait le haut de mon avant-bras. Elle n'était pas profonde, mais saignait abondamment. Et ça faisait un mal de chien.

– Il n'y a qu'à faire un pansement avec mon tee-shirt en attendant que Patrick m'amène voir un docteur, ai-je dit.

Courtney m'a aidé à le retirer, ce qui n'était pas si facile, puisque je ne pouvais pas me servir de mon bras gauche. Elle l'a déchiré pour former une lanière qu'elle a nouée autour de mon bras. Après avoir stoppé l'hémorragie, elle m'a regardé avec un sourire malicieux :

– Dis donc, tu as fait du sport ?

Soudain, je me suis senti gêné d'être torse nu. J'ai fait mine de le prendre à la légère :

– Essaie de suivre le même entraînement que Loor m'a fait endurer[1], et tu deviendras comme moi.

– Heu, pas sur tous les points, a-t-elle repris avec un clin d'œil moqueur.

Comme j'avais l'impression de m'enferrer, j'ai préféré changer de sujet :

– Habillons-nous.

En arrivant sur un territoire, la première chose à faire est toujours de mettre une tenue appropriée. À côté du flume, un petit tas de vêtements n'attendait que nous. L'avantage, c'est que les habits de Troisième Terre ne sont pas si différents de ceux de Seconde Terre. Enfin, à part les chaussures. J'ai ramassé un pantalon vert foncé et un tee-shirt blanc à manches longues. Courtney a choisi un pantalon blanc et une chemise bleu marine. On s'est retournés tous les deux pour préserver nos pudeurs respectives pendant qu'on les enfilait.

J'ai gardé mon caleçon, comme d'habitude.

Mes nouveaux vêtements m'allaient à la perfection. Ceux de Courtney, beaucoup moins. La chemise était trop grande, le pantalon trop court. Je ne sais pas pourquoi les habits qu'on trouve au pied du flume sont toujours à ma taille. Peut-être parce que je suis un Voyageur. Je ne sais pas ce que ça change, mais c'est la seule explication qui me vienne à l'esprit.

– J'ai l'air d'une nouille, a dit Courtney en fronçant les sourcils.

---

1. Voir Pendragon n° 6 : *Les Rivières de Zadaa*.

C'était vrai, mais pas question de l'admettre.

– Non, tu es magnifique !

Et c'était également vrai. Peu importe si ses vêtements semblaient appartenir à quelqu'un d'autre. Courtney était éblouissante. La plus belle des nouilles.

Les chaussures ressemblaient à de gros beignets. J'en ai ramassé une paire, des noires, et les ai enfilées. Aussitôt, elles ont épousé la forme de mes pieds comme des baskets confortables. Courtney a choisi des blanches.

– Ça fait bizarre, a-t-elle dit.

Mais elle n'allait pas s'en plaindre, parce que, contrairement aux vêtements, ses chaussures lui allaient à la perfection.

Je suis retourné au petit tas, l'ai fouillé et ai trouvé presque aussitôt ce que je cherchais. C'était une petite plaque de la taille d'une carte de crédit.

– C'est un instrument de communication, ai-je expliqué à Courtney. C'est grâce à ce gadget que Gunny a appelé Patrick la première fois que je suis venu ici[1].

Celui que Gunny avait utilisé comprenait un seul bouton. Celui-ci était différent. Il semblait plus mince avec un pavé tactile argenté. Je me suis demandé si c'était un autre exemple des changements qui avaient affecté les territoires terrestres. En tout cas, pourvu qu'il fonctionne. J'ai appuyé sur la touche. L'appareil a émis un léger bourdonnement.

– C'est tout ? a demandé Courtney.

– Je ne sais pas, ai-je répondu sincèrement. Je l'espère. Sortons d'ici.

Le chemin m'était familier. J'ai mené Courtney au mur opposé et à cette porte qui pouvait avoir trois mille ans. Je savais que ce panneau de bois ancien n'était guère représentatif des merveilles ultramodernes qui s'étendaient au-delà. J'ai ouvert la porte, et une lumière brillante a envahi la pièce. J'ai fait signe à Courtney de passer en premier, et on est entrés dans le réseau de couloirs d'un blanc lumineux de la Troisième Terre. La porte s'est

---

1. Voir Pendragon n° 3 : *La guerre qui n'existait pas.*

refermée derrière nous avec un léger déclic. Le souterrain était tel que dans mes souvenirs. D'une propreté immaculée, avec des cloisons de briques et deux monorails argentés écartés d'une trentaine de centimètres. Jusque-là, rien ne semblait différent, à l'exception du communicateur. Et, bien sûr, du quig qui avait failli m'égorger.

– Viens, avant qu'un train ne passe ! ai-je dit en me mettant à courir. C'est bien la station de métro abandonnée de Seconde Terre, ai-je ajouté. Avec quelques petites différences.

– Je me rappelle ce que tu en as dit dans ton journal, a affirmé Courtney.

On s'est vite retrouvé dans cette station ultramoderne de Troisième Terre. Courtney a grimpé la première sur le quai, puis m'a aidé à en faire autant, handicapé que j'étais par mon bras blessé. Tout était conforme à mes souvenirs. Il y avait du monde, mais ce n'était pas non plus la foule. On a pu se glisser sur le quai sans attirer l'attention. Courtney l'a aussitôt traversé en courant. Je savais ce qu'elle voulait voir.

Tout au bout, face aux rails, il y avait une rambarde. Et sous cette rambarde s'étendait un immense centre commercial souterrain aux nombreux niveaux qui s'étalait sur cinquante étages. Certains étaient occupés par des boutiques et des bureaux, d'autres par des appartements. Tous ces niveaux grouillaient de monde. Les gens se déplaçaient à pas pressés ou conduisaient des véhicules à deux roues qui fonçaient dans le plus grand silence. Tout au fond, il y avait un lac artificiel où l'on pouvait nager ou emprunter des pédalos. C'était une ville entière bâtie sous la surface du sol. Voilà ce qu'était devenue la Terre. La surpopulation avait obligé les villes à s'étendre sous la surface. Et c'était plutôt une bonne chose. Ainsi, la planète avait pu guérir. La pollution s'était dissipée. Les gens avaient appris à respecter les ressources naturelles tout en utilisant la planète du mieux qu'ils le pouvaient.

Courtney a baissé les yeux pour contempler cette incroyable cité du futur. Je l'ai regardée en silence pendant que les mots qu'elle avait jusqu'ici seulement lus dans mon journal devenaient réalité.

25

– C'est incroyable, a-t-elle murmuré.

J'ai scruté des yeux la station tout en tentant de m'éclaircir les idées. On aurait dit que l'évolution s'était faite dans le meilleur sens possible. À mon grand soulagement, rien ne semblait différent de mon dernier passage…

Jusqu'à ce qu'un drôle de détail attire mon attention. Ce n'était pas évident au premier coup d'œil, mais, après quelques minutes, j'ai remarqué quelque chose qui semblait impossible. J'ai regardé de plus près, pensant me tromper. Cela ne rimait à rien. Sur le quai, en plus des passagers, il y avait des dizaines de personnes qui y travaillaient. Un type vendait des journaux, un autre des choses à grignoter. Il y avait aussi un conducteur attendant la prochaine rame et un policier en service. En jetant un coup d'œil en contrebas, j'ai vu d'autres employés qui tenaient les boutiques, lavaient les sols et faisaient briller les rambardes chromées. Il y avait des facteurs, des vendeurs de tickets, des laveurs de carreaux et des centaines d'autres exécutant les nombreux jobs nécessaires pour faire fonctionner une station de métro et les magasins de ce complexe.

Courtney a dû sentir ma tension.

– Qu'y a-t-il ? a-t-elle demandé.

– Regarde tous ces employés.

Courtney a examiné la station. Elle n'a pas compris tout de suite. Puis j'ai surpris sa réaction. Elle m'a jeté un bref regard nerveux et a froncé les sourcils.

– J'ai des visions ou quoi ? ai-je demandé.

– Dans ce cas, moi aussi, a-t-elle répondu. Ces gens se ressemblent tous. Je veux dire… ils sont exactement identiques ! C'était comme ça la dernière fois que tu es venu ici ?

– Non, ce qui veut dire que je sais ce qui s'est passé. Et toi aussi.

Courtney a acquiescé et a prononcé le mot que je n'osais pas formuler :

– Des dados.

– Oui. Maintenant, il y a des dados en Troisième Terre. *Plein* de dados.

– Ce qui signifie que l'avenir n'est plus ce qu'il était, a murmuré Courtney.

– Allons trouver Patrick.

J'ai pris délicatement le bras de Courtney et l'ai menée à l'escalator. Il était temps de voir le reste de la Troisième Terre.

La *nouvelle* Troisième Terre.

Journal n° 28
(suite)

TROISIÈME TERRE

La dernière fois que j'étais venu en Troisième Terre, j'étais bien plus jeune et beaucoup plus naïf. Je me souviens encore de l'excitation que j'ai ressenti en prenant l'escalator pour sortir de cette ville souterraine et contempler le futur. Cette fois également, j'étais plutôt enthousiaste. Quoique, ce n'est peut-être pas le bon terme. Surtout avec la peur qui me nouait l'estomac. Oui, voilà une meilleure description. L'avenir avait été modifié. Les dados du métro en étaient la preuve. La question était : ce nouveau futur serait-il meilleur que l'ancien ? Mon instinct me faisait redouter le pire.

Courtney, elle, était sur des charbons ardents. Elle avait lu la description que j'avais donnée de la Troisième Terre dans mes journaux, mais la voir de ses yeux, eh bien, c'était une autre paire de manches. La dernière chose qu'elle m'avait dit avant que le flume nous arrache à la Seconde Terre était : « Je veux voir l'avenir. » Son souhait allait être exaucé.

Lorsqu'on est arrivés au sommet et qu'on est sortis de dessous le kiosque vert, Courtney a fait un tour complet sur elle-même en ouvrant de grands yeux émerveillés.

– N'oublie pas de respirer, ai-je dit.

– Incroyable, a-t-elle dit, bouche bée.

J'ai le plaisir de vous dire que la Troisième Terre n'avait pas beaucoup changé par rapport à mes souvenirs. La cité surpeuplée du New York de Seconde Terre avait disparu. À sa place s'étendait une immense prairie. L'air était frais avec un soupçon d'odeur de pins. J'ai vu plusieurs autres kiosques verts éparpillés marquant les entrées de la ville souterraine. Non loin de là, on voyait les immeubles bas et trapus où habitaient ceux qui vivaient encore à la surface. Les routes sinueuses étaient bien là, tout comme les voitures électriques silencieuses qui roulaient à vitesse réduite au milieu des vélos.

Courtney a fait quelques pas en avant pour mieux embrasser le décor. Je l'ai suivie, appréciant toujours autant ce paysage, mais redoutant l'influence que les dados pouvaient avoir exercés.

– Les gens ont enfin compris ! s'est-elle écrié. Plus de pollution. Ils respectent l'environnement. Plus de surpopulation. Plus de guerres…

– Et des robots se chargent des sales boulots, ai-je ajouté.

– Oui, et ça aussi.

Dans le lointain, je pouvais distinguer les derniers bâtiments de l'île de Manhattan, y compris l'Empire State Building, désormais recouvert d'une couche de peinture argentée luisante. Tout cela ressemblait fortement à la Troisième Terre que j'avais connue.

À l'exception des dados, bien sûr.

Ils étaient partout. Certains réparaient une section de route, d'autres tondaient des hectares de gazon impeccable. J'ai vu une équipe de dados occupés à repeindre en bleu un pont à piétons enjambant un cours d'eau. Un camion roulait en silence, un dado au volant. Sur l'un des immeubles trapus, plusieurs d'entre eux étaient occupés à laver les carreaux. Il n'y avait rien de particulièrement étrange dans tout ça, à part que ces travailleurs étaient tous identiques. La plupart d'entre eux étaient habillés de combinaisons bordeaux, mais d'autres avaient des uniformes adaptés à leur fonction, comme celui qui arrêtait le trafic pour laisser un groupe de gamins traverser la route. Il portait la même ceinture blanche que les gendarmes devant mon école. Le dado qui conduisait le camion était lui aussi vêtu d'un uniforme, la combinaison brune des facteurs de chez UPS. La même qu'ils arborent depuis tant d'années.

Ces dados avaient tous des traits masculins, bien qu'un robot n'ait pas de sexe. Enfin, je ne crois pas. Mieux vaut ne pas s'étendre là-dessus. Tous arboraient la même coupe de cheveux, noirs et courts avec la raie au milieu. Et ils étaient tous de la même taille. Environ un mètre quatre-vingts, avec une constitution moyenne, ni vraiment baraqués, ni maigrichons non plus. Et le plus étrange, c'est qu'ils avaient tous le même visage. Je veux dire, trait pour trait. Pas le même que celui des dados de Quillan, mais ils étaient néanmoins tous identiques.

– Pourquoi les faire tous sur le même modèle ? a demandé Courtney.

– D'après moi, c'est pour qu'on puisse les différencier des humains au premier coup d'œil.

Courtney a regardé autour d'elle et acquiescé.

– Ce doit être ça. Tu mets une fausse moustache à un de ces gars-là et il se fond dans la foule. C'est plutôt angoissant, non ?

C'était bien le mot. Je ne m'en étais pas rendu compte tout de suite, mais ces dados me flanquaient la frousse. Je veux dire, en-dehors de leur simple présence. Ils avaient tous quelque chose de curieux. Je les ai dévisagés en cherchant à définir ce qui me gênait. Je l'avais sur le bout de la langue, si j'ose dire… Voilà. Ils avaient l'air plus humains. Lorsqu'on regardait de près les robots de Quillan, leurs gestes étaient raides et un peu trop parfaits. On ne pouvait pas les confondre avec des personnes de chair et d'os. Mais les dados de Troisième Terre, eux, semblaient aussi humains que Courtney et moi. Si je n'en avais vu qu'un seul à la fois, je n'aurais jamais deviné que c'était un robot. En revanche, des centaines tous identiques… Était-ce ça qui me titillait, le fait qu'ils ressemblent tant aux humains ?

Non.

Courtney fut la première à comprendre.

– Regarde-les ! a-t-elle hoqueté. Ils ont tous le même visage !

– Oui, j'ai vu.

– Non !

Elle a avalé sa salive et m'a jeté un regard douloureux.

– Regarde plus attentivement, a-t-elle repris, sa voix se brisant. Ils ressemblent tous à… Mark !

Je me suis aussitôt tourné vers le dado le plus proche. Il était plus grand, ses cheveux étaient plus courts, il n'avait pas le moindre bouton d'acné, mais elle avait raison – ce robot, comme tous les autres, ressemblait à Mark Dimond. Tous jusqu'au dernier. On avait sous les yeux des centaines de clones de mon meilleur ami.

– J'ai envie de pleurer, a gémi Courtney.

– Ne t'en fais pas, lui ai-je dit avec une assurance que j'étais loin de ressentir. Ça veut dire qu'on est sur la bonne voie, c'est tout.

– Mark a vraiment quelque chose à voir avec tout ça, a repris Courtney en secouant la tête.

Un coup de klaxon a interrompu notre discussion. On a sursauté tous les deux, puis on s'est retournés pour voir une petite voiture argentée s'arrêter à notre hauteur. Comme elle n'avait pas de toit, il était facile de reconnaître le chauffeur.

– Pendragon ! a crié Patrick.

C'était le Voyageur de Troisième Terre. Il devait avoir une vingtaine d'années. Il était à peu près de ma taille avec des cheveux bruns mi-longs et portait les mêmes vêtements qu'à ma dernière visite : un jean et une chemisette. Il ressemblait plus à un étudiant de Seconde Terre qu'à un professeur et bibliothécaire de l'an 5010. Quoique, je ne sais pas à quoi devrait ressembler un professeur-bibliothécaire de cette époque. Ce qui m'avait le plus marqué chez Patrick, c'était son air calme et confiant.

Mais plus maintenant. Cela aussi avait changé.

Une fois à notre hauteur, il a freiné à mort. Son calme olympien n'était plus qu'un souvenir. Frénétique, effrayé, nerveux… Voilà des termes plus appropriés. Je ne l'avais rencontré qu'une fois, mais il m'avait semblé maîtriser parfaitement la situation. C'était un intellectuel, quelqu'un qui vivait pour enseigner et étudier. Maintenant, il avait l'air de s'être échappé d'un asile. Il a sauté de sa voiture sans prendre la peine d'ouvrir la portière, a couru vers moi et m'a pris les bras. Ses yeux étaient fous, ses cheveux emmêlés. Il n'était pas rasé. Il n'était pas beau à voir.

– Que s'est-il passé ? m'a-t-il demandé. Qu'est-ce qui nous est arrivé ?

J'ai regardé Courtney, qui s'est contentée de hausser les épaules.

– Heu, Patrick, ai-je dit, je ne vois pas ce que tu veux dire.

Patrick avait l'air au bord de l'explosion. Il s'est tourné vers Courtney.

– Qui est-ce ?

Il s'est précipité vers elle pour lui prendre les bras.

– De quel territoire es-tu la Voyageuse ? Sais-tu ce qui s'est passé ?

Courtney s'est figée.

– N-n-non, je ne suis pas une Voyageuse, je…

Aussitôt, Patrick l'a lâchée et a fait un pas en arrière, au bord de la panique.

– Pas une Voyageuse ? a-t-il crié. Pendragon, tu ne peux pas amener n'importe qui ! Qu'est-ce qui t'a pris ? Tout est fichu !

J'ai posé la main sur son avant-bras pour tenter de le calmer.

– Relax, d'accord ? On est là pour chercher à comprendre tout ça.

Je l'ai senti se détendre. Un peu. Ses yeux roulaient dans ses orbites comme s'il était le seul à voir les fantômes invisibles qui fondaient sur nous. Il revenait sur terre. Ou plus exactement, sur la Troisième Terre.

– Je vais devenir fou, Pendragon, a-t-il dit entre deux grandes respirations.

Non, sans blague ?

– Toi, tu as l'habitude de passer d'un territoire à l'autre, de toute cette folie. Moi, je ne suis qu'un prof. Je n'aurais jamais cru qu'une chose pareille puisse se produire ici.

J'ai regardé autour de nous, cherchant un endroit où on pourrait s'entretenir en privé. On se trouvait toujours face au kiosque menant au métro, et des voyageurs ne cessaient de s'en écouler. Ainsi que des robots. Arborant tous le visage de Mark. Bonjour l'angoisse.

– Allons quelque part, d'accord ? ai-je dit.

Patrick a lorgné mon bras.

– Tu es blessé, a-t-il constaté.

– Les quigs nous ont attaqués devant le portail, ai-je répondu.

Soudain, Patrick a écarquillé les yeux.

– Des quigs ? a-t-il hurlé, à nouveau sur les nerfs. Vous savez ce que ça signifie ? Saint Dane est là ! Chez nous ! Ça va commencer, hein ? C'est pour ça que vous êtes venus ?

À son tour, Courtney a essayé de le calmer. Elle a passé un bras autour de ses épaules et lui a dit d'une voix douce :

— Tout ira bien. Nous sommes venus t'aider. Mais on ne peut rien faire tant que tu n'auras pas repris tes esprits, a-t-elle ajouté d'un ton plus sévère. Bon, maintenant, c'est fini !

Cette chère Courtney. Elle a bien des qualités, mais la patience n'est pas son fort.

— Bien joué, ai-je dit d'un ton sarcastique en lui arrachant Patrick. Bon, inspirons profondément et allons là où personne ne nous dérangera.

— Je vais t'amener voir un docteur, a répondu Patrick. Il faut soigner ce bras.

— Bien, si tu veux, mais ne restons pas ici.

Soigner ma plaie n'était pas ma priorité, mais du moment que Patrick reprenait son sang-froid, je n'allais pas l'arrêter. Il a sauté derrière le volant de sa petite voiture.

— Tu es sûr d'être en état de conduire ? a demandé Courtney.

Elle n'avait pas trop envie de monter dans une auto avec un fou du volant. Et, à vrai dire, moi non plus.

— Ça ira, a répondu Patrick.

Il a inspiré profondément. Il commençait à se calmer.

On est montés à bord, Courtney sur la banquette arrière et moi à l'avant. Je pouvais sentir sa tension irradier à travers le siège.

— Je connais un médecin à Manhattan, a expliqué Patrick. Il prendra bien soin de toi.

— Parfait. Il n'y a pas le feu.

— Oui, on n'est pas pressés, a renchéri Courtney. Du moment qu'on arrive en un seul morceau.

Patrick l'a regardée, puis s'est tourné vers moi :

— Ce n'est pas une Voyageuse, a-t-il dit comme si je lui avais amené un Martien.

— C'est bon. Elle est tout aussi impliquée que nous.

— Mais elle n'est pas des nôtres, a insisté Patrick.

— C'est bien le dernier de nos problèmes, a rétorqué Courtney.

Pourvu qu'elle ait raison !

Patrick m'a jeté un regard inquiet, puis a démarré son moteur. Celui-ci ne faisait pas le moindre bruit. On est partis en direction de Manhattan sur cette route paisible. Sur le trajet, le paysage était resté conforme à mes souvenirs, enfin, à part les dados. Tout d'abord, je n'en ai pas parlé à Patrick. Je voulais être sûr qu'il avait retrouvé son calme et qu'il se concentrait sur sa conduite. Ce n'était pas le moment d'aller s'encastrer dans un arbre. J'ai remarqué que ses yeux étaient sans cesse en mouvement. On aurait dit que, à chaque détour, il remarquait quelque chose de si horrible qu'il se crispait et émettait un petit hoquet – comme s'il voyait des fantômes. Ce type avait les nerfs à vif. J'ai fini par comprendre qu'il réagissait ainsi à chaque fois qu'on croisait un nouveau groupe de dados.

Finalement, j'en ai eu assez.

– Tu veux bien me dire ce qui te met dans un état pareil ? ai-je demandé.

– J'espérais que tu me le dirais.

– Heu, on vient d'arriver. C'est toi qui as l'air d'avoir pété un câble.

Patrick a réfléchi un instant.

– Tu serais comme moi si tu te réveillais un beau matin pour constater que ton territoire a changé pendant ton sommeil.

J'ai jeté un coup d'œil à Courtney qui a levé un sourcil, son intérêt éveillé.

– Explique-toi, ai-je exigé.

Patrick a inspiré profondément, mal à l'aise.

– Quand je suis allé me coucher hier soir, tout était normal. Sais-tu comment je me suis réveillé ce matin ?

– Non, ai-je répondu patiemment.

– Un étranger me secouait en disant qu'il était temps d'aller travailler.

– Qui était-ce ? a demandé Courtney.

Patrick a éclaté d'un rire sans joie.

– Ce n'est pas « qui », mais plutôt « quoi » ! C'était un homme mécanique ! J'ai sursauté en poussant un cri et lui ai demandé de décliner son identité, mais il s'est contenté de me regarder d'un air surpris. Il a dit qu'il était mon domestique, un da… Da…

– Dado ? ai-je suggéré.

– Oui, un dado ! Il a prétendu qu'il était à mon service depuis cinq ans et qu'il ne comprenait pas à quoi je jouais. J'ai cru que quelqu'un me faisait une mauvaise blague. Je me suis enfui hors de chez moi, mais ces hommes mécaniques étaient partout ! Pendragon, ils n'étaient pas là hier, quand je suis allé me coucher. Maintenant, il y a plus de robots que d'humains et je semble être le seul à m'en étonner ! Serais-je devenu fou ?

– Malheureusement non, ai-je répondu.

– J'ai continué mon chemin comme dans un brouillard, a continué Patrick. Je n'arrivais pas à en croire mes yeux. C'est alors que mon communicateur s'est activé pour me prévenir de votre arrivée. Je savais que ce n'était pas une coïncidence. (Il a tiré la carte argentée de sa poche.) Et pourtant, ce n'est pas mon communicateur ! Il a changé ! Comment est-ce possible ?

Son appareil était une copie de celui que j'avais trouvé près du flume.

– Tu peux tout expliquer, n'est-ce pas ? a ajouté Patrick.

J'ai regardé Courtney. Elle a haussé les épaules.

– Vas-y.

– Je n'ai que des théories, ai-je commencé. Si je suis venu ici, c'est pour trouver de véritables réponses.

– Mais je n'en ai pas à te proposer ! s'est écrié Patrick.

– On peut en trouver en fouillant l'histoire de ce monde, ai-je repris. La même chose est arrivée en Seconde Terre. Tout était normal, et tout d'un coup, la technologie a changé. On espère que les archives de tes ordinateurs nous diront ce qu'il en est.

– Tu veux dire que le passé est la clé de tout ?

– Je crois, oui, ai-je affirmé. Je pense que si personne ne réagit, c'est parce que tout est arrivé bien avant leur naissance. Maintenant, ces robots font partie intégrante du quotidien de la Troisième Terre.

– Mais si le passé a été modifié, a raisonné Patrick, je devrais trouver tout ça normal, moi aussi ?

– Sauf que toi, tu es un Voyageur. Ce qui est différent, parce que, d'après ce que j'ai appris, les Voyageurs ne sont pas des humains comme les autres. Selon Saint Dane, on n'est que des illusions.

Patrick m'a jeté un regard vitreux. La voiture est partie sur le côté.

— Hé, le prof ! a aboyé Courtney. Regarde où tu vas !

Patrick s'est empressé de redresser.

— Tu ne me facilites guère la vie, Pendragon.

— Je sais, ai-je répondu sincèrement. Allons me faire recoudre, puis filons à la bibliothèque. C'est dans le passé qu'on trouvera les réponses à nos questions, et tu es le seul à savoir où je dois chercher.

— C'est bien la première chose sensée que j'entends aujourd'hui, a dit Patrick avec un faible sourire.

— Tu es notre homme, Patrick. Si quelqu'un peut résoudre ce mystère, c'est bien toi.

— Alors je le résoudrai, a-t-il renchéri avec confiance. Sois-en sûr.

Patrick avait repris le contrôle de la situation. Je savais qu'avec son aide, nous trouverions les réponses dont nous avions besoin. Ce qui m'inquiétait, c'était plutôt ce qu'elles nous apprendraient.

Journal n° 28
(suite)

TROISIÈME TERRE

Notre premier arrêt a été chez le docteur de Patrick. Bien que nous autres Voyageurs ayons le don de guérir rapidement (pour des raisons qui m'échappent encore), il était inutile de laisser cette blessure me gêner, même brièvement, dans ma mission. On a traversé le pont menant à Manhattan, et Courtney a vu pour la première fois la New York du futur. L'île de Manhattan était plus urbanisée que le Bronx, mais il y avait toujours plus de verdure que de béton. Les grands immeubles étaient rares et espacés, bien que les rues soient désormais toutes droites. À peine avait-on traversé le fleuve que Patrick s'est garé devant un nouveau kiosque vert. De là, on a emprunté un escalator qui nous a menés à une autre partie de la ville souterraine. Après avoir descendu quelques niveaux, on a échoué à un étage bordé de portes argentées, chacune frappée d'un nombre à cinq chiffres. Patrick nous a conduits à l'une d'elles et on est entrés dans un bureau pas si différent que celui de mon médecin en Seconde Terre.

Sauf qu'il y avait un dado à la réception.

Patrick s'est crispé et s'est approché prudemment du bureau.

– Où est le réceptionniste ? a-t-il demandé d'un ton soupçonneux.

Le dado ressemblait exactement à tous les autres, sauf qu'il portait une blouse de médecin. Maintenant, je savais à quoi ressemblerait Mark s'il choisissait une profession médicale. Et s'il était un robot. Le dado a souri aimablement et a dit d'une voix calme et rassurante :

– Je *suis* le réceptionniste habituel, monsieur Mac.

Monsieur Mac. Jusque-là, je n'avais encore jamais entendu appeler Patrick par son nom de famille. Je n'avais non plus jamais entendu un robot parler comme Mark. Oui, il avait même sa *voix*. Je me suis demandé si la façon dont Mark bégayait lorsqu'il était nerveux était aussi programmée dans leurs circuits. C'était peu probable. Les robots ne s'énervent pas.

– Vous me connaissez ? a demandé Patrick d'une voix tremblante.

Le dado a eu un sourire empreint de gentillesse.

– Bien sûr. Cela fait neuf ans et quatre mois que vous êtes un patient du docteur Shaw. Votre dernier examen remonte à deux ans. Vous avez du retard.

Ça alors ! Rien qu'en voyant Patrick, ce robot pouvait se rappeler instantanément les informations le concernant. Ces dados de Troisième Terre étaient décidément plus sophistiqués que les brutes épaisses de Quillan.

Patrick a avalé sa salive.

– Mon ami est blessé. Le docteur Shaw peut-il s'occuper de lui ?

Le dado a consulté son écran d'ordinateur, a tapé quelque chose et a de nouveau levé les yeux vers Patrick.

– Entrez donc, a-t-il dit joyeusement.

Hé bien ! C'était facile. Chez nous, à chaque fois que je me prenais un sale coup et que je finissais aux urgences, il fallait attendre des heures avant de voir un docteur. Décidément, robots ou pas, tout était bien mieux dans le futur. Je me suis tourné vers Courtney.

– Tu ferais peut-être mieux d'attendre ici…

– Avec RoboCop ici présent pour toute compagnie ? Pas question. Je viens avec vous.

– C'est bon, a renchéri Patrick.

– J'espère que vous vous rétablirez vite, a lancé le dado.

J'ai à nouveau regardé cet être mécanique qui avait les traits de Mark. Ça faisait vraiment une drôle d'impression. Comme si je m'adressais à Mark et en même temps à un autre.

Patrick nous a fait passer par une porte intérieure, le long d'un couloir, puis encore une porte s'ouvrant sur une salle d'examen propre et moderne. Un autre dado en blouse de médecin nous y attendait. Quand on est entrés, il se tenait face au mur, immobile. Une seconde plus tard, il s'est animé. Il s'est tourné vers nous et nous a souri. Comme si on l'avait activé en entrant dans la pièce. J'imagine que, lorsque les robots n'ont rien à faire, ils regardent les murs.

— Bon, d'accord, c'est bizarre, a fait Courtney.

— On vient voir le docteur Shaw, a dit Patrick au dado.

Celui-ci s'est approché de moi et a pris délicatement mon bras. Tout d'abord, je l'ai retiré, pas trop sûr de vouloir me faire examiner par un robot, même s'il avait les traits de Mark. Il m'a jeté un regard apaisant, comme pour dire : « Ne vous inquiétez pas, je sais ce que je fais. » Je l'ai laissé agir. Il a d'abord retiré le morceau de tee-shirt qu'on avait noué autour de mon bras pour arrêter l'hémorragie.

— Beurk, a fait Courtney pour tout commentaire.

Le tissu était couvert d'une croûte de sang coagulé. Cela me gênait moins que le contact du robot. Sa peau était froide. Ses gestes et son apparence étaient ceux d'un être humain, mais ce n'en était pas un. Il faut croire que les robots n'ont pas de température corporelle.

— Vous ne devriez pas appeler le docteur Shaw ? a demandé Patrick.

— C'est inutile, a-t-il répondu gentiment. Cette procédure est très simple.

Il s'est dirigé vers un mur couvert de tiroirs métalliques. J'ai regardé Patrick.

— Est-ce que je dois m'inquiéter ?

Patrick a haussé les épaules. Il n'en savait pas plus que moi. *Super*. Le dado a tiré un gadget qui ressemblait à un épais tuyau blanc d'une quinzaine de centimètres de long sur sept de diamètre. Il a passé ses doigts à l'intérieur pour ramener un morceau de plastique transparent recouvrant l'intérieur du tube, comme on retire la pellicule d'un pansement.

Courtney s'est avancée pour se tenir entre le dado et moi en un geste protecteur.

— Et si tu allais plutôt chercher le docteur, espèce de boîte de conserve ? a-t-elle dit d'un ton sans réplique.

Il lui a décoché un sourire bienveillant. Elle l'a laissé passer à contrecœur.

– Ai-je déjà dit à quel point ce Mark robotique est angoissant ? a-t-elle marmonné.

Le dado a levé la main pour que je lui tende mon bras blessé. J'ai obéi en retenant mon souffle. Il a glissé délicatement le tube autour de mon avant-bras pour le positionner au-dessus de ma blessure et a appuyé dessus. J'ai senti le tube enserrer mon bras tout en se réchauffant. J'allais m'en plaindre lorsque le tube a repris sa forme. Le dado l'a aussitôt retiré. La plaie était déjà refermée. Qu'y avait-il dans ce tube ? Des antibiotiques ? Un cicatrisant ? De la Super Glue ? Quoi que ce soit, cela fonctionnait à merveille. Je n'avais même plus mal.

– C'est tout ? ai-je demandé au dado.

– Vous êtes quasiment guéri, a-t-il répondu. Demain, il n'y paraîtra plus.

– C'est un nouveau produit ? me suis-je enquis auprès de Patrick.

– Non. Depuis votre époque, la science médicale a fait de grands pas. Mais je n'ai pas l'habitude de la voir administrée par des robots.

On a quitté le bureau du docteur sans même avoir aperçu ce dernier. Ce qui n'était pas grave, vu que ma plaie était miraculeusement guérie et qu'on ne nous avait même pas fait payer. Patrick m'a expliqué qu'en Troisième Terre les soins médicaux étaient payés par la communauté dans son ensemble. Personne n'avait besoin de prendre une assurance privée pour éviter de devoir payer des factures astronomiques, un peu comme dans certains pays d'Europe de Seconde Terre. Ce qui était plutôt bien.

On est retourné à la voiture de Patrick pour repartir vers notre destination suivante : la bibliothèque publique. La raison principale de notre venue en Troisième Terre. La première fois que j'y avais débarqué avec Gunny, j'avais appris que la base de donnée de cette même bibliothèque recelait toutes les informations possibles et imaginables concernant l'histoire de la Terre depuis le commencement des temps. Si vous avez lu mon journal n° 11,

40

vous savez de quoi je parle[1]. Les ordinateurs ne stockaient pas uniquement ce qu'on pouvait glaner dans les livres et les journaux. Les données provenaient de milliards de sources qui se recoupaient pour dresser un historique quasiment complet de la planète Terre. Ça a l'air incroyable ? Ça l'est. Et le meilleur moyen de comprendre ce qui s'était passé en Seconde Terre était encore de se rendre dans le futur afin d'examiner le passé.

– J'y crois pas ! s'est écriée Courtney alors qu'on s'arrêtait devant les escaliers de la bibliothèque. C'est exactement la même qu'en Seconde Terre !

Elle avait presque raison. C'était bien les marches menant à la bibliothèque publique de New York, sur la Cinquième Avenue, jusqu'au deux lions de pierre au sommet de l'escalier. Mais le bâtiment lui-même était plus petit et plus moderne que l'imposante bibliothèque de Seconde Terre. En 5010, fini les livres imprimés sur du papier qui occupaient tant de place. Triste, mais vrai.

En tant que professeur et bibliothécaire, Patrick avait accès aux ordinateurs de la bibliothèque. Il savait comment y chercher des informations. C'était son monde. Maintenant qu'il avait une mission à remplir, il semblait plus confiant. Il nous a fait gravir les marches pour entrer dans le grand vestibule au sol de marbre de la bibliothèque. Elle était comme dans mes souvenirs, avec plusieurs rangées de chaises où des gens lisaient ce qui s'affichait sur les écrans. Un couloir s'enfonçait dans les profondeurs du bâtiment jusqu'à la salle des ordinateurs. Il n'y avait qu'une seule différence par rapport à mon dernier passage – un détail, mais assez dérangeant.

Courtney fut la première à le remarquer.

– Où est-il ?

– Quoi ? ai-je demandé.

– Le livre. La vitrine. Tu as dit qu'elle était là, dans le vestibule.

Elle avait raison. Un unique livre à l'ancienne était exposé dans l'entrée, une relique du passé mise sous verre pour l'éducation de

---

1. Voir Pendragon n° 3 : *La guerre qui n'existait pas.*

tous. C'était *Le Chat chapeauté* par le Dr Seuss. Sauf qu'il n'était plus là. Je suis allé me tenir là où il s'était trouvé et ai regardé autour de moi.

– Est-ce qu'ils ont déplacé la vitrine ? ai-je demandé à Patrick.

– Non, a-t-il répondu d'un air lugubre. Elle était encore là hier.

– Oui, a ajouté Courtney. Avant que tout ne soit modifié.

– Ça ne veut peut-être rien dire, ai-je suggéré, plein d'espoir.

– Ou ça peut signifier que tous les changements ne sont pas pour le mieux, a ajouté Courtney.

On est restés plantés là, tous les trois, essayant de ne pas trop imaginer à quel point ce monde pourrait s'avérer différent une fois qu'on aurait commencé à creuser la question.

– Allez, on y va, a dit Patrick avant de s'éloigner à grandes enjambées dans le couloir.

On lui a emboîté le pas. La plupart des portes étaient fermées, ce qui voulait dire que les autres professeurs utilisaient les ordinateurs. La dernière était ouverte. Parfait ! Je ne pouvais plus attendre. La salle ressemblait à celle que j'avais vue lors de mon précédent voyage. Six chaises noires étaient disposées autour d'une plate-forme argentée.

– Par quoi veux-tu commencer ? a demandé Patrick.

– Par ce qu'on sait déjà, ai-je répondu. Voyons ce que l'histoire a retenu de Mark Dimond.

Patrick a acquiescé et s'est assis sur une des chaises. Courtney et moi avons fait de même. Sur l'accoudoir du siège de Patrick, il y avait un bouton blanc luisant. Il a appuyé dessus et dit à voix haute :

– Ordinateur, nouvelle recherche.

Une voix provenant de l'écran lui a répondu. Ce n'était pas celle, féminine et agréable, dont je me souvenais de la dernière fois. C'était celle de Mark. J'ai vu Patrick sursauter.

– Veuillez vous identifier, a dit la voix.

Patrick a froncé les sourcils.

– D'habitude, on ne me demande pas mon code, a-t-il grommelé, surpris, avant de se reprendre et d'énoncer le plus clairement possible : Patrick Mac. Code d'accès trois, dix-sept, quatre-vingt-dix.

– Bienvenue, Patrick, a repris la voix. Que puis-je pour vous ?

Courtney s'est penchée pour me murmurer à l'oreille :

– C'est formidable !

Patrick s'est éclairci la gorge avant de reprendre :

– Dimond, Mark.

Il m'a regardé et a demandé :

– Où est-il né ?

– Stony Brook, Connecticut, a répondu Courtney.

Patrick a appuyé à nouveau sur le bouton avant de répéter :

– Né à Stony Brook, Connecticut. Vers la fin du XXe siècle.

Droit devant nous, sur la plate-forme, une image est apparue. Je savais que ce n'était qu'un hologramme, mais il m'a tout de même pris par surprise.

– Mark ! s'est écriée Courtney.

J'ai cru qu'elle allait se mettre à pleurer. Et j'en aurais bien fait autant. Ce qu'on avait sous les yeux était une image tridimensionnelle de Mark en personne. Il devait avoir une dizaine d'années et portait la blouse et la casquette qu'on avait tous lorsqu'on avait reçu notre diplôme de l'école primaire de Glenville. Ça faisait mal de voir mon meilleur ami de si près, même en photo. Ça me rappelait à quel point il me manquait, lui et mon ancienne vie.

– Ordinateur, a déclaré Patrick, dernière information majeure concernant Dimond, Mark.

Deux autres personnes ont fait leur apparition derrière Mark. Courtney a émis un hoquet de surprise. C'était ses parents.

– L'histoire de Mark Dimond se termine à l'âge de dix-huit ans, a commenté l'ordinateur. L'ultime entrée concerne la mort de ses deux parents, tués dans un accident d'avion.

– Quand est-il mort ? a demandé Patrick.

– Information non répertoriée, a répondu l'ordinateur.

– Spéculation ? a insisté Patrick en appuyant sur le bouton.

– Suicide.

Ce mot m'a secoué. Je n'avais jamais seulement envisagé la possibilité que Mark ait pu commettre l'irréparable. Je me suis tourné vers Courtney.

– Pas question, a-t-elle déclaré. C'est faux. Cet ordinateur est stupide. Pose-lui une autre question.

– Spéculations additionnelles ? a demandé Patrick.

– Possibilité de fuite avec un pair, a répondu la voix robotique.

– Quoi ? s'est écriée Courtney, surprise. C'est quoi, un « pair » ?

– Nom de ce pair, a repris Patrick.

Je connaissais déjà la réponse. L'hologramme représentant les Dimond disparut, et à leur place vint la photo d'une jeune fille revêtue de l'uniforme du lycée Davis Gregory. Elle s'appuyait sur son bâton de hockey d'un air crâneur.

– Oh, a fait Courtney.

– Chetwynde, Courtney, a annoncé l'ordinateur. Disparue, vue pour la dernière fois par ses propres parents le jour même où Mark Dimond a disparu.

Patrick et moi en sommes restés sans voix. Que pouvait-on répondre à ça ? Courtney a fixé l'image comme si elle voyait son propre fantôme.

– C'est le jour où on est venus ici, a-t-elle dit d'une voix rauque. Il y a quelques heures à peine.

– Il y a trois mille ans, tu veux dire, a corrigé Patrick.

– Ça va ? ai-je demandé.

Courtney a avalé sa salive sans détacher les yeux de sa propre image.

– Ça va du tonnerre, a-t-elle répondu. Non, mais regarde-moi ça ! Cette photo est super !

Elle faisait comme si, mais sa voix s'est brisée. Elle était secouée. Je suppose qu'elle venait de réaliser ce qu'elle avait vraiment fait en partant de chez elle. Quelques heures plus tôt, elle se trouvait devant sa table de cuisine et écrivait un mot d'adieu à ses parents. Du moins, selon notre propre horloge. En Troisième Terre, elle était portée disparue depuis trois mille ans. Cette prise de conscience avait largement de quoi secouer quelqu'un. Même Courtney.

– Continue, a-t-elle ordonné.

Patrick a appuyé sur le bouton :

– Ordinateur, efface et lance une nouvelle recherche.

L'image de Courtney a disparu. Celle de Mark est revenue.

– Ordinateur, retour à zéro ! a insisté Patrick, irrité.

– Contradiction, a répondu la voix robotique.

J'ai regardé Patrick. Il a haussé les épaules.

– Explication, a-t-il demandé.

– Recherche en cours, a répondu l'ordinateur.

– Qu'est-ce que ça veut dire ? a demandé Courtney.

– Je n'ai jamais rien vu de tel. Il semblerait qu'il fasse une recherche croisée entre plusieurs entrées différentes.

– Il va planter ? ai-je demandé.

– Planter ? Qu'est-ce que ça veut dire ?

Je n'ai pas insisté. Les ordinateurs de Troisième Terre devaient être trop perfectionnés pour s'emmêler les pinceaux, contrairement à ceux de notre âge de pierre primitif.

– Contradictions dans la recherche concernant la disparition de Dimond, Mark, a fini par annoncer l'ordinateur. Entrées nombreuses et conflictuelles.

– Mais qu'est-ce qu'il raconte ? a demandé Courtney.

– Explication, a ordonné Patrick.

Une autre image a fait son apparition à côté de celle de Mark. La première le représentait avec une blouse et une casquette d'écolier. Sur la seconde, il avait l'air plus âgé. Il ressemblait davantage au Mark d'aujourd'hui – enfin, d'hier. Il était bien plus grand et devait avoir environ dix-sept ans. Mais il était habillé d'une drôle de façon, avec un pantalon, une chemise blanche amidonnée et un nœud papillon. Ses cheveux étaient courts avec une raie au milieu. Je ne l'avais jamais vu avec une telle coupe. Il portait de grosses lunettes rondes. Cette image évoquait les dados de Troisième Terre. Elle m'a fait frissonner.

– Détails, a requis Patrick.

– Personnalité importante, a répondu l'ordinateur. Dimond, Mark. Créateur de la technologie Forge.

– Forge ! a répété Courtney. C'est le nom du machin que Mark a inventé !

L'hologramme représentant Mark a pris vie. Il a plongé une main dans sa poche et en a tiré un petit objet caoutchouteux qu'il a tendu. Il a dit :

– Cube.

— Eh ben dis donc ! a marmonné Courtney en se rasseyant sur son fauteuil.

Le petit objet informe s'est tortillé pour devenir un cube parfait.

— C'est donc comme ça que ce machin fonctionne ? ai-je demandé. C'est ça, Forge ?

— Oui, a répondu Courtney, stupéfaite. Bon sang, je veux un ordinateur comme celui-là !

— Détailler Forge et Mark Dimond, a repris Patrick.

— Technologie Forge. Brevet numéro 2066313, protégé par les lois des États-Unis. Délivré au nom de Dimond, Mark. Président de la compagnie Dimond Alpha Digital Organisation.

— Dado ! a crié Courtney.

L'ordinateur a continué son laïus :

— La Dimond Alpha Digital Organisation, ainsi que sa compagnie sœur, KEM Limited, ont développé la technologie Forge, qui a servi de base à un système robotique d'avant-garde. Il a changé radicalement l'ingénierie et a créé la science informatique. Mark Dimond est considéré comme un visionnaire de génie, celui qui a fait entrer le monde dans l'ère de l'ordinateur.

— Rien que ça ! a hoqueté Courtney.

— Quand ? ai-je bafouillé. Quand tout ça est-il arrivé ?

— Ordinateur, a repris Patrick, à quand remonte le brevet de Forge ?

L'image du jeune Mark a disparu pour laisser la place à son incarnation plus tardive, brandissant son invention. Celle d'Andy. Celle de Saint Dane. L'ordinateur a répondu :

— Brevet numéro 2066313 enregistré le 6 octobre 1937.

— En Première Terre, ai-je murmuré.

— C'est donc ça ! s'est écriée Courtney. Il est allé en Première Terre et y a emmené Forge. Il a changé le cours de l'histoire en introduisant un ordinateur rudimentaire bien avant l'apparition de la science informatique. Non, correction : ce truc n'avait rien de rudimentaire. Il était très perfectionné, même selon les critères de Seconde Terre. Grâce à lui, la technologie informatique a fait un grand bond en avant. Il l'a fait progresser de, mettons, soixante ans d'un coup. Voilà pourquoi la Troisième Terre a changé. Pourquoi ces robots sont partout. En emmenant Forge dans le passé, Mark a changé l'avenir !

J'aurais voulu pouvoir dire que j'étais étonné, mais en fait c'était précisément ce que je redoutais. En mélangeant les territoires, Mark avait changé le cours naturel du destin de Halla. Je n'ai rien dit. Mon esprit explorait toutes les possibilités.

– Qu'y a-t-il ? a demandé Courtney, impatiente. C'est exactement ce qu'on avait prévu.

– Oui, ai-je répondu, mais ça ne résout pas la question numéro un.

– Laquelle ? a demandé Patrick.

– Ça ne nous dit pas *pourquoi* il a fait ça. Pourtant, il savait que c'était mal. Comment Saint Dane a-t-il pu l'influencer ?

On est restés là tous les trois, à regarder nos pieds. Aucun d'entre nous ne pouvait répondre à cette question, et l'ordinateur n'en savait probablement pas davantage. Néanmoins, je devais essayer. Je me suis levé, me suis dirigé vers le siège de Patrick et ai appuyé moi-même sur le bouton blanc.

– Ordinateur ! ai-je demandé. Quelles sont ces contradictions ?

– Il n'y a pas de trace de Dimond, Mark avant le dépôt de son brevet pour la technologie Forge en octobre 1937.

– C'est logique, a ajouté Courtney, puisqu'il venait du futur.

– Il n'y a aucune trace de Dimond, Mark, a continué l'ordinateur, avant l'annonce du partenariat entre Dimond Alpha Digital Organisation et KEM Limited en novembre 1937.

– Qu'est-ce que ça veut dire ? a demandé Patrick. Mark Dimond a disparu deux fois ?

L'image a disparu. On a attendu, en vain. L'ordinateur n'a rien ajouté. On est restés silencieux le temps de digérer ce qu'on venait d'apprendre.

– Alors que lui est-il arrivé en Première Terre ? a demandé Patrick sans s'adresser à qui que ce soit en particulier.

– On a obtenu ce pour quoi on est venus ici, ai-je déclaré. Patrick, continue tes recherches.

– Pour trouver quoi ?

– Tout ce qui pourrait nous donner une idée de ce qui est arrivé à Mark en Première Terre.

– Et toi, que vas-tu faire ?

Je me suis tourné vers Courtney.

– On va le chercher *lui*.

Courtney m'a regardé droit dans les yeux et a demandé :

– On n'est pas sur le bon territoire ?

– Non, en effet.

Journal n° 28
(suite)

TROISIÈME TERRE

Patrick nous a ramenés à la cité souterraine du Bronx. En cours de route, on a pris des trucs à grignoter. S'il y a une chose que j'ai appris durant mes voyages dans le temps et l'espace, c'est de ne jamais rater une occasion de manger un morceau. Impossible de savoir quand vous aurez la possibilité de vous restaurer... Ou si vous n'allez pas vous retrouver sur un territoire où la nourriture a un goût de semelle. Un restaurant souterrain nous a servi des plats à emporter. Des cheeseburgers, des frites et des sodas. Quelle que soit l'époque, certaines choses ne changent jamais. Tout en mangeant, j'ai pris le temps de raconter à Patrick ce qui m'était arrivé depuis notre dernière rencontre. Les victoires comme les défaites. Les territoires remis sur le bon chemin et ceux où tout semblait perdu. Gunny et Spader pris au piège sur Eelong, les Voyageurs tombés au champ d'honneur et cette alliance inattendue entre Nevva Winter, la Voyageuse de Quillan, et Saint Dane. Je lui ai aussi parlé de cette mystérieuse Convergence qui, d'après Saint Dane, était proche. Je lui ai résumé tout ça rapidement et de façon succincte. Ainsi présentée, toute cette histoire semblait bien improbable.

Cela m'a coupé l'appétit, aussi. Au temps pour mon cheeseburger.

— KEM Limited, ai-je dit. Ça, c'est important. Mark ne pouvait pas développer seul son invention. Il a dû se faire aider.

— Donc, a repris Courtney, si on trouve cette compagnie, on trouve Mark.

J'ai vite fait le tour des possibilités qui se présentaient.

— Bobby ? a insisté Courtney. À quoi tu penses ?

— Le moment de vérité de la Première Terre est passé, ai-je dit. Saint Dane a tenté de me manipuler pour que je sauve le *Hindenbourg*. Je ne l'ai pas fait, et l'histoire a suivi son cours normal[1].

— Oui, on sait. Et alors ?

— Quand on entrera dans ce flume et qu'on demandera la Première Terre, où va-t-il nous envoyer ? Ou plutôt *quand* ? Et si on débarque trop tard pour arrêter Mark ? Ou trop tôt ? On risque de tourner en rond.

Patrick m'a jeté un regard noir. Courtney a réfléchi un instant et fini par dire :

— Dans tes journaux, tu as dit mille fois que les flumes envoient toujours les Voyageurs au bon endroit et au bon moment. Et c'est clair que si on se rend en Première Terre, c'est pour retrouver Mark.

— Oui, ai-je répondu en fronçant les sourcils. C'est bien ce qui me fait encore plus peur.

— Pourquoi ? a-t-elle demandé.

— Si le flume nous renvoie dans le passé pour le modifier, est-ce que ça signifie que la Première Terre va connaître un autre moment de vérité ? Ou que *tous* les territoires peuvent en avoir plusieurs ? Est-ce que les Voyageurs qui sont venus avant nous ont pourchassé Saint Dane encore et encore d'un territoire à l'autre, d'un moment de vérité à l'autre ? Est-ce qu'on va devoir en faire autant ? Cette bataille est-elle vouée à durer éternellement ?

Courtney avait réponse à tout, mais pas cette fois. Elle s'est contentée de me regarder fixement. Patrick, lui, gardait les yeux sur la route. Je savais ce qu'ils avaient en tête, tous les deux. Je pouvais le ramener à une seule question :

— À quoi bon ?

— Arrête, a rétorqué Courtney. L'important, c'est de sauver Mark. Point barre. On peut toujours devenir dingues à force d'envisager les implications cosmiques de ce qui nous arrive, mais on ne sera pas plus avancés. Ce n'est qu'une perte de temps.

---

1. Voir Pendragon n° 3 : *La guerre qui n'existait pas.*

— Et si tout ce que nous faisions était une immense perte de temps ? ai-je demandé. Est-ce qu'on risque nos vies pour retarder l'inévitable ? Si on ne peut pas détruire Saint Dane et si lui peut revenir en arrière pour déstabiliser des territoires qu'on a déjà sauvés, tout ça ne finira jamais. Ou alors si : le jour où il remportera la victoire.

Courtney m'a pris par l'épaule et m'a fait pivoter jusqu'à ce qu'on se retrouve nez à nez.

— Je n'y crois pas, a-t-elle dit avec passion. Et toi non plus. Tout ce que tu fais, c'est t'apitoyer sur toi-même. On a fait trop de chemin, on en a trop vu pour s'arrêter maintenant.

Elle avait raison, bien sûr. On n'avait pas le choix. Le combat était loin d'être terminé. Mais je commençais à perdre courage. L'avenir serait-il une lutte sans fin où Saint Dane traverserait le temps pour changer à sa guise le cours des événements et chambouler les territoires, créant de nouveaux moments de vérité jusqu'à ce que Halla finisse par céder ?

— Tu es avec moi, Bobby ? a demandé Courtney.

— Tu le sais bien.

Je n'avais pas le cœur de lui faire part de mes doutes.

Patrick nous a déposés devant le kiosque vert du Bronx qui nous mènerait à la ville souterraine et au flume. Il s'est tourné vers Courtney :

— Ça fait peu de temps que je te connais, mais je comprends pourquoi Pendragon veut t'avoir à ses côtés.

— J'aurais dû l'accompagner depuis le début, a-t-elle dit, ce qui était du Courtney pur jus. Ne t'en fais pas, on va tout arranger.

Patrick s'est adressé à moi :

— Si je trouve quoi que ce soit à propos de Mark Dimond, j'enverrai un mot à ton Acolyte.

Courtney a tendu le doigt auquel était passé son anneau de Voyageur.

— C'est-à-dire moi !

Puis il y eut un silence gêné. Personne ne savait comment se dire adieu. C'est Patrick qui a mis la situation en perspective :

— C'est déjà commencé, a-t-il dit. Quoi que puisse être cette Convergence, on dirait que Saint Dane assemble les pièces en orchestrant les événements ici, sur Terre.

– Il assemble les pièces ? a répété Courtney. Ou il les brise en mille morceaux ?

– Il y a longtemps, ai-je ajouté, Saint Dane m'a dit qu'il n'avait qu'à faire tomber un territoire pour que les autres suivent comme des dominos. Pour lui, le premier était Denduron. Il se trompait. Maintenant que les territoires se mélangent et que l'histoire se modifie, j'ai l'impression que les dominos se mettent en place.

On a échangé des regards sombres. Courtney a rompu la tension en déclarant :

– Le combat est loin d'être terminé.

On a fait nos adieux, puis on s'est dirigés vers le flume, Courtney et moi. Après avoir vérifié que personne ne nous regardait, on s'est empressés de descendre sur les rails pour courir vers l'étoile indiquant la porte. Notre minutage était parfait : on l'a atteinte au moment même où les lumières d'une rame apparaissaient dans le lointain. J'ai appuyé sur l'étoile et la porte s'est ouverte aussitôt. Courtney et moi avons plongé à l'intérieur et refermé le panneau bien avant que la rame ne passe. On est restés là, à regarder l'embouchure du flume.

– On ne devrait pas remettre nos fringues de Seconde Terre ? a suggéré Courtney.

– Non, puisqu'il faudra encore qu'on se change une fois arrivés.

Courtney a acquiescé.

– Hé, le quig a disparu ! s'est-elle exclamée.

En effet, le chien monstrueux qu'elle avait abattu n'était plus allongé dans le passage. Je n'ai pas voulu en tirer de conclusions. J'étais juste content de ne pas devoir affronter à nouveau cette créature infernale.

Courtney a tiré l'arme argentée de sa poche.

– Je devrais laisser cet appareil ici. Il n'a rien à faire en Première Terre.

J'ai regardé le cylindre. Il n'était pas non plus à sa place en Seconde ou Troisième Terre. Cette arme avait été développée sur Quillan.

– Emmène-le, ai-je fini par dire. J'en ai marre de jouer selon les règles.

– Tu es sûr ? a demandé Courtney.

— Non, mais si la Première Terre est à nouveau en jeu, on peut y tomber sur des quigs. Si tu en vois un, tire-lui dessus.

Courtney a acquiescé et glissé le cylindre dans sa poche. Puis elle m'a pris la main.

— Je ne sais pas si on a raison, mais on n'a pas vraiment le choix.

On s'est engagés dans l'embouchure du flume.

— *Première Terre !* ai-je crié.

Le couloir de pierre s'est mis à vibrer. Loin dans ses profondeurs, une lumière est apparue, une lumière qui est vite devenue éblouissante. Les parois sombres sont devenues transparentes comme du cristal, révélant les étoiles qui brillaient de l'autre côté. L'amas de notes musicales est devenu de plus en plus sonore. Je me suis senti attiré par l'énergie qui allait nous propulser dans le vide… Et la seconde suivante, on était partis.

On ne s'est pas dit grand-chose en cours de route. J'imagine qu'on avait conclu tous les deux qu'il valait mieux attendre de débarquer à l'autre bout plutôt que se demander ce qu'on pourrait bien y trouver. Mais cela ne m'a pas empêché de gamberger. Et de m'en faire pour Mark. Comment Saint Dane avait-il pu le convaincre de changer le cours de l'histoire ? Que s'était-il passé ? D'après l'ordinateur, on l'avait vu pour la dernière fois en novembre 1937. Qu'était-il devenu ensuite ? Était-il parti pour un autre territoire ? Pourvu qu'on arrive à temps pour l'empêcher de présenter son invention. Et surtout, pourvu qu'on ne se retrouve pas face à un nouveau moment de vérité en Première Terre.

J'ai évité de regarder le champ d'étoiles. Je savais ce que j'y verrais. Au-delà des parois transparentes du flume défilaient des images provenant des multiples territoires. À chaque voyage, d'autres images aléatoires semblaient apparaître, flottant dans cet océan céleste. Ce ciel était de plus en plus peuplé. Je ne savais pas si ces images étaient l'expression de la vérité ou s'il s'agissait d'esprits ou de symboles, mais la raison de leur présence était claire. Les parois entre les territoires étaient sur le point de s'effondrer. Ce que j'étais chargé d'empêcher. Il faut croire que je m'en tirais plutôt mal.

Le voyage n'a duré que quelques minutes. Les notes musicales sont devenues plus bruyantes et plus frénétiques. Peu après, on s'est retrouvés sur nos pieds dans la caverne rocheuse. C'était la même qu'en Seconde ou Troisième Terre. La différence, c'était ce qui se trouvait derrière la porte.

J'ai l'immense joie de vous dire qu'il n'y avait pas de quigs pour nous écharper.

— Là ! ai-je dit en désignant une pile de vêtements soigneusement rangés près de l'embouchure du flume.

C'était les mêmes qu'à ma dernière venue, dûment nettoyés et pliés. Une chemise blanche amidonnée, un léger pantalon gris assorti d'une veste d'un gris plus sombre et des chaussures de cuir. Il y avait même un de ces caleçons longs de grand-père auxquels j'avais fini par m'habituer.

— Jamais ! s'est écriée Courtney, dégoûtée. Pas question de mettre ça !

Elle a ramassé une jolie robe à petites fleurs bleues, sans doute à la mode en 1937, et aussi une énorme culotte blanche si haute que l'élastique devait bien monter jusqu'à ses aisselles.

— Et ça, c'est quoi ? a-t-elle ajouté en brandissant un soutien-gorge blanc qui ressemblait à deux obus maintenus par une grande lanière. C'est une blague ?

— Garde tes propres sous-vêtements, ai-je dit en riant. Je doute que quelqu'un voie ton soutien-gorge de sport.

Elle m'a jeté un regard torve.

— Comment tu sais que je porte un soutien-gorge de sport ?

— Simple déduction, me suis-je empressé de répondre. Mais il faut que tu mettes la robe.

Je me suis déshabillé de l'autre côté de la caverne pour éviter une situation gênante. Maintenant que j'avais grandi de quelques centimètres et pris quelques kilos de muscle, je craignais que ces vêtements soient trop petits. Et pourtant non. Bizarre. Pourtant, on aurait bien dit les habits que j'avais mis quelques années plus tôt, sauf qu'ils n'étaient plus de la même taille. Mais il valait peut-être mieux que je cesse de me torturer avec des détails et que je me contente de suivre le mouvement.

— J'ai horreur des robes, a râlé Courtney depuis l'autre côté de la caverne.

Peut-être, mais ce n'était pas réciproque. Elle était superbe. Contrairement aux vêtements de Troisième Terre, ceux-ci lui allaient à ravir. Le haut était à sa taille, le bas s'évasait en une jupe qui s'arrêtait juste en dessous des genoux. Les fleurs bleues resplendissaient comme au printemps. Les manches étaient courtes, et elle n'avait pas boutonné les premiers boutons. Elle avait même chaussé une paire de mocassins de cuir qui avaient l'air pratiques, à défaut d'être confortables.

– On s'habillait vraiment comme ça en ce temps-là ? a-t-elle dit d'un air écœuré. Ça a l'air si… bizarre.

– Allons, tu es magnifique ! ai-je fait, enjôleur. Tu as vraiment l'air d'une fille.

– Oh, arrête, a-t-elle râlé. Pourquoi est-ce que tu as droit aux fringues les plus confortables, alors que moi, j'ai l'air d'une institutrice super ringarde ?

– Je doute que les gens emploient le terme « super ringarde » en 1937, ai-je plaisanté.

– Eh bien, ils ont tort, parce que c'est à ça que je ressemble !

– Non, Courtney, je ne me moquais pas de toi. Tu es superbe. Mais si cette robe te fait horreur à ce point-là, on pourra te trouver autre chose une fois que…

Un grincement m'a fait m'interrompre à mi-phrase. Je connaissais ce bruit. Le flume s'animait à nouveau.

On s'est tournés simultanément vers le tunnel, Courtney et moi. Quelqu'un arrivait. On s'est blottis l'un contre l'autre.

– Tu as une idée de qui ça peut être ? a demandé Courtney.

– Pas la moindre.

La lumière a illuminé les parois rocheuses de la caverne.

– On devrait peut-être ficher le camp d'ici, a-t-elle suggéré nerveusement.

– Et si c'est un ami ? Ou Mark ?

– Et si c'est quelqu'un d'autre ? a-t-elle contré.

La musique a empli la pièce. Ce n'était pas vraiment un air, juste les notes mélodiques qui, à chaque fois, accompagnaient les Voyageurs dans le flume. Courtney s'est baissée lentement pour ramasser son pantalon de Troisième Terre. J'ai cru qu'elle allait le remettre, mais elle s'est contentée de récupérer l'arme de Quillan restée dans sa poche.

La lumière est devenue si intense que j'ai dû me protéger les yeux. En plissant les paupières, j'ai vu une forme sombre apparaître à l'embouchure du flume. Impossible de l'identifier. L'ombre a fait un pas en avant. La lumière n'a pas diminué.

— Ça ne me dit rien qui vaille, a murmuré Courtney. Quand la lumière reste aussi forte, c'est toujours…

— Tiens, vous voilà ! a fait une voix sarcastique. Quelle surprise !

— Oh, misère ! ai-je hoqueté.

C'était Andy Mitchell. Alias Saint Dane.

Il est resté planté là devant l'entrée du flume, les mains sur les hanches. Il a reniflé et craché par terre comme s'il jouait toujours son rôle de brute épaisse de Seconde Terre.

— C'est bon de vous revoir à nouveau ensemble, a-t-il repris. Et Chetwynde ! En robe ! Alors là, on ne voit pas ça tous les jours !

— Saint Dane, où est Mark ? ai-je demandé.

— À mon avis, il mène la grande vie. C'est une grosse légume maintenant, Pendragon. Pour un minable comme lui, c'est comme s'il vivait un rêve. Tout le monde le prend pour un génie. Et ce qu'il a créé, alors là ! Une pure merveille !

Mitchell a éclaté de rire. Ça m'a donné la chair de poule. Je l'aurais volontiers étranglé de mes mains nues. J'ai fait un pas vers lui. Il a fait un pas en arrière. La lumière provenant du tunnel l'a baigné entièrement. Mais il n'est pas reparti. Il s'est transformé. Lorsqu'il s'est avancé à nouveau, je me suis figé sur place. Il avait repris sa forme habituelle, avec ce costume noir que je ne connaissais que trop. Son crâne chauve était strié par ces cicatrices écarlates semblables à des éclairs. Il avait repris sa taille habituelle, presque deux mètres. Mais ce qui m'a le plus frappé, c'étaient ses yeux. Toujours ses yeux. Ils brillaient d'un feu intérieur plus intense encore que la lumière qui le baignait. Quand il a pris la parole, ce n'est pas la voix d'Andy Mitchell qui est sorti de sa bouche, mais le grondement sourd de Saint Dane.

— Tout ce qui s'est passé jusqu'à présent, tout ce que tu as vu était planifié. Quelle est cette phrase que vous autres aimez tant ?

Ah, oui : « C'était écrit. » Eh bien, mes amis, c'est le cas. La Convergence est pour bientôt.

Courtney s'est approchée et a crié :

– Où est Mark ?

– Quelle importance ? a répondu Saint Dane. Vous ne pouvez défaire ce qu'il a fait. Mais ce sera certainement distrayant de vous regarder essayer.

Il a fait un pas vers le flume. Mais je ne voulais pas le laisser partir comme ça. Pas sans lui avoir arraché un indice nous permettant de déduire où se trouvait Mark.

– Un instant ! ai-je crié. Il faut qu'on parle. De ce que vous m'avez dit sur Quillan.

– J'en ai assez de vouloir te faire entendre raison, Pendragon, a-t-il raillé. Il est temps que ce voyage se termine. Les dernières pièces du puzzle m'attendent sur Ibara.

Il a fait un autre pas vers le couloir. La lumière l'a enveloppé.

– Non ! Attendez ! ai-je crié.

– Tu devrais envisager de partir maintenant, avant qu'il ne soit trop tard, a-t-il répondu.

La lumière a jailli en un dernier éclair avant de refluer à l'intérieur du couloir, emportant Saint Dane avec elle. En quelques secondes, tout était terminé. Le tunnel était redevenu sombre et un étrange silence était retombé.

– Que voulait-il dire par là ? a demandé Courtney.

– Qui sait ? Il aime parler par énigmes.

– Ce n'était pas une énigme, a rétorqué Courtney. Il a dit qu'on ferait mieux de partir avant qu'il ne soit trop tard. Pour moi, on ne fait pas plus limpide.

Un bruit s'est élevé du couloir. Un bruit issu de la réalité, pas un des sons du flume.

– Il y a quelqu'un là-dedans, a hoqueté Courtney.

Elle s'est cramponnée à mon bras. Les bruits se sont rapprochés. Qui que ce soit, ils étaient plusieurs.

– Hé ho ? ai-je crié.

Pas de réponse. Les pas étaient réguliers, comme ceux d'une armée en marche. Il était facile de reconnaître le bruit du cuir dur sur la pierre. Même celle du flume.

– J'aime pas ça, a dit Courtney en se reculant vers la porte. Filons d'ici.

– Non, ai-je répondu. Il faut qu'on sache.

Les pas ne cessaient de se rapprocher. Qui était-ce ? Quelqu'un de Première Terre avait-il découvert le flume et décidé de faire un peu de spéléologie ? Je me suis souvent demandé ce qui se passerait si un quidam s'aventurait dans ses profondeurs. Se prolongeait-il à l'infini ? J'ai commencé à distinguer des silhouettes dans l'obscurité impénétrable. Combien étaient-ils ? Trois ? Six ? Ils formaient un groupe serré marchant d'un pas décidé vers l'embouchure du flume. C'est-à-dire vers nous.

– Bobby ? a dit Courtney d'un ton nerveux. J'aime pas ça du tout !

Moi non plus, mais je devais en avoir le cœur net. Les marcheurs n'étaient plus qu'à quelques mètres de l'entrée. Je les ai enfin aperçus. C'était bien des hommes. Grands, avec des traits angu-leux. Je connaissais ces types. Mais je ne les appréciais pas pour autant.

– Des dados ! ai-je hoqueté. De Quillan !

On s'est éloignés de l'embouchure du flume tandis que les dados continuaient d'avancer posément.

Droit sur nous.

Journal n° 28
(suite)

PREMIÈRE TERRE

C'était des dados de sécurité de Quillan. Pas d'erreur possible. Je les connaissais trop bien. Ils avaient cette dégaine à la Frankenstein qui les faisait paraître humains, et pourtant... non. Chacun était armé d'un petit pistolet doré dans un holster fixé à sa ceinture. Ce qui m'a surpris, c'est qu'ils ne portaient pas leurs uniformes verts. Leurs vêtements étaient sales et déchirés comme s'ils avaient traversé un champ de bataille. On aurait dit des zombies tout droit sortis de *La Nuit des morts-vivants*. Bonjour l'angoisse. Et une chose était sûre : ils n'avaient rien d'amical.

– Barre-toi d'ici ! ai-je crié.

Courtney a fait un pas vers la porte, mais s'est arrêtée en voyant que je ne la suivais pas.

– Allez, viens !

– Je te rattrape. Fais attention aux rames !

– Bobby ! a-t-elle supplié. Je ne t'abandonnerai pas !

– Il faut que quelqu'un aille retrouver Mark. Vas-y !

Courtney a hésité. Je savais qu'elle ne voulait pas partir, mais il fallait que l'un d'entre nous sorte de ce tunnel. Et elle en était consciente. C'est pour ça qu'elle a couru vers la porte. Elle l'a ouverte en grand, m'a jeté un dernier regard, puis s'est enfuie.

Je ne savais pas ce que cherchaient ces brutes, mais ça n'annonçait rien de bon. Leur présence en Première Terre était alarmante en soi. Je ne pouvais pas les laisser s'aventurer au-delà de cette caverne. L'ennui, c'est qu'ils étaient nombreux et pas moi. Je n'avais qu'une seule chance et je l'ai saisie :

– *Quillan* ! ai-je crié.

Le flume s'est animé. Mon but était de les renvoyer d'où ils venaient. Les dados se sont arrêtés et ont regardé le couloir d'un air surpris. On aurait dit des chiens désorientés par un bruit inconnu. Leur curiosité leur a coûté cher. La lumière a jailli et les a enveloppés. Je ne sais pas combien ils étaient, mais ils ont été aspirés et renvoyés sur Quillan. Mon idée avait fonctionné. J'ai laissé échapper un soupir de soulagement...

Un peu prématuré. L'un d'entre eux a dû comprendre ce qui se passait. Avant que le flume ne puisse l'emporter, il a bondi en avant pour jaillir dans la caverne. Mais je l'attendais de pied ferme. Je me suis crispé, pensant qu'il allait me sauter dessus, mais non : il m'a dépassé en courant et a foncé vers la porte donnant sur le couloir de métro. Ce n'était pas moi qu'il visait. Un instant, une idée particulièrement dérangeante m'a traversé l'esprit. Ils n'étaient pas là pour Courtney ou moi – mais pour envahir la Première Terre !

Il fallait que je passe à l'attaque. Ce n'était pas dans mes habitudes, et je ne savais même pas comment faire. Loor m'avait appris à me défendre, pas à être moi-même l'assaillant. L'essentiel de son enseignement consistait à attendre que l'autre fasse une erreur. Mais je n'allais pas laisser partir le dado en attendant qu'il daigne s'en prendre à moi. Ç'aurait été stupide.

Alors que les lumières du flume emplissaient la caverne, j'ai pivoté sur moi-même et bondi sur le robot. J'ai attrapé ses chevilles pour le plaquer au sol. Il s'est étalé, son épaule heurtant la paroi rocheuse près de la porte de bois. Sans douceur. L'impact a en tout cas été assez violent pour arracher un morceau de pierre. Mais le robot n'a même pas gémi. *Zut*. Les robots ne ressentent pas la douleur, ce qui veut dire qu'ils ne connaissent pas non plus la peur. Comme je ne savais pas quoi faire d'autre, je me suis cramponné à ses jambes. Ses vêtements se sont désagrégés sous mes doigts comme si le tissu lui-même était pourri. Bizarre. Mais j'ai tenu bon ; j'ai pu sentir la force de ses jambes mécaniques. Son avantage, c'est qu'il était une machine et pas moi. Ma seule chance était de le ramener vers le flume et de nous envoyer loin d'ici tous les deux. Je ne pouvais pas espérer vaincre cette brute mécanique. Pas sans arme.

Une arme ! J'ai cherché à tirer son propre pistolet de son holster. Mauvaise idée. Ses jambes se sont libérées et il m'a donné un coup de genou en pleine tête. Je suis retombé en arrière, sonné. J'ai vu trente-six chandelles. J'ai dû m'empresser de reprendre mes esprits. Pas question de laisser cette créature se balader librement en Première Terre. Je me suis relevé pour m'apercevoir que je lui avais donné une idée : il dégainait son pistolet. *Aïe.* J'ai regardé autour de moi. Dans le flume, la lumière refluait déjà. J'avais raté le coche. Pouvais-je le réactiver rapidement ? Non : Terminator ici présent m'aurait tiré dessus avant. Tout ce que je pouvais faire, c'est attaquer encore une fois.

Je me suis jeté sur le robot et l'ai heurté au moment où il ouvrait le feu... *Foum !* Le dado est tombé en arrière alors que sa décharge frappait le mur, envoyant des éclats dans toutes les directions. Mon adversaire est tombé sur le dos et moi sur sa poitrine. Un bref instant, nos regards se sont croisés, et j'ai plongé dans ses yeux mécaniques sans vie. *Ugh.*

Ce moment n'a pas duré. Le robot m'a repoussé comme si je n'étais qu'une poupée de chiffon. Cette fois, j'étais à court d'idées. Quoique, je n'en avais pas des masses au départ. J'ai heurté le sol et roulé sur moi-même jusqu'à l'embouchure du flume.

– *Quillan !* ai-je crié à nouveau.

Le flume s'est ranimé. C'était tout ce à quoi j'ai pu penser, même si j'ignorais toujours comment attirer le dado dans le tunnel. Alors que la lumière commençait à emplir la caverne, je me suis retourné. Le dado s'est relevé et m'a fait face. Un vrai duel de western. Sauf que le dado avait l'avantage : lui était armé. Tout ce que je pouvais faire, c'était entrer dans le flume et filer d'ici. Le dado a levé son pistolet pour le braquer sur moi. Instinctivement, j'ai fait un pas en arrière, puis je me suis arrêté. Je ne pouvais pas m'enfuir. Je devais le laisser me tirer dessus comme un lapin. Au moins, quand je reprendrais conscience, je serais toujours en Première Terre et trouverais bien un moyen de lui courir après. Je n'avais pas d'alternative. Je me suis crispé, prêt à me manger une bonne secousse.

Le dado n'a pas tiré. Il s'est contenté de me tenir en joue tout en reculant vers la porte. Il se moquait pas mal de moi. Je n'étais qu'un gêneur. Tout ce qu'il voulait, c'était accéder à la Première Terre. Je ne pouvais rien faire pour l'en empêcher, et il le savait. Sans me quitter des yeux, il a tendu la main vers la porte du flume. D'un geste vif, il a remis son pistolet dans son holster, ouvert le panneau et a sauté dans le tunnel...

Au moment où un métro arrivait à toute allure.

Le dado a percuté la rame. Ou la rame a percuté le dado. Peu importe. L'essentiel, c'est que le robot a fini sous les roues de la locomotive. Le conducteur a actionné le frein. Ça avait dû lui faire un choc de voir un inconnu jaillir de nulle part juste devant lui. Un horrible grincement a empli le tunnel, si aigu que j'ai eu l'impression qu'il me vrillait le cerveau. Il y a eu un grondement et un bruit de métal torturé. Je me suis précipité vers la porte juste à temps pour voir la rame dérailler... Si elle était remplie de passagers, ce serait la catastrophe !

Dans un fracas de tonnerre, la rame a tressauté, manquant de peu de se renverser. Je ne pouvais rien faire, sinon regarder. Ça m'a rappelé la catastrophe du *Hindenburg*. Ce crash resterait-il lui aussi dans l'histoire ? Était-ce ma faute ? Ma présence en Première Terre allait-elle provoquer une nouvelle tragédie ?

J'ai vu les roues se soulever. J'ai retenu mon souffle. Les freins continuaient de crisser. Puis les roues sont retombées lentement sur les rails. La rame ne s'était pas renversée. Elle ralentissait. Personne n'allait mourir. Le train s'est arrêté. Le métro serait bloqué pendant Dieu sait combien de temps, mais pas de désastre en vue.

Il fallait que je reprenne mes esprits, et vite. Que devais-je faire ? Me cacher ? Reprendre le flume ? Courir après Courtney ? J'ai inspiré profondément pour me calmer. *Le dado*. Je devais me débarrasser du dado, ou ce qu'il en restait. Une odeur âcre d'huile et de liquide de frein a empli le tunnel. J'ai passé prudemment la tête par l'ouverture pour observer la scène chaotique. La rame ne comprenait que trois wagons. À quelques mètres sur ma droite, les roues de la loco avaient déraillé, sans doute en heurtant le dado. Les autres voitures étaient restées sur les rails, mais ce métro ne repartirait pas avant longtemps. Bientôt, des équipes de secours se masseraient dans le tunnel. Ils y trouveraient une épave et un mystérieux robot qui semblait venir d'une autre planète. Je ne pouvais rien faire pour la rame, mais je pouvais essayer de cacher ce qui avait provoqué l'accident.

La fumée qui emplissait le tunnel m'a piqué les yeux. Jusqu'ici, personne n'était sorti de la rame. Tout le monde devait encore être sous le choc. Ou bien ils avaient trop peur pour bouger. Ça me laissait quelques instants pour agir. Je me suis dirigé vers la locomotive aussi vite que possible sans glisser ou me cogner dans quelque chose tout en scrutant le sol à la recherche du dado. Tout d'abord, je n'ai rien vu. Et s'il s'en était tiré ? Je ne savais pas à quel point il était résistant. En tout cas, il était assez solide pour faire dérailler un train. L'était-il suffisamment pour supporter un choc pareil et s'en sortir indemne ?

J'avais fait quelques dizaines de centimètres tout au plus quand j'ai aperçu un pied. Les jambes du dado gisaient à côté des rails. Il ne bougeait pas. Il avait l'air HS. J'ai compris à quel point lorsque je l'ai saisi par les pieds pour le traîner vers le flume. Il était bien plus léger que je ne l'aurais cru. Sans doute parce qu'il n'en restait que la moitié. Oui, je sais, c'est dégoûtant. Il avait été coupé en deux au niveau de la taille. J'ai lâché les jambes, écœuré. J'ai dû prendre sur moi pour continuer. Après tout, ce n'était qu'une machine, pas un être humain. Une sorte de grille-pain légèrement amélioré.

J'ai regardé sous le moteur, cherchant la moitié supérieure. Bon, d'accord, c'était un peu moins ragoûtant qu'un grille-pain coupé en deux. J'avais l'estomac au bord des lèvres, mais je devais aller jusqu'au bout. J'entendais déjà les cris des secours, appelant les passagers pour s'assurer qu'ils n'avaient rien. Le temps pressait. J'ai d'abord pris à nouveau les jambes et les ai tirées vers la porte. En cours de route, j'ai remarqué une fois de plus que le tissu était crasseux et comme pourri. Sur Quillan, les dados de sécurité portaient des uniformes verts impeccables. Les vêtements de celui-ci étaient si usés qu'ils se désagrégeaient sous mes doigts. Je n'avais pas le temps de me demander ce que ça pouvait bien signifier.

Impossible de dire combien de temps il me restait pour balancer mon demi-pote.

J'ai porté les jambes jusqu'au portail et suis reparti chercher le reste. Ce qui n'a pas été aussi facile. Le torse n'était pas forcément plus lourd, mais j'avais davantage l'impression de déplacer un cadavre humain. J'ai agrippé les poignets et l'ai tiré, incapable de détacher mon regard de la tête qui rebondissait sur le gravier entre les rails. Je n'ai pas arrêté de me répéter que ce n'était qu'une machine. Une machine. Une machine. Un grille-pain. Une tondeuse à gazon. Un four à micro-ondes.

C'est alors que la machine m'a saisi la jambe.

J'ai piaillé comme une gamine. Il était encore en vie ! Ou quel que soit son équivalent robotique. Il a tiré sur ma jambe pour me faire tomber. J'ai empoigné le tissu pourri et lutté pour amener le reste du dado dans la caverne. Si ses jambes étaient mortes, le torse, lui, était sacrément vif. Je lui ai donné un coup de pied afin de le faire lâcher prise. Je n'avais jamais rien fait d'aussi sinistre. Finalement, de ma jambe libre, j'ai décoché un autre coup visant le bras et je suis parvenu à me dégager. Sans hésiter, j'ai couru vers le flume et crié :

– *Quillan !*

Le flume s'est animé. Je me suis retourné vers la partie supérieure du robot. Elle gisait face contre terre. Immobile. Je me suis demandé si son geste n'avait été qu'un réflexe involontaire ou s'il était encore conscient. Mais pas question de courir le moindre risque. Je me suis dirigé prudemment vers les jambes sans quitter le torse des yeux, au cas où il tenterait encore de s'emparer de moi. J'ai empoigné sa moitié inférieure et l'ai entraînée vers l'embouchure du tunnel. Il avait toujours son pistolet glissé dans son holster. J'ai pensé l'en soulager, puis me suis souvenu que ces décharges d'énergie n'avaient aucun effet sur les dados. Avec un grognement, j'ai soulevé les jambes et utilisé le poids de son derrière pour balancer le tout dans le flume. Puis je suis passé à l'autre moitié.

Malheureusement, celle-ci n'était pas tout à fait d'accord. Quand je me suis tourné, j'ai vu que le dado s'était dressé sur ses mains comme pour faire les pieds au mur. Pire encore, il courait vers moi. C'était une vision digne d'un film d'horreur. Je suis parti sur la droite, et le torse a accompagné mon geste. Pareil sur la gauche. J'ai feinté, puis l'ai contourné pour me retrouver derrière lui. Maintenant, le torse se trouvait entre moi et le flume. Il était tenace, mais pas très agile. Il s'est retourné pour se retrouver face à moi. Oui, sa tête avait beau être sens dessus dessous, ses yeux se sont posés sur moi. J'étais sa proie. Il n'abandonnerait pas si facilement.

Moi non plus. La lumière et les notes musicales ont jailli du flume. Je me suis précipité, j'ai attrapé le torse au passage, j'ai pivoté et je l'ai jeté dans la lumière. Alors même qu'il s'envolait, il a griffé l'air, cherchant encore à s'accrocher à moi. Voilà un cauchemar que je n'oublierais pas de sitôt. La chose a disparu dans la lumière. Les jambes aussi. Retour à l'envoyeur. Et bon débarras.

J'ai senti l'attraction du flume. Il cherchait à m'emporter. L'idée de voyager en compagnie de ces débris macabres m'a donné le jet d'adrénaline nécessaire pour planter mes talons dans le sol et m'écarter du tunnel. Je n'avais aucune envie de me colleter avec un demi-robot. Je devais rester en Première Terre, avec Courtney.

Ah, oui. Courtney. Où était-elle ? Tout n'était pas encore terminé. Je devais franchir cette porte et passer devant l'épave sans que personne ne réalise que c'était moi qui avais provoqué l'accident – enfin, en quelque sorte. Ça ne faisait pas dix minutes qu'on était en Première Terre et j'avais déjà envie d'être ailleurs.

Journal n° 28
(suite)

PREMIÈRE TERRE

Je devais filer d'ici. Je ne voulais pas qu'une victime de l'accident, prise de panique, tombe par erreur sur la porte et l'ouvre en grand pour me trouver là, hors d'haleine, comme un crétin. J'ai entrouvert avec précaution le panneau de bois et jeté un œil dans le tunnel. Les trois wagons étaient toujours là. Heureusement, leurs portes étaient éloignées de celle du flume. Les passagers commençaient à sortir, s'entraidant pour descendre les quelques dizaines de centimètres qui les séparaient du sol. Il y avait de la fumée partout. Cela me convenait : elle cacherait ma fuite. Je suis sorti en douce, j'ai refermé la porte derrière moi et je me suis empressé de rejoindre les autres dans l'espoir que personne ne remarque qu'il y avait une victime de plus.

— Vite, vite ! criait un pompier muni d'une lampe torche. Tout va bien ! Le quai n'est pas loin. Ne vous arrêtez pas !

J'ai baissé les yeux et je me suis aligné derrière un vieux bonhomme qui avait du mal à progresser sur le sol inégal. Je lui ai pris le bras pour l'aider à garder son équilibre. Il avait besoin d'assistance, j'avais besoin d'une couverture. Personne ne paniquait. Je suppose qu'ils étaient trop choqués pour ça. J'ai guidé le vieil homme le long de l'escalier de ciment donnant sur le quai.

— Merci, fiston, a-t-il dit avec gratitude. Maintenant, je devrais pouvoir me débrouiller.

Il était ébranlé, mais pas blessé. Il a monté les marches et disparu dans la foule qui se massait sur le quai.

— Circulez ! a crié un des policiers dirigeant les gens vers la sortie. C'est fini ! Circulez, il n'y a rien à voir !

D'après moi, il y avait beaucoup à voir, au contraire, mais ce devait être leur réplique standard. Je suis resté dans l'ombre d'un pilier afin de m'écarter des gens qui se massaient vers la sortie. Maintenant que je n'étais plus qu'un visage anonyme dans la foule, je pensais déjà à l'étape suivante : retrouver Courtney. La station était telle que dans mes souvenirs. On était en 1937. Tout le monde était sur son trente et un. Les hommes portaient des costards et des chapeaux, les femmes des robes. Pas l'ombre d'un jean ou d'une paire de baskets. De l'autre côté du quai, j'ai repéré un vendeur de journaux.

Un vendeur de journaux ! Des journaux datés du jour... Parce que je ne savais toujours pas quel jour on était. On devait retrouver Mark, et le succès ou l'échec de notre entreprise dépendait entièrement de la date à laquelle le flume nous avait déposés en Première Terre. Je me suis frayé un chemin dans la foule, ce qui n'a pas été facile, vu que tout le monde allait dans la direction opposée. Ce n'était guère le moment d'acheter le journal. Finalement, je suis arrivé devant le kiosque et me suis emparé du *New York Times*.

La date ? 1ᵉʳ novembre 1937.

Était-ce une bonne chose ou pas ? Je suis revenu en pensée à la bibliothèque de Troisième Terre. D'après l'ordinateur, Mark avait déposé le brevet de Forge en octobre. Il était trop tard pour empêcher ça. Mais l'ordinateur avait aussi déclaré qu'en novembre, une sorte d'arrangement avait été passé entre la Mark Dimond Alpha Digital Organisation et la compagnie KEM. Mark avait disparu juste après. Si on était le 1ᵉʳ novembre, la disparition de Mark ne s'était donc pas encore produite. On était peut-être arrivés à temps pour découvrir la vérité. Ou ce qui allait le devenir. Ou... Vous me comprenez. Je ne savais pas trop quoi en conclure. Oui, on avait une chance d'empêcher Mark de modifier l'histoire. Cela voulait-il dire que la Première Terre connaîtrait un autre moment de vérité ?

— Hé, tu vas acheter ce journal, oui ou non ? a fait une voix rogue.

Derrière le guichet, j'ai vu le même vendeur qui m'avait jeté la dernière fois que j'étais venu ici, et pour la même raison. C'était un petit gnome trapu portant une chemise à carreaux rouge. Il mâchonnait toujours son bout de cigare et était toujours aussi mal rasé.

Mais ce n'était pas à moi qu'il s'adressait.

— Oh, pas de panique, Yoda ! a aboyé une voix féminine. Ces gens sont trop occupés à sauver leur vie pour acheter tes feuilles de chou !

C'était Courtney. Elle se tenait à quelques mètres de là et faisait exactement la même chose que moi – elle examinait les journaux pour y trouver la date d'aujourd'hui.

— Yoda ? ai-je répété en souriant.

Le visage de Courtney s'est illuminé. Elle a couru vers moi et m'a serré dans ses bras avec un grand sourire, comme si elle avait cru ne plus jamais me revoir.

— Bobby ! J'ai bien cru que je ne te reverrais jamais !

Qu'est-ce que je vous disais ?

— Que s'est-il passé ? a-t-elle demandé frénétiquement. Tu n'as rien ? Qu'est-il arrivé aux dados ? Est-ce qu'ils ont provoqué l'accident du…

— Pas tout en même temps ! ai-je interrompu. Viens, on en reparle dehors.

— Ouais, a grogné le vendeur de journaux. Sortez d'ici et arrêtez d'abîmer la marchandise.

— Vos canards sont déjà dépassés, a fait Courtney, méprisante. Au cas où vous ne seriez pas au courant, il y a eu un accident de métro.

Décidément, il faut toujours qu'elle ait le dernier mot.

On s'est mêlés à la foule qui s'écoulait de la station. Au vu de ce qui était arrivé, tout le monde gardait son sang-froid. Alors qu'on suivait le courant, j'ai commencé à échafauder un plan. Je ne voulais pas l'imposer à Courtney, pas tant que je n'aurais pas eu le temps d'y réfléchir, mais plus j'y pensais, plus je me disais que c'était la meilleure chose qu'on puisse faire, peut-être même la seule.

Ce qui ne voulait pas dire que ce serait facile.

On a gravi les escaliers pour déboucher sous le soleil de novembre. Heureusement, il faisait chaud. Courtney n'avait même pas un pull. Mais je ne sais pas si elle l'avait remarqué, parce qu'elle était trop accaparée par le nouveau panorama qui s'offrait à elle – ou plutôt l'*ancien* panorama. Le Bronx de 1937 paraissait repeuplé. D'antiques voitures noires roulaient pare-chocs contre pare-chocs pour franchir le carrefour. Les trottoirs étaient bondés. Curieusement, les bâtiments n'avaient rien d'étranger, puisqu'ils existaient toujours à notre époque. En 1937, ils avaient juste l'air un peu plus neufs. Le plus étrange était encore ce qu'on ne voyait *pas*. Il n'y avait pas une seule structure moderne de verre ou d'acier.

L'odeur de produits chimiques était étouffante, surtout en débarquant de Troisième Terre où l'air était si pur. Ça faisait penser à un mélange de vapeurs d'essence, de poussière, d'huile, de gaz d'échappement et d'odeurs corporelles. Rien de très étonnant dans une ville surpeuplée. D'immenses pancartes vantaient toutes sortes de produits, du savon au liniment. Je ne savais pas ce qu'était du liniment, mais, d'après une de ces pubs, ça permettait de « CALMER LA DOULEUR ET GUÉRIR TOUS LES MAUX ». J'avais bien des maux à guérir. Si ce produit faisait vraiment de l'effet, j'en aurais acheté une caisse sur-le-champ. Les gens marchaient d'un pas hâtif sur les trottoirs, pressés d'arriver à leur destination. Les voitures de pompier alignées devant l'entrée de la station ne fluidifiaient guère le trafic. D'après les gémissements des sirènes dans le lointain, d'autres les rejoindraient bientôt. Oui, aujourd'hui, il y aurait de l'animation dans le Bronx. Grâce à nous.

Tout d'abord, je n'ai rien dit à Courtney. Je voulais la laisser s'imprégner de ce nouvel environnement. Je sais ce que c'est de débarquer sur un nouveau territoire. Une partie du charme vient de son étrangeté même. Votre cerveau se fige en réalisant que vous êtes bien là. Peu importe combien de fois on a voyagé dans le temps et l'espace, on ne s'y habitue jamais vraiment.

Après avoir tourné plusieurs fois sur elle-même, Courtney m'a fait face et a tout résumé en une seule phrase :

– Tu parles d'une journée.

J'ai éclaté de rire. En quelques heures, on était passé de chez Courtney en Seconde Terre à trois mille années dans le futur pour revenir cinquante ans avant notre naissance. En effet, c'était une sacrée journée. Et elle n'était pas encore terminée.

J'ai pris sa main et l'ai emmenée loin de tout ce bruit. On a traversé plusieurs rues pour finir sur une grande avenue où le trafic était un peu plus fluide.

— Où va-t-on ? a-t-elle demandé.

— Dans un coin que tu connais.

J'ai hélé un taxi qui se dirigeait vers le centre-ville. Courtney allait se glisser sur la banquette arrière lorsqu'elle s'est arrêtée à mi-chemin.

— On a de quoi payer la course ?

— Ne t'en fais pas, ai-je répondu en la poussant doucement dans la voiture.

Le conducteur était un type plutôt jovial, une casquette à carreaux vissée sur la tête.

— Je vous dépose où ?

— Au Manhattan Tower Hotel.

Le type a poussé un sifflement appréciatif.

— Eh bien ! On ne se refuse rien !

Il a appuyé sur le champignon, et nous étions partis. Chez moi. Enfin, mon chez moi de Première Terre.

— Alors ? a demandé Courtney. Qu'est-ce que tu as prévu ?

Je ne voulais pas le lui dire tout de suite. Je devais m'assurer que c'était faisable.

— J'ai encore des amis à l'hôtel, ai-je répondu. Ils nous aide-ront.

— Parfait ! s'est écriée Courtney. Ensuite, on pourra se mettre à la recherche de Mark.

J'ai posé mon doigt sur mes lèvres et ai désigné le taxi.

— Chaque chose en son temps.

Courtney s'est renfrognée et n'a plus ouvert la bouche pendant le reste du trajet. Elle s'est contentée de regarder cet autre monde qui défilait derrière la vitre, trop émerveillée pour parler. On était presque arrivés lorsqu'elle a finalement dit :

– C'est comme de regarder un vieux film, sauf que c'est pour de vrai, non ?

Je n'ai pas répondu. C'était inutile.

– Et voilà, a lancé le taxi en s'arrêtant en bordure de trottoir.

Aussitôt, un groom est venu nous ouvrir la portière.

– Bienvenue au Manhattan Tower Hotel ! s'est-il exclamé, tout sourire. Vous avez réservé une chambre ?

Je suis descendu et l'ai regardé :

– Tu veux bien régler la course, s'il te plaît, Dodger ?

Dodger, le groom, m'a dévisagé comme si je lui avais parlé en chinois. Je lui ai rendu son regard et lui ai souri. Je savais qu'il lui faudrait quelques secondes pour percuter. Un peu plus tard, son regard a reflété sa surprise.

– Pendragon ? Que…

– Tu sais que je te rembourserai, ai-je repris.

– Oh, oui, bien sûr, a marmonné Dodger, cherchant à reprendre ses esprits.

Il a fouillé dans sa poche et en a tiré une poignée de pièces. Ses pourboires.

Pendant qu'il payait la course, je me suis penché à la portière pour sourire à Courtney.

– Tu ne veux pas voir si ma description rend justice à cette turne ?

Courtney a sauté de voiture pour contempler cet incroyable bâtiment aux murs roses. Selon les critères actuels, il était loin d'être monstrueux, avec ses trente-deux étages. Mais pour 1937, il était plutôt impressionnant. Juste en dessous du toit, son nom s'étalait en lettres d'un mètre de haut : THE MANHATTAN TOWER. La nuit, des néons verts les illuminaient, les rendant visibles de n'importe quel endroit de la ville. L'hôtel occupait tout un pâté de maison, posé sur un jardin parfaitement entretenu ressemblant à une oasis au beau milieu de la cité. Comme on était en novembre, les feuilles des arbres arboraient des tons rouges, jaunes et orange. Il y avait des citrouilles un peu partout, sans doute des décorations d'Halloween, qui s'était déroulé le soir d'avant.

Courtney n'a pas fait de commentaire. Ni sur la majesté de l'immeuble, ni sur la beauté du jardin. Ou même sur la fidélité de la description que j'en avais fait. Non, ce qu'elle a dit lui ressemblait davantage :

– C'est arrivé où ? a-t-elle demandé.

– Quoi ?

– Où s'est écrasé ce gangster que Saint Dane a jeté par la fenêtre ?

Je lui ai jeté un regard noir. J'avais presque réussi à oublier le souvenir de cet incident peu agréable. Merci de me l'avoir rappelé, Courtney.

Dodger est revenu vers nous au pas de course, les yeux écarquillés. Il avait dans les dix-neuf ans, avec des cheveux noirs gominés ramenés en arrière. C'était un petit bonhomme qui ne devait pas mesurer plus d'un mètre soixante-cinq. Mais son énergie compensait sa petite taille. Il semblait ne jamais s'arrêter et chercher constamment des yeux sa prochaine tâche. En Seconde Terre, on l'aurait qualifié d'hyperactif.

– Hé, vieux ! Je te croyais parti pour de bon !

Lorsque Dodger n'était pas de service à s'occuper des clients, il parlait d'une façon qu'il qualifiait de « typiquement Brooklyn ». Moi, ça me rappelait surtout Bugs Bunny. Il s'exprimait à toute allure, changeait de sujet en milieu de phrase, vous laissait à peine le temps de répondre. Si vous n'arriviez pas à suivre, vous étiez vite largué.

– Spader va revenir aussi ? Tu savais que Gunny a disparu ? On ne l'a pas revu depuis le printemps dernier.

Il a lorgné Courtney, puis s'est penché vers moi et a chuchoté :

– Hé, c'est qui, cette poulette ?

– Poulette ? s'est écriée Courtney.

Apparemment, Dodger n'avait pas été assez discret. Il a ouvert de grands yeux surpris.

– Alors c'est ça, pour toi, une fille ? Comme stéréotype sexiste, on ne fait pas mieux ! a poursuivi Courtney.

– Hé, je ne voulais pas te vexer, poupée !

Aïe, aïe, aïe.

– Poupée ! a crié Courtney encore plus fort. Oh, voilà qui est mieux.

Elle a fait un pas en avant, parée pour la bagarre. Le petit bonhomme a reculé, effrayé. D'après moi, il n'avait jamais vu de poulette, heu… de fille aussi agressive.

– Et d'abord, pourquoi est-ce qu'on t'appelle Dodger ? C'est un nom de chien !

– Oh, ce n'est qu'un surnom, a-t-il bafouillé. J'adore le base-ball.

– Le base-ball ? Je suis sûre que tu n'as jamais mis les pieds à Los Angeles !

– Los Angeles ? a-t-il répété, étonné. Qui a parlé de…

Je me suis interposé, jetant un regard furieux à Courtney.

– Son vrai nom est Douglas. Il se fait appeler Dodger parce qu'il est fan de cette équipe. Les *Brooklyn* Dodgers.

Je lui ai cloué le bec. Elle avait oublié qu'on n'était plus à la même époque. Les Brooklyn Dodgers ne s'installeraient pas à Los Angeles avant une vingtaine d'années. Je me suis tourné vers le groom :

– Je te présente ma sœur. Elle s'appelle Courtney. On va s'installer pour un temps dans les appartements de Gunny. Ça te va ?

Il valait mieux dire que Courtney était ma sœur. Comme ça, personne ne s'étonnerait de nous voir ensemble tout le temps.

– Hé, ça me va, a répondu Dodger. Vous avez de la chance, Caplesmith n'a pas fait débarrasser la pièce. Il pense que Gunny finira bien par revenir. C'est vrai ?

Je ne savais que répondre à ça. Bien sûr, je ne pouvais pas lui dire que Gunny et Spader étaient pris au piège sur un autre territoire nommé Eelong, principalement peuplé de dinosaures carnivores et d'hommes-chats doués de parole. J'étais juste content d'apprendre que Caplesmith, le directeur de l'hôtel, avait gardé ses appartements tels quels. Gunny était le chef des grooms du Manhattan Tower. Il y avait travaillé presque toute sa vie et, en réalité, c'était lui qui faisait tourner cet établissement. J'étais sûr que M. Caplesmith garderait ses appartements en l'état dans l'espoir qu'il revienne un jour. C'est vous dire à quel point Gunny est quelqu'un d'extraordinaire. Enfin, pour nous, ça signifiait qu'on avait un endroit où nous poser.

– Je ne sais pas, ai-je répondu sincèrement. Je l'espère.

Bon sang, Gunny me manquait. Et Spader aussi. Mais je ne devais pas trop y penser. Inutile de s'apitoyer.

– Vous n'avez pas de bagages ? a demandé Dodger.

Il ne cessait de jeter des regards nerveux en direction de Courtney, comme s'il s'attendait à ce qu'elle explose une fois de plus. Elle s'est contentée de le dévisager d'un air furax.

– On préfère voyager léger, ai-je répondu.

– Pourquoi, ça te défrise ? a renchéri Courtney, agressive.

– Aucun problème, a répondu Dodger. Si tu ne veux pas changer de sous-vêtements, c'est ton problème, sœurette.

– Je ne suis pas ta sœur, a rétorqué Courtney, avant de me regarder en souriant : Puisque je suis la sienne.

– Rentrons, ai-je dit afin de calmer le jeu.

Dodger est passé en avant, montant à grands bonds les marches menant à l'hôtel.

– N'en rajoute pas, ai-je chuchoté à Courtney. Dodger est un gars bien.

– Il cherche un peu trop à compenser sa petite taille, a-t-elle répondu, hautaine.

– Peu importe. On a besoin de lui.

– D'accord, je serai gentille… P'tit frère.

Elle a souri en disant cela. C'est vrai, c'était bizarre de jouer les frères et sœurs.

L'hôtel était tel que je m'en rappelais. Pour l'an 1937, c'était le summum du luxe. Le salon comportait un toit orné de vitraux. Partout, d'immenses tapis orientaux et des meubles de cuir douillet. C'était un lieu réservé à la haute société, et tous ceux qu'on a croisés étaient extrêmement bien habillés. Les grooms portaient des uniformes bourgogne à liseré d'or tout droit sortis du pressing, les mêmes tenues que Spader et moi avions portées lorsque nous avions travaillé ici. En fait, je n'avais que de bons souvenirs de cette période.

Oui, enfin, presque. D'autres l'étaient beaucoup moins.

– Tu as entendu ce qui s'est passé ? a dit Dodger en arpentant le grand salon.

– Tu veux rire ? a répondu Courtney. On y était !

Dodger a froncé les sourcils.

– Vous étiez à Hollywood hier soir ?

On s'est regardés, Courtney et moi.

– Tu parles de l'accident du métro, non ? ai-je demandé.

– Non, de Dewey Todd.

– Le liftier ? ai-je demandé, surpris.

– Oui ! a repris Dodger. Il est allé à Hollywood bosser dans le nouvel hôtel de son père. Hier soir, il y a eu un drôle d'accident. Il manipulait l'ascenseur quand il a été frappé par la foudre.

– Il s'en est sorti ? ai-je demandé, horrifié.

– C'est ça le plus bizarre. Personne ne le sait. Tout ceux qui étaient dans la cabine ont disparu. La nuit de Halloween. Angoissant, non ? Le pauvre bougre. J'aimais bien ce petit bonhomme..

– Il était plus petit que toi ? a demandé Courtney.

Dodger lui a jeté un bref coup d'œil, mais n'a pas insisté.

Pauvre Dewey. Il ne comprenait rien à rien, mais c'était un brave type. Ça m'attristait qu'il ait pu lui arriver quelque chose. Cette histoire semblait être un vrai mystère, mais je n'avais pas une seconde à lui consacrer. J'avais déjà bien assez à faire comme ça.

Dodger nous a conduits à l'ascenseur.

– On préfère prendre les escaliers, ai-je répondu.

– Pourquoi ? a-t-il plaisanté. Tu as peur d'être frappé par la foudre ?

Comme personne ne riait, Dodger a stoppé ses petits gloussements.

– Bon, d'accord, c'était pas drôle. Vous avez la clé ?

– Je sais où Gunny cache la sienne.

– Très bien. Si vous avez besoin de quelque chose, vous savez où me trouver.

Il allait partir, puis s'est retourné vers moi comme pour me dire quelque chose.

– Oui ? ai-je demandé.

– Ne le prends pas mal, Pendragon, mais tu as changé. Je veux dire, ça fait combien de temps que tu es parti ? Quatre mois ?

C'était vrai. Selon mes critères, il y avait deux ans que j'avais quitté la Première Terre, mais le flume nous avait ramené beaucoup plus près du moment de notre départ. Encore un exemple des forces omniscientes qui guidaient nos voyages.

– Comment peux-tu être si différent ? a demandé Dodger.

– Un accès de croissance, a répondu sèchement Courtney.

— Ces quatre mois ont été plutôt pénibles, ai-je renchéri.

Dodger m'a jeté un regard interrogateur, puis a haussé les épaules avant de s'en aller.

— Puisque tu le dis.

— Je te rembourserai pour le taxi ! lui ai-je lancé.

— Laisse tomber, a-t-il répondu. Mettons que c'est pour m'excuser d'avoir pris ta sœur à rebrousse-poil !

Il a regardé Courtney et lui a décoché un sourire franc en guise d'excuse.

— Merci, minus, lui a-t-elle dit.

Dodger lui a fait un clin d'œil avant de repartir. On l'a regardé s'éloigner dans le salon.

— Je rêve où il m'a fait un clin d'œil ? a fait Courtney d'un air dégoûté.

— Ce n'est pas de sa faute s'il est d'une autre époque.

— Je veux bien oublier qu'il m'a appelé « poulette », mais s'il me dit « mam'zelle », il est mort.

J'ai éclaté de rire.

— N'en fais pas tout un plat, d'accord ?

— Et je me fiche de savoir où cette équipe joue, Dodger est un nom de chien !

Gunny logeait au premier sous-sol de l'hôtel, dans un petit appartement bien plus sympa qu'on aurait pu le croire. J'ai montré à Courtney le chemin, descendant les escaliers pour partir le long du couloir, passant devant la blanchisserie de l'hôtel, la salle des coffres et l'enregistrement des bagages. L'appartement de Gunny se trouvait tout au bout du couloir. J'ai passé mes doigts sous un tuyau de chauffage. Comme prévu, la clé de Gunny m'y attendait.

— Comme système de sécurité, il y a plus moderne, a commenté Courtney.

— Il n'en a pas besoin.

J'ai posé la main sur la poignée. La porte était déjà déverrouillée.

— La plupart du temps, Gunny ne prenait même pas la peine de fermer à clé.

L'appartement était sombre, ce qui n'était guère étonnant, vu qu'il était au sous-sol. Non loin du plafond s'ouvraient quelques petites fenêtres qui n'étaient guère que des vasistas dépassant du niveau du sol. Elles ne donnaient pas beaucoup de lumière, juste assez pour rendre l'endroit moins claustrophobique. J'ai allumé la lumière pour constater que l'appartement était exactement tel que Gunny l'avait laissé. Il se composait d'un petit salon avec un canapé et deux fauteuils positionnés autour d'un énorme poste de radio rétro rangé dans une armoire en bois faite par une compagnie du nom de Philco. Il n'y avait pas de téléviseurs en 1937. La radio était la source principale de distraction. Il y avait une cuisine à l'américaine, avec un petit évier à côté d'un minuscule réfrigérateur. De l'autre côté du salon, il y avait la chambre de Gunny avec une porte donnant sur sa salle de bains. Et voilà. Gunny n'avait pas besoin de grand-chose pour se sentir à l'aise.

Il n'y avait pas beaucoup de décorations ou de touches personnelles, à part un tableau accroché au mur au-dessus de la radio. C'était une peinture à l'huile représentant une bataille de la guerre de Sécession américaine où les soldats de l'Union étaient tous membres du 54e régiment d'infanterie volontaire du Massachusetts, une des premières unités entièrement composée de Noirs. Gunny en était particulièrement fier.

Je m'attendais presque à voir Gunny sortir de sa chambre avec un grand sourire pour me dire : « Salut, demi-portion ! » Mais il y avait peu de chances. La mince couche de poussière qui recouvrait toute chose était là pour nous rappeler que, malheureusement, ça faisait un bail que personne n'habitait plus ici.

— Tu crois qu'on le reverra un jour ? a demandé Courtney d'un ton sinistre, comme si elle avait lu mes pensées.

— Je pense que oui, ai-je répondu avec optimisme. Quand tout sera terminé.

— Alors il faut tout faire pour que ce jour arrive, a-t-elle affirmé. Je suppose que cet appart nous servira de camp de base pendant qu'on cherche Mark ?

— C'est ce que j'avais prévu, oui.

Je me suis dirigé vers la petite cuisine et j'ai ouvert le four. À l'intérieur, j'ai trouvé une boîte à gâteaux en fer-blanc décorée à l'image d'une cabane de trappeurs.

— Des gâteaux secs ? a fait Courtney.

— Ceux-là ne sèchent pas et ont plutôt bon goût.

J'ai ouvert la boîte pour en tirer une liasse de billets roulés et retenus par un élastique. Courtney a poussé un sifflement admiratif.

— Dis donc ! Il ne sait pas ce que c'est qu'une banque ?

— Il les garde en cas d'urgence. On peut dire que c'en est une. (Je lui ai jeté le rouleau de billets.) Voilà de quoi manger, s'habiller et régler tous nos faux frais.

Courtney a jeté un regard nerveux au paquet d'argent.

— Je préfère que ce soit toi qui t'en occupes. À la vue de tout cet argent, j'ai déjà les mains moites.

Il était temps de lui dévoiler mon plan. D'après ce que j'avais vu, tout marchait comme sur des roulettes. L'appartement de Gunny était à notre disposition, on n'aurait pas de problèmes d'argent et les gens de l'hôtel se souvenaient de moi. À partir de là, on pouvait se lancer à la recherche de Mark. Ça, c'était la partie facile. On s'est assis face à face sur le canapé pendant que je cherchais la bonne manière d'exposer tout ça.

— Tu m'as l'air bien sérieux, a dit Courtney. Je pourrais croire que tu veux me jeter, mais comme on ne sort même pas ensemble, ça ne doit...

— Je ne peux pas rester en Première Terre, ai-je déclaré.

Elle m'a dévisagé sans savoir comment réagir. Puis elle a éclaté de rire. Puis s'est arrêtée. Elle m'a jeté un drôle de regard. Et s'est remise à rire en secouant la tête.

— On vient juste d'arriver. On doit retrouver Mark.

— Je sais. Mais tu vas devoir le faire seule.

— Quoi ? a fait Courtney. Tu veux rire ? C'est... impossible !

— Je suis désolé.

— Ce n'est pas le moment d'être désolé, a-t-elle rétorqué. Arrête de me charrier.

J'ai inspiré profondément pour me calmer. Ça me déchirait le cœur, mais il fallait que je le fasse.

— Je ne te charrie pas. Si je ne peux pas rester, c'est parce que Saint Dane est parti pour Ibara. C'est là que je dois me rendre.

Courtney s'est mise à tourner comme un lion en cage. Impossible de dire si elle était furieuse ou terrifiée. Les deux, sans doute.

— Il veut me vaincre, Courtney. Il *doit* me vaincre. Je crois sincèrement que, pour lui, c'est aussi important que de conquérir Halla.

— Alors ne le laisse pas faire ! a hurlé Courtney. Tu ne vois pas qu'il cherche à t'attirer là-bas, Bobby ? Il veut que tu l'y rejoignes pour pouvoir te battre !

— Tu as raison, et c'est pour cette raison même que je dois y aller. Je pense qu'il ne pourra prendre le contrôle de Halla que quand il m'aura vaincu une bonne fois pour toutes. Mais c'est une arme à double tranchant. Si on veut l'arrêter, je veux dire pour de bon, à tout jamais, il faut que ce soit moi qui l'emporte. C'est la seule façon de tirer un trait sur cette histoire de fous.

Elle eut un reniflement de mépris.

— C'est un peu arrogant, non ? Je veux dire, tu crois vraiment que l'avenir de tout ce qui existe dépend de vous deux ?

— Non, ai-je contré. Ce qui compte, c'est la façon dont on influence les événements, les peuples des territoires et les choix qu'ils font.

Courtney a secoué la tête.

— Je ne comprends pas.

— C'est bien ce qui me tourmente depuis le début, ai-je répondu. Sur chaque territoire, à chaque conflit, Saint Dane m'a défié. Tu as tout lu. Il s'arrange toujours pour que je le suive vers sa prochaine cible. Les Voyageurs ont fait capoter ses plans plus souvent qu'à leur tour. Ce type est bien des choses, mais il est loin d'être bête. Il aurait pu faire tomber chaque territoire si les Voyageurs ne l'en avaient pas empêché, mais on n'aurait rien pu faire si, à chaque fois, il ne nous disait pas où il allait se rendre. Tu ne t'es jamais demandée pourquoi ?

Courtney s'est laissée tomber sur un des fauteuils, provoquant une éruption de poussière.

— Si, a-t-elle dit, résignée. Je me suis posé la question. D'après toi, ce qu'il veut vraiment, c'est que tu le battes ?

— Non ! ai-je aussitôt répondu. Il veut l'emporter, c'est sûr, mais pour lui, faire tomber un territoire ne suffit pas. Ce qu'il veut, c'est vaincre les Voyageurs. Et moi. Je crois que la bataille est beaucoup plus complexe qu'on le croit. Ce n'est pas qu'une question de guerre, de destruction ou de faire en sorte que le peuple d'un territoire puisse vivre en paix. Je pense que c'est la *façon* dont ça se produit qui importe. Les décisions que prennent les gens. Les chemins qu'ils choisissent de prendre.

– C'est un peu trop cosmique pour moi, a-t-elle répondu.

– Je sais, c'est un terrain glissant, mais plus j'en apprends sur Saint Dane et la façon dont il fonctionne, plus je me dis qu'il cherche à prouver quelque chose. Il n'arrête pas de répéter que les gens des territoires sont avides, arrogants et incapables de voir plus loin que le bout de leur nez. Il croit qu'ils méritent tout ce qui leur tombe dessus.

– Parce que c'est un monstre, a ajouté Courtney.

– Oui, mais pas à ses yeux. Il pense donner aux gens ce qu'ils veulent.

– La mort, la misère et la destruction ?

– Je sais, ça ne colle pas. Mais ce qui compte, c'est qu'il se croit au service d'un idéal, un grand dessein. Ce n'est pas qu'un simple méchant mégalomane sorti d'un James Bond qui veut dominer le monde, genre *niark niark niark niark niark*. C'est plus compliqué que ça. D'une certaine façon, il s'imagine faire le bien.

– Mais c'est justement le problème, a plaidé Courtney. Il mène les peuples des territoires à la catastrophe. Comment peut-on trouver ça « bien » ?

– Je ne dis pas que c'est bien, juste qu'il le croit *lui*.

Courtney a parcouru la pièce des yeux le temps de digérer ma logique tordue.

– Donc, si Saint Dane tient à prouver qu'il n'y a qu'une seule bonne façon de diriger les territoires, à savoir la sienne, et que la seule façon pour lui d'y parvenir est de vaincre les Voyageurs, alors, de son point de vue, ce sont les Voyageurs les méchants.

Servez chaud. Je n'avais pas vu les choses comme ça, mais si ma théorie était la bonne, Courtney avait raison. Si Saint Dane croit vraiment qu'il tente de sauver les territoires, dans son esprit, c'est nous les méchants qu'il lui faut vaincre avant le happy end.

– Ce n'est pas tout, Bobby, a ajouté Courtney. Si Saint Dane cherche à prouver quelque chose, à qui exactement veut-il le prouver ?

Je me suis frotté les yeux. Tout d'un coup, je me sentais bien fatigué…

– C'est la plus grande question de toutes, ai-je répondu d'une voix douce.

– Ce combat tire à sa fin, Bobby, a repris Courtney. Quoi que puisse être cette Convergence, c'est le point culminant de cette histoire, et tous ces événements n'ont fait que nous y amener. Je crois que ce que Saint Dane a accompli sous l'identité d'Andy Mitchell, ce qu'il a fait faire à Mark, a abattu une bonne fois pour toutes les murs entre les territoires. Il y a des dados en Seconde et Troisième Terre, en plus de Quillan.

– Et ils ont cherché à s'implanter en Première Terre, lui ai-je rappelé. Pour autant qu'on sache, un autre contingent peut débarquer d'une minute à l'autre.

– Les destinées de quatre territoires ont été altérées. On dirait que les dominos s'alignent.

– Je suis d'accord, ai-je dit. C'est pour ça que je dois me rendre sur Ibara. Ça me fait mal de l'avouer, mais j'ai peur qu'il ne soit déjà trop tard pour annuler ce que Mark a fait. Il y a trop de choses en jeu. Dois-je te rappeler qu'une Voyageuse s'est jointe à Saint Dane ? Nevva Winter est de son côté. Sur Quillan, elle m'a dit qu'elle pensait prendre la place du Voyageur d'Ibara[1]. Tout indique que ce territoire sera le premier domino renversé.

Courtney a baissé les yeux. J'ai continué :

– Je ne crois pas qu'on puisse changer l'avenir en cherchant à altérer une seconde fois le passé. On est déjà trop loin pour ça. Il faut que j'aille de l'avant.

– Alors tu abandonnes Mark ? a-t-elle dit.

– Non ! ai-je crié. Il est peut-être trop tard pour annuler le mal qu'il a fait, mais on ne sait toujours pas *pourquoi* il l'a fait. Ce n'est pas pour Halla ou pour les dados. C'est pour notre ami. D'après l'ordinateur de Patrick, Mark Dimond a disparu au cours du mois de novembre 1937. Ça n'annonce rien de bon. Mark est une victime. S'il doit lui arriver quelque chose, on doit l'empêcher.

Courtney est allée s'asseoir sur le canapé à côté de moi.

– Non, *je* dois l'empêcher. Toi, tu dois partir pour Ibara.

---

1. Voir Pendragon n° 7 : *Les Jeux de Quillan.*

J'ai terminé ce journal pendant que Courtney dormait sur le lit de Gunny. Moi, je suis resté sur son canapé, à écrire. Je ne peux pas dormir. Mon esprit part dans toutes les directions. J'ai l'intention de finir ce journal et de le laisser à Courtney. Elle trouvera bien un endroit où le mettre en sécurité. À partir de maintenant, je lui enverrai mes journaux *via* l'anneau.

Courtney va rester en Première Terre pour tenter de retrouver Mark. Si quelqu'un peut y arriver, c'est bien elle. Courtney est désormais impliquée dans cette histoire, tout autant que moi. Depuis le début, elle est là, ou plutôt *ils* sont là, elle et Mark. Ils font équipe. Ou du moins ils le faisaient. Je m'inquiète pour eux, pour mes amis, et pourtant je sais ce que je dois faire. J'ai sacrifié beaucoup de choses depuis que je suis devenu un Voyageur et que je me suis voué à sauver Halla des manigances de Saint Dane. Maintenant, je dois abandonner mes deux meilleurs amis. Ça ne me plaît pas du tout, croyez-moi, mais que puis-je faire d'autre ? Je doute fort qu'on puisse empêcher l'invasion des dados. La grande inconnue, c'est Mark. Où est-il ? Qu'est-ce qui a pu le faire modifier délibérément le cours de l'histoire ? Et qu'est-il devenu ? Je pense que la mission de Courtney en Première Terre n'est pas d'essayer de remettre Halla sur ses rails, mais de sauver la vie de Mark. Ça me mine de savoir que je ne serai pas là pour l'aider, mais c'est un sacrifice nécessaire. Pendant que Courtney cherche Mark, je dois tenter de sauver Halla. Il faut que j'aille affronter Saint Dane sur Ibara. C'est une question entre lui et moi. Et il m'appartient de prouver que les Voyageurs ne sont pas les méchants de l'histoire.

Je ressens le même malaise que j'éprouve à chaque fois que je pars pour un territoire inconnu. Que vais-je y trouver ? À quoi ressemblera leur culture ? Sera-t-elle moderne ou ancienne ? Civilisée ou primitive ? Ou bien vais-je débarquer dans une société dirigée par des robots ?

Tout est possible. Une seule chose est sûre.

Saint Dane s'y trouve déjà. Et il m'attend.

Fin du journal n° 28

PREMIÈRE TERRE

C'est ainsi que Courtney se retrouva seule.

Plus seule qu'elle ne l'avait jamais été de toute sa vie. Du moins, c'est ainsi qu'elle le ressentait. Même après cet accident où Saint Dane avait bien failli la tuer, lorsqu'elle gisait sur son lit d'hôpital, il y avait toujours eu quelqu'un pour veiller sur elle. Mais elle se trouvait alors en Seconde Terre. Ici, en Première Terre, elle n'avait personne. Et puisque, techniquement parlant, elle n'était pas encore née, personne n'était au courant de son existence. Elle était hors du temps, hors de tout, et cette notion la bouleversait. Elle avait envie de pleurer. Comme elle aurait aimé rentrer chez elle ! Mais c'était impossible : utiliser le flume sans un Voyageur pour lui tenir compagnie n'amènerait que de nouvelles catastrophes. Non, elle était coincée. Elle avait envie de se coucher dans le lit de Gunny, se blottir sous les couvertures et imaginer qu'elle était de retour à la maison, avec son père et sa mère.

Mais elle devait penser à sa mission. Elle n'en voulait pas à Bobby de l'avoir abandonnée : elle était d'accord avec lui. Il devait se rendre sur Ibara. Mais elle aurait tout de même préféré l'avoir à ses côtés. Seul l'espoir de retrouver Mark la poussait à réagir. D'après les archives de Troisième Terre, il avait disparu sans laisser de traces, ce qui ne pouvait pas être bon signe. Il fallait le trouver avant que se produise... ce qui devait arriver. Peut-être même que, si elle y parvenait, quoi qu'en pense Bobby, le cours de l'histoire serait altéré une seconde fois et Halla remis sur les rails... Mais elle avait une autre raison de vouloir débusquer Mark. Elle avait besoin de lui. Elle avait besoin de le serrer contre son cœur en pleurant, de l'entendre bégayer comme un idiot, de savoir qu'il était la seule personne de tout Halla à avoir emprunté le même chemin qu'elle. Mark était devenu son meilleur ami, son soutien, son confident. Il lui avait sauvé la vie. Il était temps de lui rendre la pareille. Elle devait le trouver et le ramener à la raison.

Mais d'abord, il lui fallait trouver de nouveaux vêtements. Elle avait horreur de cette robe à fleurs. Peu importaient les standards culturels du moment, Courtney ne supportait pas les trucs de filles. Après un repas rapide au restaurant de l'hôtel – du bacon, des œufs brouillés, des pommes de terre et un jus d'orange, le tout pour la coquette somme de trente-deux *cents* –, elle partit à la recherche de Dodger. Elle le trouva à son poste, devant l'hôtel, prêt à accueillir les clients. Lorsqu'il la vit, ses yeux s'illuminèrent. Courtney ne savait trop s'il était content de la voir ou s'il avait peur qu'elle se remette à lui crier après.

– Bonjour, dit-il prudemment. Tout va bien ?

– Tout va bien, répondit-elle. Mais j'ai besoin que tu me rendes un service.

– Dis toujours.

– Je dois acheter des vêtements. Il y a des boutiques dans le coin ?

– Tu rigoles ? répondit Dodger. Les plus grands magasins du monde sont à deux pas d'ici. Pendragon le sait bien !

Zut. Courtney n'avait pas pensé à chercher une explication à l'absence de Bobby.

– C'est vrai, dit-elle pour gagner du temps, j'allais oublier de te dire qu'il est rentré chez lui, à Stony Brook. Une affaire de famille.

Dodger acquiesça.

– Rien de grave ?

– Non, ça baigne. Tu peux me dire où sont ces boutiques ?

– Je peux faire mieux que ça : t'y mener en personne. C'est l'heure de ma pause.

– Ne prends pas cette peine. Donne-moi juste la direction.

– Tut-tut, fit Dodger, tentant de se montrer galant. On a fait du chemin, Pendragon et moi. Sa sœur mérite qu'on lui déroule le tapis rouge.

– Sa sœur ? répéta un peu trop rapidement Courtney. Quoi, tu connais Shannon…

Elle s'arrêta net. *Oups*. Elle avait oublié leur petite explication.

– Oui ! Sa sœur. Je suis sa sœur. Un instant, j'ai cru que tu parlais de Shannon, son *autre* sœur. Qui, bien sûr, est aussi la mienne ! On est toutes sœurs. Et frère. Bobby est notre frère. Non ? ajouta-t-elle avec un petit rire nerveux.

Dodger la regarda d'un drôle d'œil. Courtney lui décocha un sourire innocent. Quelques minutes plus tard, ils parcouraient la Cinquante-septième Avenue, en route vers les magasins de Madison Avenue.

– Voilà une bonne boutique, suggéra Dodger alors qu'ils passaient devant une petite vitrine où des mannequins présentaient des robes à fleurs fort semblables à celle dont Courtney était affublée.

Elle continua son chemin.

Ils atteignirent une autre vitrine où étaient exposées des tenues à dentelles et de larges chapeaux de paille ornés de fleurs surdimensionnées.

– En général, les nanas aiment bien ce magasin…

Courtney ne s'arrêta même pas. Dodger haussa les épaules et suivit le mouvement. Ils dépassèrent plusieurs autres boutiques pour femmes ou jeunes filles. Courtney ne daigna même pas y jeter un coup d'œil.

– Qu'est-ce que tu cherches exactement ? finit par demander Dodger.

– Je ne sais pas, admit Courtney. Quelque chose qui fasse moins… Barbie.

Dodger fronça les sourcils.

– Je ne sais pas ce que ça veut dire, mais tu devrais peut-être choisir un de ces magasins où on trouve de tout.

– Il y en a dans le coin ? demanda Courtney.

Un quart d'heure et un bref voyage en métro plus tard, Courtney se retrouvait face aux portes de Macy's, « le plus grand supermarché au monde », sur la 34e Rue. Elle le connaissait déjà, ou du moins son équivalent de Seconde Terre : en effet, on y trouvait à peu près de tout. On y organisait même une parade pour Thanksgiving. Dodger n'avait pas pu l'accompagner : sa pause touchait à sa fin. Courtney préférait ça. Il posait trop de questions. Elle savait qu'il n'avait que de bonnes intentions, même s'il jouait les petits malins capable de s'occuper d'une pauvre petite fille perdue. Mais elle s'en passait volontiers. Elle décida de faire son possible à l'avenir pour l'éviter.

Traverser Macy's était une expérience assez surréaliste. Rien à voir avec le magasin de Seconde Terre. Les vêtements étaient épais et de couleurs sombres. Pas de musique d'ambiance. L'éclairage était tamisé. Il y avait du parquet au sol. Même les escalators avaient des marches de bois. Et pourtant, c'était bien Macy's, et Courtney finit par trouver ce qu'elle cherchait.

Elle passa devant les rayons femmes et jeunes filles pour aller tout droit chez les hommes. Là, sous le regard perplexe d'un vendeur vêtu d'un costard impeccable avec un œillet blanc à la boutonnière, elle acheta deux pantalons en laine et des chemises de coton blanches. Elle y ajouta des chaussettes, des chaussures de cuir brun qui semblaient plus confortables que celles du flume et des bretelles vertes pour maintenir ses pantalons. Elle trouva aussi une casquette de laine grise au rebord assez large pour qu'elle puisse y fourrer ses longs cheveux châtains. Elle glissa ses mains dans ses poches et s'admira dans le miroir.

Le vendeur n'avait pas l'air d'approuver sa conduite.

– Halloween, c'était avant-hier, mademoiselle.

Courtney eut un grand sourire.

– Je me plais bien comme ça.

C'était la stricte vérité. Elle portait des vêtements masculins, mais personne n'aurait pu la prendre pour un garçon. La touche finale fut un pull à col roulé vert sombre au cas où le temps se rafraîchirait. Satisfaite, elle paya ses achats et sortit du magasin.

– Que voulez-vous que j'en fasse ? lui lança le vendeur, brandissant la robe à fleurs que Courtney portait en entrant dans le magasin.

– Je n'en ai plus besoin, répondit-elle gaiement. Halloween, c'était avant-hier.

Le vendeur fronça les sourcils d'un air de désapprobation. Courtney continua son chemin. Avant de commencer ses recherches, il lui restait une chose à faire. Elle suivit un chemin qu'elle connaissait par cœur pour l'avoir emprunté maintes et maintes fois en d'autres temps. De la 34e Rue de Manhattan, elle prit le métro vers la gare de Grand Central. Les rames étaient loin d'être aussi confortables que celles de Seconde Terre. La cabine ne cessait de tressauter, couiner et gronder, et pourtant personne d'autre ne semblait le remarquer. Ces soubresauts étaient particulièrement gênants, puisqu'elle tentait de lire le journal.

En Seconde Terre, pour retrouver Mark, elle aurait tout de suite cherché sur Internet. En Première Terre, elle n'avait que les journaux et les bulletins radio. À la gare, elle acheta cinq publications locales et les parcourut rapidement des yeux, cherchant les noms de Mark Dimond, Andy Mitchell, la Dimond Alpha Digital Organisation ou KEM Limited. D'après elle, si la présentation de la technologie Forge était si importante, elle aurait droit à une mention dans les journaux, même si ce n'était qu'un entrefilet.

Or elle ne trouva rien du tout. La une du jour était ce mystérieux déraillement dans le métro du Bronx. Courtney lut que le conducteur jurait ses grands dieux qu'un inconnu avait sauté devant la rame, mais on n'avait pas retrouvé son cadavre. Apparemment, ce mystère ne serait jamais élucidé.

Le fait que Mark soit absent des nouvelles était à la fois frustrant et rassurant. Faute d'informations, Courtney ne pouvait qu'espérer que Mark n'ait pas encore diffusé la technologie Forge. Peut-être, se dit-elle en une illumination, pourrait-elle tout remettre en ordre avant que le pire n'arrive.

Le train s'arrêta à la gare de Stony Brook. Courtney descendit sur un quai de bois qui serait remplacé trente ans avant sa naissance. Elle aurait bien fait un petit tour pour voir à quoi ressemblait sa ville natale, mais décida qu'elle n'avait pas le temps. Il valait mieux retourner à New York le plus vite possible. Le trajet de la gare à l'avenue principale de Stony Brook, que les gamins baptiseraient plus tard l'« Ave », n'était pas long. En fait, Courtney reconnut plusieurs des bâtiments les plus anciens, qui avaient considérablement rajeuni. Là, un vendeur de glaces et de sodas qui, en Seconde Terre, deviendrait un marchand de vélos ; là, un barbier remplaçait une galerie d'art, et un étal de fruits et légumes abriterait un jour la boutique Apple où les parents de Courtney lui achèteraient son iPod. Ce voyage dans le passé était fascinant.

Elle atteignit sa destination : la Banque nationale de Stony Brook. C'est là que Bobby avait ouvert un coffre pour y déposer les journaux qu'il avait rédigés en Première Terre. Une soixantaine d'années plus tard, suivant ses indications, Mark et Courtney les y trouveraient. Depuis, Mark y entreposait tous les journaux de Bobby. Maintenant qu'ils lui revenaient de droit, elle avait bien l'intention de s'acquitter de sa tâche aussi bien que Mark. Elle avait passé la clé à une chaîne qu'elle gardait autour de son cou et avait mémorisé le numéro du compte et du coffre. C'est avec une totale confiance qu'elle fournit ces informations au directeur hautain, qui l'accompagna dans la salle des coffres avant de l'y laisser. Là, dans le coffre, elle trouva les journaux de Bobby, ceux où il racontait ses aventures en Première Terre, attendant que Mark et Courtney les découvrent en Seconde Terre.

Elle avait mis le journal n° 28 de Bobby dans un grand sac de toile. Elle le rangea avec les autres et referma la porte du coffre. Un instant, elle se demanda si Mark et elle trouveraient ce même journal lorsqu'ils ouvriraient pour la première fois le coffre en Seconde Terre. Était-ce possible ? Elle décida de cesser de se torturer les méninges en se demandant comment les changements apportés à l'histoire affecteraient l'avenir. Elle commençait à avoir mal au crâne. Il fallait qu'elle sorte d'ici et regagne New York pour se lancer à la recherche de Mark.

Quelques heures plus tard, elle était de retour à Manhattan et remontait Park Avenue vers le Manhattan Tower Hotel. On était en milieu d'après-midi, mais déjà, le soleil de novembre étirait les ombres. La nuit ne tarderait pas à tomber. Courtney comptait regagner l'hôtel, manger un morceau au restaurant, puis se pelotonner sous les couvertures du lit de Gunny et s'efforcer de concocter un plan génial pour retrouver Mark. Elle atteignait l'entrée du jardin devant le Manhattan Tower lorsqu'elle ressentit quelque chose d'étrange. Elle s'arrêta net. Tout d'abord, elle n'arriva pas à l'identifier. Tout ses sens se mirent en alerte. Alors elle comprit ce que c'était.

Son anneau s'était activé.

Elle regarda autour d'elle pour s'assurer que personne ne la regardait. Ben voyons : on était au beau milieu de Manhattan. Tout le monde pouvait la voir. La pierre noire était déjà transparente comme du cristal. Elle posa frénétiquement son autre main sur l'anneau et courut à travers le jardin, cherchant un coin tranquille. Elle le trouva au milieu des buissons et des arbres manucurés. Elle quitta le trottoir pour s'aventurer sous le feuillage dense. L'anneau commençait déjà à grandir. Elle déboucha sur une petite clairière comportant un banc de marbre devant une petite mare remplie de poissons rouges. Il n'y avait personne en vue, ce qui était bien : qu'elle le veuille ou non, l'anneau allait s'ouvrir.

Elle le posa à terre et le regarda croître jusqu'à la taille d'un Frisbee, dévoilant le tunnel entre les territoires. Des rais de lumière brillante s'en échappèrent, assortis de la musique habituelle. Mais Courtney ne contemplait pas le processus familier : elle ne cessait de regarder autour d'elle pour s'assurer que personne d'autre ne voyait cet événement magique, impossible. En quelques secondes, tout fut terminé. Courtney put enfin respirer. Elle sauta sur l'anneau, sa frayeur se muant en curiosité. Ce devait être le nouveau journal de Bobby, en provenance d'Ibara ! Elle s'agenouilla pour voir…

Ce n'était pas un journal, mais une enveloppe grise. Courtney la tourna entre ses doigts avec curiosité. On aurait dit une bonne vieille lettre. Mais pourquoi Bobby lui en enverrait-il une ? Elle s'empressa de remettre l'anneau à son doigt et déchira la mystérieuse enveloppe. À l'intérieur, elle trouva une feuille de papier imprimée. Courtney la lut. La relut. Puis une troisième fois, plus lentement, s'assurant de bien comprendre chaque mot.

Ce n'était pas Bobby qui l'avait rédigée, mais Patrick. Elle venait de Troisième Terre, et n'annonçait rien de bon.

Bobby, Courtney,

Je vous envoie cette lettre en Première Terre en espérant qu'elle vous y trouvera et que le flume vous aura renvoyé à une époque où vous pourrez encore changer ce qui s'est passé. Après votre départ de Troisième Terre, j'ai continué mes recherches sur Mark Dimond. Pendant votre séjour, j'ai découvert qu'il avait disparu au cours du mois de novembre. Maintenant, j'en sais davantage, et je dois vous faire part de ce que j'ai découvert.

D'abord, j'ai appris que la compagnie KEM Limited était basée à Londres. KEM signifie Keaton Electrical Marvels. Les responsables de ces « merveilles électriques » sont les premiers à avoir signalé la disparition de Mark. Il devait les retrouver à Londres le 13 novembre 1937, mais il ne s'est pas présenté et on ne l'a jamais revu. Nul ne sait ce qui a pu lui arriver. On soupçonne quelque chose de louche, mais il n'y a pas la moindre preuve.

J'ai aussi trouvé un petit article tiré d'un journal du sud du New Jersey. Le 20 novembre 1937, un cadavre s'est échoué sur le rivage d'Atlantic City. C'était celui d'un homme, mais dans un tel état de décomposition qu'il a été impossible de l'identifier, bien que la cause du décès soit évidente. Il ne s'était pas noyé : on l'avait abattu d'une balle. Curieusement, il portait un smoking. Dans sa poche, on a trouvé une cuillère marquée du monogramme : RMS Queen Mary.

Bobby, Courtney, j'ai trouvé des archives démontrant que Mark Dimond s'était enregistré pour monter à bord du paquebot Queen Mary le 7 novembre. Les implications sont terribles. À mon avis, c'est plus qu'une simple coïncidence. J'ai bien peur que Mark Dimond ne soit jamais arrivé à Londres. Je crains qu'il n'ait été tué durant la traversée et qu'on ait jeté le corps par-dessus bord.

Si c'est le cas, votre but est évident. Il faut que vous retrouviez Mark avant le 7 novembre et l'empêchiez de monter à bord, parce qu'il y a sur ce bateau quelqu'un qui veut sa mort.

Si j'en apprends davantage, je vous en ferai part. J'espère que vous recevrez ce message. Bonne chance.

Patrick Mac

– C'est donc comme ça que ça marche, dit une voix.

Courtney sursauta en poussant un cri. Quelqu'un la surveillait. Elle s'empressa de rouler la lettre en boule et la fourra dans sa poche. Puis elle se tourna pour voir… Dodger.

– T-t-tu m'espionnes, maintenant ? grinça Courtney furieuse.

La tête lui tournait. Tout se passait beaucoup trop vite à son goût.

– Désolé, répondit Dodger. Je t'ai vu approcher de l'hôtel, puis attraper la danse de Saint-Guy et filer dans les buissons. Que veux-tu que je te dise ? Je me suis fait du souci.

Courtney se figea. Qu'avait-il vu ? Dodger semblait troublé. Il la regarda comme s'il voulait lui dire quelque chose, mais n'arrivait pas à trouver ses mots. Elle décida qu'il valait mieux s'en débarrasser.

– Ne t'avise plus de me surveiller, dit-elle sèchement, avant de s'éloigner à grandes enjambées.

– Attends ! s'écria Dodger.

Courtney s'arrêta. À lui de faire le prochain pas.

– Gunny est mon ami, dit-il d'une voix de gamin effrayé. C'est un brave type. Je ferais n'importe quoi pour lui.

Courtney ne répondit pas. Elle ne voyait pas où il voulait en venir.

– Avant qu'il s'en aille Dieu sait où, il m'a demandé de lui rendre un service. Comme c'était bien la première fois, j'ai pensé que ça devait être important. Il m'a dit qu'un jour, il pourrait avoir besoin de mon aide. Il n'a pas donné plus de précisions, juste qu'il avait quelque chose à faire. Ou plutôt ils : lui, Pendragon et Spader. Tu sais de quoi il parlait ?

Oui, bien sûr, mais elle n'allait pas le lui révéler.

– En tout cas, il a dit qu'il allait partir quelque temps, mais qu'il était possible que quelqu'un vienne chercher de l'aide. Il m'a demandé de faire de mon mieux pour l'assister. J'ai accepté, bien sûr. Je ne refuse jamais rien à Gunny. Mais quand je lui ai demandé ce qui se passait, il a répondu qu'il espérait que je ne le sache jamais. Maintenant, je pense qu'il est temps de me mettre au courant.

– Pourquoi ? demanda Courtney.

Dodger leva la main. Il portait une chevalière argentée à un doigt. Il la fit tourner pour montrer à Courtney qu'il la portait à l'envers. Lorsqu'il la redressa, elle eut un hoquet de surprise.

C'était un anneau de Voyageur.

– Il m'a demandé d'être son Acolyte. Je ne sais pas ce que ça veut dire, mais depuis cet anneau ne m'a plus quitté. Et puis, tout d'un coup, Pendragon débarque avec toi, tu portes un de ces anneaux et je viens de le voir cracher un feu d'artifice digne de la fête nationale. Je pense qu'il est temps que j'apprenne ce que Gunny voulait dire.

Les méninges de Courtney tournaient à toute allure. Que faire ? Elle avait bien besoin d'un allié, mais lui disait-il la vérité ? La dernière fois qu'elle avait fait confiance à un étranger, cela avait bien failli lui coûter la vie. Dodger était-il celui qu'il prétendait être ? Un simple ami choisi par Gunny pour être son Acolyte ? Ou la réalité était-elle plus trouble ? Était-ce Saint Dane sous une nouvelle apparence ?

– Je veux juste faire ce que Gunny m'a demandé, a-t-il ajouté sincèrement. Je veux t'aider.

– Tu es Saint Dane ? demanda Courtney de but en blanc. Si c'est le cas, je ne pense pas que tu me le dirais, mais il vaut mieux poser la question pour que tu saches que je ne suis pas dupe.

Dodger lui jeta un regard intrigué.

– Saint Dane ? C'est un nom de chien, ça. Ah, non, c'est saint-bernard. Et d'ailleurs, je ne suis pas un saint. Oh, voilà que je suis encore plus paumé qu'avant !

Courtney ne savait que faire. Devait-elle se confier à ce Dodger ? L'envoyer sur les roses ? Tourner les talons pour ne jamais revenir ? Il fallait qu'elle prenne une décision, elle le savait, mais n'y arrivait pas.

Une seconde plus tard, on la prit pour elle.

– Tu me dis que tu n'as pas la moindre idée de ce que ça signifie ? demanda-t-elle.

– Pas la moindre.

– Alors voilà un indice.

Elle leva la main. Celle qui portait l'anneau. La pierre était luisante.

Dodger ouvrit de grands yeux.

– Qu'est-ce...

Le nouveau journal de Bobby était en route.

Journal n° 29

IBARA

J'espère que tu peux lire ces mots, Courtney.

Et j'espère que tu t'en sors. Ce n'est rien de le dire. Ça m'a vraiment mortifié de devoir t'abandonner toute seule en Première Terre. J'aurais préféré qu'il y ait un autre moyen, mais je n'ai pas été assez malin pour en trouver un. Je suis content que Dodger soit toujours à l'hôtel. Il est parfois lourd, mais tu peux lui faire confiance. Comme Gunny. Si tu as besoin de quoi que ce soit, n'hésite pas à t'adresser à lui.

Je me sens toujours mal de t'avoir laissé seule pour chercher Mark, mais j'ai bien fait de venir sur Ibara. Je n'ai toujours pas réussi à dénouer ce que Saint Dane y complote, mais il y a une chose dont je suis sûr : le moment de vérité est pour bientôt. Je ne sais pas encore en quoi il consistera, mais d'après ce que j'ai vu de ce territoire, il est à l'aube d'un grand bouleversement. Et pas forcément pour le mieux. Au moment où j'écris ceci, ça fait une semaine que je suis sur Ibara. Pour chaque chose que j'apprends, cinq autres questions se posent. Rien n'est tel qu'il y paraît, mais je crois avoir trouvé un moyen d'assembler les pièces du puzzle. Je suis sur le point de partir pour une grande aventure et de faire quelque chose que je n'aurais jamais cru possible.

Je vais devenir un hors-la-loi.

Je sais, ce n'est pas vraiment une bonne nouvelle, mais je crois que c'est la meilleure façon de me retrouver en plein milieu du conflit qui va entraîner le moment de vérité d'Ibara. C'est pour ça que j'écris ce journal maintenant. Je ne sais quand j'aurai une autre occasion, parce que demain, ça va devenir vraiment chaud.

Bon, je vais passer en revue tout ce qui m'est arrivé depuis mon départ du Manhattan Tower Hotel. Mon voyage vers Ibara s'est déroulé sans problème.

Mon arrivée beaucoup moins.

J'ai quitté l'appartement de Gunny sans attendre que tu te réveilles. On s'était fait nos adieux le soir d'avant, et je ne voulais pas recommencer. Ça faisait trop mal. J'ai pris un taxi jusqu'à la station de métro du Bronx pour découvrir que les employés avaient déjà enlevé l'épave. Le trafic était redevenu normal. Je me suis glissé sur les rails et me suis dépêché de gagner la porte. Je ne m'inquiétais pas trop des quigs ou des dados ou de quoi que ce soit qui m'empêcherait d'aller à Ibara. En général, quand Saint Dane veut que j'arrive quelque part, il me facilite le voyage. Je n'ai même pas pris le temps de réfléchir à ce que j'allais découvrir sur ce nouveau territoire. J'ai ouvert le portail de bois, je suis allé droit vers le flume et j'ai crié « Ibara ! ». Je crois que je préférais ne pas prendre le temps de réfléchir, de peur de changer d'avis. La porte a eu à peine le temps de se refermer derrière moi que j'étais déjà parti.

Ma tête était ailleurs… Tout comme le reste de mon corps. J'ai profité de ce moment de calme pour essayer de faire le point. Ce qui est toujours risqué. Je suis plus doué pour réagir aux situations telles qu'elles se présentent. Quand mon esprit bat la campagne, il en revient inévitablement aux grandes questions – des questions auxquelles je ne peux pas répondre. Tout en haut de la liste, il y a ce que m'a dit Saint Dane, que les Voyageurs sont des illusions. Des illusions. Que voulait-il dire par là ? Je n'ai pas l'impression d'être une illusion, même si je ne sais pas comment en reconnaître une. Est-ce une simple métaphore pour dire que nous ne sommes pas ce que nous semblons être ? Ou dois-je le prendre au pied de la lettre ?

Pour lui, je ne suis pas un Voyageur de haut niveau, puisque je ne peux pas changer d'apparence comme lui. Devenir un humain, un oiseau, un nuage de fumée… Pfff. Mais Nevva Winter, elle, en est capable. Il lui avait appris, disait-il. Est-ce vraiment aussi simple ? Avec quelques cours et des travaux pratiques, pouvais-je vraiment apprendre à devenir un autre ? Ça me servirait bien.

Mais même si j'avais ce don, il y a bien des choses concernant les Voyageurs que je ne pourrais pas expliquer. Par exemple, le fait qu'on guérisse plus rapidement que la moyenne. Et on peut influencer les pensées des autres, même si, à vrai dire, je n'ai jamais été très doué pour ça. Et bien sûr, ce qui n'arrête pas de me tracasser : Saint Dane a tué Loor et, grâce à un don ou une volonté particulière, je l'ai ramenée d'entre les morts.

Sachant cela, je me demande si Saint Dane ne m'a pas dit la vérité, tout simplement. Je veux dire, je me sens tout à fait humain. Mais les humains ne ressuscitent pas. Sommes-nous faits de chair et de sang ? Ou d'autre chose ? L'ennui, c'est que je ne sais pas ce que pourrait être cet « autre chose ». Il y a certainement des gens qui trouveraient ça cool de pouvoir changer de forme. Mais pas moi. Le concept est bien plus intéressant que sa réalisation. Je suis Bobby Pendragon. Je suis né en Seconde Terre. J'ai un père et une mère formidables. J'ai une petite sœur. Je suis normal. Et je veux le rester. Je n'ai aucune envie d'être une illusion.

J'essaie de ne plus y penser aussi souvent. Une chose à la fois. Un défi à la fois. Une crise à la fois. Penser à tout ça m'angoissait trop. J'en avais assez de réfléchir. J'avais besoin d'action.

Les notes musicales sont devenues plus sonores, ce qui signifiait que mon voyage touchait à sa fin. Mais un autre son s'y ajoutait, quelque chose que je n'avais encore jamais entendu à la fin d'un trajet en flume. On aurait dit un bruit blanc statique qui n'a cessé de croître alors que je m'approchais d'Ibara. Je n'ai pas eu bien longtemps pour me demander ce que c'était, parce que, quelques secondes seulement après l'avoir entendu, je me suis retrouvé sous l'eau.

Comme ça, sans crier gare. Un instant, j'étais dans le flume, et tout d'un coup, je me suis retrouvé à la flotte. Sous la force de l'impact, l'eau a rempli mes narines, comme si j'avais sauté les pieds en devant du grand plongeoir en oubliant de me pincer le nez. Mais la douleur était secondaire. Le plus grave, c'est que je ne pouvais pas respirer. J'allais me noyer. Je me suis même demandé si les habitants d'Ibara étaient des poissons. Soudain, j'ai changé d'avis sur la possibilité de changer de forme. À ce moment-là, me faire pousser des branchies pour me transformer en thon m'a semblé une perspective pleine de charme. Impossible de reconnaître le haut du bas ou de dire à quelle profondeur je me trouvais. Mais je savais que si je ne reprenais pas mes esprits, j'étais fichu. Je me suis détendu et j'ai laissé échapper un peu de mon précieux oxygène pour voir de quel côté flotteraient les bulles. Elles ont dérivé devant mes yeux pour partir vers un grand cercle de lumière. Ce devait être la surface. Je me suis mis à nager.

Heureusement, je n'étais qu'à quelques mètres de profondeur. Je n'ai pas tardé à crever la surface en aspirant de grandes gorgées d'air. J'étais indemne, si ce n'était le mal de crâne provoqué par ce lavement nasal. J'ai soufflé pour me débarrasser de toute cette flotte et j'ai regardé autour de moi. Je pataugeais dans un chaudron circulaire de pierre noire creusé au cœur d'une caverne. La mare faisait sept ou huit mètres de diamètre. Je me suis vite dirigé vers le bord et me suis cramponné à l'avancée rocheuse, le temps de reprendre mon souffle. J'étais sauvé. J'avais réussi. J'étais sur Ibara.

La caverne toute entière était faite de cette même pierre noire d'allure volcanique. Le plafond n'était pas aussi haut que dans les grands portails de Cloral[1]. La salle était petite, et cette grande piscine l'occupait presque entièrement. Ce devait donc être le flume. Même s'il était rempli d'eau. Les habitants d'Ibara étaient peut-être bel et bien des poissons ?

Je me suis hissé hors de la mare. Avec ses rebords de pierre rugueuse et inégale, on aurait dit un cratère de volcan en réduction. Je l'ai enjambé pour découvrir que le sol n'était pas composé de terre, mais de sable. Je me suis assis sur cette surface douce et j'ai regardé à nouveau autour de moi. La lumière s'infiltrait par les nombreuses fissures dans les parois de la caverne. Ce qui voulait dire que je n'étais pas loin sous terre. Ou sous l'eau. Bien sûr, mes vêtements de Première Terre étaient trempés, mais je n'avais pas froid. Au contraire, j'avais chaud et je me sentais

_____

1. Voir Pendragon n° 2 : *La Cité perdue de Faar*.

un brin collant. En regardant autour de moi, j'ai vu un petit tas de vêtements multicolores posés non loin de l'endroit où je me tenais assis. Il y avait deux shorts un peu plus longs que des bermudas. À première vue, ils m'arriveraient au-dessus du genou. Je me suis demandé si c'était des pantalons normaux. Les gens d'ici étaient-ils des nains ? Ça m'aurait bien plu, parce que, dans ce cas, j'aurais été un géant. Ou du moins un grand type. Cool. J'ai toujours été de taille moyenne. Pour une fois, j'aurais bien aimé faire une tête de plus que les autres. Le pantalon était simple, sans boutons ni fermeture Éclair, juste une lanière. Le tissu léger ressemblait à du coton, et il n'y avait pas la moindre étiquette. Mais ces shorts m'apprenaient que les habitants d'Ibara étaient civilisés.

Il y en avait plusieurs, chacun d'une couleur vive différente : rouge, orange et vert. Après Quillan, je ne voulais plus jamais porter du rouge. J'ai donc retiré mes vêtements de Première Terre détrempés et enfilé le short vert. Il m'allait parfaitement, bien sûr. Je me suis demandé si je devais garder mon caleçon, mais ça se serait vu. J'ai donc préféré me la jouer nature.

Il y avait aussi une pile de maillots. Enfin, on aurait plutôt dit des gilets sans manches. Pas moyen de distinguer l'avant de l'arrière. Ça n'avait sans doute pas d'importance. J'ai choisi un vert plus ou moins assorti au short et je l'ai passé par-dessus ma tête. Il m'allait également, quoique un peu ample, ce qui était tout aussi bien, parce qu'il faisait sacrément chaud sur Ibara. Si ces vêtements m'apprenaient quelque chose, c'est que ses habitants vivaient sous un climat tropical et ne s'embarrassaient pas de fioritures.

Oh, et ce n'était pas des poissons.

La touche finale, ç'a été les chaussures, ou ce qui ressemblait à des chaussures. Il y avait deux paires de sandales qui paraissaient tissées dans un matériau naturel quelconque. J'ai ramassé une paire, à ma taille, une fois de plus. Elles se sont glissées à mes pieds comme des tongs, mais il y avait aussi de petites bandes passant derrière les chevilles. Elles étaient confortables et plus pratiques que des tongs. S'il le fallait, je pourrais courir avec. J'étais paré. Il était temps de sortir d'ici.

Je voulais voir Ibara.

En examinant les parois rocheuses, j'ai repéré plusieurs crevasses perpendiculaires au sol. Certaines avaient l'air assez larges pour que je puisse m'y glisser. J'ai jeté un coup d'œil à l'intérieur, mais elles ne menaient nulle part. J'ai continué mes recherches, sûr que l'une d'entre elles devait forcément déboucher à l'extérieur. C'est alors que j'ai pris conscience de mon environnement sonore. En l'occurrence ce même bruit blanc que j'avais déjà entendu dans le flume. Quoi que ce soit, il venait de derrière les parois de cette caverne. Il y avait aussi une sorte de bourdonnement lointain, à peine audible, mais bien là. Constant. Régulier. Mystérieux.

J'avais presque fait le tour complet du périmètre quand j'ai fini par trouver la sortie. C'était une ouverture plus large que les autres qui se prolongeait sur un sol sablonneux. C'était le bon chemin. J'ai quitté la caverne pour me retrouver dans un tunnel sombre et sinueux, si étroit que j'ai dû me tortiller pour y glisser mes épaules. De temps en temps, le couloir s'ouvrait sur une petite caverne pour rétrécir à nouveau. J'ai croisé plusieurs intersections, m'obligeant à choisir un chemin. Ces couloirs tortueux évoquaient de plus en plus un labyrinthe. J'ai pris un tournant, parcouru quelques mètres et je suis tombé sur un cul-de-sac. Ce réseau de tunnels était sacrément complexe. Tant mieux, d'ailleurs : ça limitait le risque qu'on découvre accidentellement le flume. D'un autre côté, il était difficile d'en sortir.

Tandis que j'avançais, le bourdonnement s'est amplifié. En passant sous une autre ouverture, je l'ai entendu plus distinctement. Quelques tournants plus tard, il a diminué. Ma curiosité, elle, ne cessait de grandir. Il faisait noir dans ces cavernes. De temps en temps, un rai de lumière m'indiquait le chemin à prendre, mais la plupart du temps je devais progresser lentement, les mains en avant, de peur de percuter un mur.

Finalement, après un énième virage, j'ai aperçu un mouvement. Un mouvement rapide. Si rapide que j'ai cru l'avoir imaginé. Un simple trait de lumière qui a disparu presque aussitôt. Je me suis arrêté pour y regarder de plus près, mais rien. Quelques pas plus loin, j'ai accroché du coin de l'œil un autre éclair, mais à peine m'étais-je tourné dans sa direction qu'il avait disparu. Il fallait se trouver juste en face de ce phénomène au moment où il se produisait sous peine de le rater.

Le bruit blanc s'est amplifié, lui aussi. Apparemment, je m'approchais de l'extérieur. J'ai passé un tournant et me suis retrouvé face à l'entrée d'une caverne un peu plus petite que celle qui abritait le flume. J'ai aussitôt remarqué un changement dans le fond sonore. Le bourdonnement était bien plus fort. Si fort en fait qu'il couvrait le bruit blanc. Quoi qui puisse le provoquer, je m'en rapprochais.

Cette caverne n'était pas aussi sombre que le reste du labyrinthe. Elle luisait d'une clarté chaude, attirante. La lumière qui s'infiltrait par les fissures était blanche, comme celle du jour. Or celle qui emplissait la caverne était dorée. La pierre était peut-être phosphorescente ? J'ai fait un pas en avant et j'ai parcouru du regard l'espace dégagé. Dès que mes yeux se sont accoutumés à la lumière, je l'ai vue. Une crevasse, droit devant moi, sur le mur opposé. La sortie.

Je n'aurais su dire pourquoi, mais dès que j'ai vu ce passage je me suis mis à angoisser. Il ne s'était rien passé, rien n'avait changé, ce n'était qu'un sentiment de malaise informe, un sixième sens qui me soufflait que cette caverne était dangereuse. Il fallait que j'en sorte, et vite. J'ai couru vers la crevasse. J'étais à mi-chemin quand, soudain, le bourdonnement s'est arrêté. Comme ça, tout d'un coup. Le silence. Il ne restait plus que le bruit blanc. Qu'est-ce qui l'avait arrêté ? Et d'ailleurs, d'où sortait-il ? Apparemment, ma tentative pour traverser la caverne avait fait taire ce bourdonnement. Mais comment ? Était-il mécanique ? Avais-je déclenché quelque chose qui avait arrêté la machine ?

Les poils sur ma nuque se sont hérissés. Je ne savais si je devais continuer ou rester immobile. J'ai préféré attendre qu'il se passe quelque chose. Ce qui n'a pas tardé à se produire. La lumière dorée qui baignait la caverne s'est mise à croître. Le bourdonnement est revenu. D'abord faible, pour s'amplifier en même temps que la clarté. Cette lumière chaleureuse.

Cette lumière jaune.

Quelque chose est apparu devant moi. Un éclair qui a disparu tout aussi rapidement. Le même que j'avais aperçu dans les tunnels. Cette fois, je l'ai vu. Et un second éclair est passé devant moi, s'est arrêté, puis est reparti dans la direction opposée. Tout aussi vite. Quel que soit ce phénomène, quelqu'un le contrôlait. Ou quelque chose. Un autre éclair est passé tout près de mon visage dans un bourdonnement insectoïde. Il n'était pas phosphorescent. C'était une espèce de luciole. Une autre est passée, puis une autre. La lumière jaune s'est amplifiée. Le bruit aussi. J'ai alors compris que c'était bien un bourdonnement. Celui d'un essaim tout entier. La lumière s'est encore amplifiée comme si une rangée de projecteurs illuminaient la caverne. J'ai levé les yeux pour voir un spectacle impressionnant.

Le plafond tout entier scintillait comme si la roche était piquetée d'ampoules de Noël. C'était stupéfiant. Toute la caverne s'animait. Était-ce une étrange forme d'énergie ? Chimique ? Électrique ? Était-ce…

— Aïe !

Quelque chose m'avait piqué la jambe. Je me suis empressé de le repousser. C'était une des lucioles. Ces petites horreurs avaient des dards !

— Ouille !

Une autre m'a piqué à l'épaule gauche. Et ça faisait un mal de chien ! Une autre encore a bourdonné devant mon visage. J'ai alors compris. La lumière du plafond n'avait rien d'amicale. Elle ne cherchait pas à me guider. Non, c'était juste que le haut de la caverne était couvert de ces petites créatures qui m'attaquaient. Elles brillaient d'une lueur jaune. Aussi horrifique soit-elle, la conclusion s'est imposée d'elle-même.

Des quigs.

Ceux d'Ibara étaient des abeilles. C'est alors que le plafond s'est animé. Les abeilles-quigs ont plongé comme un essaim furieux. Vers moi ! Je me suis mis à courir comme un dératé vers la crevasse. L'essaim m'a suivi comme un nuage furieux. Je ne pouvais pas les distancer. Mon seul espoir était d'arriver à la sortie et à l'extérieur avant qu'elles aient pu me rattraper. Si toutefois la lumière du jour les arrêtait. J'ai atteint la fissure, en me cognant l'épaule contre la roche, mais je l'ai à peine sentie. L'effet de la peur. Oubliant toute prudence, j'ai filé désespérément dans la caverne sinueuse. Je pouvais entendre s'amplifier le bourdonnement des abeilles, comme une scie mécanique lancée à mes trousses.

Devant moi, le tunnel est devenu bien plus brillant. Je devais m'approcher de son embouchure.

Un quig m'a piqué le dos. Puis un autre. Pourquoi n'attaquaient-ils pas tous en même temps ? Mystère. Mais je m'en fichais pas mal. Ça ne faisait que m'encourager à courir plus vite.

Le tunnel était désormais éblouissant. L'embouchure était proche. Je devais l'atteindre. Sortir de là. Plonger dans la lumière. En espérant que ces insectes tueurs ne me suivent pas. C'était ma seule chance. Trois autres piqûres mordantes se sont succédé. Je n'ai pas cherché à chasser les quigs. Ça m'aurait ralenti.

J'ai passé un tournant et l'ai enfin vue, l'embouchure de la caverne, baignée de lumière. Le chemin d'Ibara. Mon seul espoir. J'avais réussi. J'allais sortir de la caverne avant que les quigs ne puissent me faire plus de mal.

La bonne nouvelle, c'est que je suis bel et bien sorti de ce piège.

La mauvaise, c'est que ça n'a servi à rien.

Je me suis retrouvé sur une plage. Devant moi s'étendait un grand océan vert paisible qui évoquait une carte postale des Caraïbes. J'ai senti des palmiers ondulant sous la brise, l'odeur douceâtre de fleurs tropicales et un doux ressac. C'était donc ça, ce bruit blanc : celui des vagues. La caverne se trouvait au bord de la mer. Je n'étais qu'à une cinquantaine de mètres de la surface des flots. J'ai couru sur le sable. Si les quigs attaquaient à nouveau, je pourrais toujours leur échapper en plongeant sous la surface.

Je n'y suis pas arrivé à temps. Les quigs ont fondu sur moi. En masse. La lumière du soleil ne les arrêtait pas. Au contraire, on aurait dit qu'elle les rendait plus audacieux. Maintenant qu'on était dehors, ils évoquaient moins des lucioles que des abeilles. Un essaim d'abeilles furieuses. Une véritable vague m'a frappé le dos. La douleur a explosé alors qu'elles plongeaient leurs dards chauffés à blanc dans mon corps. Elles se sont massées autour de ma jambe. Un instant, leurs pattes m'ont carrément chatouillé. Un instant bien court. Ensuite, elles m'ont piqué. Toutes en même temps, du moins c'est l'impression que j'en ai eu. Difficile de décrire la douleur qui m'a submergée, parce que je n'avais encore rien connu de tel. Elles sont remontées vers mon visage, si nombreuses qu'on aurait dit qu'un nuage occultait le soleil. C'était comme un cocon noir qui se refermait sur moi. J'ai essayé de les chasser, en vain. Elles étaient trop nombreuses. Je me suis plutôt protégé le visage et surtout les yeux.

Elles m'ont piqué les bras. Des centaines, non, des milliers de fois. Chaque morsure était comme une goutte d'acide sur ma peau. Elles ont atteint mes joues et mon nez. J'ai senti des piqûres sur mes oreilles et sous les bras. J'aurais bien ouvert la bouche pour crier, mais j'avais trop peur qu'elles ne s'y engouffrent.

Le bourdonnement était assourdissant. C'était fini. Elles me tenaient. La douleur était si intense que je ne ressentais plus rien. Mon cerveau devait s'être déconnecté. Mes nerfs étaient en surcharge. Ma tête s'est mise à tourner. Quel que soit le venin qu'elles m'injectaient, il faisait effet. J'ai titubé, tentant toujours d'attendre la surface de l'océan dans l'espoir d'y plonger pour m'en débarrasser. En vain. J'étais bien trop loin. Tout s'est mis à tourner. Ce bourdonnement a empli mes oreilles. Je suis tombé sur un genou, luttant pour ne pas perdre conscience. Pourquoi ? Je ne sais pas. Si je tombais dans les pommes, je ne sentirais plus la douleur. Je devais me laisser succomber au venin. Ce serait un soulagement.

Ma dernière pensée a été que je ne pouvais pas être une illusion. Une illusion ne pourrait pas souffrir un tel martyre.

Puis tout est devenu noir.

Journal n° 29
(suite)

IBARA

Je flottais entre deux eaux.

Enfin, c'est comme ça que je le ressentais. Je dérivais dans le vide. Impossible de distinguer le haut du bas. Et pourtant, je pouvais respirer. À un moment donné, je me suis dit que j'avais peut-être bel et bien réussi à me faire pousser des branchies. Dans un rêve, tout est possible. Est-ce que je dormais ? En tout cas, je flottais au sud de nulle part, et ça ne me dérangeait pas du tout.

Ça n'a pas duré. La première chose qui m'a indiqué que je revenais à la réalité, c'est une sensation de poids. Mon corps était lourd. Incroyablement lourd. Comme si j'étais dans la peau d'un autre. Ça, par contre, ça me plaisait beaucoup moins. J'étais comme paralysé. Et j'avais chaud ; très chaud. J'avais l'impression d'être enveloppé dans une couverture de laine. Le matériau était rugueux, mais impossible de lever la main pour me gratter. Quoique, je n'aurais pas su par où commencer, parce que tout mon corps me démangeait. J'ai fini par reprendre conscience, du moins assez pour constater que j'étais allongé. Mais je n'ai même pas essayé d'ouvrir les yeux : je n'en avais pas la force. En plus, j'avais peur de ce que je pourrais voir. Ma tête était comme prise dans un étau. J'aurais bien demandé à celui qui le manipulait d'arrêter, mais mes lèvres étaient soudées. J'ai avalé ma salive. *Aïe*. Ma gorge était à vif.

J'ai fini par revenir à la réalité. Je m'en serais bien passé, parce que plus je reprenais conscience, plus j'avais mal. J'ai entrouvert un œil. La lumière elle-même m'était douloureuse. Je me suis forcé à regarder autour de moi. J'aurais pu m'abstenir, parce qu'il n'y avait pas grand-chose à voir. J'étais allongé sur le dos au milieu d'une mer d'herbe. Oui, de l'herbe. J'ai tenté de me concentrer, mais je me sentais trop mal pour voir au-delà de la douleur. À part l'étau enserrant mes tempes, j'avais une méga crise d'urticaire. En pire. S'il y a plus grave que l'urticaire, c'était ça. Mais non. C'était les abeilles. Les abeilles-quigs. J'étais suffisamment conscient pour me rappeler ces petits monstres. J'ai regardé mon bras pour constater qu'il était couvert de marques rouges. Des piqûres. *Ouille.* Elles ne m'avaient pas raté. Note : éviter les miroirs. Je devais ressembler à la Chose des Quatre Fantastiques. Une image que je préfère oublier, merci. Aussi mal en point que je puisse être, il y avait tout de même un point positif : j'étais en vie. J'allais guérir. J'étais doué pour. Ce que j'ignorais, c'est où j'avais atterri et comment j'y étais arrivé.

– Tu es réveillé, a fait une douce voix féminine.

Douce et féminine : enfin une bonne nouvelle. J'ai levé une paupière et l'ai vue se dresser devant moi, la tête en bas. Elle m'a regardé droit dans les yeux. Ou l'œil. La première chose que j'ai remarquée, c'est ses cheveux. Ils étaient longs et roux. Elle les portait ramenés en arrière et noués par un ruban jaune. Pratique. Ses yeux étaient d'un vert comme je n'en ai jamais vu et si profonds qu'on aurait cru des verres de contact. Elle était jolie, je crois. Difficile à dire quand on voit quelqu'un à l'envers et avec un seul œil.

J'ai aussi lu de l'inquiétude dans ce regard. C'était bien. Moi-même, j'avais pas mal de raisons de m'inquiéter. Ça nous faisait un point commun.

– Combien de temps ? ai-je coassé.

– Tu as dormi trois jours. On t'a donné des somnifères pour que tu puisses guérir. Tu as beaucoup de chance.

– Sans blague ? ai-je grogné, sarcastique.

Elle a souri. Elle avait compris.

– Le venin d'abeilles n'est pas mortel. À moins d'y être allergique. Je suppose que tu ne l'es pas, sinon tu serais mort.

Bien vu.

– Tu dois rester allongé jusqu'à ce que ton organisme rejette le poison.

Bien. Si vous le dites. Je n'avais aucune envie de me lever. De marcher. Ou même de parler. Ou quoi que ce soit qui m'oblige à bouger ou penser. Ce qui ne laissait guère que le sommeil.

— Je n'ai jamais vu quelqu'un se faire piquer comme ça, a-t-elle dit, soucieuse. As-tu fait quelque chose pour mettre ces abeilles en colère ?

Je me suis demandé comment elle réagirait si je lui disais que c'était des insectes mutants envoyés par un démon d'un autre territoire qui m'avaient attaqué parce que je venais l'empêcher de détruire son monde à elle. Mais j'ai décidé de garder ça pour moi.

— Non, ai-je coassé.

— Bois ça.

Elle a posé une petite tasse contre mes lèvres. J'ai dû lever ma tête douloureuse. *Aïe*. J'ai avalé quelques gorgées, bien qu'il en ait coulé davantage sur mon menton que dans ma gorge.

— Tu te remets à une vitesse exceptionnelle. Je n'ai jamais rien vu de tel.

Moi si.

— Dors encore un peu. Quand tu seras sur pied, on pourra commencer.

— Commencer quoi ?

Elle s'est penchée sur moi :

— On doit savoir qui tu es et la raison de ta présence sur Ibara.

Oh. Ça.

J'ignore ce qu'elle m'avait donné, mais je me sentais déjà groggy. Je flottais à nouveau. C'était loin d'être désagréable. Avant de replonger, je me suis forcé à ouvrir l'œil une fois de plus pour demander :

— Comment tu t'appelles ?

— Telleo.

Telleo. Un joli nom. C'était bon de savoir que quelqu'un s'occupait de moi.

— Merci, Telleo.

Elle m'a adressé un sourire chaleureux.

— Et toi ?

Voilà une question facile. Les plus dures viendraient après. Il faudrait que je trouve des réponses à leur donner. Mais pas pour l'instant. Je retournais flotter entre deux eaux.

106

— Pendragon. Bonne nuit.

Quand je me suis réveillé, je me sentais nettement mieux. Pas bien, mais mieux. Ces démangeaisons insupportables étaient devenues des démangeaisons à peine supportables. Les centaines de piqûres s'étaient cicatrisées. Parfois, c'est bon d'être un Voyageur. Je me demande combien de temps mettrait un humain normal pour guérir d'un tel massacre. Ne vous y trompez pas, je n'étais pas beau à voir. Mais au moins, j'étais de nouveau opérationnel.

— Tu peux t'asseoir ? a fait une voix familière.

Telleo est apparue au pied de mon lit.

— Je crois, ai-je coassé. Combien de temps j'ai dormi cette fois-ci ?

— Deux jours. J'ai arrêté de te donner tes médicaments ce matin. Il est temps que tu nous rejoignes.

J'étais si raide que je pouvais à peine bouger. Je ne savais pas si c'était la conséquence des piqûres ou d'être resté allongé pendant cinq jours. Les deux, probablement.

— Tu me mets un peu d'huile ? ai-je murmuré entre mes dents serrées.

— Pardon ?

— Rien.

Il valait mieux m'abstenir de faire des blagues de Seconde Terre.

Lorsque Telleo m'a aidé à me lever, la tête m'a tourné.

— Aïe. Pas bon.

Elle m'a aidé à me rallonger.

— On réessaiera un peu plus tard.

Je suis resté là, à regarder le plafond. Il était fait d'herbes tressées. Jusque-là, je n'avais pas percuté, mais je voyais bel et bien de l'herbe. C'était un cottage tout simple aux murs de bois. J'étais allongé sur un lit situé à trente centimètres du parquet. Le matelas était mince, mais confortable. La porte grossière était façonnée avec des bâtons qui ressemblaient à des bambous. Les meubles de bois étaient simples et sans fioritures. Quelques chaises et une table faites du même matériau que la porte. La table était chargée de carafes en terre de tailles différentes. Elles devaient contenir les potions que Telleo me donnait. Pour autant que je puisse voir, il n'y avait pas d'autres pièces. À première vue, cet endroit ressemblait à une cabane primitive.

En y regardant de plus près, j'ai remarqué des détails qui démentaient cet aspect rustique. Près du plafond, un tube de lumière évoquant un néon faisait toute la longueur du mur. Ces gens ne s'éclairaient pas avec une simple bougie. Ils avaient l'électricité. Bien qu'on soit en intérieur, j'ai senti une douce brise. J'ai regardé autour de moi pour voir des lames de ventilateur tourner doucement. Une fois de plus, ils avaient l'électricité, ou du moins une source d'énergie. Le comble du bizarre a été atteint lorsque Telleo s'est dirigée vers la table et a ramassé un petit gadget de couleur crème ressemblant à une barre de savon.

Elle l'a touché plusieurs fois avant de parler dedans :

– Il est réveillé.

C'était donc un téléphone. Sous mes yeux, elle a mélangé une concoction tirée des différentes carafes. C'était un petit bout de femme, guère plus d'un mètre soixante. Elle avait la peau claire, quoique très bronzée. Elle portait une courte robe jaune qui semblait faite du même tissu que mes vêtements. La robe leur ressemblait vaguement, d'ailleurs, ample et sans manches. Elle portait aussi les mêmes sandales. Elle devait être plus âgée que moi, mais pas de beaucoup.

En la regardant travailler, je me suis demandé quel rôle elle jouerait dans mon séjour sur Ibara. Serait-elle une alliée ? Une ennemie ? Ou sortirait-elle de ma vie au moment où je quitterais cette cabane ?

– Tu as faim ? a-t-elle demandé en m'apportant une tasse brune.

– Je ne veux pas me rendormir.

– Ne t'en fais pas. Ce n'est qu'une soupe. Il faut que tu reprennes des forces.

J'ai pris la tasse avec gratitude et j'ai bu une gorgée. C'était chaud, salé et délicieux. On aurait dit un bouillon de poule. J'imagine que, où qu'on se trouve et quelle que soit l'époque, rien ne vaut une bonne soupe. Le tonique universel. Pendant que je me régalais, Telleo est retournée travailler, mais elle n'a pas arrêté de me jeter de petits coups d'œil curieux à la dérobée. Elle ne savait pas qui j'étais ni d'où je venais. De mon côté, je ne savais ni où j'étais, ni comment j'y étais arrivé. Entre nous deux, le mystère restait entier. Il fallait que j'en apprenne davantage sur Ibara, mais je devais bien choisir mes questions.

– Merci d'avoir pris soin de moi, ai-je dit.

– Pas de quoi. C'est mon travail.

– Tu es docteur ?

– Infirmière. J'assiste les docteurs.

– Alors je suis dans un hôpital ?

– Non, c'est une hutte communautaire qui appartient au tribunal.

Le tribunal. Voilà un bon début. Je ne savais toujours pas à quel genre de société j'avais affaire. D'après ce que j'avais vu de cette petite cabane, c'était un drôle de mélange entre le primitif et le moderne. Soudain, une idée m'a frappé. C'était peut-être un centre de vacances ? Vous savez, ces endroits où les gens payent des fortunes pour habiter des bicoques « authentiques » et se la jouer « retour à la nature » ?

– Un groupe de pêcheurs a été témoin de l'assaut, a-t-elle expliqué. Ce sont eux qui t'ont ramené. S'ils n'étaient pas intervenus pour chasser les abeilles, impossible de dire ce qui te serait arrivé.

– Donc, d'une certaine façon, j'ai eu de la chance, ai-je déclaré.

Telleo avait l'air de vouloir dire quelque chose, mais de ne pas savoir si elle le pouvait.

– Quoi ? ai-je demandé.

Elle a regardé autour d'elle comme pour s'assurer qu'on était bien seuls, puis elle est venue s'agenouiller à côté de moi. Elle a parlé rapidement, comme si elle n'avait pas beaucoup de temps :

– D'où viens-tu ? a-t-elle demandé avec curiosité. Je sais que tu n'es pas d'ici.

Elle n'était pas agressive. Elle semblait sincèrement intriguée. L'ennui, c'est que je ne savais pas quoi lui répondre. C'était le moment de me montrer évasif.

– Tu as raison. Je ne suis pas d'ici.

C'était la réponse la plus basique que je puisse donner sans mentir. Elle m'a regardé avec de grands yeux innocents. Soudain, elle semblait beaucoup plus jeune que je ne l'aurais cru. C'était comme si je m'adressais à une gamine naïve.

— Mais il n'y avait pas de bateau, a-t-elle contré. Du moins, pas là où les pêcheurs t'ont trouvé. Et pourtant, ils ont fouillé la plage.

— Il y a d'autres moyens de voyager, ai-je répondu, toujours aussi évasif.

Elle m'a jeté un regard curieux.

— Je ne comprends pas. Comment aurais-tu pu arriver là sans bateau ?

Je n'ai pas parlé du flume. Je me suis contenté de hausser les épaules.

— Il y a tant de choses que j'ignore, a-t-elle dit, presque pour elle-même.

Elle s'est tournée vers moi, et son regard est devenu perçant.

— Certains disent qu'on aurait dû te laisser mourir sur cette plage. Mais pas moi. On n'est pas des sauvages.

— C'est bon à savoir, merci, ai-je dit sincèrement.

— Inutile de me remercier. Dis-moi la vérité. Es-tu un Uto ?

Gloups. Un Uto ? Je n'en avais pas la moindre idée. Était-ce bien ou mal d'être un Uto ? J'ai décidé d'éluder la question une fois de plus :

— Je ne suis pas venu chercher des ennuis. Ça, c'est la stricte vérité.

Telleo m'a longuement dévisagé, comme si elle cherchait à deviner si elle pouvait me croire. Finalement, un sourire de soulagement s'est dessiné sur son visage.

— Je m'en doutais. Tu ne ressembles pas à un Uto. Je suis contente.

Ouf. Moi aussi. Note : Uto = mauvais.

Elle s'est relevée, à nouveau surexcitée.

— Alors dis-moi d'où tu viens ! Je ne suis jamais allée au-delà des limites de Rayne. Il doit y avoir tant de choses là-bas ! J'ai entendu ce qu'on raconte, mais ce n'est pas comme de le voir en personne.

110

Rayne. Qu'est-ce que c'était ? J'aurais aimé pouvoir le lui demander, mais ça n'aurait fait qu'entraîner d'autres questions.

– J'aimerais bien sortir d'ici, ai-je dit, éludant la question.

Telleo s'est mordu nerveusement la langue.

– Ce n'est pas une bonne idée.

Je me suis redressé, plus lentement cette fois-ci.

– Pourquoi pas ? Je me sens mieux. Je crois que je peux…

La porte s'est ouverte d'un coup. Trois hommes sont entrés. Tous vêtus comme moi. Ils sont restés là, à me dévisager d'un air furieux. Qu'est-ce qui allait encore me tomber dessus ? Ils faisaient à peu près la même taille que moi. Je pouvais abandonner mon rêve d'être un géant. Bon, tant pis. Tous portaient des cheveux longs descendant presque jusqu'à la taille et des lanières de cuir servant de ceintures. Ils y avaient passé de petites matraques. Des armes. Une sur chaque hanche. Ce n'était pas le comité de bienvenue.

Telleo leur a fait face courageusement, les jambes bien écartées.

– Il n'est pas encore en état de se déplacer.

Elle tentait d'avoir l'air d'une dure, mais n'était pas très convaincante.

Le type du milieu, le plus grand des trois, l'a dépassée et m'a regardé, le nez en l'air, comme si j'étais un lépreux.

– Tu es en état d'arrestation, a-t-il grogné.

Oh. Super. Ça faisait à peine quelques minutes que j'étais réveillé, et j'avais déjà des ennuis. Comme je ne voulais pas défier les autorités, je ne me suis pas rebiffé.

– Pourquoi ? ai-je demandé innocemment. Je n'ai rien fait de mal.

– Et tu n'en auras pas l'occasion, a-t-il craché en retour.

– Vous ne pouvez pas m'arrêter à cause de ce que je *pourrais* faire, ai-je râlé.

– Ce n'est pas un Uto, a répondu Telleo. Il ne veut de mal à personne.

L'armoire à glace lui a jeté un regard d'acier.

– Et comment le sais-tu ?

– Parce qu'il me l'a dit, et que je le crois, a répondu sincèrement Telleo.

Bien joué !

Le type a eu un de ces sourires fats que j'ai en horreur.

— C'est pour ça que tu t'occupes des malades, et que nous, on s'occupe de la sécurité.

Telleo ne s'est pas laissée intimider.

— Il doit se reposer jusqu'à ce qu'il ait repris des forces.

— Justement, a aboyé l'armoire à glace, on ne veut pas qu'il reprenne des forces.

Il a fait un geste à l'adresse de ses deux hommes de main. *Zut.* Avant que j'aie pu réagir, chacun m'a pris par un bras et m'a relevé. Je ne me suis pas débattu. J'en étais incapable. Tout s'est mis à tournoyer.

— Je vous en prie ! a insisté Telleo. Il est malade !

— Tu as fait ton devoir, Telleo, a grondé le géant. Retourne à la section médicale et oublie que tu as vu cet homme.

— Hé, non ! me suis-je écrié. Ne m'oublie pas, Telleo. Si je n'ai rien fait, ils ne peuvent pas m'arrêter. Ce n'est pas votre façon de faire, hein ? Vous n'êtes pas des sauvages, n'est-ce pas ? Vous ne laissez pas mourir votre prochain et vous ne vous en prenez pas aux innocents.

Les événements prenaient un tour déplaisant. Ça ressemblait fort à un coup de main de la mafia locale. Pas de questions, pas de procès, pas de témoins. Ce type qui s'est fait piquer par des abeilles disparaît, *pfuit !* et nul ne le revoit jamais. Je me serais bien défendu, mais je n'en avais pas la force. Hé, je pouvais à peine garder les yeux ouverts.

— Ne t'inquiète pas, a dit Telleo alors qu'ils m'entraînaient vers la porte. Le juge comprendra. Si tu n'as rien fait de mal, ils se contenteront de te renvoyer.

Me renvoyer ? Où ça ? En Première Terre ? Je n'en savais rien. À vrai dire, je ne savais pas grand-chose, uniquement que j'étais prisonnier de trois brutes qui me croyaient coupable tant que je n'avais pas prouvé mon innocence. Mais coupable de quoi ?

Elle m'a adressé un sourire triste. Je me suis demandé si je la reverrais un jour.

— Merci, ai-je dit.

Le géant a ouvert la porte d'un coup de pied, et les brutes m'ont fait sortir de la cabane. J'ai pu enfin voir pour la première fois Ibara, ce monde que j'étais censé protéger de Saint Dane. Le monde qui avait déjà fait de moi un criminel.

Journal n° 29
(suite)

IBARA

Le Paradis.

Je ne sais pas quel autre terme serait plus approprié pour décrire Ibara. C'était un vrai paradis. Bon, un paradis où un essaim d'abeilles tueuses avait bien failli me piquer à mort et où on m'avait arrêté pour un crime que je n'avais pas commis. À part ça, c'était la perfection.

On m'a arraché à la cabane où Telleo s'était occupée de moi pour me jeter sans douceur sur le sable. Je n'ai pas résisté. Ils étaient trois contre un. Pire encore, je n'étais opérationnel qu'à vingt pour cent de mes capacités. J'ai suivi le mouvement en tentant de voir ce qui m'entourait. Je voulais en apprendre autant que possible sur Ibara. Ce n'était pas si facile. Les trois types qui m'avaient arrêté n'étaient pas des guides touristiques. J'ai dû me débrouiller tant bien que mal pendant qu'ils m'entraînaient en ville.

Oui, j'ai bien dit en ville. Ou plus exactement, une sorte de village tropical. Il n'y avait pas d'immeubles, uniquement des cabanes aux toits d'herbe semblables à celle où Telleo m'avait soigné. Il y en avait des centaines, de toutes tailles, disposées en rangées bien ordonnées entre des avenues de sable. Elles n'étaient pas serrées les unes contre les autres : il y avait bien assez d'espace. En guise de jardin, elles étaient entourées de grandes plantes vertes piquetées de fleurs incroyablement colorées – rouge vif, bleu profond, orange brillant et bien d'autres tons luisant sous le soleil tropical. On aurait dit que chaque cabane était blottie dans son nid confortable. Le village sentait l'étal de fleuriste, mais pas de façon étouffante. L'air était frais, tout simplement.

Il n'y avait pas de véhicules. Tout le monde était à pied. Certains lisaient devant leur cabane. D'autres portaient des paniers de nourriture ou de grands récipients remplis de Dieu sait quoi. J'ai vu des gens qui s'affairaient à réparer les cabanes, tressant des herbes sur les toits. D'autres construisaient de nouvelles demeures. Tout le monde portait des variantes des vêtements simples que j'avais trouvés au flume. La plupart des hommes se passaient de chemises et de chaussures. Certaines femmes arboraient de courtes robes. Tous ces habits étaient légers et colorés. Il y avait aussi pas mal de gamins qui couraient partout et se comportaient... eh bien, comme des gamins.

Le village s'élevait en bordure d'un océan paisible aux flots verts. Une grande plage de sable blanc poudreux séparait les cabanes de l'eau. J'ai à peine pu jeter un coup d'œil, mais j'ai aperçu des bateaux de toutes tailles flottant non loin du rivage. Certains ressemblaient à de petites barques de pêche, d'autres à des voiliers. Il y avait aussi des pêcheurs munis de longues cannes sur le rivage. La plage circulaire s'incurvait pour former une grande baie dont l'embouchure semblait mesurer quelques centaines de mètres. Les flots étaient paisibles comme ceux d'un lac. Au-delà de l'entrée de la baie, on voyait les crêtes blanches des vagues, indiquant le large. Il y avait des cabanes tout le long de la plage. Mais cette agglomération n'était pas surpeuplée. Il y avait pas mal d'espaces verts, avec des arbres, des buissons et des fleurs. Les ombres de grands palmiers offraient une protection bienvenue contre les rayons brûlants du soleil.

Le village semblait bâti à un bon emplacement. D'un côté, cette vaste baie bien protégée. De l'autre, dominant les cabanes, s'élevait une montagne majestueuse se terminant sur un pic acéré. Sur ses pentes verdoyantes, j'ai remarqué plusieurs cascades zébrant la surface. À sa base, d'autres cabanes étaient bâties à flanc de montagne. Alors, ça ne vous évoque pas le paradis ?

Ce n'était pas un village, plutôt une grande cité tropicale entièrement protégée, d'un côté par la mer, de l'autre par une montagne spectaculaire. On aurait dit un port de pêche idéal. Et pourtant, il y avait de ci de là des petites touches qui ne collaient pas. Je n'arrivais pas à déterminer à quel point cette civilisation était avancée. Était-ce de simples pêcheurs qui passaient leur vie à cueillir des fruits et tirer leur subsistance de la mer ? Ou étaient-ils plus avancés ? Il le fallait, à en juger par la technologie que j'avais vue. En plus du téléphone que Telleo avait employé et des néons dans sa cabane, il y avait de l'éclairage dans les arbres. Pas de doute, ils avaient l'électricité. J'ai aussi vu des gens qui arrosaient les fleurs entourant leurs cabanes avec des tuyaux d'arrosage. Donc, ils avaient l'eau courante. Je vous ai déjà précisé que certains villageois lisaient des livres, ce qui voulait dire qu'ils connaissaient l'imprimerie.

Il y avait encore d'autres détails qui ne sautaient pas aux yeux, mais qui brouillaient encore plus les cartes. Les gens n'étaient d'aucune race particulière. J'ai vu toutes les couleurs de peau et de cheveux imaginables. Leurs traits présentaient également de sacrées différences. Je ne suis pas anthropologue, mais si une seule tribu habitait ce village, tout le monde se ressemblerait plus ou moins. Or ce n'était pas le cas. Pas de doute, ces gens venaient des quatre coins d'Ibara. J'ai commencé à croire que l'idée d'une station balnéaire n'était pas si farfelue. Tous les critères y étaient : un décor magnifique, une plage de rêve, un brassage d'individus, des bateaux, des pêcheurs, un climat tropical et tout le confort domestique. Il ne manquait plus qu'un hors-bord tirant des skieurs et un type jouant du tambourin. Il n'y avait qu'un seul problème.

Dans les stations balnéaires, on ne se fait pas arrêter sans chef d'accusation. Ça gâcherait vos vacances.

J'ai vu l'essentiel de ce que je viens de vous décrire pendant que mes ravisseurs me traînaient à travers les rues. J'ai essayé d'accumuler un maximum d'informations, et les passants qu'on croisait me regardaient avec un intérêt tout aussi vif. Et pourquoi pas ? On ne voyait pas ça tous les jours : trois armoires à glace tirant un type couvert de croûtes et à moitié dans les vapes. Quelques passants ont même applaudi et encouragé mes ravisseurs :

– Bien joué !

– Bravo !

– Super !

Hein ? Qu'est-ce que j'avais fait pour mériter ça ? Était-ce un crime de se faire bouffer par un essaim d'abeilles ?

– Où va-t-on ? ai-je demandé alors qu'on progressait d'un pas vif dans les rues sablonneuses.

– On va t'amener devant le tribunal, a répondu le géant d'une voix bourrue. Ils décideront quoi faire de toi.

Le tribunal. Voilà qui semblait bien officiel. J'avais tout intérêt à concocter une histoire plausible pour expliquer ma présence ici. Apparemment, la meilleure chose qui pouvait m'arriver était d'être renvoyé. Du moins, c'est ce qu'avait dit Telleo. Et la pire ? Je préférais ne pas y penser.

– Au secours ! Au voleur ! a crié une voix de femme.

Aussitôt, deux jeunes types venant d'une rue adjacente ont surgi devant nous. Ils portaient tous les deux des sacs de toile et fuyaient comme… eh bien, comme des voleurs. Ils semblaient un peu plus jeunes que moi. L'un avait de longs cheveux noirs bouclés et la peau sombre, l'autre également des cheveux longs, mais blonds. Ils ne portaient ni chemises, ni sandales. Tout deux riaient comme s'ils venaient de commettre impunément le crime du siècle. Ils se sont tournés dans notre direction, nous ont vus et se sont arrêtés nets. Et ils ont cessé de rire.

– Oh, oh, a fait le blond.

Ils ont tourné les talons pour filer dans la direction opposée. Mes ravisseurs se sont figés, ne sachant comment réagir.

– Vous devriez peut-être courir après de *vrais* criminels, ai-je suggéré.

– Allez-y ! a aboyé le géant aux autres. Je me charge de lui !

Les deux hommes se sont lancés à la poursuite des voleurs. Maintenant, on était à un contre un. Moi contre cette armoire à glace. Je n'en suis pas vraiment fier, mais, comme il l'avait affirmé, il était tout à fait capable de se charger de moi. Aucun doute là-dessus. Il a glissé une cordelette autour de mon poignet droit, l'a serrée, puis a ramené mon autre bras dans mon dos et a passé la cordelette au poignet gauche. Il savait ce qu'il faisait. C'était aussi efficace qu'une paire de menottes. Il m'a poussé en avant et je suis parti d'un pas mal assuré. On est passés devant la rue d'où avaient jailli les deux voleurs, juste à temps pour voir les autres agents immobiliser le type aux cheveux noirs. En revanche, son collègue blond semblait avoir réussi à s'échapper. Je me suis demandé si cette ville tropicale était aussi idyllique qu'il y paraissait. Apparemment, le crime y était courant.

— Qu'est-ce que j'ai fait de mal exactement ? ai-je demandé au géant.

— Tu es un étranger, a-t-il rétorqué. Les étrangers passent devant le tribunal.

Zut. Je ne pourrais jamais convaincre qui que ce soit que je n'étais pas un étranger, donc si c'était mauvais pour moi, j'étais mal barré. Au moins, ça m'épargnait la peine de faire comme si je connaissais cette ville.

— Et c'est quoi, ce tribunal ? ai-je demandé.

— C'est le gouvernement de Rayne, a-t-il répondu.

— Alors cette ville s'appelle Rayne ?

Il n'a pas répondu.

— Qu'est-ce que vous avez contre les étrangers ? ai-je insisté.

À nouveau, pas de réponse.

— Que va-t-il se passer si le tribunal me juge coupable d'être un étranger ? Que peut-il m'arriver de pire ?

— Tu seras exécuté, a répondu sèchement le type.

Oh. Décidément, ce n'était pas une station balnéaire. Il était temps de m'inquiéter.

On ne s'est plus rien dit durant le reste du trajet. Plus on s'éloignait du rivage, plus la jungle devenait dense. Les feuilles des arbres formaient un toit protecteur au-dessus de nos têtes. On a traversé des clairières où jouaient des enfants, de grandes huttes qui ressemblaient à des salles communautaires et même un ensemble de boutiques vendant des vêtements, des outils et de la nourriture. Une cabane plus grande que les autres ressemblait à une école : un groupe de gamins assis en rang écoutaient attentivement le cours donné par une femme plus âgée. On est passés devant un grand amphithéâtre en plein air ou une centaine de personnes assises à même le sable écoutaient un groupe de musiciens jouant d'instruments faits à partir de matériaux naturels, tels que du bois et des bambous. Ils étaient plutôt bons. Il y avait beaucoup de percussions avec un rythme puissant qui faisait danser une bonne partie des auditeurs. Je me serais bien arrêté pour écouter un moment. C'était toujours mieux que d'être entraîné vers une possible exécution.

Le terrain est devenu plus escarpé. On a bientôt dû grimper des marches de pierre. Quelques minutes plus tard, on est tombé sur une paroi rocheuse verticale. Alors qu'on se rapprochait, loin au-dessus de nous sur le flanc de la montagne, j'ai vu une grande ouverture découpée dans la pierre. Ce n'était pas un cul-de-sac : on allait continuer à l'intérieur de la montagne. En effet, le chemin nous a menés à une caverne assez vaste pour faire passer une voiture. Ce décor n'avait rien de bien effrayant, enfin, sauf que c'était là qu'on déciderait s'il fallait m'exécuter ou non. L'endroit était très occupé : des gens allaient et venaient dans tous les sens. En me rapprochant, j'ai vu que l'intérieur était bien éclairé par des tubes lumineux longeant les murs. Le géant m'a entraîné dans un couloir rocheux ressemblant à la caverne de pierre noire cachant le flume. De chaque côté du tunnel, des ouvertures menaient à des pièces où l'on effectuait toutes sortes de tâches, comme de coudre des vêtements, faire la cuisine ou réparer de petites machines. La montagne était percée de couloirs et de salles. Ce réseau ne pouvait pas être naturel : il était bien trop complexe. Ce qui voulait dire que les villageois avaient creusé la pierre. Plus impressionnant encore, il y avait de l'air frais, même dans les entrailles de la montagne. Ce qui indiquait la présence d'un système de ventilation. Cette montagne vivante était la preuve que leur société était avancée. Le village était à la fois moderne et primitif. Ibara était une énigme.

Après nous être enfoncés dans la montagne, le géant m'a poussé vers une ouverture d'où montaient d'autres marches de pierre. Je me suis arrêté. J'étais encore étourdi sous l'effet des médicaments, les piqûres me faisaient toujours mal et j'étais faible d'avoir dormi cinq jours. Je n'avais aucune envie de gravir des escaliers. Dur pour moi. Le géant m'a poussé. J'ai forcé mes jambes à me porter. On a crapahuté ainsi pendant ce qui m'a semblé une éternité. Lorsqu'on a enfin atteint le sommet, deux gardes nous ont bloqué le chemin, mais quand ils ont vu le grand type qui m'avait arrêté, ils ont reculé pour nous laisser passer.

On est arrivés à un autre niveau creusé dans la montagne qui donnait sur une vaste caverne. À l'autre bout, j'ai vu l'ouverture que j'avais repérée d'en bas. La lumière de l'extérieur illuminait le décor comme en plein jour. Cet espace était immense, mais vide. Le seul signe de vie se trouvait à l'extrémité opposée, face à cette fenêtre. Un groupe de trois personnes discutaient avec animation.

Le géant a retiré la cordelette qui entravait mes bras et me l'a tendue.

— Ne fais pas le malin, m'a-t-il dit. Il y a des gardes partout.

J'ai acquiescé en me frottant les poignets, heureux d'être débarrassé de cette corde qui irritait mes piqûres en cours de guérison.

— C'est ça, le tribunal ? ai-je demandé.

En guise de réponse, il m'a poussé vers eux. Ce type commençait à me taper sérieusement sur les nerfs. Dans quelques instants, on allait décider de mon avenir sur Ibara. Qu'allais-je dire à ce tribunal ? Si mon seul crime était de ne pas être du coin, j'étais coupable. Cela suffirait-il à me faire exécuter ? Ma cervelle s'est mise à mouliner à toute allure, cherchant une histoire plausible qui ferait de moi autre chose qu'un étranger, moi qui ne savais rien d'Ibara ou du village qu'ils appelaient Rayne. J'ai regardé par l'ouverture à flanc de montagne. Tout d'abord, je n'ai vu que le ciel, puis la plage et enfin les cabanes de la ville en contrebas. C'était une vision imprenable. Ça m'a rappelé la plate-forme du jeu de Tato sur Quillan[1]. Bien sûr, à ce moment-là, j'aurais davantage profité de la vue si je n'avais pas dû lutter pour ma vie. Pourvu que je n'aie pas le même problème sur Ibara.

Une idée m'a frappé, sans doute inspirée par mes souvenirs du match de Tato. Je ne savais pas trop comment l'appliquer, mais c'était peut-être mon seul espoir.

----

1. Voir Pendragon n° 7 : *Les Jeux de Quillan*.

Il y avait un long bureau bas encombré de paperasses où l'on avait posé un de ces petits téléphones et trois fauteuils. C'était là que le tribunal tenait audience. Je me suis demandé pourquoi ils s'étaient installés dans une salle si vaste. Sans doute par sécurité. S'ils étaient aussi paranos vis-à-vis des étrangers, le meilleur moyen de protéger leurs chefs était encore de les mettre dans un espace dégagé, là où personne ne pouvait s'approcher d'eux sans se faire repérer.

Le tribunal se composait de deux femmes et un homme. Ce dernier avait des cheveux grisonnants, et les femmes ressemblaient à des mères de famille ordinaires. L'une avait une peau très sombre, l'autre blanche et piquetée de taches de rousseur, mais avec des yeux en amande. Bizarre. L'homme était blanc, mais très bronzé, avec une barbe poivre et sel rugueuse qui le faisait ressembler à un capitaine de vaisseau. Tous portaient des vêtements vert clair, mais avec des manches et des jambes longues. Pour eux, ça devait être l'équivalent d'un costume. Tous trois débattaient avec ardeur de quelque chose jusqu'à ce que la femme à la peau sombre nous remarque. Elle a hoché la tête en direction des autres, qui se sont redressés puis assis sur leurs fauteuils. L'homme s'est installé au milieu. On m'a mené à une ligne rouge tracée sur le sol et forcé à m'arrêter.

– Ne franchis pas cette ligne, a ordonné le géant.

– Ne vous en faites pas, ai-je répondu.

Le tribunal m'a jeté un regard dépourvu de toute expression. J'ai fait de mon mieux pour prendre l'air innocent, même si je ne savais pas vraiment comment faire. Surtout, je voulais me montrer respectueux et inoffensif. On est restés comme ça, en chiens de faïence, pendant quelques secondes. Je ne sais pas s'ils voulaient me mettre la pression ou si j'étais censé dire quelque chose. J'ai préféré me taire. Je ne cessais de repasser dans ma tête ce que j'allais expliquer lorsque les questions viendraient. J'avais trouvé une porte de sortie. Quelque chose que je n'avais encore jamais essayé. C'était le bon moment pour tenter le coup.

– Je m'appelle Genj, a fini par dire l'homme au milieu. Je suis le ministre en chef du tribunal de Rayne.

Il parlait calmement et avec un maximum d'autorité. Il a désigné les femmes :

— Voici Moman et Drea.

Celle à la peau sombre était Moman, celle aux taches de rousseur était Drea.

— Et qui es-tu ? a-t-il fini par demander.

Nous y voilà. Mon moment de vérité à moi. Ma vie était en jeu.

— J'espérais que vous pourriez me le dire, ai-je répondu.

Leurs visages ont reflété leur surprise.

— Je ne comprends pas, a fait Genj. Je t'ai demandé qui tu étais.

— Et je vous réponds que je n'en sais rien. Je me souviens de mon nom, mais c'est à peu près tout.

— Et quel est ton nom ? a demandé Drea.

— Pendragon. Enfin, je crois. Mon esprit est comme… vide. Effacé. Je me rappelle l'attaque des abeilles, mais tout est brouillé. Ensuite, je me suis réveillé dans votre village. Je ne sais ni qui je suis, ni comment je suis arrivé là.

Les trois membres du tribunal se sont regardés sans trop savoir quoi répondre à ça. C'était assez audacieux de ma part de jouer les amnésiques, mais je ne voyais pas d'autre moyen de les convaincre que je n'étais pas un étranger. Et si être un étranger était puni de mort, autant espérer qu'ils m'accordent le bénéfice du doute.

— Tu dis que tu ne te souviens de rien de ce qui t'est arrivé avant que les abeilles t'attaquent ? a repris Moman.

Il me restait une carte à abattre. Avec un peu de chance, elle les troublerait encore davantage.

— Mais il me reste un souvenir, ai-je répondu. Un nom, je crois.

— Lequel ? a demandé Genj.

Il y avait une chose que je savais d'Ibara. Le nom de son Voyageur. Nevva Winter l'avait attiré sur Quillan, où il s'était fait tuer dans un tournoi de Tato, un des jeux mortels de ce monde. Pourvu que, par-delà la mort, il puisse me sauver la vie !

— Remudi, ai-je répondu.

Leur réaction a été immédiate. Ils se sont redressés tous les trois comme un seul homme. Même l'armoire à glace qui m'avait

122

arrêté s'est raidi. Je ne savais pas pourquoi, mais j'avais fait mon petit effet. J'en ai rajouté une couche :

— Je n'arrive pas à me sortir ce nom de la tête. Remudi. Qui sait ? Peut-être que je m'appelle comme ça, et non Pendragon. Savez-vous qui je suis ? Connaissez-vous quelqu'un qui se nomme Remudi ?

Ils avaient l'air désarçonnés. Bien ; c'était ce que je voulais, mais aussi éveiller leur curiosité. Du moins suffisamment pour qu'ils veuillent me garder à portée de la main pour en apprendre davantage.

Genj a regardé le géant qui m'avait arrêté :

— Le rapport qu'on a reçu est-il correct ?

— J'en ai bien peur, a-t-il répondu.

— Amène-le-nous immédiatement, a ordonné Genj.

Il s'est reculé respectueusement avant de partir en courant. Je suis resté là, mes orteils frôlant la ligne rouge. De quel rapport parlait-il ? Qui devait-il leur amener ? Les trois membres du tribunal m'ont dévisagé. J'avais l'impression de me retrouver en slip. Mais j'avais atteint mon but : ils n'y comprenaient plus rien. J'ai préféré me taire de peur de tout faire rater.

— Tu es passé à deux doigts de la mort, a remarqué Genj. Vu la quantité de venin que ton corps a absorbé, il a pu affecter ta mémoire.

Formidable. S'ils pensaient que mille piqûres d'abeilles m'avaient rendu amnésique, ça me convenait.

— As-tu d'autres blessures ? a demandé Drea.

— Je ne crois pas.

Je savais que non, mais autant laisser planer le doute.

— Telleo m'a dit que des pêcheurs m'avaient sauvé. Au fait, elle m'a vraiment aidé.

— Telleo a un don, a repris gentiment Moman. Elle a pour vocation d'aider les autres. Elle assisterait même un Uto dans le besoin.

— Je ne sais pas ce qu'est un Uto, ai-je répondu honnêtement.

Ils se sont regardés. Me croyaient-ils ? Sans doute pas. Normal : si j'ignorais ce qu'était un Uto, comment pouvais-je savoir que je n'en étais pas un ?

— Tu n'es pas de Rayne, a constaté Genj. Ça, au moins, nous en sommes sûrs. Mais tu peux venir d'une autre région d'Ibara. Le fait que tu connaisses le nom de Remudi nous donne à croire que c'est possible. Un Uto l'ignorerait.

Ce nom m'avait peut-être sauvé la vie. Mais Genj disait que je *pouvais* venir d'une autre région d'Ibara. Sinon, d'où aurais-je débarqué ? Ces gens connaissaient-ils l'existence des territoires ?

— Nous voulons que tu voies quelqu'un, a dit Genj. Peut-être pourra-t-il faire la lumière sur cette situation.

J'ai senti une présence derrière moi. Je n'ai pas osé me retourner. À vrai dire, j'avais peur de le faire. J'ai entendu la voix du géant qui m'avait arrêté :

— Ne franchis pas la ligne !

J'ai cru qu'il s'adressait à moi, mais non. C'était au nouveau venu.

— Il a volé des vêtements et quelques outils, a annoncé le géant. Ils étaient deux. L'autre a réussi à s'échapper.

L'homme de la sécurité s'est avancé pour se tenir à mes côtés. Il tenait par le collet le voleur que les deux autres avaient rattrapé. Le jeune homme s'est dégagé et a grogné rageusement :

— Pas de panique, je ne vais pas m'enfuir ! (Il m'a regardé et a ajouté :) Et toi, qu'est-ce que tu as fait ?

Apparemment, le tribunal ne lui faisait pas peur. Et moi non plus.

— Ça commence à devenir une habitude, Siry, a dit Genj au jeune homme. Une *mauvaise* habitude.

— Je n'ai rien fait ! a rétorqué le dénommé Siry avec morgue. Ces vêtements étaient à nous. On a travaillé pour les gagner. Cette femme est folle.

Le géant lui a donné une tape dans le dos.

— Un peu de respect, jeune homme !

— Hé ! a protesté Siry, ce n'est pas moi le coupable ! Allez donc interroger cette dame. Elle avait promis de nous payer.

Ce gamin avait de l'assurance. À voir l'expression des membres du tribunal, ils n'en croyaient pas un mot. J'en ai conclu qu'il avait déjà dû leur faire ce numéro.

— Regarde ce jeune homme, lui a ordonné Genj en me désignant du doigt.

Siry m'a toisé de bas en haut. Son regard était neutre. Pour lui, je n'étais rien.

– Oui, et alors ? a-t-il demandé, irrité.

– L'as-tu déjà vu ?

– Pourquoi ? a-t-il répondu sans me regarder. Lui aussi m'accuse de quelque chose ?

– Pour une fois, Siry, tu pourrais répondre à une question aussi simple, a fait Genj impatiemment.

– Connais pas, a tranché Siry d'un ton évasif.

– Il prétend s'appeler Pendragon, a ajouté Moman. As-tu déjà entendu ce nom ?

– Je vous l'ai dit, a répliqué le jeune homme, je ne l'ai jamais vu.

– Et pourtant, a fait Genj, il connaît le nom de ton père.

Je me suis tourné vers Genj. Quoi ? Avais-je bien entendu ?

– C'est le fils de Remudi ? ai-je bafouillé.

– Ça te rappelle quelque chose ? a demandé Drea.

Oh, que oui. Mais pas le genre de souvenirs que je voulais partager avec eux.

– Il y a peut-être plus d'une personne qui s'appelle Remudi ? ai-je proposé, l'esprit en déroute.

– Il n'y en a qu'un à Rayne, a répondu Genj. Jen Remudi. Ce jeune homme est son fils. Regarde-le bien. Ses traits te sont-ils familiers ?

J'ai dévisagé le type. Il avait l'air de s'ennuyer. Son attitude était celle d'un gosse des rues endurci. Je n'avais vu Remudi que sur le grand écran de Quillan, lorsqu'il avait participé au tournoi de Tato. Et il s'était fait tuer. J'ai cherché une vague ressemblance, mais Siry ne me rappelait en rien Remudi. Puis je me suis rappelé. Remudi était le Voyageur d'Ibara. Pour ce que j'en savais, les Voyageurs ignoraient l'identité de leurs parents biologiques. Cela signifiait-il que les Voyageurs ne pouvaient avoir d'enfants bien à eux ? Siry pouvait avoir été adopté, ce qui expliquerait l'absence de ressemblance.

Mais ce n'était pas tout. Je devais savoir une chose. Une chose essentielle. Siry se tenait les bras croisés, dans une position de défi et d'ennui. Je ne pouvais pas voir ses mains. J'ai brandi la cordelette qui m'avait entravé les bras et l'ai jetée au voleur.

– Attrape !

Surpris, Siry a pris la corde au vol, dévoilant ses mains. Sur un doigt de sa main droite, j'ai vu un anneau gris que je connaissais bien.

J'avais trouvé le nouveau Voyageur d'Ibara.

Journal n° 29
(suite)

IBARA

Siry n'avait pas l'air taillé pour le rôle. Chaque Voyageur est un individu hors du commun. Même avant d'avoir découvert leur vocation, ils ont démontré une intelligence, une compétence et, surtout, une honorabilité exceptionnelle. Je ne parle pas pour moi, qui étais plutôt jeune quand je suis parti à l'aventure, mais l'un dans l'autre, j'étais déjà un bon petit gars. Je n'étais pas sûr de pouvoir en dire autant de Siry. Du moins, c'est ce que je me disais, maintenant que je le connaissais depuis au moins deux minutes.

Il a regardé la cordelette que je lui avais jetée comme si c'était un serpent venimeux.

– À quoi tu joues ? a-t-il aboyé furieusement, avant de me la balancer.

Il a fait un pas vers moi, prêt à me décocher un coup de poing. Je n'ai pas bougé. Le garde s'est emparé de lui. Merci. Je n'étais pas sûr d'avoir repris assez de forces pour me défendre.

– Suffit ! a fait Genj.

– Quoi ? a rétorqué Siry. C'est lui qui me l'a jetée ! Vous allez peut-être dire que c'est de ma faute ?

Genj a soupiré. J'ai eu la nette impression qu'il en avait soupé de Siry et ses caprices. Il s'est levé et s'est mis à faire les cent pas en réfléchissant. Il avait deux problèmes sur les bras. Les deux femmes l'ont rejoint, et ils se sont éloignés pour débattre de notre sort à tous les deux. Enfin, c'est ce que je me suis imaginé. Ça m'aurait étonné que leur conciliabule porte sur ce qu'il y aurait au dîner. Le géant est resté entre Siry et moi pour nous surveiller.

Siry passait d'un pied sur l'autre avec toujours cet air de s'ennuyer. Il était plus petit que moi et ne devait pas avoir plus de quinze ans, même si sa confiance en lui le faisait paraître plus âgé. Ses cheveux longs et bouclés tombaient sur ses épaules en mèches rebelles et tire-bouchonnées qui rebondissaient au moindre geste comme si elles étaient montées sur ressorts. Ses vêtements n'avaient rien de spécial, sauf qu'ils étaient vieux et usés. Sa chemise était bleu marine et l'absence de manches dévoilait des bras minces, mais puissants. Son pantalon avait dû être long, mais était coupé juste au-dessus du genou, avec des bords effilochés. Difficile à estimer, mais on aurait dit que ses vêtements n'avaient pas été lavés depuis longtemps. Il ne sentait pas mauvais, non, mais là où tous les autres habitants du village portaient des habits neufs et colorés, Siry avait l'air… disons, négligé. Ce devait être un gosse des rues version tropicale.

Il débordait d'énergie nerveuse. Je me suis demandé s'il était toujours comme ça ou si le fait qu'on discute de son avenir un peu plus loin le mettait dans cet état. Sa peau était sombre, comme celle de Remudi ; peut-être qu'en Seconde Terre, il passerait pour un Noir. Il était mince, mais athlétique. Ses yeux étaient d'un brun si foncé qu'ils étaient presque noirs. Leur regard était intense – ou furieux. Chez nous, si je l'avais vu marcher vers moi, j'aurais changé de trottoir. Pas qu'il soit particulièrement costaud et intimidant, plutôt parce qu'il avait l'air de pouvoir se mettre en boule à tout moment. Un type auquel il valait mieux ne pas se frotter.

Malheureusement, c'était ce que j'allais devoir faire.

Après quelques minutes de débat, le tribunal est revenu. Les femmes se sont assises sur leurs chaises. Genj est venu se poster devant nous.

– Il y a peut-être une possibilité, a-t-il déclaré. Jen Remudi était notre ami à tous les trois, et c'était un membre éminent de ce tribunal.

Allons bon ! Remudi faisait partie du tribunal de Rayne. C'était un meneur respecté. Encore quelqu'un qui, en plus d'être un Voyageur, ne manquait pas de qualités. Je me suis demandé pourquoi son fils semblait avoir si mal tourné.

– Sa disparition reste mystérieuse, a continué Genj. Pendragon, si tu nous dis la vérité, et j'aime à penser que c'est le cas, nous espérons que tu pourras nous aider à découvrir ce qui est arrivé à notre ami.

Oh, oh. Bien sûr, j'aurais pu leur dire *exactement* ce qui lui était arrivé, mais je n'allais pas m'y risquer.

Moman a pris la parole :

– Nous préférerions que tu restes à Rayne jusqu'à ce que tu sois totalement guéri. Nous espérons que tu retrouveras la mémoire au cours de ton séjour. Tu peux rester dans la demeure commune où Telleo s'est occupée de toi. Tu es libre d'explorer notre village. Mais ne t'y trompe pas, tu seras sous surveillance. En cas de problème, tu seras ramené devant nous, et le résultat risque d'être différent.

– Merci, ai-je dit. Si je peux vous aider, je le ferai.

C'était vrai. Mais pas de la façon dont ils l'espéraient. Et pourtant, si je trouvais un moyen de leur dévoiler le sort de Remudi sans pour autant leur dire toute la vérité, je ne m'en priverais pas. Ils semblaient être de braves gens. Leur village était paisible et il faisait bon y vivre. Ce qui en faisait une cible parfaite pour Saint Dane. Mon but était de découvrir ce qui pourrait provoquer ce moment de vérité qui affecterait Ibara dans son ensemble. Les affaires reprenaient.

Genj est allé se positionner devant Siry. Le gosse a eu un sourire moqueur comme pour le défier de lui dire quelque chose d'intéressant.

– Siry, a commencé Genj, tu es un sujet de déception pour ce tribunal, pour ton village et pour ton père. Tu es un voleur et un menteur.

Si ce discours avait un effet sur lui, il n'en a rien laissé paraître. On l'avait sans doute traité de pire.

– C'est la cinquième fois que tu comparais devant nous pour vol, vandalisme et rixe sur la voie publique. Par déférence envers ton père, nous ne t'avons jamais infligé de châtiment à la hauteur. Il en ira différemment aujourd'hui.

Il s'est tu pour aller se rasseoir entre les deux femmes.

– Siry, a repris Drea, tu es condamné à rejoindre notre flotte de pêche pour effectuer un an de travaux forcés. Nous espérons qu'en te consacrant à une tâche constructive et importante, tu apprendras la valeur de la place de l'individu dans notre société et qu'il en sortira un citoyen plus utile et plus respectueux.

Siry a ouvert de grands yeux. Il avait perdu son attitude de dur.

– Quoi – non ! Je n'ai jamais fait ce genre de boulot. Je ne sais même pas comment on fait.

– Tu apprendras, a affirmé Moman. Nous espérons d'ailleurs que tu apprendras beaucoup d'autres choses, y compris le respect de soi.

– Je n'irai pas, a-t-il crié d'un air de défi. Vous laissez un étranger libre d'aller et venir dans le village, ajouta-t-il en me désignant du doigt, mais vous condamnez le fils d'un membre du tribunal aux travaux forcés ? Ce n'est pas juste !

Les trois chefs ont échangé des regards entendus. Je ne sais pas s'ils étaient satisfaits d'avoir enfin fait réagir Siry ou s'ils avaient autre chose en vue.

– Tu as raison, a repris Genj. Il y a peut-être un autre moyen.

– Tout ce que vous voudrez ! a crié Siry.

L'homme s'est levé et s'est dirigé vers nous.

– Peut-être vaut-il mieux ne pas laisser Pendragon circuler en toute liberté.

Hein ? Maintenant, c'était mon tour de râler. Mais je me suis retenu. Genj n'avait pas terminé. Il a posé la main sur mon épaule :

– Siry, il y a d'autres façons constructives de purger ta peine. Tu peux te charger de Pendragon.

– Quoi ! s'est écrié Siry.

– Il sera sous ta responsabilité, a continué Genj. En cas de problème, il te suffira d'appeler la sécurité. Nous espérons que ça ne sera pas nécessaire. Nous voulons que Pendragon se remette. S'il y a une chance d'apprendre ce qui est arrivé à ton père, ne devons-nous pas la saisir ?

Siry a regardé ses pieds, la mâchoire serrée.

– Bien sûr que oui, a répondu Genj, satisfait, en se rasseyant. C'est ton choix, Siry. Soit tu acceptes de devenir le chaperon de Pendragon, soit tu pars demain matin avec notre flotte de pêche.

Siry m'a jeté un regard torve. Peut-être y réfléchissait-il pour la forme, mais je savais déjà quelle serait sa décision. C'était tout vu.

Quelques minutes plus tard, je suis sorti de la caverne en homme libre. Mieux encore, accompagné du prochain Voyageur d'Ibara. Tout marchait comme sur des roulettes. Enfin, presque. Siry n'avait pas l'air disposé à risquer sa vie pour sauver l'humanité. Je voulais en savoir davantage sur lui et son père. Mais il avait autre chose en tête. À peine étions-nous sortis qu'il s'est éloigné à grandes enjambées furieuses, sans dire un mot.

– Hé ! lui ai-je crié. Où vas-tu ?

Il s'est arrêté et a poussé un soupir. Je lui cassais les pieds. Il est revenu en arrière pour se tenir face à moi, nez à nez, tentant de m'intimider. J'étais toujours aussi énergique qu'une feuille de laitue ; d'une pichenette, il m'aurait mis K.-O.

– Écoute, a-t-il dit sur un ton méprisant, je me fiche de savoir si tu es un étranger ou un Uto ou une limace de mer. Je ne serai pas ton chaperon.

– Tu n'as pas peur de finir sur un bateau de pêche ?

– Je ne leur en laisserai pas l'occasion !

Je ne voyais pas ce qu'il voulait dire par là, mais je n'ai pas relevé.

– Tu ne veux pas savoir ce qui est arrivé à ton père ? ai-je demandé.

– Non, a-t-il répondu sèchement.

– Je ne te crois pas.

– Je me fiche de ce que tu crois ou pas, a rétorqué Siry.

Il m'a repoussé et s'est éloigné.

– Où as-tu trouvé cet anneau ? ai-je lancé.

Il s'est arrêté net et a fait tourner son anneau de Voyageur.

– Il appartenait à ton père, n'est-ce pas ? ai-je insisté.

Il est revenu vers moi. Ses yeux jetaient des éclairs. Je ne savais si c'était de colère ou de curiosité. Allait-il me frapper ? J'ai pivoté discrètement au cas où la discussion tournerait à la bagarre.

– Qu'est-ce que ça peut te faire ? a-t-il sifflé.

J'ai levé la main et lui ai montré le mien. Il a frémi.

– Que t'a dit ton père à propos de cet anneau ? ai-je demandé.

Il a reculé, soudain bien moins sûr de lui.

– Pas question, a-t-il dit en secouant la tête.

– Pas question quoi ? ai-je insisté.

131

– C'était juste une histoire. Il racontait toujours des histoires à dormir debout.

– Quelle histoire, Siry ?

Il a regardé nerveusement autour de lui. Il se demandait s'il devait me répondre ou s'en aller. Ou me coller son poing dans la figure, pour ce que j'en savais. Heureusement, il a choisi de me répondre.

– Il m'a parlé d'un endroit qu'il appelait Halla et… Comment les appelait-il ? Des Voyageurs. Mais il m'a toujours sorti des histoires absurdes, depuis que je suis tout petit. Il n'y a rien de vrai dans tout ça.

– Qu'est-ce qu'il t'a dit d'autre ?

– Je ne sais pas ! a rétorqué Siry. Je ne l'écoutais même pas.

– Mais si, mais si. Qu'est-ce qu'il t'a dit d'autre ?

– Il parlait d'un type, une sorte de fauteur de troubles, et des Voyageurs qui étaient chargés de l'arrêter. C'est pour ça qu'il devait partir, selon lui, pour s'occuper de ce type.

– C'est tout ?

Siry a repris ses esprits. Et aussi son attitude pleine d'arrogance.

– Il m'a dit qu'un jour, un inconnu pouvait venir demander de l'aide. (Il a pris ma main, celle avec l'anneau, et l'a levée.) Il m'a dit que je le reconnaîtrais à son anneau. Et que s'il n'était pas là, ce serait à moi de l'assister. Il n'y a qu'un problème.

– Lequel ?

– Je ne veux rien avoir à faire avec tout ça.

Il a rejeté ma main. J'ai gardé mes yeux braqués sur les siens alors qu'il reculait.

– Maintenant, mon père est porté disparu, et tu sais quoi ? Je m'en fiche. Il est parti quelque part jouer les caïds et assumer ses responsabilités. C'est ce qu'il fait de mieux : assumer ses responsabilités. Où qu'il soit, il aime jouer les héros. Ça me va. C'est bien d'être débarrassé de lui.

Il a tourné les talons une fois de plus pour s'en aller.

– Il est mort, Siry, ai-je dit sans la moindre trace d'émotion. Ton père est mort. Je l'ai vu mourir.

Il s'est arrêté net. J'avais horreur de devoir lui apprendre la vérité de cette façon, mais s'il voulait jouer au dur, je devais l'être tout autant.

— Il est mort en tentant d'arrêter Saint Dane. C'est le nom de ce type dont il t'a parlé. Saint Dane l'a tué. Et maintenant, Saint Dane est ici, sur Ibara.

Siry n'a pas bougé. Je l'ai contourné pour lui faire face et j'ai vu dans ses yeux quelque chose d'inattendu. Des larmes.

— Je croyais que tu t'en fichais, ai-je dit doucement.

— Je croyais que tu avais perdu la mémoire.

— Ton père est mort pour défendre ce en quoi il croyait, ai-je dit. Et toi, en *quoi* crois-tu ?

Siry a reniflé et m'a regardé. Il était à nouveau furax.

— Tu veux vraiment le savoir ?

— Oui.

— Alors suis-moi, a-t-il grommelé.

Il m'a dépassé, me cognant l'épaule au passage, pour partir vers le village. Je suis resté planté là en me demandant ce qui allait se passer. Cette petite frappe devait-il vraiment devenir le nouveau Voyageur d'Ibara ? Il avait un sacré passif. Mais quels que puissent être ses problèmes actuels, ce n'était rien à côté de ce que j'allais lui balancer. Comment allait-il réagir ? La vérité, c'est que j'allais devoir supporter un gamin insolent et violent qui avait des problèmes avec les autorités et un casier judiciaire. Joie et bonheur. Je m'étais déjà retrouvé dans des situations impossibles, mais jamais rien de tel ne s'était encore présenté. Soudain, à dix-sept ans, je devais endosser le rôle de l'adulte responsable d'un gamin à problèmes. Ça ne semblait pas très juste.

J'ai fait la seule chose qu'il me restait à faire.

Je l'ai suivi.

Journal n° 29
(suite)

IBARA

J'ai suivi Siry le long d'un itinéraire sinueux à travers le village. Pendant tout le trajet, il n'a pas dit un mot. Les rares fois où je lui ai posé une question, il m'a ignoré. J'étais crevé, mais pas question de montrer la moindre faiblesse. Le chemin était si tortueux que je me suis demandé si on ne tournait pas en rond. Tout d'abord, j'ai cru qu'il me mettait à l'épreuve, ou qu'il me fatiguait pour que je finisse par abandonner. Je n'en avais pas l'intention, mais une chose était sûre : je ne pourrais jamais retrouver mon chemin. Ça n'a fait qu'empirer quand on s'est éloignés du village pour s'aventurer dans la jungle. Les cabanes se sont faites de plus en plus rares. La végétation de plus en plus dense. Le chemin plus étroit.

J'étais perdu.

Alors qu'on s'enfonçait dans la jungle, je me suis dit que la question pour moi ne serait peut-être pas tant de pouvoir refaire le chemin jusqu'ici, mais plutôt d'avoir la possibilité de retourner au village. Des signaux d'alarme ont retenti dans ma tête, mais j'ai continué de suivre Siry. Que pouvais-je faire d'autre ? C'était le Voyageur d'Ibara ! Même si c'était un délinquant juvénile qui détestait son père, n'avait probablement pas plus d'affection pour moi et m'attirait probablement dans un piège. Pourtant, je n'avais guère le choix. C'était juste un jour comme les autres dans ce qui me tient lieu de vie.

Le chemin s'est rétréci pour devenir un petit sentier. Des branches m'ont fouetté les bras. Ça commençait à bien faire.

134

— C'est encore loin ? ai-je demandé.

Pas de réponse. La tête me tournait. Mes croûtes me brûlaient. Je ne voulais pas montrer la moindre faiblesse, mais toute cette histoire devenait ridicule. Quand on est arrivés à une petite clairière, je me suis arrêté.

— J'en ai ma claque, ai-je déclaré. Tu vas me dire où on va.

Siry s'est tourné vers moi, un sourire entendu aux lèvres. Je hais les sourires entendus. Presque autant que les rictus méprisants — je l'ai déjà dit ?

— Tu fatigues déjà ? a-t-il fait d'un ton railleur.

Les tons railleurs ne me bottent pas vraiment non plus.

— Je t'ai fait confiance, ai-je dit en tentant de reprendre mon souffle. Je t'ai suivi là où tu voulais, et je veux savoir pourquoi.

J'ai eu ma réponse, mais pas celle que j'attendais.

La jungle s'est animée. Avant que j'aie pu réagir, trois types m'ont sauté dessus. Je suis tombé au sol. Sans douceur. Oui, c'était bien un piège. Ils m'attendaient. Ils se sont empressés de me bander les yeux et m'ont relevé de force. Je suis resté là, à moitié dans les vapes, retenu par des mains puissantes. Ils n'avaient pas à s'en faire : j'avais épuisé mes dernières forces. Ils n'ont pas échangé un mot. Ils avaient agi avec rapidité et efficacité.

— Tu as peur ? a chuchoté Siry à mon oreille, si près que j'ai pu sentir son haleine.

— Amenez-moi une chaise, je vais m'évanouir, ai-je répondu d'un ton ironique.

— Je pourrais te faire tuer, a-t-il sifflé. Personne ne le saurait. Personne ne te regretterait. Tout le monde s'en fiche.

— Ce serait une grave erreur, ai-je répondu calmement.

— Pourquoi ?

— Parce que tu es une cible, et que je suis le seul qui puisse t'aider. Sans moi, tu es fichu.

Siry n'a pas répondu. Pourvu que mon argument ait fait mouche ou, au moins, lui ait donné à réfléchir. J'ai senti qu'il s'écartait de moi. Était-il assez cinglé pour me tuer ? Je devais être prêt. Tout épuisé que je sois, je devais me défendre. Je n'y voyais plus rien. Pour ce que j'en savais, je vivais mes dernières secondes. J'en avais ma claque. J'ai inspiré profondément et rassemblé mes dernières forces. J'étais prêt à foncer dans le tas lorsque Siry a aboyé un ordre :

– Amenez-le !

J'ai interrompu mon geste. Ils n'allaient pas me faire de mal. Du moins, pas tout de suite. Les types qui me tenaient se sont mis en marche et, une fois de plus, je me suis vu entraîné vers une destination inconnue. Enfin, inconnue de moi. Eux savaient très bien où ils allaient. On a traversé rapidement ce qui semblait être une jungle plutôt dense. Je ne pouvais que suivre le mouvement en espérant qu'ils ne m'envoient pas percuter un palmier. Tout ça ne me disait rien qui vaille. Mon seul allié sur Ibara était un voleur qui venait de me menacer de mort et avait une bande de copains à ses ordres. Quels que soient ses projets, je devais le laisser faire. Pour l'instant.

Notre trajet a pris fin quand on m'a assis sans douceur sur une chaise. On m'a ramené les bras en arrière pour les entraver. Ces types n'étaient pas des pros, comme les brutes au service du tribunal. Ils m'avaient ligoté, mais je devrais pouvoir me libérer sans trop de mal. Enfin, ils m'ont retiré le bandeau qui m'empêchait d'y voir. J'ai plissé les yeux et jeté un premier coup d'œil à l'univers de Siry.

On aurait dit une décharge tropicale.

On se trouvait au milieu d'une clairière taillée au cœur de la jungle et entourée par des entrelacs de lianes et de végétation si denses qu'ils formaient un mur impénétrable. La cime des arbres était un véritable toit qui nous protégeait du soleil. J'ai vite parcouru des yeux ce décor pour voir deux sorties possibles. Il y avait des plates-formes de bambou partout, certaines au sol, d'autres surélevées. Deux structures de plusieurs étages montaient vers le toit. Il y avait aussi des échelles et des ponts reliant chaque niveau. Le tout était maintenu ensemble par des cordes et des ficelles. C'était à la fois grossier et impressionnant.

Toutes sortes d'épaves jonchaient la clairière. Des meubles de bois et de bambous étaient éparpillés au hasard. Des bols et des tasses sales contenant des restes de fruits entamés reposaient sur des tables. Ces gars-là n'étaient pas très ordonnés. J'ai vu plusieurs gros coffres de bois fourrés sous les plates-formes. Il y avait des vêtements partout. Il y avait aussi des livres et des tambours, des paniers et des outils, comme dans une chambre mal rangée.

Mais il n'y avait pas que des déchets. J'ai aperçu quelques belles sculptures de pierre noire. La tête d'une fille, une main, un torse. Très chouettes et probablement volées.

À quelques exceptions près, tout ce bazar pouvait venir du village.. De grandes feuilles de métal ressemblaient à celles qui servaient de toits à certaines des cabanes. Au sommet d'une des plates-formes, un télescope de bronze était juché sur un trépied. Un cadre, doré et complexe, pendait à une autre plate-forme – un encadrement sans tableau. Plus mystérieux encore, il y avait une pancarte de métal accroché entre deux poteaux verticaux. Elle faisait moins de deux mètres carrés et un de ses côtés était mangé de rouille. Elle avait été blanche à un moment donné, et les lettres noires fanées disaient :

FOURT

BR

T

RU

CI

On aurait dit un bout d'un vieux panneau de circulation. Sauf qu'il n'y avait pas de véhicules sur Ibara. Le mystère s'épaississait. On aurait dit le campement d'une bande de naufragés qui avaient dû se débrouiller avec ce qu'ils avaient pu récupérer de leur bateau tout en exploitant les ressources de la jungle pour s'abriter.

Les habitants de cette petite oasis parachevaient le tableau.

J'en ai compté quinze. Tous paraissaient avoir à peu près le même âge que Siry. Principalement des garçons, mais il y avait aussi quelques filles. Tous avaient la même dégaine de clodos. Leurs habits étaient usés jusqu'à la corde et personne ne semblait se soucier d'hygiène. Pourtant, ils avaient l'air en bonne santé et correctement nourris. La plupart traînaient sur les divers niveaux de l'édifice de bambous et lorgnaient le nouveau venu. Moi, en l'occurrence. Le groupe qui m'avait pris en embuscade restait à terre pour m'encercler. Je les ai regardés droit dans les yeux, l'un après l'autre. Tous affichaient la même expression que Siry, un mélange d'ennui et de colère. Pas vraiment l'idéal.

Une fille maigre aux longs cheveux blonds filasses a bondi dans ma direction pour voir si j'allais frémir. Je n'ai pas réagi. Elle a éclaté de rire et s'est rapprochée, presque nez à nez. Elle a inspiré profondément, puis a eu un petit rire.

– Il a peur. Oui, je peux le sentir sur lui.

Elle m'a planté un baiser sur la joue avant de repartir. Un type baraqué a marché vers moi, brandissant un gobelet plein.

– Tu as soif ?

En guise de réponse, je l'ai regardé fixement.

– Moi aussi, a-t-il dit, et il l'a bu d'un trait.

Une partie du liquide a dégouliné le long de ses joues. Il a émis un rot et laissé tomber son gobelet. Les autres ont éclaté de rire. Un autre petit bonhomme avec un nez pointu et des yeux de fouine est venu tirer sur l'arrière de ma chemise pour examiner mon dos.

– Des piqûres d'abeilles, a-t-il dit. Beaucoup. Ça fait mal ?

– Non, ai-je répondu.

Cette sale fouine m'a donné une claque sur le dos.

– Et maintenant ?

Il a éclaté de rire avant de se retirer. *Blaireau, va.*

Vous parlez d'une fine équipe ! Tout compte fait, en comparaison, Siry faisait presque normal. J'ai regardé au-delà du groupe qui m'avait pris pour souffre-douleur pour le voir en compagnie du blond qui avait échappé aux brutes de la sécurité. Ils fouillaient le sac que le voleur avait réussi à emporter. Il en a tiré deux petites scies et un marteau. Siry a flatté le bras du blond comme pour dire : « Bon travail. »

– Hé ! ai-je crié à Siry. J'ai faim !

Siry a rendu les outils au blondinet et a marché vers moi sans se presser, d'un air crâneur. Il avait la situation en main et il le savait très bien.

– Désolé, a-t-il dit d'un air sarcastique. Tu crois vraiment que j'en ai quelque chose à faire ?

– Non, je me contenterai de quelque chose à manger.

Siry a émis un reniflement méprisant comme pour dire : « Tu rêves. » Mais il a fait signe à la fille aux cheveux filasses :

— Twig, tu t'en occupes ?

— Fais-le toi-même ! a rétorqué la fille.

Siry lui a jeté un regard furieux. Elle a tourné les talons et a quitté le groupe. De toute évidence, c'était Siry le patron. Un peu plus tard, elle est revenue avec la moitié d'un fruit ressemblant à une poire. Elle me l'a tendue. Je l'ai regardée, puis la fille.

— Détache-moi, ai-je dit.

Elle a hésité, puis a fait un geste vers la chaise. J'ai vraiment cru qu'elle allait le faire jusqu'à ce que…

— Arrête ! a ordonné Siry. Donne-le-lui.

La fille a haussé les épaules et porté la poire à ma bouche. Le fruit semblait être resté trop longtemps au soleil. Mais peu importe : j'avais trop faim. J'ai mordu dedans. Il était sucré et juteux. Délicieux. J'avais besoin de cette énergie.

— Merci, Twig, ai-je dit sincèrement.

La fille s'est radoucie. Elle m'a souri, puis a fourré le reste du fruit dans ma bouche.

— Sers-toi, a-t-elle fait d'un ton hautain.

Et elle est repartie sous les éclats de rire des autres. J'ai fermé les yeux, ai mordu un grand coup et ai laissé le reste tomber à terre.

Siry est venu se planter face à moi.

— Tu m'as demandé si je croyais en quelque chose. Je crois aux Jakills.

Le groupe l'a acclamé spontanément :

— Ouais ! Les Jakills !

Lorsqu'ils se sont calmés, j'ai dit d'un ton sarcastique :

— Sympa, comme nom. Ça veut dire quelque chose ?

— Ça veut dire que le tribunal nous déteste, parce qu'on représente tout ce qui leur fait peur.

Plusieurs autres ont grogné avec approbation, y compris ceux qui se tenaient au-dessus de nous sur les plates-formes.

— Quoi, par exemple ? ai-je repris.

— Le changement, a répondu Siry. La vérité. Les chefs de ce village refusent de regarder la vérité en face. Et ils la cachent à tous les autres.

– Quelle vérité ?

Siry a regardé autour de lui. Tout le monde avait les yeux braqués sur lui. Pas de doute, c'était bien lui le chef.

– La vérité, a-t-il répondu d'un ton mélodramatique, c'est que nous sommes l'avenir d'Ibara.

Ils l'ont acclamé. C'était la première fois que je voyais Siry parler du fond du cœur. Il ne manquait pas de charisme et savait jouer de son public. Il a repris :

– Le tribunal a peur de nous parce qu'il sait qu'on va lui arracher une partie de son pouvoir.

– Ah oui ? ai-je répondu en ricanant. Et comment ? En traînant dans la jungle et en mangeant des fruits pourris ?

Le silence est retombé. Ceux qui se tenaient en haut des plates-formes se sont penchés pour mieux voir. En défiant Siry, je les avais tous insultés. Ce n'était pas très malin, mais je devais me montrer aussi arrogant qu'eux. Je devais leur prouver que je pouvais tenir tête à Siry.

Il m'a fixé d'un regard vide. C'était encore pire que la colère. Un homme en colère est prévisible. Siry a fait un pas vers moi et a chuchoté :

– Tu m'as dit que mon père est mort volontairement, en luttant pour ce en quoi il croyait. En ferais-tu autant ?

– Volontairement ? ai-je repris. Personne ne meurt de son plein gré. Ton père comme les autres. Il a lutté jusqu'au bout pour ce qu'il croyait juste.

– Et qu'est-ce que c'était exactement ? Dis-le-moi. Dis-le à nous tous ! (Il a levé les mains et a traversé le groupe en continuant :) On a tous envie de savoir, Voyageur ! Tu prétends que mon père était un héros qui a affronté un démon ? Qui était cette créature maléfique ? Que veut-elle ? Amène-le-moi, j'ai envie de le voir.

Tout le monde a éclaté de rire.

– Il est déjà là, ai-je répondu froidement.

Ce qui a suffi à ramener le silence. Siry a hésité. Certains lui ont jeté des regards interrogateurs. Siry a repris ses esprits et continué son numéro. Il s'est tourné vers la jungle et a crié :

– Allô ? Démon ? Où es-tu ? J'aimerais bien voir celui qui a tué le grand Remudi.

Quelques gamins ont éclaté de rire. D'autres ont regardé nerveusement autour d'eux comme si un démon allait bel et bien sortir de la jungle. Siry a attendu un peu pour produire un maximum d'effet, puis s'est tourné à nouveau vers moi :

– Si tu veux débusquer le mal, tu n'as pas à chercher plus loin que le tribunal de Rayne.

– De quoi sont-ils coupables ? ai-je demandé.

– Ils ont commis le plus grave des crimes, a rétorqué Siry entre des dents serrées. Ils nous ont volé nos âmes !

Twiiiiiiiii !

Un sifflement suraigu a vrillé la jungle. Tout le monde a levé des yeux surpris. Soudain, deux garçons sont sortis des buissons. L'un d'entre eux avait un sifflet à la main. Ils étaient en sueur et hors d'haleine. Surtout, ils avaient l'air terrifiés.

– Ils arrivent, a hoqueté l'un d'entre eux.

– Ici ? a rétorqué Siry.

– Non, a répondu l'autre garçon, à Rayne. Ils marchent sur le village. On les a repérés dans la jungle. Difficile de dire combien ils sont. Je n'en ai jamais vu autant.

Les autres ont grommelé nerveusement. Siry a fixé le vide pendant qu'il réfléchissait. Le voleur blond s'est précipité à son côté.

– Que va-t-on faire ? a-t-il demandé.

Siry a parcouru des yeux ses troupes, croisant le regard de chacun des jeunes présents. Tous se sont tournés vers lui. J'avais déjà vu ce genre d'expression. Quoi qu'il puisse leur demander, ils étaient prêts.

Siry m'a jeté un coup d'œil en disant :

– Tu nous prends pour des criminels, et tu as peut-être raison. Mais ça ne veut pas dire qu'on est dans l'erreur.

Il a chopé le blondinet par le col de sa chemise et lui a ordonné :

– Allons-y !

Un murmure d'excitation a parcouru la foule. C'était ce qu'ils voulaient entendre. Le blondinet a souri et traversé la clairière, les autres sur ses talons. Ils se sont dirigés vers les coffres, les ont ouverts et en ont tiré plein de ces courtes armes de bois que j'avais vues sur la hanche des gardes de sécurité. J'ai entendu un sifflement et levé les yeux pour voir plusieurs jeunes se laisser glisser le long des barres menant aux plates-formes les plus élevées. Une fois à terre, ils ont rejoint les autres. L'excitation ne cessait de monter. Ils étaient prêts au combat.

Le blondinet et les autres ont rejoint le groupe et ont brandi leurs armes.

Siry s'est tourné vers moi.

— Je veux que tu voies ce qui va se passer, a-t-il dit en me détachant. Enfin, si tu es capable de le supporter.

— Tout dépend de ce que tu attends de moi, ai-je répondu en me frottant les poignets.

— Suis-moi et regarde. Tu vas découvrir à quoi servent les Jakills.

— Je suis avec toi, ai-je répondu, tentant d'avoir l'air plus fort que je ne l'étais.

À vrai dire, je me sentais mieux. L'excitation du groupe était communicative. Mon cœur s'est accéléré. Tant que je n'avais qu'à regarder, tout irait bien. Sinon, ça risquait de mal finir.

Les autres ont disparu dans la jungle.

— Que va-t-il se passer ? ai-je demandé à Siry.

Il a saisi un bâton de bois à même la ceinture du blondinet et a répondu :

— On part à la chasse.

— À quoi ?

— Aux Utos, a répondu Siry avant de rejoindre le gros de la troupe.

Tout d'un coup, je me suis retrouvé seul dans cet enclos inutile. J'allais encore me lancer dans quelque chose qui avait l'air dangereux. Je me suis demandé ce qu'en penserait le tribunal. Mais je ne me suis pas laissé le temps de changer d'avis : je suis parti en courant à travers la jungle, suivant Siry et les Jakills, prêt à… je ne savais pas quoi.

IBARA

J'ai suivi les Jakills dans la jungle épaisse. Ils connaissaient le terrain comme leur poche. Malheureusement, je ne pouvais pas en dire autant. J'ai dû rester concentré pour ne pas me casser la figure. Eux, par contre, cavalaient comme des félins, sautant par dessus les troncs d'arbres abattus et plongeant sous les branches sans même ralentir. Moi, je devais éviter de me cogner contre quelque chose et, en plus, lever les yeux pour regarder où ils allaient. Résultat, au bout de deux minutes, ils m'avaient semé. Je me suis retrouvé seul dans la jungle, complètement perdu. J'ai regardé autour de moi, prêt à repartir, mais dans quelle direction ? J'étais à la fois crevé et surexcité, et j'avais l'impression que je ne m'en sortirais jamais.

J'ai avalé de grandes goulées d'air, me suis retourné... pour me retrouver nez à nez avec le voleur blond. Il m'a fait sursauter. D'où sortait-il ?

– C'est par là, a-t-il ordonné, avant de repartir au pas de course.

Je l'ai suivi sans hésiter. Peu après, on a escaladé une pente rocailleuse mangée par la vigne. Je n'arrêtais pas de m'écorcher les bras sur les arêtes rocheuses et de m'emmêler dans des lianes qui semblaient s'enrouler toutes seules autour de mes chevilles. Le blondinet, lui, ne semblait pas avoir tant de mal. Au contraire, il a même ralenti son allure pour me permettre de suivre.

Finalement, on est sortis de la végétation pour déboucher sur une corniche à flanc de montagne. Plusieurs Jakills, dont Siry, étaient déjà arrivés. Tous regardaient attentivement en contrebas. Personne n'a remarqué mon arrivée.

De là-haut, la vue était extraordinaire. Tout le village s'étalait sous nos pieds et, plus loin, la baie verte et l'océan. On avait l'impression d'être sur une île. Je me suis assis pour reprendre mon souffle et j'ai fixé Siry. Il se tenait accroupi et plissait les yeux pour scruter le village comme un félin surveillant sa proie. Ses yeux brûlaient d'intensité. Personne n'a rien dit jusqu'à ce que...

– Là, a-t-il fait en tendant le doigt.

En effet, il y avait un mouvement en contrebas. Un groupe d'hommes se frayait un chemin à travers la jungle en bordure du village. On était trop haut et la jungle était trop épaisse pour qu'on puisse voir à quoi ils ressemblaient, mais, à en juger le mouvement des arbres et les éclairs de couleur qu'on apercevait par moments, ils s'étaient déployés en arc de cercle et se déplaçaient avec précaution.

– Il y en a d'autres, a dit l'un de ceux qui avaient donné l'alarme. Beaucoup d'autres.

– Qu'est-ce qu'ils font ? a murmuré Twig.

Pendant que tous les yeux étaient braqués vers ce qui se passait en contrebas, Siry, lui, regardait ailleurs. Jusque-là, il avait adopté une attitude de défi et de colère. Mais, à ce moment, j'ai pu voir qu'il y avait plus que ça. Il faisait travailler son cerveau. J'aurais presque pu entendre tourner ses méninges. Pas de doutes, il était bien plus complexe que je ne le croyais.

– Regardez ! s'est écrié Twig. De la fumée. Ils vont brûler quelque chose.

J'ai bien vu quelques volutes noires s'élever de l'endroit où avançait le groupe d'Utos. Qui étaient ces types ? Je n'allais probablement pas tarder à le savoir.

– Allons-y, a fait la fouine.

Il allait descendre la pente, mais Siry a tendu le bras pour l'arrêter.

– Non, a-t-il ordonné d'un ton plein d'autorité.

– Pourquoi ? a gémi la fouine. On peut les arrêter.

– Attends, a insisté Siry.

Un peu plus tard, les volutes se sont épaissies pour donner une fumée âcre. Twig avait raison. Les Utos avaient mis le feu à quelque chose.

– Ils brûlent les cabanes ! s'est exclamé Twig.

Siry n'a pas réagi. Il a continué à scruter la jungle. Concentré. Attentif.

– Quelqu'un va donner l'alarme, a-t-il dit comme s'il pensait à voix haute. Les forces de sécurité vont accourir.

En effet, une sirène s'est mise à beugler. Ce bruit monocorde est devenu assourdissant. Tout le village devait l'entendre.

Siry a hoché la tête d'un air songeur.

– Ils vont mobiliser toutes leurs forces pour aller éteindre le feu, comme les bons petits héros qu'ils croient être, en leur laissant le champ libre. Quels idiots.

La fouine a éclaté de rire.

– Oui ! Quels idiots !

Il a froncé les sourcils et ajouté :

– Heu… pourquoi ?

Siry n'a pas quitté le village des yeux. Moi, je n'ai pas quitté Siry du regard. Il a désigné le côté opposé à celui où on avait allumé l'incendie.

– Le feu n'est qu'une diversion, a-t-il annoncé. Il y a un autre groupe.

On s'est tous tournés vers l'endroit qu'il nous désignait. Une poignée d'Utos, quoi que ça puisse être, venait de la direction opposée à l'incendie.

– Ils se dirigent vers la montagne du tribunal, a déclaré le blondinet. Si toutes les forces de sécurité sont occupées à l'autre bout du village…

– Il n'y a plus personne pour protéger le tribunal, a conclu Siry.

Il s'est levé et a regardé les autres.

– Donc, c'est à nous de jouer.

Et il s'est mis à dévaler le flanc de la montagne.

Les Jakills l'ont suivi sans hésiter. Je leur ai emboîté le pas. Je n'y comprenais plus rien. Je croyais que c'était des hors-la-loi. Pour le tribunal lui-même, Siry n'était qu'un vulgaire criminel. Ils l'avaient condamné à un an de travaux forcés ! Et pourtant, il était prêt à affronter ces envahisseurs afin de protéger ceux qu'il considérait comme des ennemis. Vous parlez d'un monde de dingues ! Tout ce que je pouvais faire, c'est jouer le jeu en espérant trouver des réponses à mes questions.

Si je ne me cassais pas la figure en dévalant cette pente rocailleuse couverte de lianes, bien sûr. Les Jakills avaient grandi dans cette jungle et se déplaçaient avec adresse sur ce sol inégal. Et en silence. Je n'entendais que l'écho de mes propres pas maladroits. Cette fois-ci, personne ne s'est arrêté pour m'aider. Ils devaient arriver à temps pour empêcher les Utos d'atteindre la caverne. À vue de nez, la corniche sur laquelle on s'était tenus était distante de trois kilomètres du village. Quand on s'était lancés à leur poursuite, les Utos n'étaient plus qu'à quelques centaines de mètres de l'entrée. Il ne restait plus qu'à foncer en espérant qu'ils prennent tout leur temps.

Le sol s'est aplani. J'étais toujours en un seul morceau. Les Jakills avaient pris de l'avance, mais comme la jungle était moins épaisse, je pouvais les voir. Ou du moins la plupart d'entre eux. Comme je ne savais toujours pas où on allait, j'ai foncé droit devant moi. Et j'aurais continué comme ça si des mains puissantes ne m'avaient pas intercepté pour m'attirer à l'ombre d'un buisson.

C'était le blond. Encore lui. Il m'a regardé en faisant le signe universel signifiant « chut ! ». C'est difficile de reprendre son souffle en silence, mais j'ai fait de mon mieux. J'ai regardé autour de moi pour voir que les Jakills s'étaient déployés. Ils étaient prêts à l'action.

On m'a tapé sur l'épaule, ce qui m'a fait sursauter. Je me suis retourné pour me retrouver face à Siry. Ce type était plus silencieux qu'un serpent.

— Ils sont droit devant nous, m'a-t-il chuchoté.

— Qui est-ce ? ai-je répondu sur le même ton.

Il m'a adressé un sourire crâneur.

— Mon père pensait qu'on n'était qu'une bande de voyous, et il avait peut-être raison. Mais il vaut mieux ne pas se frotter à nous.

— Siry, que va-t-on faire ? ai-je insisté.

Il a fait signe aux autres. Les Jakills au grand complet – ils devaient être une quinzaine – se sont avancés lentement, silencieusement, accroupis le plus bas possible. Je suis resté en arrière. Je n'étais là qu'en tant qu'observateur. Ils ont continué de progresser à travers les buissons. Pas un mot n'a été échangé. J'ai eu l'impression que ce n'était pas la première fois qu'ils faisaient ça. On avançait ainsi depuis une minute lorsque j'ai aperçu quelque chose droit devant nous. Tout le monde a dû le remarquer en même temps, car ils se sont arrêtés comme un seul homme.

On avait rattrapé les Utos. Ils étaient là, à une trentaine de mètres sur notre droite, et se déplaçaient dans la même direction que nous. Ils ne savaient pas qu'on était derrière eux. Maintenant que j'étais plus près, je voyais un peu mieux ces mystérieux « Utos ». Je ne m'attendais à rien de précis et certainement pas à ça.

C'était majoritairement des hommes, bien qu'il y ait aussi quelques femmes. Ils n'avaient pas l'air de guérilleros bien entraînés, au contraire. C'était des personnes tout à fait ordinaires. La seule chose qui les différenciait était leurs vêtements. Si c'était possible, j'aurais dit qu'ils venaient de Seconde Terre. Ils portaient tout un assortiment de pantalons, de chemises et de vestes. Et tous avaient l'air vieux, usés jusqu'à la corde. J'ai vu des vêtements rapiécés et déchirés, des bas de pantalon effilochés. Certains portaient des chaussures dépareillées. L'un d'entre eux avait une basket à un pied et une botte à l'autre. D'autres arboraient des chapeaux si cabossés qu'ils semblaient sortir d'un mixer.

Et ils étaient sales, en plus. J'ai vu beaucoup de cheveux crasseux et de taches. Leur peau était grise, ce qui était surprenant pour des gens habitant un paradis tropical. On aurait plutôt dit une bande de SDF égarés dans la jungle qu'un commando dangereux.

Siry a levé la main. Les Jakills se sont arrêtés. Un geste circulaire, et tout le groupe s'est déplacé vers la gauche. Je les ai suivis en restant en arrière. Apparemment, Siry voulait couper la route aux Utos. Peu après, ses hommes sont entrés dans la clairière. On était revenus au village de Rayne, et la montagne qui abritait le tribunal se trouvait sur notre droite. Les villageois quittaient précipitamment la caverne pour se diriger vers les cabanes embrasées. Ce n'était pas vraiment la panique à bord, mais ils voulaient voir ce qui se passait. Ils ignoraient qu'ils défilaient devant une bande d'Utos cachés dans la jungle. J'ai fini par comprendre comment on avait pu rattraper ceux-ci. Ils attendaient que tout le monde aille regarder l'incendie, puis, quand la voie serait libre, ils attaqueraient le tribunal.

Sauf que les Jakills étaient en position de les en empêcher.

Siry leur a fait signe de se déplacer rapidement vers la caverne. Ils ont couru d'une cabane à l'autre en sens inverse du flot de villageois tout en cherchant à ne pas se faire repérer par les Utos. Ils ont fini par se regrouper à l'abri d'une cabane, à l'autre bout du chemin sablonneux. Je savais que, derrière le rideau de végétation, les Utos attendaient leur heure. Non loin de là s'ouvrait la porte de la caverne du tribunal.

Siry a fait signe d'attendre. La foule s'écoulait toujours de la caverne et la sirène beuglait toujours. Finalement, le flot s'est tari. Il n'y avait plus personne. La voie était libre. Les Jakills ont tiré leurs armes courtes. J'ai pu sentir leur tension. Mais ils n'avaient pas peur, non. Ils étaient prêts à combattre.

De l'autre côté de la route, j'ai vu une tête sortir des buissons. Puis une autre, et une autre encore. Les Utos passaient à l'action. Ils sont sortis des fourrés comme des fantômes de l'éther. Drôle de bande. Ils ne semblaient pas avoir de chef. Ils sont partis vers la caverne. J'en ai compté dix. Dix Utos contre quinze Jakills. Heureusement que j'étais de leur côté.

Siry m'a décoché un sourire crâneur :

– Regarde bien.

Il a levé son arme pour foncer vers les Utos. Les autres Jakills lui ont emboîté le pas. Ils n'ont pas poussé de cris de guerre : ils voulaient profiter au maximum de l'effet de surprise. À vrai dire, ils n'avaient pas l'air mieux organisés ou mieux entraînés que les Utos, mais je n'étais guère en position de les critiquer, parce que leur tactique a fonctionné à merveille. Ils avaient compris que l'incendie était un leurre, ils avaient repéré le second groupe d'Utos, ils les avaient filés sans se faire remarquer, et ils allaient les prendre par surprise. Tout était parfait. À l'exception d'un détail.

Ils ne savaient pas se battre.

L'un des Utos gris a repéré les assaillants. Fin de l'effet de surprise. Siry a poussé un cri aigu :

– Yahhhh !

Les autres Jakills ont fait de même. Mais les Utos n'ont pas eu l'air surpris. Ils se sont rassemblés, vite et bien, pour se préparer au combat. Ils n'avaient pas d'armes. Comme j'allais le découvrir, ils n'en avaient pas besoin.

Car contrairement aux Jakills, ils savaient se battre.

Siry et ses hommes ont fondu sur eux en agitant leurs armes comme pour leur faire peur et les pousser à se disperser. En vain. Les Utos ont tenu bon. À chaque fois qu'un Jakill portait un coup, un Uto le parait ou se baissait pour l'éviter avant de contre-attaquer. Ils leur ont arraché leurs matraques pour les frapper sans pitié. Il n'y avait pas photo. Siry et les Jakills semblaient si confiants ! Je n'aurais jamais cru que cette bande de pouilleux pourrait les vaincre.

Parce qu'en fait, ce sont les Jakills qui n'avaient pas l'ombre d'une chance.

Je suis resté près de la cabane derrière laquelle on s'était cachés pour assister au massacre. Même si les Jakills se prenaient une raclée, j'espérais que leur simple présence suffirait à effrayer les Utos et les renvoyer d'où ils venaient. Mais non : ils sont restés pour se battre. Mais les Jakills n'ont pas renoncé pour autant. Au moins, ils avaient du courage. Sauf qu'ils avaient beau frapper et crier, ils étaient surclassés. C'est Siry qui a le plus encaissé. Il tournoyait sur lui-même comme un dément en agitant ses matraques, mais il n'en a pas touché un seul. Au contraire, il s'est pris un coup sur le crâne. Tout d'abord, les Utos ont battu en retraite vers la jungle, mais en voyant qu'ils surclassaient aisément les Jakills, ils se sont enhardis et ont continué d'avancer vers l'entrée de la caverne.

La contre-attaque avait échoué. Je ne savais peut-être pas grand-chose d'Ibara, ni de la politique ou de l'histoire du village de Rayne, mais je me doutais bien que les Utos n'avaient rien d'amical. Même les Jakills, qui détestaient le tribunal, étaient prêts à se battre pour les arrêter. À ce rythme, ils ne tiendraient plus longtemps avant de finir à terre. Et alors, plus rien ne pourrait arrêter les Utos.

Enfin, presque rien.

J'ai décrit plus d'une fois les effets magiques de l'adrénaline. J'étais crevé, malade, couvert de croûtes et à demi-mort de faim, mais ce massacre m'a fait oublier tout ça. Mon sang a bouillonné dans mes veines. Il était temps de prendre une décision. Devais-je m'en mêler ? Je ne savais pas qui étaient les Jakills ni ce qu'ils représentaient, mais Siry était le fils d'un Voyageur et en portait l'anneau. Je pouvais en conclure qu'il était désormais le Voyageur d'Ibara... Et je devais l'aider.

Que ça me plaise ou non, il était temps de sortir de ma position de simple spectateur.

J'ai ramassé la matraque d'un Jakill assommé et une autre tombée à terre. Je n'avais aucune expérience dans le maniement de ces armes, mais c'était tout ce que j'avais à ma disposition. Elles étaient petites, mais solides. J'en ai pris une dans chaque main, j'ai inspiré profondément, puis je suis parti mener mon propre combat pour sauver Ibara.

Ça n'a pas traîné. Un Uto m'a décoché un coup de poing. Je l'ai évité, l'ai laissé aller jusqu'au bout de son élan, puis lui ai donné un coup de matraque sur l'arrière du crâne, le mettant K.-O. Un autre Uto s'est jeté sur moi. Je me suis baissé, j'ai fait glisser son poids sur mon dos et l'ai renversé... juste à temps pour faire face à un autre adversaire qui m'a fait un placage digne d'un rugbyman. J'ai heurté violemment le sol, roulé à terre avec mon agresseur, puis, utilisant son propre élan, je l'ai fait passer par-dessus ma tête.

Cette fois, j'étais dans le bain. Oubliée la douleur des piqûres d'abeilles et mes membres rouillés après cette longue immobilisation. J'étais passé en mode « survie ». Le cours de la bataille avait changé, et les Utos en étaient conscients. Ils m'ont attaqué avec plus de précautions, ce qui me convenait parfaitement. C'était de meilleurs combattants que les Jakills, mais ils n'avaient pas mon entraînement.

J'espérais que les Jakills aient fait assez de dégâts pour les attendrir un peu. Dix contre un, ce n'est pas l'idéal, même si j'avais un avantage. Les Utos m'ont attaqué, mais de façon si maladroite que je n'ai eu aucun mal à exploiter leurs faiblesses.

J'ai frappé l'un d'entre eux dans l'estomac, tourné sur moi-même et fauché les jambes d'un autre, l'envoyant à terre. Un Uto a cherché à m'attaquer par derrière. Je ne l'ai pas vu, mais je l'ai senti. L'entraînement que m'avait fait suivre Loor avait porté ses fruits. Il m'a envoyé un crochet. J'ai saisi son bras et l'ai fait passer par-dessus mon épaule.

J'avais peut-être l'impression d'être le seul à me battre, mais c'était faux. Les Jakills n'avaient pas jeté l'éponge. Ils me réservaient même quelques surprises de leur cru. J'ai vu Siry porter sa matraque à sa bouche et souffler un coup sec dans une de ses extrémités. Je n'ai pas compris à quoi il jouait, du moins jusqu'à ce qu'un des Uto pousse un cri et porte une main dans son dos. Ces armes n'étaient pas que des matraques, mais aussi des sortes de sarbacanes. L'Uto est tombé sur un genou. Il avait l'air désorienté. Peut-être que Siry lui avait envoyé un dard empoisonné ? En tout cas, sa victime est repartie vers la jungle d'un pas mal assuré. Pour lui, le combat était terminé.

Twig a tiré à son tour et atteint un autre Uto à la cuisse. Celui-ci a couiné, empoigné sa jambe et s'en est allé en boitant. Pendant tout ce temps, je n'ai pas arrêté de me défendre tout en balançant quelques coups bien placés aux Utos, qui semblaient perdre courage. Maintenant, ils cherchaient surtout à s'échapper. L'un d'entre eux a traîné un collègue inconscient vers la jungle. Je savais qu'il était K.-O., puisque je m'en étais chargé. Un autre est venu l'aider, et tous les trois ont disparu derrière le rideau de végétation.

J'ai regardé autour de moi, dans l'attente d'un nouvel agresseur. Plus rien. J'étais à peine entré dans la bataille qu'elle était déjà terminée. Les Utos avaient disparu dans la jungle en emportant leurs blessés. J'ai parcouru la clairière des yeux. Plusieurs Jakills avaient l'air choqués et trois d'entre eux étaient inconscients, dont la fouine. La plupart restaient plantés là, hors d'haleine, peu enclins à se lancer à la poursuite des fuyards.

Siry se tenait au centre du champ de bataille, entouré par ses camarades tombés à terre. Il semblait avoir à peine la force de tenir debout. Du sang s'écoulait de son nez et d'une entaille sur sa joue. Ça m'a rappelé la plaie que m'avait infligée le quig de

Troisième Terre. J'ai regardé mon avant-bras. La blessure avait déjà presque disparu. Je ne savais pas si je devais remercier mes pouvoirs de récupération de Voyageur ou les incroyables avancées technologiques de la Troisième Terre. Quoi qu'il en soit, j'allais mieux. En plus, j'avais l'impression de m'être débarrassé des effets des piqûres et des médicaments.

– Tu sais te battre, a hoqueté Siry.

En guise de réponse, j'ai haussé les épaules.

J'ai regardé l'embouchure de la caverne. Les trois membres du tribunal s'y tenaient. Genj a croisé mon regard. Je m'attendais à ce qu'ils envoient de l'aide, nous demandent si tout allait bien ou nous fassent au moins un signe pour admettre qu'ils avaient vu ce qui s'était passé. Mais ils n'ont rien fait. Plusieurs jeunes ensanglantés gisaient à leurs pieds, et on aurait dit qu'ils s'en fichaient complètement. C'était quoi, cette mentalité ?

Et je ne savais toujours pas qui était ces Utos, ni pourquoi ils en voulaient au tribunal, ni pourquoi les Jakills semblaient jouer sur tous les tableaux. Décidément, il se passait de drôles de choses sur Ibara.

Siry s'est agenouillé au chevet de la fouine et lui a tourné délicatement la tête, lui arrachant un gémissement. Un hématome violacé se formait déjà sur sa joue, juste à côté d'une plaie ouverte.

– Il a besoin d'aide.

Siry avait l'air inquiet. J'étais content de voir que lui au moins se souciait de ses hommes.

– Et le tribunal ? ai-je demandé.

Siry a eu un geste de mépris.

– Je ne comprends pas. Vous venez de les sauver des Utos.

– Pour eux, nous ne valons rien, a répondu Siry d'une voix pleine de fiel. En guise de récompense, ils nous laisseront repartir sans nous faire arrêter.

J'ai jeté un coup d'œil au tribunal pour voir Genj, Moman et Drea s'éloigner de l'embouchure. Siry avait raison : ils se moquaient pas mal des Jakills blessés. Et de Siry, fils d'un ancien membre du tribunal. Qu'est-ce que c'était que cette histoire ? Le tribunal n'était pas mauvais. Du moins, je ne le pensais pas.

Comment était-ce possible si Remudi en avait fait partie ? Je n'y comprenais plus rien. Impossible de reconnaître les bons des méchants.

Le voleur blond s'est agenouillé aux côtés de Siry.

– Telleo, a-t-il suggéré.

– Oui, a acquiescé Siry. Elle peut nous aider.

– On n'a qu'à amener les blessés à la cabane où elle m'a soigné, ai-je proposé. Elle a des médicaments et…

Siry m'a jeté un regard noir.

– On se passera de ton aide.

– Vraiment ? Tu as la mémoire courte.

Le blond a voulu arrondir les angles :

– Pourquoi ne pas le laisser venir ? a-t-il demandé à Siry. Sans son intervention, cette bataille aurait pu mal finir.

– C'était un allié de mon père, a contré Siry.

– Et il a remporté la victoire à notre place, a rétorqué le blond.

Siry m'a jeté un regard noir.

– Que veux-tu, Pendragon ? Pourquoi es-tu là ?

– Ce serait une longue histoire, mais une chose est sûre : je viens en ami.

Siry semblait partagé. Il ne voulait pas de moi, mais j'avais gagné quelques points en crédibilité en les aidant à repousser les Utos.

– Ce que je t'ai montré visait à te faire comprendre que je n'étais pas comme mon père, a-t-il repris. Quelles que soient ses valeurs, je ne les partage pas.

– C'est compris.

– Ne fais pas l'idiot. Tu es un étranger. Du moment que le tribunal croit avoir besoin de toi, ils te ficheront la paix. Mais s'ils changent d'avis et décident que tu peux devenir une menace…

Il n'a pas fini sa phrase. C'était inutile.

– Je veux bien courir le risque, ai-je dit.

J'ai entendu un reniflement sonore qui m'a fait penser à Marley, mon chien. Je me suis retourné pour voir que la fille nommée Twig se tenait près de moi.

– Tu ne sens plus la peur, a-t-elle dit.

Elle s'est tournée vers Siry et lui a souri.

– Je l'aime bien.

– On peut avoir encore besoin de lui, a ajouté le blond.

Siry m'a regardé une fois de plus. Puis il a fait la grimace et m'a dit :

– Ne te mets pas en travers de mon chemin.

Les Jakills m'avaient accepté. Pourvu que ce soit une bonne chose.

Journal n° 29
(suite)

IBARA

Siry a sélectionné quatre Jakills, dont son ami blond, pour qu'ils assistent les blessés. Les autres ont suivi son conseil et se sont éparpillés dans la nature. À nous six, on a maladroitement transporté les blessés à travers le village jusqu'à la cabane de Telleo. Les badauds nous ont regardés passer d'un œil curieux. Si je croisais une bande d'ados mal fagotés portant trois autres jeunes inconscients, j'en ferais peut-être autant. La plupart d'entre eux ont tourné les talons et se sont empressés de rentrer chez eux comme si on était des pestiférés. Quand on est arrivés devant la cabane de Telleo, elle était là, assise sur le perron, en train de lire. Elle avait l'air si paisible. Ça ne durerait pas.

— Que s'est-il passé ? s'est-elle écriée en se levant d'un bond.

Telleo a regardé tout autour d'elle comme si elle craignait qu'on les espionne.

— Un groupe d'Utos a tenté d'attaquer le tribunal, a expliqué Siry.

— Vite, déposez-les à l'intérieur, a ordonné Telleo.

Elle a scruté à nouveau les alentours. Pas de doute, elle ne voulait pas qu'on les voie. On a porté les blessés dans la cabane pour les allonger délicatement sur les lits. Telleo les a examinés sommairement.

— Il faut appeler un docteur, a-t-elle conclu.

— Non ! a aboyé Siry.

— Ils ont besoin de soins, a protesté Telleo.

— Alors soigne-les, a rétorqué Siry. Pas question de faire venir des docteurs.

— Mais je ne peux pas…, a fait Telleo, au bord de la panique.

— Tu ne peux pas ou tu ne veux pas ?

Voilà qui lui a cloué le bec. Elle a hoché la tête.

— Je vais faire mon possible.

Siry a désigné les autres Jakills.

— Rentrez. Vous ne pouvez rien faire de plus.

Trois d'entre eux ont obéi sur-le-champ. Le blondinet est venu me trouver.

— Je m'appelle Loque. Merci.

— Moi, c'est Pendragon, ai-je répondu.

Il m'a donné une tape amicale sur l'épaule avant de s'en aller.

— Laissons-la faire, a dit Siry avant de le suivre.

Il n'est plus resté que Telleo et moi. Ou du moins, on était les seuls encore conscients. Elle semblait terrifiée.

— Tu peux les aider ? ai-je demandé.

— Je peux toujours essayer.

— Pourquoi Siry refuse-t-il de faire appel aux docteurs ?

— Parce qu'ils travaillent pour le tribunal. Il ne veut rien avoir à faire avec eux.

— Et toi ? ai-je demandé. Es-tu une Jakill ?

Telleo m'a regardé d'un air surpris, puis a eu un petit rire.

— Oh, non ! Je ne suis même pas sûr que le tribunal connaisse ce nom. Ça m'étonne que tu l'emploies.

J'ai haussé les épaules.

— Mettons que j'apprends vite.

— Si le tribunal savait que je les aide, ils ne seraient pas contents. Ça pourrait me coûter mon emploi.

— Est-ce que c'est… mal ?

— C'est compliqué, a-t-elle répondu avec un haussement d'épaules résigné. Je suis contente que le tribunal ne t'ait pas déporté.

— Je suis heureux qu'ils ne m'aient pas fait exécuter ! À la place, ils ont chargé Siry de me servir de baby-sitter. Il est censé m'empêcher de m'attirer des ennuis. Quelle blague !

Telleo s'est assombrie.

— Méfie-toi de lui, a-t-elle dit à voix basse. Il n'est pas méchant, mais il joue un jeu dangereux.

Je me suis dirigé vers la porte.

– Je ferai attention. Bonne chance avec ces gars.

Elle a hoché la tête. À peine avais-je franchi la porte que Siry m'a sauté dessus, m'a saisi par les rebords de ma chemise et a amené son visage tout près du mien.

– C'est mon père qui t'envoie ? Il t'a dit de m'arrêter ?

J'aurais pu m'en débarrasser en un clin d'œil, mais ce n'était pas comme ça que j'allais gagner sa confiance. Je devais montrer ma force sans qu'il croie que je le menace.

– Aux deux questions, la réponse est non.

– Alors pourquoi t'es là ? Et ne me dis pas que c'est pour affronter une espèce de démon imaginaire !

Il ne me facilitait guère les choses. C'était précisément la raison de ma présence ici.

– De quoi as-tu peur, Siry ? Qu'est-ce qui se passe ici ?

Il s'est écarté de moi. Ce type était un paquet d'émotions, presque toutes négatives. Il était en colère, ne faisait confiance à personne et, surtout, il avait peur. Il a ouvert la bouche, mais s'est arrêté comme s'il avait du mal à trouver ses mots. Il luttait pour se contrôler. Les autres Jakills étaient partis. On était seuls tous les deux. Je pense qu'il ne se serait pas lâché comme ça si ses hommes étaient toujours là.

– C'est vrai ? a-t-il fini par demander. Pour mon père ?

J'ai acquiescé. Il a fait la grimace. Ce type avait la peau dure, mais il y avait tout de même un cœur sous sa carapace.

– Je ne l'ai pas connu, ai-je expliqué, mais j'en sais beaucoup sur lui. Je peux peut-être t'aider à le comprendre.

– J'en sais bien assez comme ça, a-t-il rétorqué méchamment.

J'étais mal barré. J'avais besoin d'un allié sur Ibara. D'un Voyageur. Et tout ce que j'avais à ma disposition, c'était un gamin en colère contre son père. Ça ne serait pas facile de lui faire accepter son rôle et tout ce qui allait avec.

– Ton père disait la vérité, ai-je repris. J'ai besoin de ton aide.

– Comme si j'en avais quelque chose à faire ! s'est-il écrié. Mon père faisait partie du tribunal. Il était aussi coupable que les autres.

– Alors aide-moi à comprendre, ai-je repris. De quoi sont-ils coupables ?

Siry a baissé les yeux. J'ai eu l'impression qu'il voulait me faire confiance, mais ne savait pas comment s'y prendre.

— Tu as dit que j'étais une cible, a-t-il repris doucement.

— Comme nous tous. Tous les Voyageurs. Tu ne veux pas en entendre parler, mais c'est vrai. Tu le sauras bien assez tôt. Il vaut mieux que ce soit par ma bouche que…

— Que par celle de Saint Dane ? a-t-il interrompu.

— Je suis là pour découvrir la vérité, ai-je répété. Je peux peut-être aussi t'aider à obtenir ce que tu veux, mais il faut que tu me fasses confiance. Je dois en apprendre davantage sur le tribunal, les Jakills et les Utos.

Siry m'a regardé comme si je venais de Mars. Ou de Seconde Terre.

— Tu ne sais vraiment rien à rien, hein ?

— Que veux-tu que je te dise ? Je ne suis pas d'ici.

Siry m'a décoché un regard qui m'a glacé jusqu'aux os.

— Si tu fais quoi que ce soit pour nuire aux Jakills, je te tue.

Et il ne plaisantait pas.

Sans un mot de plus, Siry est parti vers la baie. Je l'ai suivi sur un chemin sablonneux jusqu'à la plage, et on a continué à marcher en longeant le rivage. L'eau était chaude, comme sur Cloral. C'était bon d'y patauger. Siry n'a pas dit un mot. Je pense qu'il n'avait pas l'habitude de se confier, encore moins à un étranger. Il était en colère. Contre le tribunal, contre son père et contre la vie en général. Ce n'est qu'une fois assez loin du village et de toute oreille indiscrète qu'il a repris la parole :

— On nous ment, a-t-il attaqué. Tous jusqu'au dernier. Tous les habitants de Rayne et peut-être d'Ibara.

— Qui ? Le tribunal ?

— Tout part d'eux, en effet. Ils nous manipulent tous. Ils prétendent agir pour le bien commun, mais ce n'est pas vrai.

— À propos de quoi mentent-ils ?

— À propos de tout ! a-t-il rétorqué. Ils veulent que tous se conforment à leur façon de penser. Ce sont eux qui nous dictent notre mode de vie. Vivre dans ce village n'est qu'une mort lente.

— Vraiment ? Ça ne m'a pas l'air si désagréable.

– Tu n'y habites pas, a grogné Siry. C'est tout. Il ne se passe jamais rien. Les gens vivent leur petite vie ennuyeuse dans leur petite cabane à effectuer de petits travaux. Tous les jours. Chacun à sa place. Rien ne change jamais. Quand tu as sept ans, tu passes des tests d'évaluation et on t'attribue un emploi que tu occuperas jusqu'à la fin de tes jours. Tu n'as pas le choix. Tu sais quel travail ils m'ont trouvé ? Fermier. Je suis censé faire pousser de quoi nourrir ceux qui fabriquent les vêtements portés par ceux qui attrapent les poissons mangés par ceux qui construisent les cabanes occupées par ceux qui ramassent les ordures de ceux qui réparent les lampes de ceux qui amènent l'eau à ceux qui apprennent aux autres comment faire ces travaux ennuyeux. Ça ne s'arrête jamais. Tous les jours. Ce n'est pas ça, vivre. C'est tout au plus survivre.

– Et en quoi c'est un mensonge ? ai-je demandé.

– Ce monde peut offrir bien plus que ça. Mais le tribunal nous le cache.

– Comment ?

– Ils contrôlent l'information. Ils nous laissent des livres, mais pas un seul ne traite de notre histoire ou de ce qui peut se passer au-delà de notre petit monde. Ne va surtout pas poser de questions, personne n'y répondra. Pire encore, si tu insistes, ils te font embarquer. La curiosité est un crime.

– Je ne comprends pas.

– Les gens disparaissent. Un jour, on entend un type se demander à voix haute pourquoi on n'a pas le droit d'aller s'installer dans un autre village, et le lendemain, il n'est plus là. Pire, toute sa famille a disparu avec lui. Et on ne les revoit plus jamais.

– Pourquoi ne pas s'en aller, tout simplement ?

– Parce que personne n'a le droit de quitter l'île ! a crié Siry.

– C'est une île ? ai-je demandé, surpris.

– Oui. Rayne est le plus grand des villages, mais il y en a d'autres. J'en ai visité quelques-uns avec mon père, mais voyager est fortement déconseillé. Depuis notre naissance, on est conditionnés pour vivre nos vies dans le même petit village, et on doit s'en contenter. Mais pas moi. Ni les autres Jakills. On sait qu'il y a autre chose, et on a l'intention de le découvrir.

– Hé, un instant. Tu dis que personne n'a jamais quitté cette île ?

– Oui.

– Alors qui sont les Utos ? Des gens qui cherchent à s'enfuir ?

– Non, ils viennent d'un autre endroit. C'est pour ça que le tribunal a si peur d'eux. Ils craignent qu'ils contaminent notre mode de vie. En général, les forces de sécurité les repoussent, mais il arrive qu'ils puissent aborder, comme aujourd'hui.

– Et d'où viennent-ils ?

– C'est bien ça, le problème. Personne n'en a la moindre idée ! Si le tribunal est au courant, il le garde pour lui. Et pour tout compliquer, les Utos sont des sauvages. S'ils étaient amicaux, ils pourraient nous apprendre quelque chose, mais ce n'est pas le cas. Ce sont des pillards qui attaquent les fermes et volent tout ce qu'ils peuvent emporter. Ils ont attaqué des villageois et détruit leurs cabanes. Tout ce qui les intéresse, c'est la violence aveugle. Et maintenant, ils ont pris le tribunal pour cible.

– Donc, apparemment, ces trois-là ont d'autres préoccupations que protéger votre mode de vie.

Siry a acquiescé.

– Si tu détestes tant cet endroit, pourquoi avoir protégé le tribunal des Utos ?

Siry a émis un petit rire en secouant la tête comme si ma question était idiote.

– Notre but n'est pas de détruire Rayne, Pendragon. Si les gens se contentent de cette vie, c'est leur droit. Ce qu'on veut, c'est qu'on nous dise la vérité et que chacun puisse mener sa vie comme il le désire. On n'est pas des brutes. Les Jakills ont des familles. Ce qu'on veut, c'est le changement, pas l'anarchie. On veut aider le peuple de Rayne, pas le faire souffrir. C'est pour ça qu'on a affronté les Utos.

Bonne réponse.

– C'est donc ça qui vous a rassemblés ? Ce désir commun de changer de mode de vie ?

– La plupart d'entre nous sont les enfants des chefs du village, a répondu Siry. On a entendu des choses. Des petites phrases que nos parents ont laissé échapper devant nous. Ça nous a fait réfléchir, chacun de notre côté. Une fois qu'on a commencé à regrouper nos informations, les questions sont venues toutes seules. Qui sommes-nous ? Pourquoi sommes-nous coincés ici ? Pourquoi ne pouvons-nous pas visiter le reste de notre monde ?

– Que t'a dit ton père ?

Siry a éclaté de rire.

– C'était bien le pire de tous. Il ne voulait pas en entendre parler. J'ai du mal à croire qu'il ait pu être une sorte de « Voyageur ». Ça ne lui ressemblait guère. Je suis désolé d'apprendre sa mort. Si, je t'assure. Quand j'étais petit, c'était un brave type. Mais tout a changé dès que j'ai commencé à me faire ma propre opinion.

– Et ta mère ? ai-je demandé.

– Je ne l'ai pas connue. Remudi m'a adopté quand je n'étais qu'un bébé.

Ça n'avait rien pour me surprendre. C'était une constante chez les Voyageurs. Je commençais à me faire une idée plus précise d'Ibara. Remudi était un Voyageur. Je ne pouvais m'empêcher de penser que, s'il avait joué un rôle dans cette politique de désinformation, elle devait avoir un rapport avec l'avenir de ce territoire. Le moment de vérité. J'étais sur la bonne voie. J'étais loin d'y voir clair, mais au moins j'étais sur la bonne voie.

– Tout ce qu'on veut, a repris Siry, c'est qu'on nous dise la vérité. Tu as vu notre clairière dans la jungle et de quoi elle est faite. Rien de tout ça ne vient d'un quelconque village de l'île. Tout s'est échoué sur le rivage, au fil des années. Ce qui n'a pas été confisqué et détruit par les forces de sécurité nous a été passé en secret. C'est peut-être de la saleté, mais ces objets comptent beaucoup pour nous. Chacun d'entre eux est la preuve qu'il existe un monde au-delà de cette île. Et on veut savoir à quoi il ressemble.

– Il peut ne pas vous plaire, ai-je remarqué.

– Peut-être, mais on préfère avoir l'occasion de juger par nous-mêmes.

J'ai acquiescé. Je comprenais.

– Bon, je t'ai dit la vérité. À ton tour. Pourquoi es-tu là ?

C'était un moment critique. Siry n'avait pas confiance en moi, et pourtant il avait répondu à mes questions. J'avais peut-être une chance de m'en faire un allié.

— Je pense que tu as raison, ai-je commencé. Le tribunal vous cache des choses. Je veux savoir quoi.

— Pourquoi ? a-t-il insisté. Qu'est-ce que ça peut te faire ?

— Je sais que tu n'étais pas d'accord avec ton père et que tu ne partageais pas ses valeurs, mais moi si. C'était un Voyageur, ce qui veut dire qu'il se passe ici des choses que même le tribunal ignore.

Siry a dressé l'oreille. Il aimait bien l'idée que le tribunal ne sache pas tout.

— Tu ne veux pas être un Voyageur, ai-je continué, mais je crois que nous avons le même but, toi et moi. Sans oublier les Jakills. Nous sommes du même bord, même si c'est pour des raisons différentes. Nous voulons connaître la vérité. Je peux t'aider à la découvrir.

Siry m'a regardé droit dans les yeux, comme s'il cherchait à lire dans mon esprit s'il pouvait me faire confiance. Il ne manquait pas de passion, ce qui me plaisait bien. C'était aussi un voleur et un bagarreur qui détestait les autorités, ce qui me plaisait beaucoup moins. Mais j'étais d'accord avec sa philosophie. Les peuples ont le droit de prendre en main leur destin. De plus, il était loyal envers ses amis et voulait qu'ils s'en sortent. Tout compte fait, il avait peut-être l'étoffe d'un vrai Voyageur.

— D'accord, a-t-il fini par dire. Mais je ne plaisantais pas. Si tu nous trahis, je te tue.

Jusqu'ici, je l'avais ménagé, mais là, j'en avais ma claque. Je l'ai regardé droit dans les yeux pour lui balancer :

— Que tu le croies ou non, cette histoire te dépasse complètement. Je t'ai demandé ton aide, mais bientôt c'est toi qui auras besoin de moi. Alors je me passerai de tes menaces, d'accord ?

Siry a cligné des yeux. Je l'avais percé à jour. Il était bien des choses, mais pas un assassin.

— Tu veux vraiment nous aider ? m'a-t-il demandé.

— Oui.

— Alors viens avec moi.

Il est parti en courant le long de la plage. Pourvu que le trajet soit court. Le rush d'adrénaline du combat était passé et je me sentais crevé. J'avais envie de faire un somme, pas une balade.

Mais s'il voulait me montrer quelque chose d'important, je devais le suivre. Il a coupé à travers la plage et s'est enfoncé dans la jungle entourant les limites de Rayne. J'ai cru qu'il avait choisi un endroit au hasard, mais j'ai vite vu qu'il y avait un petit sentier. À Stony Brook, je connaissais comme ma poche les bois derrière notre maison. Ce devait être pareil pour Siry, parce qu'il semblait savoir précisément où il allait. On a continué à cavaler le long de ce chemin étroit et sinueux. L'épaisseur du feuillage rendait la jungle plus sombre qu'elle ne l'était. La pente est devenue de plus en plus escarpée, si bien que j'ai dû m'aider de mes mains pour continuer à grimper. On est montés de plus en plus haut, et non sans mal. J'ai su qu'on était arrivé lorsque la lumière est revenue. Siry est monté sur une pierre saillant en bordure de la jungle et s'est retourné. Ses yeux brillaient d'excitation.

– On n'est pas qu'une bande de gamins en colère, a-t-il déclaré. On ne plaisante pas, et on compte bien tout changer.

Il m'a fait signe de jeter un œil. J'ai gravi les quelques mètres restants pour me tenir à ses côtés. On se trouvait bien sur une arête rocheuse dominant la baie. Au large, il n'y avait que de l'eau. Mais en baissant les yeux, j'ai vu quelque chose de bizarre. Ce n'était pas une plage de sable, mais une côte rocailleuse et irrégulière. Cinq longues jetées de bois partaient du rivage et, de chaque côté, un bateau était amarré. Dix au total. Tous semblables. Avec leurs deux mâts, on aurait dit des galions de pirates à l'ancienne. Ils devaient faire un peu plus d'une trentaine de mètres de long avec une sorte de château à la poupe. Ils étaient tous semblables si ce n'était leur couleur. Chacun d'entre eux était peint d'un ton différent. Il y avait des verts presque fluo, des bleus brillant et quelques roses éblouissants. C'était une vision assez incroyable. Les bateaux luisaient au soleil. On aurait plutôt dit des attractions de foire que de véritables navires. Chez nous, j'avais déjà vu des spectacles nautiques à la télévision, mais jamais une flotte pareille.

– Ils ont l'air tout neufs, ai-je remarqué.

– Ils le sont, a répondu Siry. Ils ne sont sortis de la baie que pour de brefs essais.

– C'est votre flotte de pêche ?

– Non, a répondu Siry. Ils sont bien plus gros que n'importe quel bateau de pêcheurs. D'après le tribunal, ils doivent remplacer les anciens chalutiers, mais ceux qui sont montés à bord disent qu'ils ne sont pas équipés pour la pêche.

– Alors d'après toi, à quoi sont-ils censés servir ?

Siry a regardé la flotte colorée, a réfléchi un instant, puis a dit :

– Je ne sais pas, et je m'en fiche. Quand je regarde ces vaisseaux, je ne pense qu'à une chose.

– Qui est ?

Siry m'a fixé avec le plus grand sérieux.

– Un moyen d'évasion.

– Quoi ?

– La plupart des Jakills ont pris la mer avant même de savoir marcher. Ils savent naviguer. Ils n'auront aucun mal à diriger un de ces bateaux.

– Hé, un instant ! Tu ne penses tout de même pas…

– Si. On va voler un de ces bateaux pour s'enfuir de cette île.

– Et les forces de sécurité ? Ils ne les gardent pas ?

– Ils se soucient davantage des Utos venant de la mer. Ils ne s'attendent pas à ce que la menace vienne de l'intérieur des terres. C'est là qu'est en partie le problème, Pendragon. Les gens se sont résignés. Pire encore, on dirait qu'on leur a arraché de la tête toute envie d'aventure. Ils mènent leur petite vie, habitent sur la plage, pêchent, cueillent des fruits et chantent toujours les mêmes chansons. Il n'y a pas d'étincelle, pas d'enthousiasme. Notre culture est morte. Et les Jakills vont changer tout ça.

– Hem, sans vouloir te vexer, je vous ai vus en action, ai-je dit avec véhémence. Si les forces de sécurité vous sautent dessus, vous ne pourrez jamais mettre le pied sur un de ces navires, encore moins partir avec.

Siry s'est planté devant moi, a croisé les bras et a souri :

– Tu as raison. Jusque-là, c'est bien la seule chose qui nous a empêché de mettre notre plan à exécution. Mais je crois qu'on a résolu le problème.

Et il m'a fait un grand sourire d'ogre. Je n'ai pas tardé à comprendre où il voulait en venir.

– Tu veux rire, j'espère ?

– Tu as dit que tu nous aiderais.

– Oui, mais pas en commettant un acte de piraterie !

– De tout ce que m'a dit mon père, Pendragon, il n'y a qu'une seule chose qui m'est restée. Il a dit qu'Ibara allait bientôt connaître son moment de vérité et que notre avenir dépendrait de la façon dont les choses se dérouleraient. Je pense qu'il avait raison, et que les Jakills sont ce moment de vérité. On veut échapper à cette société étouffante et explorer Ibara. On veut en faire un monde meilleur. Tu veux nous aider ? Alors fais-nous monter à bord d'un de ces bateaux. C'est ce que t'aurait demandé mon père.

J'ai fait un pas en avant pour regarder cette flotte aux voiles multicolores. Ce territoire était une énigme. On voulait protéger les habitants de cette île du reste du monde. Mais pourquoi ? Qu'y avait-il au-delà de cet océan ? Que savait le tribunal ? Cherchaient-ils vraiment le bien de leur peuple ou le gardaient-ils prisonnier ? La solution de ce mystère était là, quelque part à l'horizon. Et j'étais sûr que le destin d'Ibara en dépendait, ce qui voulait dire que Saint Dane y jouait un rôle. J'avais besoin de savoir ce qu'il y avait au-delà de cette île. Pas pour les mêmes raisons que Siry et les Jakills, mais pour sauver le territoire tout entier.

Mais comment faire ? Je ne pouvais pas aller trouver le tribunal pour chercher à en apprendre davantage. Malgré ma vague connexion avec Remudi, j'étais un étranger. Si le tribunal contrôlait chaque aspect de l'existence des habitants de Rayne, comment les pousser à me dire la vérité ? Malheureusement, la réponse à cette question était évidente. Je n'avais pas la moindre chance. Il semblait bien que mon meilleur espoir d'apprendre la vérité à propos d'Ibara était entre les mains d'une bande de jeunes renégats en mal d'aventure.

– Quand partons-nous ? ai-je demandé.

C'est là que je vais mettre fin à ce journal et te l'envoyer, Courtney. Comme je l'ai dit, je suis sur le point de devenir un hors-la-loi. J'ai décidé d'aider Siry et les Jakills à voler un de ces voiliers. Les flumes nous envoient toujours au bon endroit au bon moment. Je ne pense pas que ce soit un hasard si je me retrouve sur Ibara alors que le nouveau Voyageur s'apprête à tenter un coup d'éclat pareil. Il va se passer quelque chose sur cette île. Tout va changer. Les Jakills en seront les artisans. Leur rejet du *statu quo* ressemble fort à une révolution. Toutes les pièces s'emboîtent. D'après ce que j'ai cru comprendre, ces étranges Utos sont plus agressifs que jamais. Et pourquoi le tribunal a-t-il fait construire cette mystérieuse flotte ? À quoi doit-elle vraiment servir ? Pourquoi son existence est-elle tenue secrète ?

Surtout, il faut que je découvre ce qu'il y a à l'autre bout de cet océan. D'une certaine façon, j'ai l'impression de n'avoir pas encore vu Ibara. Tout ce que j'en connais, c'est une petite île vivant en autarcie. Le reste d'Ibara est-il différent ? Qui sont les Utos et pourquoi harcèlent-ils les habitants de Rayne ?

Et bien sûr, où est Saint Dane et quel rôle joue-t-il dans tout ça ? À chaque fois que je rencontre une nouvelle personne, je me demande si ce n'est pas un de ses avatars. C'est dur de vivre dans un tel état de paranoïa constante. Je n'ai pas d'autre choix que de suivre mon instinct, or mon instinct me dit que, pour résoudre les mystères d'Ibara, je dois devenir un Jakill.

Non : je dois devenir un pirate.

Fin du journal n° 29

Première Terre

Courtney lut le journal de Bobby dans l'appartement de Gunny, au rez-de-chaussée du Manhattan Tower Hotel. Les feuilles couleur amande étaient carrées et d'une douzaine de centimètres chacune. Bobby y avait rédigé son texte à l'encre noire et les avait glissées dans un étui plat imperméable qu'il avait roulé et noué avec un élastique. Alors que l'histoire d'Ibara se déroulait sur les pages, Courtney réalisa que Mark lui manquait terriblement. C'était la première fois qu'elle découvrait seule les nouvelles aventures de Bobby, et cette lecture solitaire était une expérience déstabilisante. Elle avait besoin de Mark. Besoin d'un ami. Elle aurait bien fait confiance à Dodger, mais, après ce qui était arrivé avec Whitney Wilcox en Seconde Terre[1], elle ne voulait pas risquer d'accorder trop vite sa confiance à un étranger. C'est pour ça que Courtney avait paniqué en constatant que le groom avait assisté à l'arrivée du journal de Bobby. Elle s'était empressée de le ramasser et de repartir au pas de course.

– Hé ! s'était écrié Dodger en partant derrière elle. Où vas-tu ?

– Fiche-moi la paix ! avait répondu Courtney sans ralentir.

– Ce truc est apparu de nulle part ! avait-il insisté, stupéfait. Comment as-tu fait ça ?

– C'est de la magie. Je suis magicienne. Plutôt chouette, non ? Mais le spectacle est terminé. Va-t'en.

---

1. Voir Pendragon n° 6 : *Les Rivières de Zadaa*.

Elle avait gravi quatre à quatre les marches de l'hôtel, Dodger sur ses talons.

– Non, avait-il répondu, c'est quelque chose d'autre. Tu ne serais pas une espèce d'extraterrestre, dis-moi ?

Courtney s'était arrêtée.

– Tu veux rire ? Tu refuses de croire que c'est un tour de magie, mais tu es prêt à avaler que je viens de Pluton ?

– Je n'avale rien du tout. Je veux juste savoir ce qui se passe.

Dodger avait l'air d'un gars bien. Bobby avait confiance en lui. Gunny aussi. Par le passé, cela lui aurait suffi. Plus maintenant.

– Tu as raison, s'était-elle exclamée. Je viens d'une autre planète. Ne le dis à personne ou je te désintègre.

Elle avait voulu repartir, mais Dodger l'avait retenue par l'épaule. Courtney s'était dégagée avec colère.

– Écoute, avait-il insisté en reculant, Gunny m'a demandé d'aider tous ceux qui porteraient un anneau comme celui-là. Mais comment veux-tu que je t'aide si tu ne me dis pas la vérité ?

Courtney avait vraiment, désespérément envie de lui faire confiance.

– Je suis désolée, avait-elle dit sincèrement. Ce n'est pas ta faute.

Elle l'avait planté là, sur les marches de l'hôtel, et avait regagné en hâte l'appartement de Gunny. Là, elle avait l'heure suivante à lire en long, en large et en travers tout ce que Bobby avait écrit. Elle avait l'habitude de découvrir ses aventures de cette façon, mais cette fois-ci tout était différent. À l'exception de son voyage à la Cité des Eaux noires, elle avait toujours été une simple observatrice, et rien de plus. Les événements que décrivait Bobby ne l'impliquaient pas directement.

Ce n'était plus le cas aujourd'hui.

Les territoires s'écroulaient sur eux-mêmes. Les dados de Quillan avaient envahi les trois territoires terrestres. Ils étaient apparus chez elle sous la forme d'un chat mécanique. Courtney savait que les aventures de Bobby ne concernaient pas qu'Ibara. Le puzzle devenait de plus en plus complexe. Tout d'un coup, la bataille contre Saint Dane n'impliquait pas que des territoires individuels, mais Halla dans son ensemble.

Courtney savait désormais que sa mission ne concernait pas uniquement Mark. En changeant l'histoire, elle pourrait modifier le cours des événements sur l'ensemble des territoires terrestres. Les conséquences affecteraient aussi Bobby sur Ibara. Et tous les êtres vivants de Halla. Saint Dane menait son ultime assaut visant à faire tomber les territoires. Cette idée la frappa comme un camion lancé à pleine vitesse. Elle s'inquiétait pour Bobby et ce qu'il avait trouvé sur Ibara, mais savait aussi qu'elle ne pouvait rien y changer. Elle devait penser avant tout à sa mission en Première Terre.

Elle devait retrouver Mark.

Le téléphone se mit à sonner. Courtney sursauta. Rien à voir avec le tintement velouté du poste de sa cuisine en Seconde Terre. La sonnerie était sonore et discordante comme une alarme à incendie. Elle prit le temps de se calmer et décrocha le lourd combiné noir.

– Allô ? fit-elle d'une voix hésitante.

– Ne raccroche pas ! supplia Dodger.

Courtney obéit, mais garda le silence. Elle ne savait pas quoi dire.

– Je crois que j'ai tout compris, reprit Dodger. Vous êtes en cavale, Pendragon et toi ? Vous avez des problèmes avec les roussins ?

Courtney ne put s'empêcher d'éclater de rire.

– Les roussins ? répéta-t-elle. Tu veux dire la police ? Tu es un gangster ?

– Non ! s'empressa de répondre Dodger. J'ai rien à voir avec ces cocos-là ! J'te jure !

Courtney se força à se reprendre. Elle savait qu'elle ne devait pas considérer ce monde avec un regard de Seconde Terre. On était en 1937. C'était un autre territoire aux règles différentes. Et cet argot suranné était tout à fait normal.

– Écoute, Dodger, je comprends que tu aies du mal à admettre ce que tu as vu. C'est... inhabituel. Alors forcément ça te rend un peu nerveux.

– Ça c'est sûr, poupée, convint Dodger.

– Arrête avec les « poupées ». Ou les « poulettes », les « gonzesses » ou tous les autres termes insultants qui passeraient par ce qui te sert de cervelle.

– Pardon.

– Écoute, j'aimerais pouvoir te faire confiance. Mais je n'y arrive pas. Je me suis déjà fait avoir.

– Oh, je comprends tout ! fit Dodger. Tu t'es fait plaquer par ton julot, c'est ça ?

– Oui, si on veut.

Courtney eut un petit rire nerveux. Le groom ne pouvait savoir à quel point il était proche de la réalité.

– Eh ben, y a pas de lézard ! reprit Dodger. J'veux pas être ton julot. J'ai pas de temps pour les poulettes… heu, les filles. Pardon, ça m'a échappé.

Courtney commençait à s'adoucir. Dodger cherchait à se concilier ses bonnes grâces, mais c'était exactement ce que ferait Saint Dane dans de telles circonstances. Il lui proposerait ce dont elle avait le plus besoin : son aide et son amitié.

– Merci, Dodger, dit-elle sèchement. Mais c'est non. Peut-être qu'un jour, j'aurai l'occasion de tout t'expliquer. Mais pas aujourd'hui.

Et elle raccrocha. Elle eut à peine le temps de ramasser les feuillets du journal et de les remettre dans leur étui qu'on frappa à la porte. Elle chercha un endroit où dissimuler le journal et choisit la cachette préférée de Gunny : le four.

– Qui est-ce ? lança-t-elle tout en refermant la porte du four.

– Room service, répondit une voix masculine très professionnelle.

– Je n'ai rien commandé ! répondit-elle.

On frappa à nouveau. Courtney se sentit prise de panique. Il n'y avait pas d'autre sortie. Elle courut vers la porte et regarda par l'œilleton pour voir…

Un Dodger tout sourire qui lui rendait son regard. En fait, il devait se tenir sur la pointe des pieds pour être à la bonne hauteur.

– Cadeau de la maison ! dit-il joyeusement.

Courtney ne put s'empêcher de sourire. Soit ce type était un rigolo sincère, soit Saint Dane était encore plus malin qu'elle ne le croyait. Elle hésita, puis finit par ouvrir la porte. Dodger portait un plateau déjeuner chargé de plats couverts de dômes argentés. L'estomac de Courtney gargouilla.

– Comment as-tu pu arriver si vite ? demanda-t-elle avec suspicion.

– Je t'ai appelé depuis le téléphone de la blanchisserie, répondit-il en désignant une porte à quelques mètres le long du couloir. Je me suis dit qu'après avoir traversé tout le système solaire, tu devais avoir sacrément faim. Pluton, c'est bien ça ?

Il lui adressa un sourire désarmant.

– Entre, dit-elle. Si tu dois m'attirer des ennuis, autant que ce soit l'estomac plein.

– Oh, non, répondit Dodger. Ce n'est pas bien d'entrer dans le boudoir d'une demoiselle.

– Ce n'est pas… enfin, ton boulot ?

– Oui, mais là, j'agis au nom de Gunny.

Courtney regarda longuement Dodger. L'odeur délicieuse qui s'échappait des chauffe-plats lui mettait l'eau à la bouche.

– Bon, d'accord. Mettons que si tu me dis la vérité, je devrais pouvoir en faire autant et m'excuser pour tous ces mystères. Mais si tu mens, et que tu sais très bien d'où je viens, alors fais gaffe à toi.

– Sapristi, je n'y comprends plus rien, dit Dodger. Mais tu sais, j'ai une sacrée dette envers Gunny. Je n'étais pas vraiment un gamin modèle. Il m'a pris sous son aile et m'a donné ce boulot. Il m'a fait confiance. C'était bien le premier. Et je pense que je m'en tire bien. Tout ça parce que Gunny m'a donné ma chance. Donc, s'il me demandait d'aller en Allemagne à la nage pour casser la figure à ce bon vieil Adolf, j'irais m'acheter une bouée. À côté, te prêter assistance, c'est du gâteau.

– Bon, d'accord, je passe l'éponge ! Sapristi, tu vas me faire chialer… Et voilà que je parle comme toi maintenant ! Incroyable !

– Mon charme commence à agir, répondit Dodger avec un petit sourire.

– Bon, mais par contre, c'est moi qui décide des conditions, d'accord ? Ne pose pas de questions. Ne me suis pas. Et ne fais que ce que je te demande. Si ça te convient, je veux bien accepter ton aide.

Dodger eut un grand sourire sincère. Il inclina sa casquette de groom et dit :

– À votre service, mam'zelle. Quand est-ce qu'on commence ?

– Demain matin. Neuf heures. Et ne m'appelle pas non plus « mam'zelle ».

– Comment, alors ?

– Courtney. Pas de surnom, pas d'argot pittoresque. Juste Courtney.

– C'est noté. Mettons 9 heures. Je te retrouve dans le salon ?

– C'est noté. (Elle ne put s'empêcher de sourire.) Merci, Dodger. Mais si jamais tu es Saint Dane, sache que je te t'ai à l'œil.

– Et moi, peut-être qu'un jour je comprendrai ce que tu racontes. En attendant, bon appétit. À demain !

Il inclina à nouveau sa casquette et laissa Courtney pousser le chariot dans la chambre. Pendant quelques minutes, elle oublia tout de Dodger et de Saint Dane. Le groom lui avait préparé un dîner de roi composé de dinde émincée dans son jus avec de la purée, des haricots verts beurrés et de la sauce aux myrtilles. La fête de Thanksgiving et sa traditionnelle dinde était en avance de quelques semaines. Courtney s'apprêtait à faire honneur à son repas lorsqu'elle se dit que, d'une façon ou d'une autre, Saint Dane pouvait savoir à quel point elle aimait les repas de Thanksgiving et s'en servir pour s'attirer sa confiance. Était-il aussi retors ? Mais elle avait trop faim pour s'en soucier. Elle chassa ses craintes et attaqua son dîner. Un vrai délice. Elle mangea trop vite et finit gonflée comme une outre, mais elle s'en moquait. Dodger avait pensé à tout, y compris la tarte à la citrouille et le verre de lait. Courtney préféra attendre d'avoir digéré un peu avant d'attaquer la tarte. Elle tint cinq bonnes minutes avant de céder à la tentation et n'en laissa pas une miette.

Lorsque Courtney vint à bout de son festin, 22 heures avaient sonné. Ce n'était pas raisonnable de se coucher avec un estomac plein à craquer, mais elle était crevée. Elle eut du mal à garder les yeux ouverts le temps de se brosser les dents et de se déshabiller. À peine avait-elle posé la tête sur l'oreiller qu'elle tomba dans un profond sommeil. Sa dernière pensée fut que le festin de Dodger aurait un effet secondaire bienvenu. Pour une fois, elle pourrait passer une bonne nuit sans se tourner et se retourner dans son lit pendant que son esprit battait la campagne. Tant mieux, car elle aurait pas mal de choses à faire le lendemain. Elle entamerait sa quête pour retrouver Mark dans ce monde qui lui était étranger.

Courtney fut réveillée par une sonnerie stridente. Elle fit un bond, prête à ramasser ses vêtements et à se précipiter hors de l'hôtel pour échapper à l'incendie. Il lui fallut une minute pour comprendre que c'était juste le téléphone.

– Ces gens du passé sont tous sourdingues ou quoi ? se demanda-t-elle.

Elle alla décrocher et entendit la voix amicale de Dodger à l'autre bout du fil :

– Tu as changé d'avis ?

Courtney consulta son réveil. Il était 9 h 30. Elle avait dormi presque douze heures.

– Oh, pardon ! J'arrive tout de suite.

Courtney ne prit pas la peine de passer sous la douche. Elle s'empressa d'enfiler son pantalon de laine et sa chemise blanche. En guise de touche finale, elle fourra ses cheveux sous sa casquette et la posa sur sa tête. Elle ne savait pas ce qui l'attendait en Première Terre, mais une chose était sûre : elle ne voulait pas qu'on la traite comme une « poupée ». Satisfaite, elle sortit de l'appartement et monta les escaliers.

Le hall de l'hôtel bourdonnait d'activité. Courtney repéra Dodger adossé à une colonne de marbre près du grand salon et l'épia un instant. Il avait l'air bien inoffensif. Il portait un pantalon noir très simple et une veste courte gris foncé. Sans son uniforme de groom, il avait l'air plus jeune, et sa petite taille accentuait cette impression. Il regardait passer les clients de l'hôtel en saluant au passage ceux qu'il connaissait. Une femme entre deux âges avait du mal à attirer l'attention des autres grooms, tous très occupés. Bien qu'il ne soit pas en service, Dodger s'empressa d'aller l'aider et porta sa valise jusqu'à la réception. Rien dans son comportement ne laissait suggérer qu'il puisse s'agir de Saint Dane, sinon le fait que ce dernier pouvait prendre n'importe quelle apparence. Elle n'entendait pas baisser sa garde, mais si elle voulait retrouver Mark, elle aurait besoin d'aide. Cela valait la peine de courir ce risque. Elle quitta l'encadrement de la porte, fourra ses mains dans sa poche et marcha vers lui. Lorsqu'il la vit, son visage s'éclaira :

– Ah, te voilà ! Belle après-midi, non ?

– Ouais, très drôle, répondit froidement Courtney. Allons parler au calme.

– Oui, mam'zelle, dit-il d'un air obéissant, puis il fit la grimace : Je veux dire : oui, Courtney.

Elle le devança dans le grand salon rempli de clients en train de bavarder.

– Ça ne va pas, fit-elle en s'arrêtant net. Il n'y a pas un coin un peu plus tranquille ? (Elle y réfléchit un instant, puis ajouta :) Mais où il y a quand même du monde.

– Tu veux qu'on soit au calme, mais pas seuls ?

– Heu... oui.

C'était ridicule, et elle le savait.

– Tu ne me fais toujours pas confiance ? Même après le dîner ?

– Surtout après le dîner. Merci quand même.

– Pas de quoi. Suis-moi.

Il lui fit traverser le luxueux salon. Ce petit bonhomme marchait d'un pas crâneur comme s'il était chez lui. Ils passèrent dans la salle du restaurant, puis entrèrent dans les cuisines bourdonnantes d'activité.

– Hé, Dodger ! lui lança un des cuistots. C'est pas ton jour de congé ?

– Eh non, répondit Dodger. Toujours sur la brèche.

Un autre cuistot fit un sifflement admiratif et dit :

– Hé, Dodger, qui est cette poulette ?

— Tu peux m'appeler « mademoiselle », gros malin ! rétorqua Courtney.

Les cuistots éclatèrent de rire en feignant la peur. Dodger fit de même. Apparemment, tout le monde l'aimait bien. Saint Dane serait-il aussi populaire ? Elle préféra ne plus y penser. Ça la rendait dingue.

Dodger amena Courtney à l'arrière de la cuisine, là où quelques employés lavaient les assiettes et couverts. L'endroit était chaud et humide.

— Ça te va ? demanda Dodger. Calme, mais pas trop, sans personne pour nous déranger, mais avec une poignée de témoins au cas où je fasse quelque chose de mal. Tu crois pouvoir supporter toute cette vapeur et ces assiettes sales ?

— Je m'en contenterai.

— Bien. Alors, qu'est-ce que j'peux faire pour toi ?

— Si tu es qui tu prétends être, tu ne comprendras rien à ce que je vais te raconter. Si tu n'es pas qui tu prétends être, tu sais déjà tout ça, donc peu importe que je te le révèle ou pas. Pigé ?

Dodger lui jeta un regard peu amène.

— Tu m'as largué après « Je m'en contenterai ».

— Bien. L'essentiel, c'est que je dois retrouver quelqu'un. Un ami à moi. Et à Bobby et Gunny.

— Il est en cavale, lui aussi ?

— Non ! Ça n'a rien à voir avec la police ! rétorqua Courtney.

L'un des plongeurs se retourna pour voir d'où venaient tous ces cris.

— C'est bon, Tony, tout va bien ! lui lança Dodger.

L'interpellé haussa les épaules et se remit au travail.

— Il faut absolument qu'on le retrouve, reprit Courtney. Je ne vais même pas essayer de t'expliquer pourquoi c'est si important, parce que ce serait une trop longue histoire et, de toute façon, tu ne voudras probablement jamais me croire.

— Et si je suis qui je prétends être, je n'y comprendrai rien, mais si je ne suis pas qui je prétends être, je sais déjà tout ça, mais comme je n'ai pas la moindre idée de ce que tu racontes, qui suis-je ?

– Tu es un groom qui commence à me casser les pieds. C'est très sérieux.

– Désolé. Parle-moi de ce type que tu dois retrouver.

– Il s'appelle Mark Dimond. Dix-sept ans, des lunettes et des cheveux bouclés.

– Oh, c'est du gâteau. À New York, il n'y a jamais qu'un million de types qui correspondent à cette description.

– Il bégaie quand il est nerveux, ajouta Courtney.

– Ce qui réduit leur nombre à un demi-million. On avance, on avance.

– Arrête de te moquer de moi ! aboya Courtney.

Ils regardèrent tous les deux Tony. Cette fois, le plongeur ne prit pas la peine de se retourner.

– Désolé, reprit Dodger. Tu ne peux pas être un peu plus précise ?

– Il y a bien quelque chose. Si j'étais chez moi, je saurais comment le retrouver, mais ce n'est pas le cas. Ici, je ne sais pas du tout comment m'y prendre, et c'est pour ça que j'ai besoin de ton aide.

Courtney commençait à s'énerver. Tony se retourna une seconde fois.

– Hé, mêle-toi de tes affaires ! lui cria Courtney.

Dodger lui fit signe de le suivre et l'amena dans un débarras bordé d'étagères où s'empilaient des assiettes propres.

– C'est bon, dit-il d'un air rassurant, tu peux parler.

Courtney inspira profondément pour se calmer avant de reprendre :

– Le 6 octobre, Mark a déposé un dossier au Service des brevets. Je suppose que, pour ça, il faut donner une adresse ou un endroit où on peut te joindre. J'espérais qu'en cherchant de ce côté, on tomberait sur un indice qui nous mènerait à lui.

Dodger attendit qu'elle continue. En vain.

– C'est tout ? demanda-t-il.

– C'est tout.

– Et c'est notre seule piste ?

– J'en ai bien peur.

– Tu dis que ce mystérieux type est une espèce d'inventeur ?

Courtney allait répondre que non, mais s'arrêta net. C'était précisément ce qu'était Mark.

– Oui, c'est un inventeur. Si Gunny était là, il te dirait à quel point il est important de le retrouver. Mais il n'est pas là. Il n'y a que moi. Tu peux m'aider ?

Dodger fronça les sourcils, plongé dans ses pensées. Il fit les cent pas. Se gratta la tête. Se remit à tourner comme un lion en cage. Courtney sentit son moral descendre dans ses chaussettes. La réaction du groom ne lui disait rien qui vaille.

– Je sais, reprit-elle, c'est sans espoir. On ne pourra jamais le retrouver de cette façon.

– Non ! Tu te trompes. J'ai des amis qui travaillent pour le gouvernement.

– Tu plaisantes ? s'écria Courtney, sentant remonter son moral. Alors pourquoi cet air soucieux ?

– Je ne vois pas ce que ce type, cet inventeur, a de si important pour que Gunny tienne absolument à ce que je le retrouve.

Courtney le saisit par les revers de sa veste et s'écria :

– Tu pourras toujours lui demander la prochaine fois que tu le verras ! Pour l'instant, allons retrouver Mark. Pigé, Tony ?

Ce dernier haussa les épaules et retourna à ses assiettes.

Quelques minutes plus tard, Courtney se tenait devant une cabine téléphonique située non loin du hall pendant que Dodger passait un coup de fil. Il avait fermé la porte pour qu'elle ne puisse pas entendre ce qui se disait, mais elle le vit faire de grands gestes en riant. Elle remarqua que, lorsque Dodger s'exprimait, il avait tendance à gesticuler comme pour souligner ses paroles. Finalement, au bout d'une éternité, il raccrocha et rouvrit la porte de la cabine. Il regarda Courtney d'un visage dépourvu d'expression. Sans rien dire, sans faire un geste.

– Alors ? demanda Courtney, rongée par l'impatience.

– Tu sais, on croit qu'un groom n'est bon qu'à porter les bagages et arrêter les taxis. Mais c'est un job qui nous donne des pouvoirs que personne ne soupçonne. Par exemple, si un gros caïd descend en ville et que l'hôtel est plein comme un œuf, je peux me mettre son secrétaire dans la poche en m'arrangeant pour lui dégoter une chambre, parce que je sais qu'on réserve des suites spéciales au cas où un VIP débarquerait sans crier gare.

Dodger eut un sourire plein de fierté. Courtney le toisa d'un regard interrogateur.

– Et tu me dis ça parce que… ?

– Parce qu'un ami à moi a besoin d'un coup de main et que je vais filer à son patron la plus belle suite de toute cette turne. Maintenant, c'est lui qui me doit une faveur. Tu piges ?

– Pas vraiment.

Dodger lissa avec ses doigts ses cheveux déjà impeccablement peignés.

– En fait, l'ami en question bosse à Washington et a accès à certains dossiers qui ne sont pas consultables par le commun des mortels, si tu vois ce que je veux dire.

– Vas-y, crache le morceau ! s'écria Courtney.

– 240, Waverly Place.

– Et c'est… ?

– L'adresse de l'immeuble où habite Mark Dimond, annonça fièrement Dodger. Alors, je suis qui je prétends être ou quoi ?

Courtney passa ses bras autour de Dodger et le serra contre son cœur.

– Je ne sais pas qui tu es, et pour l'instant, je m'en fiche, parce que tu as peut-être sauvé l'humanité tout entière !

Elle lâcha Dodger et courut vers la sortie. Il resta là un instant, l'air très content de lui.

Puis son sourire s'effaça.

– J'ai sauvé quoi ? cria-t-il en se lançant à sa poursuite.

PREMIÈRE TERRE
(suite)

Le trajet en taxi jusqu'à Waverly Place fut assez court. Plus ils s'enfonçaient dans les quartiers de Manhattan, moins Courtney avait l'impression d'être dans le passé. Les bâtiments n'étaient pas si différents de ceux de Seconde Terre, surtout lorsqu'ils traversèrent Greenwich Village. La plupart des immeubles faisaient trois ou quatre étages sans ascenseur. Au rez-de-chaussée, il y avait des restaurants, des boutiques de vêtements ou des blanchisseries. Les étages semblaient divisés en appartements. On se serait cru en Seconde Terre, sauf qu'il n'y avait pas de cafés Starbucks. Le seul détail évident lui démontrant sans le moindre doute qu'elle n'était pas chez elle était les voitures. Les rues étaient encombrées de monstres mécaniques grondants aux énormes calandres chromées bardées de noms tels que « Studebaker », « Hudson » et « Cord ». Pas la moindre Honda, Volkswagen ou Volvo en vue.

Les rues de Greenwich Village étaient plus étroites que les grandes avenues du centre. Elles étaient également biscornues et affublées de noms tels que « Bethune », « Gansevoort » et « Bleecker ». Heureusement le taxi avait l'air de très bien savoir où il allait. En un rien de temps, il se retrouva sur Bank Street, tourna pour aborder Waverly Place et s'arrêta devant un petit restaurant pittoresque du nom de « Ye Waverly Inn ». Dodger voulut payer la course, mais Courtney refusa. Après tout, c'était sa mission. Une fois qu'ils furent descendus de voiture, Dodger parcourut des yeux la rue étroite et secoua la tête.

– J'ai l'impression d'avoir remonté le temps, fit-il.

– Tu ne crois pas si bien dire, répondit Courtney avec un petit sourire.

Dodger se coiffa d'un chapeau brun. À cette vue, Courtney éclata de rire.

– Quoi ? demanda-t-il innocemment.

– Tu te prends pour Indiana Jones ?

Dodger secoua la tête d'un air dégoûté.

– Tu sais ce qui me plairait bien ? Qu'au moins une fois, tu dises quelque chose de compréhensible.

– N'y compte pas trop.

À côté du restaurant se trouvait la porte d'entrée d'un immeuble de quatre étages – le numéro 240.

– Nous y voilà, dit nerveusement Courtney.

– Et maintenant, tu me fais confiance ?

– Non.

Dodger tira un petit morceau de papier de sa poche.

– Mon ami a dit que le brevet avait été délivré à un certain Mark Dimond résidant à cette adresse. Appartement 4A.

Il remit le papier dans sa poche et demanda :

– Comment se fait-il que tu aies pu trouver le numéro du brevet, mais pas son adresse ?

– Je ne sais pas, répondit Courtney en se dirigeant vers la porte. Il faut croire que les ordinateurs ne sont pas infaillibles.

– Et voilà, encore à dire des trucs incompréhensibles, râla Dodger en lui emboîtant le pas.

– Crois-moi, tu n'es pas au bout de tes surprises.

Courtney s'arrêta au pied des marches menant à la porte noire.

– Quoi encore ? demanda Dodger.

– Je me demande si je dois te laisser venir avec moi.

– Pourquoi ? gémit-il. Je t'ai amené jusqu'ici, non ?

Courtney acquiesça.

– Alors pourquoi tu ne veux toujours pas me faire confiance ?

Elle le regarda, plongée dans ses pensées, puis rendit son verdict :

– Tu peux venir. Si tu es vraiment Saint Dane, j'aime mieux t'avoir à portée de main.

– Bien. Enfin, je crois.

Courtney gravit les quelques marches et examina la porte.

– Qu'est-ce que tu cherches ? demanda Dodger.

– L'interphone. Puisqu'on n'a pas le code.

Dodger lui jeta un drôle de regard et ouvrit la porte. Elle n'était pas fermée à clé.

– Oh, dit Courtney en passant le seuil.

Encore un détail prouvant qu'elle n'était pas à son époque.

Comme le bâtiment était trop petit pour avoir un ascenseur, ils montèrent les escaliers de marbre jusqu'au quatrième étage. Ce n'était pas une résidence de luxe, mais elle était propre. De délicieuses odeurs de cuisine flottaient dans l'escalier, sans doute une sauce pour spaghettis, ou une soupe quelconque. Cela donnait au bâtiment une aura chaleureuse, accueillante. Courtney était contente que Mark ait échoué dans un lieu aussi confortable.

Mark. À chaque pas, Courtney se sentait de plus en plus tendue. Que lui dirait-elle ? Et plus important encore, que lui dirait-il *lui* ? Il n'avait aucune excuse valable justifiant d'avoir importé des technologies d'un territoire à l'autre. Il savait que c'était mal. Elle n'arrivait pas à trouver un scénario susceptible d'expliquer sa conduite. Maintenant qu'elle ne tarderait pas à retrouver Mark, elle ne savait plus trop ce qu'elle devait ressentir à son égard. De la colère ? De la douleur ? De la peur ? De la sympathie ? Tout ça à la fois ? Mais chaque chose en son temps. D'abord, elle devait s'assurer que Mark allait bien. Ensuite, elle saurait quoi faire. Du moins, elle l'espérait.

Ils arrivèrent au quatrième étage et, là, se retrouvèrent face à cinq portes menant sur cinq appartements différents. L'appartement 4A était tout au bout sur la droite.

– Que fait-on ? demanda Dodger.

En guise de réponse, Courtney longea le couloir jusqu'à la porte de Mark. Avant d'avoir pu changer d'avis, elle s'enhardit

181

à frapper. Pas de réponse. Elle recommença. Puis une troisième fois, plus fort cette fois-ci. Toujours rien. Ils attendirent une bonne minute avant de frapper à nouveau.

– Soit il n'y a personne, soit il n'est là pour personne, remarqua Dodger.

– Je ne m'en irai pas avant de savoir qui habite là, rétorqua fermement Courtney.

– Tu te souviens ce que tu m'as dit ? Comme quoi j'avais sauvé le monde de la destruction ? C'était une blague, non ?

Courtney lui jeta un regard très sérieux. Elle ne confirma pas, mais ne nia pas non plus.

– Bon, tant pis, fit Dodger, pensif. De toute façon, je préfère ne pas le savoir.

– Tu ne peux pas imaginer à quel point tout ça est important, finit par répondre Courtney.

– Bon, répéta Dodger. Je voulais juste en être sûr.

Il fit un pas en arrière, roula des épaules, fit craquer sa nuque, puis se précipita vers la porte de l'appartement 4A.

– Hé ! s'écria Courtney, surprise.

Elle dut faire un bond pour l'éviter. Dodger percuta le panneau, qui céda aussitôt dans un craquement sonore et alla claquer contre le mur du vestibule. Emporté par son élan, Dodger tomba à genoux. Courtney le suivit.

– Tu es dingue ! s'exclama-t-elle.

– À mes heures.

Courtney l'aida à se relever.

– Ça va ?

– Oui, répondit Dodger en se frottant l'épaule. Ce n'est pas la première fois que j'enfonce une porte et ça n'est certainement pas la dernière. Le métier de groom n'a pas que des bons côtés.

Courtney s'empressa de refermer la porte. Pas question que des curieux découvrent que des étrangers s'introduisaient par effraction chez leur voisin.

– On dirait qu'on arrive trop tard, remarqua Dodger.

En effet, l'appartement était vide. Il était petit, avec des murs blancs. Le vestibule microscopique s'ouvrait sur un minuscule salon. À droite, la porte de la cuisine. À gauche, un autre couloir donnait sur la chambre et la salle de bains. Et c'était tout. Elle traversa les différentes pièces. Dans la chambre, elle trouva un petit lit sans draps ni couvertures. Le seul meuble était un bureau de bois. Courtney sentit ses espoirs s'effondrer.

– S'il a bel et bien habité ici, remarqua Dodger, ça fait longtemps qu'il est parti.

Ils allaient quitter la pièce lorsqu'un détail attira l'attention de Courtney. Là, sur le parquet, à moitié glissé sous la porte du placard, se trouvait un bout de papier blanc. Seul un coin corné en dépassait. Elle s'agenouilla pour le ramasser. C'était un rectangle de quatre centimètres sur cinq. Courtney le retourna. Lorsqu'elle vit de quoi il s'agissait, elle se mit à pleurer.

– Qu'est-ce que c'est ? demanda Dodger.

– Il a dû lui arriver quelque chose, répondit-elle en s'essuyant les yeux. Il est impossible qu'il l'ait laissé volontairement.

Courtney lui tendit la feuille. Dodger la regarda longuement avant de dire :

– C'est lui ?

Courtney acquiesça. C'était une photo telle qu'on aurait pu en prendre au premier photomaton venu de Seconde Terre. Le fond représentait une plage de Cape Cod. Courtney savait que ce n'était qu'un décor, puisque, à sa connaissance, Mark n'était jamais allé à Cape Cod ; de plus, les autres personnes sur le cliché ne portaient pas de tenues de plage. Mark y était accompagné de son père et sa mère – ceux-là même qui avaient été tués dans cet accident d'avion. C'était ce deuil subit qui avait précipité la situation actuelle, où Mark mettait en péril Halla tout entier.

– Sur cette photo, dit Courtney, il doit avoir quatorze ans. Maintenant, il est plus âgé.

– Ce sont ses parents ?

Courtney acquiesça. Elle lui reprit la photo. Elle voulait l'examiner à nouveau. Voir le Mark qu'elle connaissait, celui qui mangeait trop de carottes et adorait les dessins animés japonais. Celui qui était le meilleur ami de Bobby, et qui était devenu le sien lorsque que les portes de Halla s'étaient ouvertes à eux. Elle aurait bien aimé l'entendre bégayer. Elle voulait savoir pourquoi il avait agi comme il l'avait fait.

Courtney s'essuya les yeux et fourra la photo dans la poche arrière de son pantalon. Elle avait repris ses esprits.

– Alors, qu'est-ce qu'on fait ? demanda Dodger.

– On interroge les voisins, répondit Courtney d'un ton assuré. Ils doivent bien le connaître. Quelqu'un sait peut-être où il est allé.

Ils commencèrent par le quatrième et descendirent un étage après l'autre, demandant à des voisins suspicieux s'ils connaissaient Mark et savaient où il pouvait être allé. À chaque fois, on leur répondit à peu près la même chose. La plupart d'entre eux avaient croisé Mark, mais personne ne lui avait adressé la parole. Et personne ne savait ce qu'il était devenu. Une heure de vaines recherches plus tard, Courtney et Dodger se retrouvèrent devant l'immeuble sans en savoir plus que lorsqu'ils y étaient entrés.

– Au moins, on sait qu'il est passé par là, fit Dodger d'un ton réconfortant. C'est déjà ça. Je peux toujours appeler la mairie ou la poste pour voir s'il a laissé une adresse.

Le visage de Courtney s'illumina.

– Bonne idée ! s'écria-t-elle.

– Merci. Alors, tu me fais confiance ?

– Non. Sans vouloir te vexer.

– C'est bon. Retournons à l'hôtel.

Comme par magie, un taxi s'arrêta devant eux dans un crissement de pneus.

– Tu vois ? s'exclama Dodger. Notre chance tourne déjà.

Ils montèrent à bord et s'installèrent pour repartir vers le centre.

– Manhattan Tower Hotel, dit Dodger au chauffeur. Et ne prenez pas le chemin des écoliers.

– Oh, non, m'sieur ! répondit gaiement le taxi. On y va tout droit !

Courtney se figea. Elle connaissait cette voix. Il lui fallut deux secondes pour digérer cette information et se décider.

– Barrons-nous ! cria-t-elle à Dodger.

– Hein ? demanda-t-il stupéfait.

– Sors de cette bagnole !

Courtney agrippa la poignée de la portière. Verrouillée. Elle chercha le bouton pour la déverrouiller. En vain. Elle plongea par-dessus les genoux de Dodger pour atteindre l'autre portière. Elle était verrouillée également et le bouton était tout aussi manquant.

– À quoi tu joues ? demanda Dodger.

– Oui, reprit le chauffeur, à quoi tu joues ? Vous ne voulez pas faire un tour avec moi ?

Courtney n'avait pas besoin de le regarder pour savoir de qui il s'agissait, mais elle le fit tout de même. Une cloison transparente séparait l'avant de l'arrière, mais elle put néan-moins voir clairement le chauffeur. Là, devant le volant, coiffé de la casquette d'un taxi new-yorkais, se tenait Andy Mitchell.

– C'est Saint Dane, murmura-t-elle.

– Qui ça ?

Mitchell renifla, sourit et dit :

– Allez, en voiture Simone !

Le taxi démarra en trombe, projetant Dodger et Courtney sur la banquette arrière.

– Hé ! s'écria Dodger. Vous êtes dingue ou quoi ?

– Si je gagnais un sou à chaque fois qu'on me pose cette question…, répondit Mitchell en riant.

– Qui est-ce ? demanda Dodger à Courtney.

– Le méchant de l'affaire.

– Heureux de te connaître ! renchérit Saint Dane en touchant le bord de sa casquette. Moi, c'est Mitchell.

– Je croyais que c'était Saint Dane ? demanda Dodger à Courtney.

Le taxi vira sur les chapeaux de roue. Courtney retomba sur Dodger. Les pneus crissèrent, puis la voiture se stabilisa et continua sa course folle.

– Où est Mark ? cria Courtney.

– Tu arrives trop tard, fit Mitchell sur un ton railleur. Maintenant, c'est une grosse légume. Il n'habite plus dans de tels taudis.

Le taxi se fraya un chemin dans un concert de klaxons.

– Hé, vas-y mollo ! râla Dodger en tambourinant sur la cloison.

– Eh bien, le groom ? Moi qui te croyais paré pour l'aventure ?

Dodger chercha à ouvrir la portière, en vain.

– Comment avez-vous fait, Saint Dane ? gronda Courtney. Comment avez-vous attiré Mark ici, en Première Terre ?

Andy Mitchell éclata de rire et haussa les épaules d'un air faussement modeste.

– Hé, c'est ce que je fais de mieux.

Il tourna brutalement son volant, envoyant le lourd véhicule sur le trottoir.

– Yahou ! s'écria Mitchell, surexcité.

Dodger cria presque aussi fort, mais de peur.

Andy tourna le volant de l'autre côté. Ils rebondirent du trottoir pour se replonger dans les trois voies de circulation. Les autres voitures virèrent de bord pour les éviter. Certaines entrèrent en collision dans de grands bruits de tôles froissées. Dodger se laissa glisser sur la banquette pour donner de grands coups de pied dans la cloison qui les séparait de Saint Dane.

– Arrêtez, j'veux descendre ! ordonna-t-il.

– Pourquoi faites-vous ça ? lança Courtney. Si vous vouliez me tuer, vous auriez déjà eu mille occasions de le faire !

– Je ne veux pas te tuer, Chetwynde. Je veux juste m'amuser un peu.

– Me torturer alors ? Je vous croyais au-delà de ça, répondit Courtney, luttant pour maîtriser sa voix.

Elle était morte de peur, mais ne voulait pas que Saint Dane s'en rende compte.

– Dans ce cas, tu peux penser que je te rends service.

– Un service ? cria Dodger.

Il continua de donner des coups de pied dans la cloison, mais celle-ci était trop solide pour se rompre.

Mitchell vira sur les chapeaux de roue. Courtney vit le fleuve Hudson scintiller droit devant eux. Le démon tourna à nouveau, et ils se retrouvèrent sur West Side Highway, filant parallèlement au cours d'eau.

– En quoi c'est un service, Saint Dane ? demanda Courtney, tentant de rester concentrée sans se laisser dominer par la peur.

– Tu m'as bien servi, Courtney, répondit Andy Mitchell. Tu as fait exactement ce que j'attendais de toi. Maintenant, tu n'as plus qu'à rentrer chez toi.

– Je n'arrive pas à casser la cloison ! cria Dodger.

Courtney avait presque oublié sa présence. Elle ne pensait qu'à Andy. Ou Saint Dane.

– Et qu'est-ce que j'ai fait ? demanda Courtney.`

– N'est-ce pas évident ? répondit-il en riant. Je regrette que tu aies bien failli y rester dans le Vermont[1], mais bon, s'il fallait en passer par là, ainsi soit-il. Je suis content de te voir sur pied.

Mitchell éclata de rire et dépassa deux voitures trop lentes à son goût dans un concert de klaxons. Mitchell se marra et leur fit un signe de la main.

– Qu'est-ce que vous racontez ? répondit Courtney.

– Tu es bête ou tu fais semblant ? répondit Mitchell. On t'a sauvé la vie, Dimond et moi. Ça a cimenté notre relation. Pour lui, je suis devenu un héros. Il m'a fait confiance, et pour ça, je peux te remercier.

La voiture heurta soudain le bord du terre-plein central, faisant éclater la roue avant droite. La voiture vira vers la droite, mais Mitchell en reprit le contrôle.

– C'est pour ça que vous avez provoqué mon accident dans le Massachusetts ? demanda Courtney. Pour que vous puissiez voler à mon secours, Mark et toi ?

Au mépris du danger, Mitchell se retourna complètement. Il regarda Courtney droit dans les yeux et eut un sourire torve.

---

1. Voir Pendragon n° 6 : *Les Rivières de Zadaa*.

– Admets-le, Courtney, tu m'as livré Mark Dimond sur un plateau. Et maintenant que je le tiens, Halla est à moi.

– Non !

Courtney perdit complètement les pédales. Elle se mit à hurler en martelant la cloison de verre. Ses poings n'étaient qu'à quelques centimètres de Mitchell – de Saint Dane. Comme elle aurait voulu marteler son visage jusqu'à ce qu'il perde son petit air satisfait ! Comme elle aurait voulu le voir mort !

– Attention ! s'écria Dodger.

Le taxi avait quitté la voie rapide pour dévaler la bretelle de sortie. Andy Mitchell regarda posément devant lui et reprit le volant, évitant de justesse une rambarde de béton.

– Hé, ça aurait pu mal finir, dit-il, très calme.

Le pneu crevé était déchiqueté, mais le taxi continua sa course folle. La jante mise à nu crachait des étincelles en frottant la chaussée. Ils étaient tout au bout de Manhattan, là où le fleuve s'évasait pour déboucher sur le port. De longues jetées prolongeaient les quais. La circulation était plus dense, mais Andy Mitchell ne ralentit même pas.

– Où est-il ? hurla Courtney en tambourinant sur la cloison. Dis-le-moi !

Mitchell tourna une dernière fois le volant. Il vira abruptement, coupant la route à une autre voiture, et monta brutalement sur le trottoir pour se diriger vers une des jetées. Des flâneurs prenaient tranquillement le soleil en admirant la vue. Pas pour longtemps. En entendant le vrombissement du moteur, ils s'égaillèrent pour éviter de se faire écraser. Le taxi continua sa course folle, abordant une des jetées les plus larges.

– Hé, s'écria Dodger, c'est une impasse !

– Vraiment ? répondit innocemment Mitchell. Oups, pardon.

Courtney s'en fichait. Elle était bien au-delà de ça.

– Rentre chez toi, Courtney, dit calmement Mitchell. Va retrouver tes parents. Câliner ton chat mécanique. Tu as deux frères aînés, si je ne m'abuse ? Passe du temps avec eux. La bataille est terminée. Personne ne peut plus rien faire pour m'arrêter. Il n'y a plus rien d'autre à faire que s'asseoir et profiter du spectacle.

Courtney se calma. Peu importe s'ils fonçaient vers l'extrémité de la jetée. Elle se rassit sur la banquette et croisa les bras.

– Vous vous trompez, dit-elle d'une voix paisible. Ce n'est pas fini, loin de là. Bobby ne vous laissera pas faire, et moi non plus.

Andy Mitchell se retourna une fois de plus pour regarder ses passagers. Sauf qu'il n'était plus Andy Mitchell. Son visage était devenu celui de Saint Dane. Ses yeux d'un bleu glacier jetèrent des éclairs. Les veines écarlates sur son crâne chauve semblaient incandescentes.

– Alors il va falloir vous tuer, siffla-t-il.

Dodger poussa un grand cri.

La voiture arrivait tout au bout de la jetée. Elle fracassa une barrière de bois et s'envola dans les airs. Saint Dane se transforma en un nuage de fumée et s'envola par la vitre. Courtney et Dodger se retrouvèrent seuls. Quelques secondes plus tard, le taxi percutait la surface des eaux.

Première Terre
(suite)

En 1937, les voitures n'étaient pas équipées de ceintures de sécurité.

Lorsque le taxi creva la surface du fleuve, Courtney et Dodger furent projetés en avant. Ils percutèrent la cloison de verre séparant l'avant de l'arrière et rebondirent comme des poupées de chiffon dans un sèche-linge mécanique. Courtney se cogna la tête violemment et vit trente-six chandelles.

– Courtney ! cria Dodger. Courtney, ça va ?

Elle ne l'entendit pas. Elle était à peine consciente.

– La voiture coule ! reprit Dodger.

Le taxi flotta pendant quelques secondes, puis l'avant s'enfonça en premier. Le poids du moteur les entraînait vers le fond. De l'eau s'écoula par les vitres ouvertes. Le véhicule s'inclinait de plus en plus. Il ne tarda pas à se retrouver à la verticale, le coffre en l'air.

– Courtney !

Dodger la secoua. Elle était complètement déboussolée.

– Que s'est-il passé ? demanda-t-elle d'une voix rêveuse.

– On va se noyer ! cria-t-il.

L'arrière de la banquette avant avait pris la place du plancher. Courtney et Dodger s'assirent sur la cloison de verre. L'eau ne cessait de monter tout autour d'eux.

– Où est Saint Dane ? demanda Courtney.

– Parti ! s'écria Dodger. Il s'est transformé en nuage de fumée et s'est envolé par la vitre ! Je te jure !

190

– Je te crois, répondit Courtney, encore sonnée.

L'eau s'élevait désormais jusqu'à leur taille et continuait de monter. Dans quelques secondes, l'habitacle serait rempli et la voiture coulerait à pic.

– Pousse-toi ! ordonna Dodger.

Il la poussa hors de son chemin pour se glisser vers l'une des portières, se rétablit, puis donna de grands coups de pied dans la vitre afin de la briser. Au fur et à mesure que l'eau montait, il avait de plus en plus de mal à trouver un appui pour donner de la force à ses coups.

– Aide-moi ! cria-t-il à Courtney.

Celle-ci bascula sur elle-même. Sa tête disparut sous l'eau. Elle toussa, cracha et se redressa. Le choc thermique lui éclaircit les esprits.

– Qu'est-ce qui se passe ? s'écria-t-elle.

– On coule ! répondit Dodger. Il faut casser cette fenêtre ou on est fichus !

Il donna un coup de pied, puis un autre, en vain. Courtney s'avança tant bien que mal, trouva un point d'appui et l'imita. La vitre ne se fêla même pas.

– En même temps ! ordonna Dodger.

Ils s'assirent l'un à côté de l'autre, dressés sur leurs coudes, le ventre en l'air. L'eau atteignait presque leurs épaules.

– Prêt ? demanda Dodger. Un, deux, trois !

Tous deux frappèrent la vitre, mais pas exactement en même temps.

– On recommence ! insista Dodger. Un, deux, trois !

Cette fois, ils furent synchrone. Mais la vitre ne céda pas.

– On n'a pas assez de force ! hurla Dodger.

– Continue !

Elle changeait de position pour se rapprocher de la vitre lorsqu'elle glissa et perdit l'équilibre. Elle plongea sous l'eau. Dodger la fit remonter aussitôt.

– Qu'est-ce qui t'arrive ? demanda-t-il.

– Quelque chose a bougé là-dessous ! s'exclama Courtney. J'avais tout mon poids sur les mains et j'ai fait glisser quelque chose !

Dodger baissa les yeux, puis plongea sous la surface. Un instant plus tard, il remontait en crachant.

– C'est la cloison de verre ! s'exclama-t-il. Elle n'est plus bloquée. Je peux la faire coulisser !

Tout en parlant, il poussait de ses pieds la partition séparant la banquette arrière de l'avant. Maintenant, l'eau leur chatouillait le menton.

– L'ouverture est assez grande pour qu'on puisse passer ? hoqueta Courtney.

– Je crois.

– Si on peut se glisser à l'avant, les portières ne seront peut-être pas verrouillées.

– Et si elles le sont ?

– C'te question !

– Oui, comme tu dis.

L'eau montait de plus en plus vite. Leurs têtes ne tarderaient pas à cogner contre la vitre.

– Ce n'est pas un problème que les portières soient sous la surface, ajouta Courtney, pleine d'espoir. La pression de l'eau sera égale des deux côtés. Elles devraient s'ouvrir sans trop de mal.

– Si elles ne sont pas verrouillées.

– Oui. Si elles ne sont pas verrouillées.

Ils se regardèrent. Ni l'un, ni l'autre n'osait bouger. Courtney lut la peur dans les yeux de Dodger.

– Si on doit y aller, dit-elle, allons-y maintenant. Cette bagnole va couler comme une brique.

– J'y vais, répondit Dodger. Laisse-moi le temps d'ouvrir la portière.

– Dodger ?

– Oui ?

– *Maintenant*, je te fais confiance.

Dodger eut un sourire.

– Alors j'ai intérêt à réussir mon coup.

Il inspira profondément et plongea sous la surface. Courtney le regarda se laisser couler par la vitre, les pieds en avant. Il continua jusqu'à ce que sa tête passe par l'ouverture sous la vitre, puis se tourna vers la portière côté passager. Il essaya de baisser la poignée et poussa le panneau. Sans résultat. Il posa alors ses pieds sur le volant et s'adossa à la portière, qui refusait toujours de céder.

– Remonte ! cria Courtney.

S'il l'entendit, il n'en laissa rien paraître. Il se tourna vers la portière du conducteur, prit la poignée d'une main et le volant de l'autre.

Courtney voulut inspirer pour dire quelque chose, mais n'avala qu'une goulée d'eau. Sa tête faillit se cogner contre la vitre. Elle était sous l'eau. La voiture était presque totalement immergée et commençait sa longue descente vers le fond du fleuve. Elle n'avait pas d'autre choix que de rejoindre Dodger. En se tortillant, elle réussit à passer par l'ouverture. Elle empoigna des deux mains le bord de la cloison de verre pour y glisser le haut de son corps. L'eau était verte et sombre... De plus en plus sombre. Ils ne tarderaient pas à toucher le fond. Elle pouvait néanmoins apercevoir la silhouette de Dodger. Le dos contre la portière du passager, elle vit le petit groom faire une dernière tentative pour les sauver. Il abaissa la poignée et posa son épaule contre le panneau. Courtney se colla contre lui pour ajouter le peu de forces qui lui restaient aux siennes. Elle posa ses pieds contre la portière du passager et poussa.

La portière finit par céder. Dodger l'entrouvrit juste assez pour pouvoir se glisser dans l'interstice. Il se tourna aussitôt vers Courtney, mais elle le suivait déjà. Elle prit appui sur la porte du passager et, d'une détente, sortit à son tour de l'épave. Ils étaient libres, mais pas encore sauvés. Ils ne savaient pas à quelle profondeur le taxi les avait déjà entraînés. Courtney jeta un bref coup d'œil pour voir la silhouette jaune du taxi disparaître dans les profondeurs glauques du fleuve. Elle la fixa, comme hypnotisée par l'idée qu'elle aurait pu être toujours coincée dans cette voiture.

Une main se referma sur son bras. Ce geste la fit revenir à la réalité. Ils devaient remonter à la surface. Après avoir retenu son souffle aussi longtemps, Courtney se sentait déjà à demi asphyxiée. Ils étaient sortis de cette voiture transformée en piège mortel, mais s'ils suffoquaient avant d'avoir atteint la surface, cela reviendrait au même. Dodger la tira vers le haut, Courtney battit des pieds, et tous deux filèrent vers la surface. Comme ils n'avaient aucun point de repère, il était difficile de juger à quelle profondeur ils se trouvaient. Courtney se dirigea vers la lumière. Elle nagea et nagea pendant ce qui lui parut une éternité. Sa poitrine la brûlait. Elle aurait volontiers exhalé, mais avait peur de perdre le peu d'air qui restait dans ses poumons.

Dodger luttait tout aussi farouchement. Ils ne se regardèrent pas. C'était inutile. Ils savaient où ils devaient aller. Courtney avait envie de hurler. Et surtout de respirer. Elle aurait pu tenir plus longtemps si elle avait su combien il lui restait encore à endurer. Deux secondes ? Cinq ? Vingt ? Au-delà de vingt, elle serait morte.

C'est alors qu'ils crevèrent la surface, crachant et hoquetant. Courtney chercha Dodger des yeux. Il était là, juste à côté d'elle, l'air tout aussi terrifié que lorsqu'ils étaient piégés dans le taxi. Tous deux éclatèrent de rire. Ils ne pouvaient s'en empêcher. L'effet du soulagement.

– Tu pourras atteindre la jetée ? demanda Dodger.

Courtney acquiesça. Maintenant qu'elle pouvait respirer, tout irait bien. Elle ne sentait même plus la bosse sur son front. Ils n'étaient pas très loin de la jetée. Une minute leur suffit pour gagner les pilotis de bois qui la retenaient et l'échelle métallique qui descendait sous la surface de l'eau. Courtney l'atteignit en premier et se cramponna aux barreaux de métal. L'instant d'après, Dodger la rejoignit. Ils restèrent là le temps de reprendre leur souffle.

– Saint Dane, hoqueta Dodger.

– Quoi ?

– Tu croyais que je pouvais être ce type.

– Plus maintenant. Il a bien des pouvoirs, mais il ne peut pas être à deux endroits en même temps.

– Maintenant que tu es rassurée sur ce point, tu va peut-être me dire ce qui se passe ?

Courtney eut un petit rire.

– Oui, je crois que tu l'as mérité. Mais ce que tu vas entendre risque de ne pas te plaire.

– Après ce qui vient de nous arriver, je ne vois pas ce qui peut encore m'étonner.

– Ça ? fit Courtney railleuse. Ce n'était rien.

Dodger fit la grimace.

Courtney prit appui sur l'échelle et se hissa jusqu'au bord de la jetée, Dodger sur ses talons. Comme on était à marée basse, cela leur prit un certain temps. Ils préférèrent ne pas regarder en arrière.

Une fois arrivée sur le plancher des vaches, Courtney remarqua qu'un groupe de personnes s'était rassemblé pour voir ce qui se passait. D'autres couraient vers eux depuis la rue. Aussitôt, on les assaillit de questions : « Ça va ? », « Que s'est-il passé ? », « Vous avez besoin d'une ambulance ? », « Tout le monde a pu sortir ? »

Courtney les ignora. Pas par manque de politesse, mais parce que quelque chose avait attiré son attention. La foule sur la jetée aurait aussi bien pu être invisible, parce que ce qu'elle voyait était trop incroyable, trop stupéfiant pour qu'elle puisse se concentrer sur quoi que ce soit d'autre. De l'autre côté de la jetée, droit devant eux, se dressait un mur noir, immense, massif, impressionnant. Il s'étendait sur toute la largeur de la jetée et s'élevait haut dans le ciel new-yorkais. Tout d'abord, elle ne put définir ce que c'était exactement. Un immeuble ? Sa façade n'aurait pas été aussi noire. Elle le contempla avec l'impression d'être une fourmi devant une maison.

Elle revint à la réalité lorsque Dodger vint se tenir à côté d'elle.

– Impressionnant, non ? Et rapide, en plus.

Tout en haut de cette incroyable, impossible paroi noire, il y avait une bande blanche. Courtney la parcourut des yeux jusqu'à ce qu'elle tombe sur deux mots tout simples se détachant sur la surface immaculée. Les lettres mesuraient un bon mètre de haut, assez pour qu'on puisse les voir depuis tout Manhattan. Courtney eut un hoquet de surprise. Ces deux mots la frappèrent plus fort que l'édifice lui-même, car ils lui dirent tout ce qu'il y avait à savoir. C'était comme de voir l'histoire se faire sous ses yeux. Ce n'était pas un mur, mais la proue d'un immense vaisseau. Son nom s'étalait fièrement à la face du monde.

– Le *Queen Mary*, fit Dodger, admiratif. Je n'aurai sans doute jamais d'autre occasion de le voir de si près.

– N'en sois pas si sûr, répondit Courtney.

Dodger lui jeta un regard troublé. En guise de réponse, Courtney lui prit la main et courut vers le rivage. Le duo quitta la jetée avant que la police n'arrive et ne pose des questions auxquelles ils ne pourraient ou ne voudraient pas répondre. Ils retournèrent à l'hôtel en métro. Ils n'avaient aucune envie de reprendre un autre taxi. Ils gardèrent le silence, chacun plongé dans ses pensées. Courtney réfléchit longuement à ce qu'elle allait dire à Dodger. Elle savait maintenant qu'il n'était pas Saint Dane. C'était bien la seule bonne chose qui soit sortie de leur équipée. En conséquence, il serait injuste de continuer à lui cacher la vérité. Mais pouvait-elle vraiment tout lui dire ? Elle ne voulait pas l'effrayer ; cependant, elle devait lui apprendre dans quel pétrin il s'était fourré. En dehors de sa fidélité envers Gunny, il avait bien failli mourir dans ce taxi. Il méritait de savoir pourquoi.

Lorsqu'ils arrivèrent à l'hôtel, leurs vêtements avaient eu tout le temps de sécher. À part quelques égratignures et un hématome violacé sur le front de Courtney, ils étaient bons pour le service. Ils avaient perdu leurs couvre-chefs, mais pourraient en trouver d'autres. Ils traversaient le jardin pour gagner la porte de devant lorsque Courtney arrêta Dodger.

– Merci, dit-elle.

– Pourquoi ?

– Pour m'avoir aidé alors que rien ne t'y obligeait.

– Mais Gunny m'a demandé…

– Oui, je sais, coupa Courtney. Mais merci quand même.

– Pas de quoi, répondit sincèrement Dodger.

– J'ai décidé de te dire la vérité. Toute la vérité.

– Tu n'es pas obligée, s'empressa-t-il de dire.

– J'y tiens, insista Courtney. Tu l'as bien mérité.

– Peut-être, mais ça n'empêche, tu n'es pas obligée.

Courtney fronça les sourcils.

– Je ne comprends pas. Avant, tu voulais absolument savoir la vérité. Et maintenant, tu t'en fiches ? Pourquoi ? Tu ne vas pas baisser les bras ?

– Qui parle de baisser les bras ? Tout ce que j'ai dit, c'est que rien ne t'oblige à tout me révéler.

– Heu… Je ne comprends toujours pas.

– Je vais te montrer quelque chose, reprit Dodger avec un sourire rusé.

Il mena Courtney à travers le salon de l'hôtel pour descendre l'escalier menant à l'appartement de Gunny. Mais ce n'était pas là sa destination. Il l'emmena à la salle des coffres, où un type aux cheveux gris en tenue de groom lisait le journal derrière un guichet.

– Salut, Mike, ça bosse fort ? lança Dodger.

– Tu parles ! répondit le vieil homme d'un ton grincheux sans quitter le journal des yeux.

– J'aurais besoin de ce coffre que je t'ai confié.

Mike le regarda par-dessus ses lunettes en demi-lune.

– T'as tes papiers ?

– Oui.

Dodger leva la main droite et tendit les doigts.

– J'ai là cinq amis qui peuvent confirmer mon identité. Un, deux, trois, quatre, cinq.

À chaque chiffre, il repliait un doigt jusqu'à obtenir un poing… Et il en donna un petit coup sec amical dans l'épaule de Mike.

– Aïe ! fit ce dernier. Bon, ça me va.

Mike s'arracha à son tabouret et s'en alla d'un pas traînant dans la salle.

– À quoi tu joues ? demanda Courtney.

– Patience, répondit Dodger. C'est mon tour de faire des mystères.

Courtney haussa les épaules et attendit. Quelques minutes plus tard, Mike revint sans se presser. Il portait un petit coffre d'acier gris de vingt-cinq centimètres carrés environ, qu'il posa sur le guichet et fit glisser vers Dodger.

– Je devrais te faire signer le registre, grogna Mike.

– Mais tu ne le feras pas.

– Qu'est-ce qu'il y a là-dedans ? demanda Mike. Tes bijoux de famille ?

Et il se mit à ricaner.

– C'est exactement ça, répondit Dodger en faisant glisser le coffre sur le bureau. Merci, Mike. T'es un chef.

– C'est ce qu'on dit, fit Mike. C'est ce qu'on dit.

Courtney et Dodger n'avaient même pas quitté la salle qu'il s'était déjà replongé dans sa lecture.

– Allons dans l'appartement de Gunny, dit Dodger. On y sera tranquille.

Courtney le suivit jusqu'à la porte et tira la clé de sa cachette. Avant d'entrer, elle lui dit d'un ton moqueur :

– Je croyais que c'était mal d'entrer dans le boudoir d'une demoiselle pour autre chose que le travail ?

– C'est pour le travail, affirma Dodger sans la moindre trace d'humour.

Le sourire de Courtney disparut. Elle ne l'avait jamais vu si sérieux. Elle referma et verrouilla la porte derrière eux pendant que Dodger posait le coffre sur la table de cuisine.

– Alors ? demanda Courtney avec curiosité.

– Tu as dit que tu voulais me révéler la vérité. Tu peux économiser ta salive.

Il passa sa main sous sa chemise et en tira une chaîne. Y était accrochée une petite clé avec laquelle il ouvrit le coffre.

– En fait, je sais déjà tout.

Il tira du coffre une poignée de papiers. Certains étaient roulés et retenus par des brindilles. D'autres étaient des feuilles imprimées avec des reliures de cuir. Courtney les fixa sans trop savoir de quoi il s'agissait.

– Je sais déjà tout, Courtney, reprit Dodger. Ou du moins autant que Gunny. Je te présente les journaux du Voyageur de Première Terre. Comme je te l'ai dit, je suis son Acolyte.

Courtney le regarda, stupéfaite.

– Il te les a envoyés à travers l'anneau ?

Dodger acquiesça.

– Je connais toute l'histoire. Pendragon, la Troisième Terre, le *Hindenburg*. Ça, il vaut mieux ne pas trop en parler. Je préfère que les flics ignorent que c'est Gunny qui est responsable du crash. Je sais tout sur Eelong, Spader, le poison de Cloral, l'Eau noire et même la mort de Kasha. Tout est là, noir sur blanc.

Courtney n'en revenait pas.

– Pourquoi est-ce que tu ne m'as rien dit ?

Dodger eut un petit rire.

– Hé, je devais faire attention. Tu te demandais si je n'étais pas Saint Dane ? Rien ne me disait que *tu* n'étais pas *lui*.

Courtney lui donna un petit coup de poing sur le bras.

– Aïe ! Pourquoi tu as fait ça ? Ça marche dans les deux sens !

– Tu dois avoir raison, répondit Courtney.

Mais elle manquait de sincérité. Elle n'appréciait pas que quelqu'un puisse la prendre pour Saint Dane.

Dodger tira de la boîte une unique feuille de parchemin pliée en quatre.

– Maintenant que je sais que tu es réglo, je peux te donner ça.

Il la lui tendit.

– C'est pour moi ? demanda Courtney, stupéfaite.

– Tout droit venu d'Eelong, de la part de Gunny et Spader... Rien que pour toi.

Eelong

Chers Mark et Courtney,

J'envoie cette lettre à Dodger, mon Acolyte de Première Terre, dans l'espoir qu'il puisse vous la faire parvenir. Vous pouvez lui faire confiance. C'est un brave type. Mais si vous lisez ça, je ne vous apprends rien. Il est important que vous sachiez ce qui s'est passé depuis votre départ d'Eelong.

Tout d'abord, on s'en sort plutôt bien, Spader et moi. On habite la Cité de l'Eau noire. Ce n'est pas la Première Terre et mes amis me manquent, sans compter la bouffe, mais ce n'est pas si terrible. Donc, au cas où quelqu'un s'inquièterait pour nous, il n'a pas à s'en faire. On peut se débrouiller en attendant le jour où on trouvera un moyen de repartir.

Au moment où j'écris ces mots, je dirais que Spader et moi sommes ici depuis deux ans. On a assisté à des changements assez spectaculaires. L'édit quarante-six a été révoqué. Les klees ne chasseront plus jamais les gars. Mais ce n'est qu'un début. Un nouvel esprit de coopération entre les espèces a complètement chamboulé le territoire. La Cité de l'Eau noire est devenue un centre technologique et universitaire. Leur espèce de radio est désormais employée dans tout Eelong, et ils ont même trouvé un moyen d'envoyer des photos. C'est encore mieux que cette télévision dont on commence à parler en Première Terre. Incroyable, non ? Maintenant, il y a même des vols réguliers de gigs entre Lyandra et la Cité de l'Eau noire.

Ils finissent aussi une ligne de chemin de fer permanente pour relier les deux villes. En échange, les klees assurent la sécurité des gars, ce qui consiste principalement à éviter la prolifération des tangs.

Maintenant que le nombre de ces bestioles est régulé, les fermes sont sûres, et il n'y a plus de problèmes d'approvisionnement. C'est principalement grâce aux klees. Les deux groupes ont formé un gouvernement conjoint. Le Cercle des Klees est devenu le Cercle, tout court. Désormais, deux vicerois y président – un de Lyandra et l'autre de la Cité de l'Eau noire. Un klee et un gar. Les gars ont le droit de vote. Ce n'est pas rien, croyez-moi.

Bon, qu'on ne s'y trompe pas, il reste des préjugés. Il est toujours difficile de se débarrasser de ses vieilles habitudes. Bien des klees considèrent toujours les gars comme une race inférieure. Mais c'est parce que les gars n'ont eu que peu de temps pour faire preuve de leurs capacités. Je pense que le temps changera tout ça. Maintenant, les gars se rendent tout naturellement à la Cité de l'Eau noire pour aller à l'école. Ceux qui quittent Lyandra en tant qu'esclaves ou animaux familiers y reviennent citoyens à part entière. Certains klees ont du mal à l'accepter, mais peu à peu, les barrières tombent. C'est un vrai miracle.

Si je vous raconte tout ça, c'est pour deux raisons. D'abord, pour que vous sachiez que tout va bien pour Spader et moi. Maintenant, on est devenu des profs ! Vous ne pouvez pas imaginer comme c'est gratifiant de prendre un gar qui sait à peine parler et mange ce qu'il trouve par terre et de travailler avec lui pour faire ressortir son intelligence. Et ce n'est pas si rare. On a personnellement contribué à changer la vie de centaines de gars. Certes, on voudrait bien retrouver Pendragon et reprendre notre mission pour arrêter Saint Dane, mais en attendant, on a l'impression de faire pas mal de bien ici, sur Eelong. Qui sait ? Peut-être était-ce écrit.

La seconde raison, c'est que je veux vous parler de ce qui s'est passé au flume après votre départ. La mort de Kasha est une tragédie, bien sûr. Mais c'était un accident. Personne n'en est responsable. Après tout ce qu'on a vu sur Eelong, c'est un miracle qu'on soit tous encore en vie. J'espère que vous pensez comme moi. Vous n'êtes pas responsables de sa mort.

Et s'il est malheureux qu'on soit coincés sur Eelong, Spader et moi, c'est aussi suite à un accident. Je ne vais pas vous mentir : même si ça marche plutôt bien pour nous, on préférait être aux côtés de Bobby. Mais c'est peu cher payer pour tout le bien que vous avez fait sur Eelong. Je sais que vous n'étiez pas censés voyager. On ne doit pas mélanger les territoires. Mais si vous n'étiez pas venus, je n'ose imaginer ce que serait devenu ce monde. Si vous pouviez voir les incroyables avancées que ce territoire a connues, vous seriez d'accord avec moi. Grâce à vous, le moment de vérité d'Eelong lui a été bénéfique.

Personne ne pourra remplacer Kasha. C'était quelqu'un d'extraordinaire, tant comme klee que comme Voyageur. Mais si elle était là pour voir ce qu'Eelong est devenue, elle serait enchantée, comme nous tous. Les choses n'ont pas forcément tourné de la façon dont on l'aurait souhaité, mais l'un dans l'autre, je crois que ça en valait la peine.

Pour finir, j'espère vous revoir un de ces jours. Avec un peu de chance, ce sera pour empêcher une bonne fois pour toutes Saint Dane de nuire. On attend tous ce moment. En attendant, ne nous oubliez pas, et suivez toujours votre instinct.

Avec mes sentiments les meilleurs,
Gunny

P.S. Ici Spader, les gars. Dites à Pendragon que j'ai longuement réfléchi à ce qu'il m'a expliqué. On peut dire que j'ai mûri dans les jungles d'Eelong. Dites-lui que je suis prêt à le rejoindre. Et quand le moment viendra, je le suivrai jusqu'à l'autre bout de Halla.

Après ça, le dernier chez Grolo paiera sa tournée de sniggers.

Hobie-Ho,
Spader

PREMIÈRE TERRE
(suite)

Courtney dévora la lettre, puis recommença au début. Après une troisième lecture, elle la reposa et ferma les yeux. Elle ne savait pas si elle devait en rire ou en pleurer. Cela faisait si longtemps qu'elle se reprochait ce qui s'était passé sur Eelong ! Des années. Après avoir lu la lettre de Gunny, elle se sentait toujours aussi mal, puisque Kasha était morte par leur faute, mais au moins elle était désormais sûre d'avoir pris la bonne décision. Au final, Eelong était une victoire majeure. Voilà qui la réconfortait.

Mais du coup, Mark lui manquait encore plus.

D'après sa lettre, Gunny pensait que, dans certains cas précis, on pouvait mélanger les territoires. Eelong en était la preuve. Sauf qu'il n'avait pas vu les résultats négatifs. La destinée de quatre territoires avait été altérée, et d'autres suivraient peut-être. Elle était contente pour Eelong, mais cela ne soulageait pas ses craintes pour Halla dans son ensemble. Comme l'avait dit et répété Bobby, l'essentiel n'était pas de remporter des batailles, mais de gagner la guerre. Sur Eelong, ils avaient remporté une bataille, mais la guerre était loin d'être terminée.

Dodger finit par rompre le silence en se raclant la gorge.

– Comme je l'ai dit, je sais ce qui se passe.

Courtney replia la lettre et la lui tendit pour qu'il la remette dans le coffre.

– Tu en connais une bonne partie, mais pas tout.

Elle lui fit alors part de tout ce qu'elle savait, à commencer par leur existence en Seconde Terre avant que Bobby ne s'en aille pour devenir un Voyageur. Ensuite, elle attaqua ce qu'il ignorait forcément, puisque Gunny lui-même n'était pas au courant. Elle lui parla de Denduron et de Cloral, d'Utopias et de Veelox, de la bataille pour Zadaa et des jeux de Quillan, et surtout de la façon dont Saint Dane s'était introduit dans leurs vies sous l'identité d'Andy Mitchell, et ce depuis leur plus jeune âge. Elle n'oublia pas Sci-Clops, le club scientifique, ni l'école de Stansfield où Saint Dane avait pris l'identité de ce type qui lui avait tapé dans l'œil avant de tenter de la tuer. Elle conclut par la mort des parents de Mark et la création de cette technologie nommée Forge qui avait engendré les dados, ces robots hyperréalistes qui avaient changé le cours de l'histoire de la Terre et de Quillan. Finalement, Dodger lut la lettre de Patrick où il mentionnait la disparition de Mark alors qu'il se trouvait à bord du *Queen Mary*.

Ce fut plus facile à expliquer que Courtney ne l'aurait cru. Dodger avait déjà assimilé le concept de Halla et des territoires ainsi que, bien sûr, l'existence de Saint Dane. Elle n'avait plus qu'à remplir les blancs.

Dodger l'écouta attentivement, puis déclara :

– Donc, tu veux retrouver Mark pour l'empêcher d'importer ce machin futuriste dans notre présent.

– Oui, répondit Courtney, mais aussi pour lui sauver la vie. Je crois que le plan de Saint Dane pour la Seconde Terre s'est mis en branle le jour où on a rencontré pour la première fois Andy Mitchell au jardin d'enfants. Il lui fallait manipuler Mark pour qu'il invente Forge, gagner sa confiance, puis faire en sorte qu'il répande son invention sur d'autres territoires. Après, je pense qu'il n'aura plus besoin de Mark et...

Courtney ne finit pas sa phrase. Dodger eut un sifflement admiratif.

– Ce Saint Dane peut vraiment prévoir si longtemps à l'avance ?

– Le temps ne signifie rien pour lui. Il passe d'un territoire à l'autre comme on change de chemise. Saint Dane n'arrête pas de parler de ce qu'il appelle la Convergence. D'après Bobby, quoi que ce puisse être, c'est le plus grand moment de vérité de tous. Celui de Halla. En créant des interférences entre les territoires, Saint Dane s'assure que cette Convergence tournera en sa faveur. Il ne vise plus les territoires, du moins pas individuellement. Peut-être que ça n'a jamais été son but. Il se contentait d'aligner les dominos. Nous, il faut qu'on en déplace quelques-uns.

Dodger regarda Courtney en ouvrant de grands yeux.

– Je crois que je préférerais encore que tu viennes de Pluton.

Courtney s'empara d'un journal posé sur le lit. Elle l'avait acheté dès leur retour à l'hôtel à cause de la photo de première page. Elle représentait un immense paquebot à quai dans le port de Manhattan.

– Le *Queen Mary*, dit Courtney en regardant la photo. Qu'il est grand !

– Le plus grand de tous, confirma Dodger. À chaque fois qu'il fait escale à New York, ses passagers investissent l'hôtel. On dit que c'est une turne de cadors.

– Une quoi ?

– Un chouette bateau. Comme un hôtel de luxe flottant.

Courtney fixa la photo.

– D'après la banque de données de Troisième Terre, Mark Dimond était à bord quand il est parti pour l'Angleterre le 7 novembre. Sauf que Mark n'est jamais arrivé à destination.

– Et tu penses que c'est son cadavre qui s'est échoué sur les côtes du New Jersey quelques semaines plus tard ?

– C'est ce qu'en conclut Patrick. Et ça me semble logique.

Elle laissa tomber son journal et se mit à faire les cent pas en pensant à haute voix :

– En octobre, Mark a déposé Forge au bureau qui délivre les brevets. Il doit voir les représentants d'une compagnie du nom de KEM Limited le 13 novembre à Londres. Il a pris un billet pour faire la traversée sur le *Queen Mary*. Il est monté à bord, mais nul ne l'a jamais revu. Quelques semaines plus tard, le cadavre d'un passager en smoking s'échoue sur les côtes du New Jersey avec dans sa poche une cuillère à l'effigie du *Queen Mary*. L'homme a été tué d'une balle. Il n'a jamais été identifié.

– Et personne n'est jamais allé trouver la police pour signaler une disparition, ajouta Dodger.

– Parce que, dans ce monde, personne ne connaît Mark. Tout s'emboîte parfaitement.

– À part un détail, remarqua Dodger. À t'entendre, on dirait que tout ça est déjà de l'histoire ancienne. (Il ramassa le journal et désigna la une.) Or on est le 2 novembre. Le *Queen Mary* ne partira que dans cinq jours. Rien de tout ce que tu m'as raconté ne s'est encore produit !

– Parfait ! s'écria Courtney. Le 7 novembre, Mark va monter à bord de ce bateau.

– À moins qu'on ne l'en empêche avant.

– À moins qu'on ne l'en empêche avant, répéta Courtney.

PREMIÈRE TERRE
(suite)

Les journées suivantes furent plutôt bien remplies. Pendant que Dodger effectuait ses heures de travail, Courtney fit tout son possible pour retrouver la trace de Mark. Elle passa d'innombrables coups de fil à diverses officines de la ville afin de retrouver l'ancien locataire du 240, Waverly Place, appartement 4A. Elle tenta les services du logement, les déménageurs, le commissariat, les pompiers, les banques, même le Département des brevets. Mais la réponse fut toujours la même : « On ne peut rien faire pour vous. » Après tous les efforts qu'elle avait déployés pour se trouver au bon endroit au bon moment, il y avait de quoi se taper la tête contre les murs. Internet n'existait pas et elle ne pouvait pas laisser un message sur répondeur, puisqu'ils ne seraient pas inventés avant une cinquantaine d'années. Elle se résolut à éplucher les journaux dans l'espoir de tomber sur le nom de Mark Dimond, de Dimond Alpha Digital Organisation ou même de KEM Limited.

Deux jours avant la date prévue pour le départ du *Queen Mary*, elle trouva quelque chose. Ce n'était qu'un entrefilet du *New York Times* consacré à une compagnie anglaise du nom de « Keaton Electrical Marvels, Ltd ». Ils annonçaient pouvoir bientôt mettre sur le marché un nouveau phonographe portable. Courtney n'était même pas sûre de savoir ce que c'était. Elle dut faire un tour chez Macy's pour constater qu'il s'agissait d'un tourne-disque. Les seuls 33 tours que Courtney ait jamais vus étaient de vieux albums de collection que ses parents ne jouaient jamais, mais, en 1937, les phonographes remportaient un grand succès. Celui que KEM Limited entendait mettre sur le marché se targuait d'être extrêmement novateur et offrait la possibilité de stocker l'électricité dans des piles permettant de le faire fonctionner pendant un certain temps sans avoir besoin de le brancher. L'article semblait y voir une découverte scientifique révolutionnaire. Bien sûr, pour Courtney, ce n'était guère plus impressionnant qu'une lampe torche, mais il était logique que KEM Ltd s'occupe d'électronique. Une entreprise comme celle-ci serait la plus susceptible de développer l'invention de Mark.

Les pièces du puzzle se mettaient en place.

Néanmoins, le 6 novembre, la veille du départ du *Queen Mary*, Courtney n'était pas plus avancée. Apparemment, le seul moyen de retrouver Mark serait de l'intercepter au moment de l'embarquement. Elle prit le train pour Stony Brook pour déposer le journal de Bobby à la banque. Elle ne savait à quoi s'attendre, mais d'une façon ou d'une autre, le lendemain serait décisif, et elle préférait que le journal soit en sécurité. Son prochain arrêt fut pour Macy's, où elle acheta une casquette pour remplacer celle qu'elle avait laissée dans le taxi. Elle prit aussi un nouveau chapeau brun pour Dodger. Elle aimait le voir ressembler à Indiana Jones. Un Indiana Junior, mais tout de même. Pourvu qu'il ait autant de chance que cet aventurier de fiction.

Cette nuit-là, elle ne dormit guère. Elle savait que sa mission en Première Terre se terminerait bientôt. Soit elle empêcherait Mark de monter à bord, soit elle échouerait et l'histoire serait modifiée de la façon décrite par les ordinateurs de Troisième Terre. Elle se promit de réussir.

Le lendemain était une belle journée ensoleillée plutôt chaude pour un mois de novembre. Le *Queen Mary* devait appareiller à 13 heures. Dodger et Courtney avaient prévu de s'y rendre en avance afin de pouvoir intercepter Mark avant qu'il ne monte sur la passerelle. Ils arrivèrent sur le quai à 9 heures, bien avant les premiers voyageurs, et prirent position des deux côtés de la jetée pour examiner les visages de tous ceux qui se dirigeraient vers le paquebot. Dodger s'était muni de la photo de famille des Dimond, même si Courtney pensait que Mark ne devait plus guère ressembler au garçon sur le cliché. Elle ne pouvait se fier à Dodger pour l'identifier. Tout leurs espoirs reposaient sur elle. Elle se planta au beau milieu de l'entrée de la jetée. Ils s'attendaient à tout...

Sauf à une telle foule. Dès 11 heures, la jetée se vit inondée de monde. Les voyageurs arrivaient en voiture, en bus, en limousine et même en attelage tiré par un cheval, le tout dans une ambiance de fête foraine. Et ils continuaient d'affluer. Un groupe jouait près des rampes menant à bord, ajoutant à l'atmosphère festive. Les gens s'étreignaient, pleuraient ou semblaient enthousiastes à l'idée de monter à bord du plus grand paquebot de son époque. Les porteurs s'affairaient, tirant des chariots remplis de valises et de coffres. On chargeait des chevaux et des voitures, et des grues transportaient d'énormes caisses pour les descendre dans les cales.

Dans toute cette confusion, Courtney et Dodger auraient été bien en peine de reconnaître qui que ce soit. Pire encore, la plupart des hommes portaient des chapeaux dissimulant leurs visages. Aux yeux de Courtney, ils ressemblaient tous à Indiana Jones. Elle s'était postée sur une barricade de ciment et scrutait désespérément la foule, mais redoutait que Mark soit déjà passé sans qu'elle le voie.

Une demi-heure avant le départ, Dodger courut la retrouver.

– Ça ne sert à rien, dit-il.

Courtney était au bord de la panique.

– Il nous est peut-être passé sous le nez. Si ça se trouve, il est déjà à bord !

– J'ai une meilleure idée, annonça Dodger.

Il la prit par la main et partit en fendant la foule. Courtney le suivit sans protester. S'il avait en tête une autre méthode pour retrouver Mark, elle ne pouvait qu'être plus efficace. Ils bousculèrent plus de voyageurs qu'ils n'en évitaient, mais cela ne les arrêta pas. Ils ne tardèrent pas à se retrouver face à la passerelle d'embarquement.

– Il faut qu'on trouve le commissaire de bord, expliqua Dodger.

– Le quoi ?

– Celui qui s'occupe des passagers. Il pourra nous donner le numéro de la cabine de Mark. Une fois qu'on saura ça, on s'y rend, on le chope et on le fait descendre du bateau.

– Attends ! Tu veux qu'on monte à bord ? s'exclama Courtney, horrifiée.

– C'est fastoche ! Pendant l'embarquement, on laisse passer les familles et les amis des voyageurs pour qu'ils puissent visiter le bateau.

Dodger la traîna vers un homme en uniforme qui ressemblait à un capitaine. Il se tenait au bas de la passerelle et était muni d'une planchette à clip sur laquelle il vérifiait le nom des passagers. Dodger se précipita vers lui et dit avec l'accent anglais :

– Hello, chef ! J'arrive juste à temps pour voir mon frérot, hein ?

Courtney se dit qu'elle n'avait jamais entendu un accent aussi factice.

Le commissaire de bord lui décocha un regard noir. Apparemment, lui non plus n'était pas dupe. Mais il lui répondit poliment :

– Et quel est le nom de ton frérot, mon garçon ?

– Dimond, répondit-il avec un accent encore pire. Mark Dimond. C'est un inventeur ! Il retourne au pays pour y faire fortune !

Le commissaire parcourut des yeux sa liste. Courtney se mordit nerveusement la lèvre. Elle aurait préféré que Dodger parle normalement. Allait-il réussir ? Mark était-il seulement sur la liste des passagers ? Dodger lui jeta un regard en coin. Malgré ses grands airs, il était tout aussi nerveux qu'elle.

– C'est juste, annonça le commissaire. Mark Dimond.

– Il est déjà monté à bord ? demanda Courtney, sans accent.

– Oui. Vous avez juste le temps d'aller lui souhaiter bon voyage.

– Quel est le numéro de sa cabine ? reprit Dodger.

– J'ai bien peur de ne pas pouvoir vous le dire, mon garçon. Il faudra vous renseigner au bureau du commissaire de bord.

– C'est ce qu'on va faire, merci !

Dodger porta sa main à son chapeau en guise de salut et entraîna Courtney sur la passerelle. Tous deux coururent le long du plan incliné.

– Et faites vite ! leur lança le commissaire. On appareille dans vingt minutes !

– C'est d'accord, chef !

– Pourquoi tu lui donnes du « chef » ? demanda Courtney.

– Hé, ne râle pas. On voulait monter à bord, non ?

Tous deux se retrouvèrent sur un pont nommé « promenade ». Il était encore plus bondé que la jetée. Entre les passagers surexcités, les porteurs, les membres d'équipage, l'orchestre et les amis et parents venus souhaiter bon voyage, c'était un véritable asile de fous.

Dodger prit un des officiers de bord par le bras et lui demanda :

– On cherche notre frère pour lui faire nos adieux. Comment peut-on trouver le numéro de sa cabine ?

Heureusement, il avait renoncé à son accent.

– Allez voir au bureau du commissaire de bord, répondit l'officier. Continuez sur ce pont jusqu'aux boutiques de Regent Street. De là, prenez l'ascenseur, descendez d'un étage et vous y serez.

Tous deux bondirent sans même prendre le temps de le remercier. Ils n'avaient pas une seconde à perdre. Autant vouloir se frayer un chemin dans une rave-partie version années 30. Tout le monde était vêtu avec élégance, comme s'ils assistaient à un bal au lieu de partir en croisière. Tous arboraient un sourire surexcité et parlaient un peu trop fort. Ils trouvèrent ce que l'officier appelait « Regent Street » : une grande rue intérieure bordée de magasins de luxe vendant des bijoux, des cristaux et toute sorte de babioles. Le passage bourdonnait déjà d'activité. Courtney n'était jamais monté à bord d'un paquebot de luxe et n'arrivait pas à croire qu'on puisse y trouver de telles boutiques.

Il y eut un bruit de carillon.

– Qu'est-ce que c'est que ça ? demanda Courtney.

– Je ne sais pas et je m'en fiche, répondit Dodger.

Il ne pensait qu'à sa mission, mais la foule était si dense qu'il était presque impossible de la traverser. Ils percutèrent une femme entre deux âges sortant d'une bijouterie, tenant en laisse un caniche qui semblait aussi nerveux que Mark et Courtney.

– Oh ! hurla la femme.

À l'entendre, on aurait dit qu'ils l'avaient molestée. Aussitôt, son petit chien se mit à aboyer. Encore et encore, à croire qu'il ne se tairait jamais.

– Pardon, pardon ! fit Courtney.

La femme les toisa comme s'ils étaient des repris de justice.

– Jeunes voyous, vous n'avez rien à faire ici ! brailla la femme. Officier !

Elle leva la main pour appeler un des officiers de bord comme s'ils étaient à son service.

– Qu'y a-t-il, m'dame ? demanda l'interpellé tout en touchant la visière de sa casquette.

– Ces vilains galopins devraient être raccompagnés à... à... ailleurs qu'ici, brama-t-elle d'un air hautain.

Courtney se figea. Elle serra la main de Dodger.

– Il faut qu'on y aille, lui souffla-t-elle.

– Pas encore, répondit Dodger.

Il se tourna vers l'officier et lui dit le plus poliment possible :

– Désolé pour le dérangement, m'sieur l'officier, mais on cherche notre frère qui est à bord. On n'a peut-être rien à faire sur ce pont, mais on est sûr que notre frère y est à sa place et – *Aiiiie !*

Courtney lui avait à nouveau serré la main.

– Maintenant ! siffla-t-elle.

– J'ai bien peur qu'il ne soit trop tard, dit l'officier. Il est temps de retourner à terre. Veuillez emprunter la passerelle.

– Oui, renchérit la femme. Le plus tôt sera le mieux.

– C'est parti ! répondit Courtney en entraînant Dodger.

Sauf qu'elle ne se dirigeait pas vers la passerelle, mais dans les entrailles du navire.

– À quoi tu joues ? râla-t-il. Il faut qu'on descende du bateau !

– On ne peut pas ! piailla Courtney.

– Pourquoi ?

Courtney leva sa main. Son anneau brillait. Dans quelques secondes, le son et lumière habituel commencerait, offrant un spectacle inattendu aux centaines de personnes qui les entouraient.

Dodger n'hésita pas un instant. Il empoigna sa main et ils se frayèrent un chemin à travers la foule surexcitée, bousculant un maximum de monde. Dodger ne cessait de regarder à droite et à gauche, cherchant une cachette.

– Là ! s'écria Courtney.

Ils se trouvaient dans un grand salon. Tout près, une double porte s'ouvrait sur Dieu sait quoi. Peu importait. Ils devaient échapper à toute cette foule. Ils passèrent les portes à toute allure pour se retrouver dans un office où des serveurs en smoking blanc s'affairaient autour des rafraîchissements qu'ils allaient servir aux voyageurs.

Courtney plaqua sa main sur l'anneau pour cacher les jets de lumière. Ils coururent jusqu'à l'autre bout de l'office pour jaillir dans une petite cuisine. Les cuistots étaient trop occupés pour les remarquer ou pour se demander ce qu'ils faisaient là. Courtney savait que, dans quelques secondes, ils auraient droit à un spectacle qui ne manquerait pas d'attirer leur attention. Dodger l'entraîna à l'autre bout de la cuisine, vers une lourde porte avec une poignée de métal.

– Une chambre froide, comme à l'hôtel, dit-il. On a peut-être une chance.

En effet. Ils ouvrirent la porte. Il n'y avait personne à l'intérieur. Courtney sauta pour tirer sur une chaîne qui pendait du plafond. Une ampoule nue s'illumina. Dodger referma la porte derrière eux. Un bref coup d'œil leur apprit qu'ils se trouvaient dans un réfrigérateur à légumes. Il y avait là des centaines de laitues, de carottes et des sacs d'oignons – de quoi préparer des milliers de repas pour les passagers et l'équipage de cet hôtel flottant. Pendant que Dodger gardait la porte, prêt à mettre dehors quiconque viendrait chercher une patate, Courtney retira son anneau et le posa sur le comptoir. Il avait déjà triplé de taille et projetait des faisceaux de lumière qui illuminaient l'étroit espace. La musique s'amplifia. Pourvu que la porte du réfrigérateur soit insonorisée ! Et qu'elle ne laisse pas filtrer la lumière. Ils se couvrirent les yeux pendant que l'anneau remplissait son office. Quelques secondes plus tard, tout était terminé. L'anneau avait repris sa taille normale. À côté gisait un autre sachet imperméable. Le nouveau journal de Bobby était arrivé.

— Ramasse-le ! dit Dodger en se précipitant vers la porte. Filons !

— Non, répondit calmement Courtney.

— Comment ça ? Le bateau va partir !

— On n'a pas encore retrouvé Mark.

— Je sais, mais… (Il s'arrêta tout d'un coup.) Tu ne comptes tout de même pas…

— Si, répondit Courtney. (Elle se pencha pour ramasser le journal et l'anneau.) Je pars en croisière. Si tu préfères descendre, je comprendrai, mais moi, je reste.

— Ça fait de nous des passagers clandestins ! reprit Dodger. On va se faire arrêter et… et… Je ne sais pas ce qu'ils vont faire de nous, mais je perdrai mon boulot à l'hôtel, c'est sûr !

— C'est probable, reprit Courtney. Mais si ce bateau part sans moi, ça veut dire que Mark est condamné à mort, que l'histoire va être modifiée et que les dados vont envahir les territoires. Je ne veux pas que tu perdes ta place, mais si Saint Dane arrive à ses fins et que les territoires terrestres sont modifiés, je ne suis pas sûr que le Manhattan Tower Hotel existe encore dans le monde que tu retrouveras.

Voilà qui sembla donner matière à réflexion à Dodger. Il fronça les sourcils.

— À vrai dire, quand Gunny m'a demandé d'assister quiconque porterait cet anneau, je ne m'attendais pas à ça.

Courtney haussa les épaules. Dodger souffla et hocha la tête, résigné. Il s'adossa à une étagère et se laissa glisser pour tomber assis.

– Autant s'installer confortablement.

Courtney sourit et s'assit à ses côtés en serrant le journal de Bobby dans ses mains. Elle se pencha vers Dodger.

– Merci.

Il haussa les épaules.

– Hé, ne va pas me faire ta grande scène sentimentale.

– Jamais de la vie.

Courtney n'attaqua pas tout de suite le journal. Elle savait qu'il fallait d'abord trouver une cachette où ils ne risqueraient pas d'être découverts, si toutefois il y en avait une pour deux clandestins sur un bateau bondé. Ils attendirent une demi-heure, le temps que l'excitation du départ retombe. Ils seraient restés plus longtemps si la porte du réfrigérateur ne s'était pas ouverte. Un chef entra avec un grand saladier en aluminium. Il se figea en voyant Courtney et Dodger.

– Dieu merci ! s'exclama Courtney. J'ai bien cru qu'on passerait tout le voyage coincés là-dedans ! (Elle se dirigea vers lui et lui donna un léger baiser sur la joue.) Merci ! fit-elle en s'en allant.

Le chef avait l'air stupéfait. Dodger en profita pour suivre Courtney.

– Merci, chef. Ne vous en faites pas, je ne vais pas vous embrasser.

Ils le laissèrent planté dans le réfrigérateur, trop éberlué pour réagir.

Il n'y avait plus urgence. L'essentiel était de passer inaperçu. Courtney et Dodger traversèrent sans se presser la cuisine, l'office, puis le salon. Une fois de retour dans la zone des passagers, ils constatèrent que la foule était nettement moins nombreuse. Tout les visiteurs étaient partis. Il ne restait que les passagers et les hommes d'équipage. Ceux qui devaient être à bord.

Et eux deux.

Ils parcoururent d'un pas tranquille Regent Street et ses boutiques pour déboucher sur le pont-promenade, là où ils étaient montés à bord. Aussitôt, le soleil les éblouit. La première chose que vit Courtney, c'est la jetée. Celle qu'ils avaient dévalée à bord du taxi conduit par Saint Dane, celle d'où ils avaient contemplé pour la première fois le *Queen Mary*. Et qui se trouvait maintenant à plusieurs centaines de mètres.

Le bateau avait quitté le quai. Les remorqueurs le guidaient au milieu du port de New York et, au-delà, l'océan Atlantique. Ils étaient en route pour l'Angleterre. Ils allèrent s'accouder au bastingage pour voir s'éloigner les gratte-ciel de Manhattan.

– À quoi tu penses ? demanda Dodger.

– Je pense que j'ai envie de lire un journal.

Journal n° 30

IBARA

Courtney, il faut absolument que tu retrouves Mark.

Je crois que j'ai fait une grosse bêtise en me rendant sur Ibara. Maintenant que j'ai vu ce qui s'y passe, je comprends ce que Saint Dane y mijote. Et ça n'a rien de rassurant. Nos pires craintes se sont réalisées. Il ne vise plus les territoires un par un. Saint Dane abat les cloisons de Halla. Je ne crois pas avoir aggravé la situation en venant ici, mais ça n'a pas non plus arrangé les choses. La vérité, c'est que je serais mieux avec toi en Première Terre pour y chercher Mark. Tu avais raison. Saint Dane m'a attiré sur Ibara et je l'ai suivi comme un bon petit mouton.

Ou comme une souris attirée dans un piège.

Pour l'instant, je nage complètement, et j'ai du mal à raisonner sainement. Quand on était en Première Terre, je t'ai dit que je pensais qu'il était trop tard pour corriger ce que Mark avait fait. J'espère que je me trompais. L'avenir de Halla en dépend. Et ce n'est pas une clause de style. Empêcher Mark de nuire est peut-être la clé pour arrêter Saint Dane.

Comment ai-je pu être si aveugle ? Bon, je sais pourquoi. C'est mon propre ego qui est en cause. Je n'arrête pas de dire que, pour contrôler Halla, Saint Dane doit d'abord me vaincre. Je le crois toujours, mais, après toutes ces années, je pense que je suis tout autant obsédé par l'idée de le vaincre que l'inverse. Il a réussi à m'influencer, Courtney. C'est devenu un duel entre lui et moi. Or c'est une erreur. Seul compte le résultat final. Je voulais tant remporter la victoire que j'ai oublié son grand dessein. C'est pour

217

ça que je suis venu sur Ibara au lieu de rester en Première Terre. Pendant que je pourchasse un homme seul, il manipule tout ce qui existe.

Notre première idée était la bonne. Il faut retrouver Mark. C'est sans doute la seule façon de sauver Halla. Le problème, c'est qu'il est peut-être déjà trop tard. J'ignore où se situe la Première Terre par rapport aux autres territoires. Oui, je sais qu'elle se trouve dans le passé des Seconde et Troisième Terres, mais les autres territoires sont-ils situés dans l'avenir de la Première Terre ? Ou bien dans son passé ? Ou certains sont-ils son passé et d'autres son avenir ? Je n'en ai pas la moindre idée. Toutes ces questions me donnent mal au crâne.

Lorsque j'ai quitté la Première Terre, j'ai dit qu'il n'y avait rien de plus important que de sauver Mark du destin qui l'attendait. Bien sûr, je veux toujours sauver mon ami, *notre* ami. Mais d'après ce que j'ai vu sur Ibara, je veux aussi l'empêcher de nuire. Notre seule chance de vaincre Saint Dane une bonne fois pour toutes est de faire en sorte qu'il ne puisse pas introduire sa technologie Forge en Première Terre. Lis ce journal et tu comprendras pourquoi.

Mais fais vite.

Je suis désolé, Courtney. Désolé de t'avoir laissée seule et d'avoir été trop crétin pour t'écouter. Et je m'en veux aussi de t'avoir chargé d'une telle responsabilité. Je sais que tu fais de ton mieux pour retrouver Mark, mais je dois te dire qu'il ne s'agit plus seulement de lui sauver la vie, mais aussi de l'arrêter.

J'ai déjà terminé ce journal. Je l'ai commencé avant de comprendre ce qui se passait effectivement ici et je suis revenu en arrière pour te dire tout ça. Je sais que je n'ai pas besoin de te convaincre, mais quand tu auras lu ce qui suit, je pense que tu comprendras comme moi que tu es notre dernier espoir de sauver Halla.

S'il n'est pas déjà trop tard.

Siry et moi avons quitté l'avancée rocheuse dominant la flotte aux voiles colorées pour repartir vers le village. J'avais bien besoin de repos. Et je crevais de faim. Quand on est arrivé aux premières cabanes de Rayne, Siry s'est arrêté net et s'est tourné vers moi pour me demander :

– Tu es avec nous ?

– Quand part-on ? ai-je répondu.

– Quand tout le monde sera en état. Les Jakills blessés doivent se remettre.

J'ai acquiescé. Il m'a regardé d'un air menaçant.

– Si tu vas parler de tout ça au tribunal…

Il n'a pas fini sa phrase.

– Tu n'as toujours pas confiance en moi ?

Il a haussé les épaules avant de reprendre son chemin.

– Un instant ! ai-je lancé. Que signifie ce terme de Jakill ?

Il a secoué la tête.

– Tu as raison, a-t-il répondu. Je n'ai pas confiance en toi.

Bien. Comme tu voudras. À ce stade, tout ce que je voulais, c'était dormir. J'étais si crevé que j'avais du mal à progresser dans le sable. Comme ma cabane avait été transformée en hôpital de campagne pour les Jakills, je ne savais pas si je devais y retourner, mais je n'avais pas d'alternative. À mon retour, j'ai constaté que je n'aurais pas dû m'en faire. Les Jakills blessés étaient partis. Seule Telleo m'y attendait.

– Où sont-ils passés ? ai-je demandé.

– J'ai fait tout ce que je pouvais et je les ai aidés à rentrer chez eux. Ils se remettront. Tu as faim ?

– Si j'étais poli, je te dirais que je ne veux pas te déranger davantage, mais en réalité, j'ai l'estomac dans les talons.

– Je m'en doutais, a dit Telleo avec chaleur. Je t'ai préparé de la soupe et des légumes cuits.

On s'est assis tous les deux pour faire honneur à un dîner de roi. En fait, il n'était peut-être pas si exceptionnel, mais j'avais tellement faim que j'aurais mangé la table. Une fois l'estomac plein, je me suis senti disposé à dormir pendant un mois. Mais ça n'aurait pas été très poli.

– Parle-moi de toi, ai-je demandé à Telleo. Tu travailles pour le tribunal, mais tu risques ton emploi en aidant les Jakills. Tu ne jouerais pas sur les deux tableaux ?

– Je ne vois pas les choses de cette façon, a-t-elle répondu. J'aime ce village et j'aime mon peuple. C'est tout. Siry et ses hommes font partie du village. Je ne fais pas de discrimination.

– C'est ce qu'on m'a dit.

Telleo a rougi avant de continuer :

– Je ne comprends pas pourquoi Siry porte en lui une telle colère. Tu trouves vraiment notre mode de vie si terrible ?

– Je pense qu'on a tort de cacher la vérité aux gens. Tu ne te demandes jamais ce qu'il y a tout là-bas, loin de cette île ?

– Non, s'est empressée de répondre Telleo. Je ne peux pas imaginer un meilleur mode de vie que le nôtre.

– Mais c'est ton choix. Je ne veux pas dire que je suis d'accord avec eux, mais Siry et les Jakills veulent pouvoir choisir, eux aussi. Ils veulent savoir ce que le reste du monde peut leur offrir.

Telleo a haussé les épaules.

– Je dois être égoïste. J'ai peur que le monde extérieur ne change Rayne d'une façon ou d'une autre.

– Oui, mais il peut aussi le changer d'une façon si extraordinaire qu'elle ne pourra qu'améliorer vos conditions de vie.

– Je ne vois pas comment.

– Tu n'as vraiment aucune curiosité ?

– Si, à propos des Utos. Ils s'enhardissent de plus en plus. Ça en devient préoccupant.

– Si vous découvriez qui ils sont, vous pourriez peut-être les arrêter ?

– Les forces de sécurité nous protègeront, a-t-elle répondu d'une voix douce.

Décidément, elle avait confiance en son gouvernement.

– Et le tribunal ? ai-je repris. Siry prétend qu'il vous cache des choses.

Voilà qui a paru la toucher.

– Je crois que le tribunal ne nous dit que ce qu'on doit savoir. Pourquoi s'inquiéter à propos de ce qu'on ne peut changer ?

– Mais vous ne voulez pas connaître votre propre histoire ? D'où vous venez ?

– Ce qui compte dans la vie, c'est l'avenir, pas le passé.

– On peut beaucoup apprendre du passé !

– Tout se passe merveilleusement bien pour Rayne, a-t-elle rétorqué, commençant à s'échauffer. Comment améliorer la perfection ?

– Mais…

– De plus, a-t-elle coupé, j'ai confiance en mon père.

Hein ? Telleo a dû lire la surprise sur mon visage.

– Tu ne savais pas ? a-t-elle repris d'un ton enjoué. Je croyais que tu comprenais vite.

– Il faut croire que non. Qui est ton père ?

– Mon nom complet est Telleo Genj. Mon père est le ministre en chef.

Oh. Il y eut un bruit sec, celui de ma mâchoire heurtant la table.

– Je pense qu'il fera ce qui est bon pour le village, a-t-elle repris.

– Hébin, ai-je hoqueté.

Mon esprit fonctionnnait déjà à toute allure, mesurant les implications de ce nouveau rebondissement.

– Je sais que les Jakills se méfient du tribunal, ajouta Telleo. Et pourtant, ils l'ont protégé des Utos. Ils n'ont que de bonnes intentions. Mais ils… se trompent. Qu'ils grandissent un peu ! Ils comprendront à quel point nous avons de la chance de vivre ici, et ils cesseront de faire des bêtises.

La situation devenait épineuse. Je suppose qu'elle l'avait toujours été, mais que j'étais trop bête pour le réaliser. Telleo était sympa, mais son père était un gros ponte. D'après Siry, c'était à cause de lui qu'on mentait au peuple. Pour Telleo, c'était une bonne chose. Pas pour Siry. Qui avait raison ? Ne me le demandez pas, je ne fais que passer. Telleo semblait – comment dire ?… Naïve. Elle profitait de sa petite bulle et ne voulait pas qu'elle éclate. Et qui pouvait l'en blâmer ? Elle vivait au paradis.

D'un autre côté, Ibara ne se limitait pas à cette petite île. Aussi parfait que puisse paraître ce village, je comprenais que certains y voient une prison. Plus intriguant encore, Remudi avait fait partie du tribunal, ce qui voulait dire qu'un Voyageur avait apporté sa caution à cette entreprise de dissimulation. Conclusion ? Je ne savais pas qui avait raison. Mais ce n'était pas à moi d'en juger.

J'étais là pour deviner ce que Saint Dane pouvait bien comploter, pas pour me mêler de leurs affaires. Telleo semblait ignorer que Siry voulait voler un bateau pour quitter l'île. Bien. Ce n'est pas moi qui irait cafter.

— Tu veux bien venir avec moi ? demanda Telleo. Je voudrais te montrer quelque chose.

Je n'avais qu'une seule envie : m'allonger et me laisser sombrer dans le sommeil. Mais comment pouvais-je dire non ? Elle m'avait sauvé la vie et s'était occupé de moi, je ne pouvais pas l'insulter en déclinant son offre. Je me suis levé, ignorant mes pieds à vif, et lui ai souri :

— Avec plaisir.

La nuit était tombée sur Rayne. Les chemins étaient éclairés par de petites lampes dorées clignotant en haut des arbres, créant un effet féerique, comme un Noël sous les tropiques. Telleo m'a mené au centre du village. Au loin, j'ai entendu de la musique.

— Ce soir marque le début des vacances connues sous le nom de festival de Zelin, expliqua-t-elle. C'est une période de fêtes et de festins. Tu ne pouvais pas tomber mieux. Tu vas voir Ibara sous son meilleur jour.

— Des vacances ? En quel honneur ?

— Pour témoigner notre joie d'habiter sur une île aussi merveilleuse. Pour moi, c'est juste une excuse pour faire la fête.

— Pâques version Ibara, quoi.

— Quoi ?

— Oh, rien.

Plus on se rapprochait du centre du village, plus la musique s'amplifiait. Telleo m'a guidé vers le grand auvent de chaume où j'avais déjà vu se produire des musiciens. Là, toute une foule se massait pour regarder un spectacle. Sur la scène ronde, un groupe jouait un air entraînant qui m'a un peu rappelé la musique folklorique irlandaise de Seconde Terre. Il y avait des percussions et des tambourins martelant un rythme enjoué et plusieurs flûtes. Telleo m'a pris la main et, sans une hésitation, m'a fait traverser la foule jusqu'au bas de la scène. Je me suis retrouvé au milieu d'une foule de gens qui tapaient dans leurs mains en souriant. Ils se partageaient des boissons qui passaient de main en main. On m'a tendu une tasse et j'ai bu une gorgée de ce qui ressemblait à un mélange de soda et de bière. Je ne savais pas si c'était alcoolisé, mais je n'allais pas décevoir leur hospitalité.

J'ai vu quelques visages familiers. J'ai reconnu le garde baraqué qui m'avait arrêté et l'autre qui m'avait amené au tribunal. Maintenant qu'ils riaient et dansaient avec les autres, ils n'avaient plus l'air si effrayants. De l'autre côté de la scène, j'ai remarqué une petite estrade surélevée où se tenaient les trois membres du tribunal. Ils restaient immobiles, mais semblaient apprécier le spectacle autant que les autres. Les femmes claquaient des mains, Genj tapait du pied en rythme.

Il n'y avait pas un seul Jakill en vue, ce qui ne m'a pas vraiment étonné. S'ils n'aimaient pas le mode de vie de Rayne, pourquoi viendraient-ils faire la fête avec ses habitants ?

Et moi ? N'ayant aucun préjugé, rien ne m'empêchait de m'amuser. Je ne sais si c'était l'enthousiasme de la foule, cette boisson mousseuse ou la musique elle-même, mais tout d'un coup, je me suis senti plein d'énergie. Telleo s'est mise à danser. Elle a passé son bras sous le mien, et on s'est retrouvés à tournoyer au rythme des tambourins. Je ne connaissais rien aux danses traditionnelles d'Ibara (ni à celles de Seconde Terre, d'ailleurs), mais j'avais le sens du rythme. En un rien de temps, j'ai virevolté avec Telleo, puis avec de parfaits inconnus qui prenaient du bon temps. Tout comme moi.

Ce festival était une preuve supplémentaire de l'existence idyllique que vivaient les habitants de Rayne. Ces gens avaient tout ce qu'ils pouvaient désirer à portée de main. Leur société était idéale, et chacun contribuait au bien commun. Là, au milieu de tous ces fêtards, je me suis demandé si Siry n'était pas dans l'erreur. Ces gens ignoraient peut-être à quoi ressemblait le reste d'Ibara, mais ils étaient heureux. Ce n'était peut-être pas si terrible.

Puis je me suis souvenu des Utos.

Et de ceux qui disparaissaient mystérieusement.

Et des étrangers, que l'on exécutait.

Et de tous ces secrets.

Soudain, je n'avais plus envie de danser. Telleo a dû sentir mon revirement.

— Viens, a-t-elle dit. Tu as l'air épuisé.

C'était vrai, dans tous les sens du terme. Elle m'a pris la main et nous a fait traverser la foule en sens inverse.

— Je suis désolée, a-t-elle dit. Tu as besoin de repos. Je voulais juste que tu aies un aperçu de notre mode de vie.

— Tu as bien fait.

Si l'on veut. Alors qu'on reprenait le chemin de la cabane, j'ai compris à quel point j'étais partagé. Rayne semblait plutôt cool. Parfait même, pour la majorité de ses habitants. Je voulais qu'elle le reste, du moins pour eux. En volant un bateau pour explorer le reste d'Ibara, allait-on détruire leur rêve ?

Une fois de retour sur le seuil de sa cabane, Telleo m'a serré dans ses bras avec chaleur.

— Dors bien, Pendragon. Je t'apporterai à manger demain matin.

— Merci. Si je peux faire quoi que ce soit…

— Maintenant que tu le dis, il y a peut-être quelque chose. Demain, tu pourras me dire qui tu es vraiment. Enfin, si tu as retrouvé la mémoire.

Elle m'a décoché un sourire rusé, comme si elle n'avait jamais cru à mon histoire d'amnésie.

— Bonne nuit, ai-je dit.

— Bonne nuit.

Telleo est partie en courant vers le chemin menant à la montagne. Je l'ai regardée jusqu'à ce qu'elle disparaisse au milieu des palmiers et des lumières. J'aimais bien Telleo. Elle était intelligente, pleine de compassion et sans une once de cynisme. Peut-être qu'elle avait raison, que je ne devais pas me mêler des affaires de ce paradis. Malheureusement, cette idée en a entraîné une autre, bien plus dérangeante. Se mêler des affaires des autres était la spécialité de Saint Dane. Quel que soit le passé d'Ibara, quoi que lui réserve l'avenir, j'étais sûr que Saint Dane allait chercher à tout ruiner. Que je me range du côté du tribunal ou des Jakills, une chose était sûre : je devais savoir ce qu'il y avait au-delà de cette île.

Je me suis traîné à l'intérieur de la cabane et j'ai fait tomber mes sandales du bout des pieds, prêt à m'endormir comme une souche. J'ai dû rester à l'horizontale trente secondes avant de glisser dans les bras de Morphée.

Impossible de dire combien de temps je suis resté K.-O. Six heures ? Une heure ? Deux minutes ? Tout ce que je sais, c'est que j'avais à peine fermé les yeux que quelqu'un me secouait doucement pour me réveiller. Je n'ai ressenti ni peur, ni surprise. Mon corps était trop engourdi pour ça et mon cerveau ne valait guère mieux. J'avais déjà bien du mal à distinguer la personne qui troublait mon repos.

Une silhouette sombre était penchée sur moi. Je n'ai pas sursauté ni cherché à me défendre. Si cette personne me voulait du mal, je serais déjà mort. Soudain, j'ai réalisé que ces cabanes n'avaient pas de verrou. Je n'ai pas bougé. J'ai consacré toute mon énergie à m'éclaircir les esprits.

— Tu es réveillé ? a demandé une voix familière.

— Siry ? ai-je grommelé. Qu'est-ce…

J'ai tenté de m'asseoir, mais il a posé sa main sur ma bouche et m'a fait me recoucher.

— Prêt ? a-t-il chuchoté avant de retirer sa main.

— À quoi ?

— Il nous reste une heure avant l'aube. C'est le moment de mettre les voiles.

— Maintenant ? Cette nuit ?

— Tu as autre chose de prévu ? a-t-il demandé.

— Je croyais que tu voulais attendre que les Jakills soient guéris, ai-je balbutié.

Une voix venant de l'autre bout de la cabane a piaillé :

— Tu ne crois tout de même pas qu'un petit coup sur la tête parviendrait à nous stopper ?

J'ai regardé entre mes pieds pour voir qu'il y avait trois autres personnes dans la pièce. Le voleur blond nommé Loque, Twig, la fille agressive, et ce type au visage de fouine qui, maintenant, portait un pansement autour du crâne. Ce dernier s'est avancé et a frappé son front bandé du plat de la main.

— La douleur me permet de garder l'esprit vif.

225

Quel idiot.

– C'est ce que tu avais prévu dès le départ, hein ? ai-je dit en prenant conscience de la réalité. Tu as toujours eu l'intention de profiter du festival pour piquer un bateau…

Siry a haussé les épaules.

– La fête bat son plein. C'est le moment ou jamais.

– Tu aurais pu me le dire !

– Je n'avais pas confiance en toi, a répondu Siry. Et je n'ai toujours pas confiance. À toi de me faire changer d'avis.

Les quatre Jakills me regardaient. Ils étaient prêts à partir.

Tout comme moi.

Il était temps d'aller voler un bateau.

Journal n° 30
(suite)

IBARA

On s'est déplacés à toute allure dans le calme précédant l'aube. Dans le lointain, je pouvais entendre les bruits de la fête. Tout ceux qui ne dormaient pas étaient en train de danser. Tout le monde sauf les Jakills, bien sûr. Et moi. J'ai dû secouer les dernières bribes de sommeil pour suivre ces rebelles furtifs qui convergeaient rapidement vers leur cible.

Mais j'avais déjà des doutes. Si on échouait et qu'on se faisait arrêter, quelle forme de châtiment le tribunal infligerait-il aux Jakills ? Pour moi, tout était différent. J'étais un étranger. Si ce simple fait justifiait la peine de mort, je préférais ne pas penser au sort qu'ils réservaient à celui qui aurait tenté de faucher un de leurs beaux bateaux tout neufs. Avais-je commis une erreur ? Était-ce vraiment le meilleur moyen de lutter contre Saint Dane ? À présent, il était trop tard pour s'en inquiéter.

Tout le monde semblait connaître sa destination. Sauf moi, bien sûr. On a parcouru le rivage en silence pour s'enfoncer dans la jungle, empruntant un sentier à peine plus large que mes épaules. Les épais taillis m'ont griffé des deux côtés. Sans la lumière du ciel constellé d'étoiles, il aurait été impossible d'y voir. J'ai gardé les yeux braqués sur la silhouette du Jakill qui courait droit devant moi pour ne pas percuter un tronc d'arbre.

Ce chemin nous a fait contourner l'avancée rocheuse d'où j'avais découvert la flotte. Mais au lieu de grimper, on est restés au niveau de l'océan. Après vingt minutes de course effrénée, la silhouette devant moi a ralenti pour se mettre à marcher. On s'approchait de la plage. Comme un seul homme, les Jakills se sont arrêtés net et se sont accroupis. Celui qui se trouvait devant moi a tiré sur ma chemise et m'a fait signe de continuer. Je suis allé à l'avant de la file.

Siry m'y attendait. Il se tenait agenouillé à l'orée de la forêt et scrutait la plage rocailleuse avec une intensité que je ne lui connaissais pas. Il n'était plus le jeune rebelle trop sûr de lui. Il était redevenu le leader des Jakills. Ou peut-être avait-il peur. En tout cas, il ne plaisantait pas. Les vagues s'écrasant contre la pierre volcanique formaient un fond sonore qui couvrirait d'éventuels bruits.

– On sait tous manœuvrer un bateau, a-t-il dit doucement. Il nous suffit de monter à bord et il est à nous.

– Qu'est-ce que tu as prévu ?

Siry m'a fait signe de le suivre sur la plage, puis s'est tourné vers les autres pour leur dire de ne pas bouger. Il est parti en silence, restant tout près de la jungle. J'ai suivi le mouvement. On avait fait quelques mètres à peine lorsqu'il s'est arrêté et a tendu le doigt. Je l'ai suivi pour voir la première des cinq jetées, à une centaine de mètres de là. Un navire y était amarré, la proue pointée vers l'horizon. À la lumière des étoiles, il semblait être de couleur jaune.

– Chaque bateau est gardé par cinq hommes, a expliqué Siry. Trois sur la jetée, deux à bord. Avec toi, on est seize en tout. Dix d'entre nous gagnerons le bateau à la nage en employant leur sarbacane pour respirer sous l'eau.

– Comme des tubas.

– Des quoi ?

– Peu importe. Continue.

– Les dix nageurs seront munis de grappins pour pouvoir se hisser à bord. Je resterai avec le second groupe. Dès qu'on les verra monter sur le bateau, on se mettra en position près des jetées. Une fois que je serai sûr qu'ils sont tous à bord, on se servira des sarbacanes pour se débarrasser des gardes postés à terre et on abordera à notre tour. À partir de là, on sait tous ce qu'on doit faire. Tu n'as pas à t'inquiéter pour ça.

– De quoi je devrais m'inquiéter ?

— Tu feras partie des dix nageurs. Tu sais nager, j'imagine ?

— Et si je refuse ?

— On te laisse là.

— Bon, je sais nager.

— Une fois à bord, tu auras pour tâche de nous débarrasser des deux derniers gardes.

— M'en débarrasser ? Comment ?

— C'est le point faible de notre plan, a expliqué Siry. Une fois mouillées, les sarbacanes ne servent plus à rien. Il va falloir les affronter directement. Pas un seul d'entre nous ne peut espérer vaincre un garde, encore moins deux. Mais toi…

Ahhh, maintenant, je voyais où il voulait en venir. Ils voyaient en moi une sorte de guerrier rompu au combat. Sauf que je n'étais pas d'accord.

— Je ne suis pas si différent de vous autres, me suis-je empressé de dire.

Siry m'a jeté un regard incrédule.

— Comment feriez-vous si je n'étais pas là ? ai-je ajouté.

— Mais tu es là, non ? Tu as dit que tu voulais nous aider ? C'est le moment. Je ne sais pas d'où tu viens, ni ce que tu fais ici, mais c'est ce qui est écrit.

Je lui ai jeté un coup d'œil.

— Où as-tu entendu cette phrase ?

Il a haussé les épaules.

— Mon père la disait tout le temps.

Que pouvais-je répondre à ça ? Pourtant, je n'aimais pas être considéré comme une espèce de soldat. Loor m'avait appris à me défendre, mais ce n'était pas pour que je me « débarrasse » de gens qui ne m'avaient rien fait. Ça ne pouvait pas être écrit. N'est-ce pas ?

— Il faut agir vite et en silence, a continué Siry. Si les autres gardes soupçonnent quelque chose, ils accourront et tout ça finira mal.

— Et ce n'est pas ce qu'on veut ?

— Surtout pas. Ils nous prendraient pour des Utos.

— Et alors ?

— Alors ils nous tueraient.

Oh.

– C'est compris ? a-t-il demandé.

J'ai acquiescé. Il a fait signe aux autres de nous rejoindre, puis a passé la main dans le sac de toile qu'il portait dans son dos. Il en a tiré une de ces sarbacanes et un petit rouleau de corde avec un triple crochet à une extrémité. Il me les a donnés avec un regard noir.

– Ne nous trahis pas, Pendragon.

Les autres Jakills nous avaient rejoints. Ils se sont accroupis en bordure de la jungle. Siry s'est tourné vers eux et a murmuré :

– Une fois partis, on ne pourra plus revenir en arrière. On sera des criminels. Il est même possible qu'on ne puisse plus jamais remettre les pieds à Rayne. Si quelqu'un a des doutes, c'est le moment ou jamais.

Personne n'a répondu. Siry a souri.

– Au-delà de cet océan, il y a tout un monde qui n'attend que nous. Allons donc l'explorer.

Tout le monde a échangé des regards brillants d'excitation. Ils étaient prêts.

– Faites attention à vous, a repris Siry. Allons-y.

Personne ne l'a acclamé. Évidemment. Les Jakills se sont avancés rapidement et silencieusement en direction de la jetée. On m'a tiré par le bras. C'était le voleur blond, Loque.

– Tu viens avec moi, a-t-il déclaré sans ralentir.

J'ai jeté un coup d'œil à Siry, qui a acquiescé. J'ai donc suivi Loque. On était arrivé à mi-chemin lorsqu'il m'a désigné les flots. Aussitôt, il s'est séparé du groupe principal, suivi par huit autres Jakills. Ils se sont plaqués sur le sable et ont progresse en crabe vers l'océan. J'ai fait de même. Il restait encore une quarantaine de mètres à parcourir avant d'atteindre les vagues. Je me sentais en pleine forme. Les piqûres d'abeilles ne m'handica-paient plus et j'avais repris des forces. Décidément, un bon repas et un brin de repos peuvent faire des merveilles. Pour tout arranger, l'adrénaline coulait à flots dans mes veines. On s'est tous accroupis derrière une poignée de rochers à quelques mètres des vagues qui venaient s'écraser sur le rivage. On a regardé le bateau. Rien ne bougeait. Pas de sirène d'alarme. Jusque-là, tout allait bien.

– Et maintenant ? ai-je demandé à Loque.

– Maintenant, on nage, a-t-il répondu. Attends le reflux. Dépêche-toi d'entrer dans l'eau et éloigne-toi du rivage.

Ben voyons. Les vagues n'étaient pas si grandes que ça, mais elles s'écrasaient directement sur les rochers jonchant le rivage. Si on ne minutait pas précisément notre coup, on serait rejetés sur ces pierres, avec les conséquences qu'on imagine. Tout le monde avait mis sa sarbacane entre ses dents et sa corde autour de sa taille. Je les ai imités. Ils avaient répété toute l'opération. J'aurais bien aimé pouvoir en dire autant. Loque s'est rapproché de l'océan et a parcouru des yeux les vagues. Trois d'entre elles se sont écrasées sur les rochers en succession rapide.

– Allez ! a-t-il dit dans un souffle étranglé.

On a parcouru les derniers mètres à toute allure pour plonger dans l'eau. J'ai crawlé comme un possédé pour m'éloigner du rivage avant l'arrivée de la prochaine vague. Tout autour de moi, je ne voyais qu'une masse de bras et de jambes en train de s'agiter. À un moment donné, je me suis pris un ou deux coups sur la tête, mais ce n'était pas le moment de m'arrêter pour me plaindre. Quelques secondes plus tard, on était hors de danger.

Sans se concerter, tout le monde a nagé en douceur vers le bateau. On faisait le moins de bruit possible : le silence comptait plus que la vitesse. Alors qu'on approchait de notre but, je me suis demandé comment j'avais pu me laisser embringuer dans cette espèce de mission commando. Je me retrouvais en compagnie d'une bande de gamins pas plus âgés que moi prêts à pirater un navire pour partir en quête de quelque chose qui n'existait peut-être que dans leur imagination. On était sur le point de devenir des traîtres, des criminels. Dingue, non ? Je pouvais juste me raccrocher au fait que Siry était un Voyageur, que ça lui plaise ou non. Quoi qu'il puisse se passer sur Ibara, il aurait un rôle à y jouer. Je devais croire que son ardent désir d'apprendre la vérité était justifié. Mais j'aurais préféré ne pas avoir à en passer par une aventure aussi périlleuse pour satisfaire sa curiosité.

Une fois à une vingtaine de mètres du bateau, les Jakills ont retiré les sarbacanes qu'ils serraient entre leurs dents pour les porter à leurs bouches. Le tout sans le moindre ordre ou signal.

Pas de doute, ils s'étaient exercés. J'ai suivi le mouvement. Ça ne valait pas un bon vieux tuba, mais elles nous ont permis de nager sous l'eau. Tant mieux : j'ai vu les deux gardes patrouiller sur le pont. J'imagine qu'ils ne nous ont pas vus, parce qu'ils n'ont pas réagi. Ils n'avaient vraiment pas l'air de s'inquiéter. Pourquoi l'auraient-ils fait ? Jusqu'à cette nuit, personne n'avait encore attaqué un bateau.

Cinq des nageurs se sont détachés du groupe pour partir vers la proue. J'ai jeté un regard interrogateur à Loque. Il a retiré le tube de sa bouche et m'a chuchoté :

— Cinq d'un côté, cinq de l'autre. À mon signal, nage vers le bateau et attends. Je reste là pour surveiller les gardes. Quand la voie sera libre, je donnerai le signal pour jeter les grappins. Monte à bord le plus vite possible. Une fois sur le pont...

— Oui, je sais. Je nous débarrasse des gardes.

— Regarde, a-t-il repris en désignant le bateau. Ils font toujours le même trajet. De la proue à la poupe, puis en sens inverse. Dès qu'ils auront quitté la poupe, je te ferai signe. Le temps qu'ils atteignent l'autre côté, tu pourras escalader la coque.

Je me suis tourné vers le vaisseau pour voir exactement ce que Loque m'avait décrit. Les deux gardes se dirigeaient vers la proue. Ils n'avaient pas l'air pressés. Peut-être s'ennuyaient-ils. Ça n'allait pas durer. Quand ils ont atteint la proue et se sont retournés, Loque m'a donné le signal.

— Vas-y, a-t-il murmuré.

Quatre d'entre nous sont partis vers le bateau. On l'a atteint en un rien de temps et on est restés là, à faire du surplace. Comme les vagues n'étaient pas très hautes, on ne risquait pas d'aller s'écraser contre la coque. J'ai regardé au-dessus de moi pour estimer que le pont devait s'élever à dix mètres de haut. Ça ne serait pas facile d'y arriver. J'ai suivi l'exemple des autres, qui ont serré le tube entre leurs dents pour dérouler les cordes enroulées autour de leurs tailles. On s'est réparti le long de la coque afin de ne pas emmêler nos grappins. À entendre Siry, ça semblait facile, mais alors qu'on flottait là, je n'étais pas sûr de pouvoir lancer le mien assez haut pour qu'il s'accroche au pont. Pourquoi avais-je accepté cette mission ?

Je suis resté le dos à la coque en attendant le signal de Loque. On aurait dit une bulle flottant à la surface. Pourvu que je puisse reconnaître son signal le moment venu ! Je l'avoue, j'étais sur les nerfs. Ça devait faire cinq bonnes minutes qu'on était là, et l'attente me rendait nerveux.

Finalement, la bulle noire a fait un geste. Était-ce le signal ? J'ai regardé autour de moi. Les Jakills jetaient déjà leurs grappins. C'était le moment. J'ai empoigné le mien, pris autant d'élan que possible et je l'ai lancé. Il est allé jusqu'à mi-chemin, puis a décrit un arc de cercle avant de retomber. J'ai dû me protéger la tête pour éviter de me faire assommer par le crochet. Pitoyable. J'ai réessayé. Tout en battant des pieds pour ne pas couler, j'ai pris la corde de ma main gauche en laissant pendre le crochet au bout de la droite. Je l'ai fait tournoyer comme un lasso avant de le lancer. Cette fois, il a heurté la coque avec un bruit sourd avant de retomber.

Les trois Jakills avaient déjà accroché les leurs et se hissaient hors de l'eau. J'avais l'impression d'être le dernier des crétins, mais bon, je ne m'étais pas entraîné à ça, moi ! J'allais réessayer quand j'ai senti qu'on me prenait la corde des mains. C'était Loque. Il a pris un peu de recul et l'a balancée. Le crochet est parti tout droit pour finir sur la coque. Il a tiré un coup sec pour qu'il se plante dans le bois, puis une seconde fois pour vérifier qu'il était bien fixé. Alors seulement il m'a tendu la corde. Je n'ai pas pris le temps de le remercier. On était déjà en retard.

Les autres Jakills étaient déjà à mi-chemin. Avais-je le temps de les rattraper avant que les gardes ne reviennent ? Mais ce n'était pas le moment d'avoir des doutes. J'ai serré la corde, posé mes pieds contre la coque et je me suis mis à grimper en imitant la façon de faire des autres Jakills. J'ai marché sur le bois tout en montant à la corde, une main après l'autre. Il y avait des nœuds à intervalle régulier, ce qui facilitait la tâche. Tout d'abord, la pression de l'eau m'a ralenti, mais une fois sorti de l'océan ç'a été plus facile. J'ai progressé vers le pont en serrant la sarbacane entre mes dents comme un pirate de cinéma.

J'ai vite compris que je n'aurais aucun mal à arriver à destination, et mon esprit a aussitôt anticipé. Je devais nous débarrasser des gardes patrouillant sur le pont. Mais comment ? Pas en les assommant avec mon tuba improvisé. Ce serait – comment dire ?... Barbare. Affronter quelqu'un n'a rien à voir avec ce qu'on voit dans les films. Il ne suffit pas d'un direct bien placé pour mettre K.-O. son adversaire. Frapper quelqu'un fait mal. À ceux qui donnent les coups comme à ceux qui les reçoivent. Que faire ? Alors que j'atteignais le pont, je me suis dit que mon meilleur espoir était encore de récupérer la corde, puis de les prendre un par un et de les ligoter. Il devait bien y avoir un endroit où les cacher. Je ne savais pas pourquoi Siry me croyait capable d'y arriver ; moi-même, je n'en étais pas si convaincu.

Les autres Jakills sont restés suspendus à trente centimètres au-dessous du niveau du pont. Je me suis demandé pourquoi ils n'abordaient pas. Peut-être m'attendaient-ils ?

Mais non. L'un d'entre eux m'a fait un signe. Stop ! Il a tendu le doigt vers le haut. Je ne comprenais que trop ce qu'il voulait dire. Les gardes étaient de retour. Le temps que j'avais perdu en escaladant la coque nous avait coûté cher. Pas grave : il suffisait d'attendre qu'ils atteignent la proue et fassent à nouveau demi-tour. L'ennui, c'est qu'on ne pouvait pas voir le pont, et donc qu'on n'avait aucun moyen de savoir quand la voie serait libre.

Loque est venu se positionner à côté de moi. Sans lâcher sa corde, il m'a fait signe d'attendre. Il s'est hissé lentement pour jeter un coup d'œil prudent par-dessus la rambarde. C'était risqué : les gardes étaient peut-être encore là. Je ne peux pas parler pour les autres, mais moi, j'ai retenu mon souffle.

Je ne savais pas depuis combien de temps on était suspendus comme ça, mais mes bras commençaient à fatiguer. Ce n'était pas l'idéal si je devais me battre. Finalement, Loque m'a fait signe – et à moi seul – de monter sur le pont. Nous y voilà. Je n'avais pas le temps de douter ou de concocter une nouvelle stratégie. Le spectacle allait commencer, et j'étais le premier à entrer en scène. J'ai gravi le peu de distance qui restait pour monter à bord. J'ai aussitôt roulé sur moi-même vers la rambarde dans l'espoir d'être moins visible.

Le pont était désert. Pas de garde, pas d'alarme, rien qui puisse dénoncer un commando de loqueteux prêts à s'emparer du bateau.

Ce dernier avait beau être neuf, il me semblait venir tout droit du passé. Le pont était fait de longues planches et il y avait une grande structure de bois à la proue, une autre à la poupe. Il y avait aussi deux mâts plutôt larges supportant des voiles repliées autour d'une barre centrale avec une autre plus petite au sommet de chaque mât. Il y avait des cordes de marine partout, formant un réseau complexe. Pourvu que Siry ait raison lorsqu'il disait que les Jakills pouvaient faire avancer ce machin, parce qu'il ne faudrait pas compter sur moi.

Les seuls bruits étaient le grondement des vagues et les craquements du vaisseau tirant sur ses amarres. Un bref instant, j'ai eu l'impression de me retrouver dans un autre monde, sur un ancien navire pirate. Plus étrange encore, c'était moi le pirate.

En regardant de l'autre côté de la rambarde, j'ai vu les neuf autres navires à quai. Ils étaient tout aussi silencieux. Tout aussi déserts. J'ai repris confiance en moi. Le retard que je nous avais imposé avait peut-être servi notre mission. J'avais donné aux gardes l'occasion de faire un autre tour vers la poupe. Si Siry et les autres les avaient attaqués silencieusement avec leurs sarbacanes, ils les avaient peut-être éliminés, et tout serait déjà terminé. Soudain, toute l'opération m'a semblé bien facile. J'étais si confiant que je me suis levé et penché par-dessus la rambarde pour regarder les autres Jakills.

– La voie est libre, ai-je murmuré – juste avant de me faire empoigner par derrière.

– Ahhhh ! a crié le garde alors qu'il s'emparait de moi pour me jeter sur le pont.

D'où sortait-il ? Il devait nous avoir entendu monter à bord et s'être caché dans la cabine de bois de la proue. C'était le seul endroit d'où il pouvait avoir jailli aussi vite. Mais peu importe : fini l'effet de surprise. Ce type m'avait sauté dessus comme un diable sortant de sa boîte. La bataille avait commencé.

Je suis tombé sur le dos pour voir que mes assaillants étaient en fait deux. Le second m'attendait, et je ne l'ai pas déçu en atterrissant à ses pieds. Il a ramené sa jambe en arrière pour me donner un coup de pied, mais je me suis reculé. Les deux gardes sont partis à l'assaut. Ils étaient plus baraqués que moi, mais j'étais plus agile. Et plus expérimenté. Ils ont foncé sur moi comme des taureaux. Je me suis relevé d'un bond et les ai évités sans problème.

Ils n'ont pas renoncé pour autant. L'un d'entre eux m'a foncé dessus. Je l'ai évité, mais pas le second garde, qui le suivait de près. Il m'a entraîné en arrière. Mon dos a percuté la cabine de bois. En même temps, il a cherché à prendre sa propre sarbacane pour me la planter dans les reins. J'ai bloqué le coup de mon bras droit, puis décoché un coup de poing, visant sa joue. Il n'a rien vu venir. Je crois que ces types n'avaient jamais eu à se mesurer à quelqu'un comme moi. J'avais reçu l'enseignement des meilleurs professeurs et affronté des combattants aguerris. Ces deux gardes étaient peut-être grands et imposants, mais ils n'avaient pas l'ombre d'une chance. Ça, c'était la bonne nouvelle.

La mauvaise, c'est qu'ils ne tarderaient pas à recevoir des renforts.

Une sirène a beuglé, vrillant l'air paisible de la nuit. De grands projecteurs se sont allumés, baignant les bateaux d'une clarté blanche. Au temps pour l'effet de surprise. Il ne s'agissait plus de se débarrasser d'une poignée de gardes. Toutes les forces de sécurité gardant ces bateaux allaient nous tomber dessus.

Du coin de l'œil, j'ai vu les autres Jakills se hisser sur le pont. J'ai cru qu'ils allaient me venir en aide, mais non : ils ont foncé vers la cabine et ont sauté à l'intérieur. Les autres se sont alignés du côté de la jetée pour larguer les amarres. Ils étaient chargés de faire partir le bateau. Les gardes, c'était mon problème.

Il faudrait jouer contre la montre. On devait prendre la mer avant que les renforts ne débarquent. Tout ce que je pouvais faire, c'était occuper les gardes le temps que les Jakills fassent ce qu'ils avaient à faire. Le premier avait bien du mal à se remettre de mon coup de poing. Le second s'est emparé de moi par derrière en une prise de catch. Je me suis courbé en avant, le soulevant de terre, et l'ai envoyé percuter le mât. Il a à peine grogné. Je me suis accroupi le plus bas possible, puis j'ai levé les deux bras avec un maximum de force pour me libérer. Ensuite, j'ai plongé et pivoté vers l'arrière en un ciseau impeccable pour lui faucher les jambes. Il est tombé comme un arbre abattu.

Le premier garde avait repris ses esprits. Il m'a balancé un crochet. Je l'ai paré. Puis un direct. Je l'ai paré également. Il commençait à fatiguer. J'ai aussitôt vu une ouverture. Ma chance de m'en débarrasser. Je l'ai saisie. Il a encore tenté de me frapper. Je l'ai évité, mais il s'est laissé emporter par son élan. Parfait. Je lui ai décoché un coup de pied chassé qui a cogné sa nuque. Il a titubé vers la rambarde. J'aurais pu l'empêcher de tomber, mais je ne l'ai pas fait. Au contraire, je l'ai poussé par derrière, l'envoyant par-dessus bord. Un homme à la mer.

Un de moins.

Tout le bateau s'est mis à vibrer. On avait mis en marche ses moteurs. Je ne savais même pas qu'il en avait, et encore moins à quoi ils fonctionnaient. Mais les Jakills les avaient démarrés.

J'ai entendu des cris en provenance du rivage. À quelques centaines de mètres de là, un groupe d'hommes de la sécurité cavalait vers les jetées. S'ils les atteignaient avant qu'on ait pu prendre assez d'avance, on était fichus.

Le second garde m'attendait de pied ferme. Il avait retenu la leçon. Il ne s'est pas jeté sur moi. Il est resté planté là, les genoux fléchis, les poings serrés, prêt au combat. Pas bon signe. S'il se contrôlait davantage, il serait plus efficace et c'est moi qui risquais de rejoindre son collègue à la flotte. J'ai cherché un avantage et l'ai trouvé. Je me tenais contre la rambarde, et les grappins des Jakills étaient encore plantés dans le bois. J'ai tourné le dos au garde. Apparemment, il n'a su qu'en penser, parce qu'il a hésité. C'était tout ce dont j'avais besoin. J'ai pris une des cordes. Quand je l'ai senti passer à l'assaut, je me suis retourné d'un bond et l'ai lancée comme un fouet. La corde lui a giflé le bras, lui faisant pousser un cri de surprise. Il n'avait sans doute pas idée de ce qui l'avait frappé. J'en ai profité pour arracher le grappin fiché dans le bois.

J'avais une nouvelle arme : une corde avec trois pointes acérées en son extrémité. Je l'ai prise de la main gauche, le grappin de la droite et l'ai faite tournoyer afin d'intimider le garde. Il a ouvert de grands yeux. Il n'avait aucune envie de se faire écharper. Ça ne durerait pas. Le grappin ne servirait qu'à le tenir à distance. S'il chargeait, qu'allais-je faire ? Le lui jeter ? J'avais une chance de l'égratigner, mais guère plus. Pourvu qu'il ne comprenne pas que c'était une arme inutile. J'avais besoin de gagner du temps. Le temps que les Jakills guident ce rafiot vers le large.

Le bateau s'est ébranlé. On était partis ! Mais serait-on assez rapides ? Mon cœur s'est emballé. Tout comme le garde. Il a dû comprendre qu'il était temps de passer à l'action. Il m'a sauté dessus. J'ai reculé pour projeter mon grappin. Soudain, il s'est arrêté net, bouche bée. Qu'est-ce que... ? Il est alors tombé à genoux, puis s'est effondré la tête la première sur le pont avec un bruit mou. Et il n'a plus bougé. J'ai levé les yeux. Siry se tenait derrière lui, sa sarbacane pressée contre ses lèvres. Un petit dard vert était planté dans le dos du garde.

— Excitant, non ? a dit Siry, plutôt content de lui.

Tout ça avait l'air de l'amuser énormément. Lui et les Jakills avaient soif d'aventure. Ils étaient servis.

— Est-ce qu'on va s'en sortir ? ai-je demandé.

— On le saura bien assez tôt, a-t-il répondu en passant sa sarbacane à sa ceinture. Aide-moi.

Il s'est penché pour ramasser le garde inconscient. Il l'a pris par les jambes, moi par les épaules. On l'a soulevé tant bien que mal pour le mener près de la rambarde du côté de la jetée.

— Passe-le par-dessus, a ordonné Siry.

Il a laissé tomber les jambes du garde par-dessus la rambarde. Je l'ai fait descendre un maximum avant de le lâcher. Il s'est affalé sur la jetée comme une poupée de chiffon.

— J'espère qu'on ne lui a pas fait trop de mal, ai-je dit.

— C'est toujours mieux que le noyer, a répondu Siry.

La fouine a couru vers nous et a désigné le rivage.

— Ils arrivent ! a-t-il crié.

En effet, la meute des gardes était arrivée sur la jetée et courait vers nous.

— Il faudrait peut-être se magner un peu, ai-je dit à Siry.

Il s'est précipité vers la barre du bateau. C'était une énorme roue juste devant le mât de derrière.

— Plein gaz ! a-t-il hurlé.

J'ai entendu les moteurs vrombir et ressenti les vibrations. On s'est lentement éloignés de la jetée. Les brutes de la sécurité ont hurlé et accéléré leur allure. Il s'en faudrait de peu. Le bateau bougeait, mais bien trop lentement. Tout se jouerait à quelques secondes près...

— Poussez ! a ordonné Siry.

J'ai regardé la rambarde pour voir plusieurs mains émerger des sabords juste au-dessus du niveau de la mer. Chacune était munie d'une longue perche de bois qu'ils ont employée pour écarter le bateau de la jetée. On n'avait pas à aller bien loin, juste assez pour qu'ils ne puissent pas sauter à bord. Soudain, j'ai réalisé que Siry avait vraiment tout prévu, jusqu'à ce dernier détail.

Les gardes ont foncé le long de la jetée jusqu'à la poupe du navire, mais en vain. L'un d'entre eux a fait une tentative désespérée, mais ses mains ont à peine effleuré la rambarde avant qu'il ne tombe à la flotte.

Et nous étions partis. Les moteurs ont tourné à plein régime et, en un rien de temps, nous ont emmenés hors d'atteinte. Je n'arrivais pas à y croire. On avait réussi ! Un groupe d'adolescents avait réussi à piquer un bateau. Je n'avais jamais pris le temps de me demander si cette opération était réalisable. Et c'était peut-être aussi bien, puisque c'était fait. J'ai regardé la jetée pour voir une douzaine de gardes de sécurité plantés là, impuissants, regardant partir leur bateau tout neuf.

Les Jakills ont couru sur le pont pour s'étreindre et pousser des cris de joie. Ça devait faire longtemps qu'ils avaient planifié leur opération et attendaient ce moment.

Loque est venu me serrer la main.

— Un instant, je me suis fait du souci, a-t-il dit.

— Pas tant que moi.

— Je suis content de t'avoir à bord, Pendragon, a-t-il fait sincèrement.

On était en chemin, mais pour où ? Siry nous a fait longer la côte en direction de l'embouchure de la baie menant au village de Rayne. Tout au loin sur l'océan, le soleil se levait. C'était un spectacle magnifique. Il marquait le début d'un nouveau chapitre dans l'histoire d'Ibara. Un moment exceptionnel.

Qui n'a pas duré.

Boum ! Par pur réflexe, je me suis aplati sur le pont. Mais pas les Jakills. L'instant d'après, quelque chose a sifflé au-dessus de nos têtes. Les Jakills sont restés plantés là sans comprendre.

— Baissez-vous ! ai-je crié. Ils nous tirent dessus !

— Quoi ? a répondu Siry. Qu'est-ce que tu veux dire ? C'était quoi, ce bruit ?

Boum ! Encore une détonation. Personne n'a bougé. Moi, je me suis couvert la tête. Un autre sifflement a vrillé l'air alors que quelque chose passait au-dessus du bateau.

— À plat ventre ! ai-je crié.

J'ai compris que Siry ne comprenait vraiment pas ce qui se passait. Les visages des Jakills ne reflétaient que leur étonnement. Ils n'avaient jamais entendu parler de canons capables de lancer des boulets, ou quoi qu'on puisse nous balancer ! Ils n'avaient donc aucune raison de s'inquiéter – jusqu'à ce qu'on se prenne un de ces projectiles de plein fouet.

— Qu'est-ce qui se passe ? a demandé Loque.

— Je ne sais pas ! ai-je répondu. Mais s'ils nous touchent, on va couler !

— Je ne comprends pas ! a lancé Siry.

— Ils cherchent à nous envoyer par le fond ! lui ai-je crié. Écarte-toi du rivage ! Il faut qu'on se mette hors de leur portée !

— Non ! a rétorqué Siry. Rayne n'a pas d'armes aussi puissantes !

Boum !

— Et ça, c'est quoi ? ai-je lancé avant de me couvrir à nouveau la tête.

Le projectile a percuté la surface des flots si près qu'il nous a éclaboussés.

— Comment peuvent-ils faire ça ? a piaillé la fouine.

— Regardez ! a fait Twig, très calme.

Elle désignait un point sur l'océan. On est tous allés se tenir au bastingage pour voir ce qu'elle nous montrait.

C'était un autre bateau. À une centaine de mètres de notre proue. Et bien parti pour nous rentrer dedans.

— Qu'est-ce que c'est ? ai-je demandé.

— Je ne sais pas, a répondu Siry. Il n'est pas de Rayne.

Boum ! Encore une détonation. Cette fois, j'ai pu localiser sa source. Le mystérieux voilier a craché un panache de fumée. Quoi qu'il puisse être, il avait des canons et il nous tirait dessus. Un autre projectile a heurté la mer à quelques mètres de la proue dans un grand éclaboussement.

— Qu'est-ce que c'est que ça ? a demandé Loque, stupéfait.

— D'après moi, a répondu Siry, c'est notre premier contact avec le monde extérieur.

Siry avait tout planifié avec soin, mais il n'avait pas prévu de se faire attaquer par un mystérieux vaisseau équipé d'armes telles qu'il n'en avait encore jamais vu.

Et la journée ne faisait que commencer.

Journal n° 30
(suite)

IBARA

Ce vaisseau inconnu nous attaquait. Les premiers obus étaient passés bien près de notre bateau pirate. J'ignorais s'il était solide, mais je doutais qu'il tienne le coup bien longtemps. Je ne m'y connais pas en batailles navales, mais aussi robuste que soit ce navire, ce n'était pas un cuirassé blindé de partout.

J'ai couru vers la proue pour mieux voir notre adversaire. Mais j'étais face au soleil levant et ses rayons éblouissants m'empêchaient de distinguer les contours de l'autre bateau – sa silhouette noire évoquait un vaisseau fantôme. J'ai juste pu voir qu'il était plus petit que le nôtre, plus bas, avec une proue plus pointue. Pas de mâts ni de voiles : il devait être plus moderne que notre voilier.

Boum ! Un nuage de fumée a fleuri sur le pont de l'attaquant. Je me suis jeté à terre et me suis protégé la tête, mais c'était inutile : l'obus a sifflé au-dessus du pont pour s'abîmer dans l'océan avec un grand *plouf.* Curieusement, il semblait plus éloigné que les précédents. Soit les tireurs avaient eu de la chance les premières fois, soit ce n'était pas nous qu'ils visaient.

J'ai jeté un coup d'œil par-dessus le bastingage. Siry est venu se poster à mes côtés. Il a brandi une longue-vue à l'ancienne grâce à laquelle il a scruté le bateau ennemi.

– Tu es sûr qu'il ne vient pas de Rayne ? ai-je demandé.

– Je n'ai jamais rien vu de tel, a-t-il répondu, plus curieux qu'effrayé. Il nous envoie des projectiles.

Des projectiles. *Oh, misère.* Je ne comprenais toujours rien à ce monde. Les gens de Rayne avaient l'électricité et l'eau courante,

242

et pourtant, ils semblaient tout ignorer des armes modernes. Or, de toute évidence, il y avait sur Ibara une autre civilisation qui les connaissait très bien. Et qui s'en servait pour nous canarder.

Ils ont tiré une fois de plus. Je me suis planqué, mais c'était inutile. Le point d'impact était encore plus éloigné du bateau.

— Je ne crois pas que ce soit nous qu'ils prennent pour cible, ai-je conclu.

— Alors qu'est-ce qu'ils visent ? a demandé Siry.

J'ai regardé le rivage sur notre droite. On avançait parallèlement à la plage vers l'embouchure de la baie. Je crois que je l'ai déjà précisé, mais celle-ci fait environ deux cents mètres de large. Il y a deux promontoires rocheux entre lesquels s'ouvre l'étendue verte abritant le village de Rayne.

Siry a froncé les sourcils.

— Quoi ? ai-je demandé.

Il a levé sa longue-vue pour examiner à nouveau le bateau ennemi.

— Des Utos, a-t-il grogné. Ce n'est pas nous leur cible. Ils se dirigent vers Rayne.

Il m'a tendu sa longue-vue. Comme on avait changé de position, le navire agresseur n'était plus dans l'ombre. Il faisait une trentaine de mètres de long avec une cabine plate. Il avait l'air bâti pour l'attaque. Il avait été gris, mais la peinture se décollait, dévoilant des pans gangrenés de rouille. J'ai même aperçu des traces de matricules militaires effacées. On aurait dit un navire échappé d'un vieux film sur la Seconde Guerre mondiale. En tout cas, ce bateau avait connu des jours meilleurs : à présent, il était troué et rapiécé de partout. C'était un miracle qu'il puisse encore flotter. Mais le canon planté à sa proue, lui, était bien plus récent, et il fonctionnait à merveille.

Il y avait cinq personnes sur le pont. A priori tous des hommes, mais je ne pouvais pas en être sûr. Deux s'occupaient du canon, trois autres dirigeaient le vaisseau depuis la poupe. Tous portaient des haillons et des cheveux longs. Des Utos. Quand je disais que notre bateau à nous évoquait un vaisseau pirate, je parlais de ceux qu'on voit au cinéma – une version idéalisée, des pirates de fiction, comme chez Disney. Mais ces Utos, eux, n'allaient pas se mettre à chanter : « Yo-ho-ho et une bouteille de rhum. » C'était une bande de hors-la-loi sans scrupules sur un bateau qui n'avait rien de romantique.

— Ils cherchent à nous faire peur, a dit Siry sans les quitter des yeux. Ce qu'ils veulent, c'est atteindre la baie.

D'autres Jakills nous ont rejoint.

— Que font-ils ? a demandé nerveusement Twig.

— Ils se dirigent vers Rayne, a répondu Siry.

— Ils pourraient faire pas mal de dégâts avec cette arme, a ajouté Loque.

Tout le monde est resté là, à regarder le vaisseau avec des yeux de merlan frit. Il se trouvait à une centaine de mètres de là et allait nous dépasser. Siry avait raison. Ces obus étaient des coups de semonce destinés à nous tenir à distance. Leur véritable cible était le village.

Siry s'est retourné pour faire face à son groupe de rebelles. Il les a scrutés du regard comme il l'avait fait avant le début de leur mission.

— Qu'est-ce que vous en dites ? a-t-il demandé.

Je ne voyais pas où il voulait en venir. Mais j'étais bien le seul. Les autres Jakills avaient compris.

— Nos familles sont à Rayne, a dit Twig d'une petite voix tremblante.

— On n'a pas le choix, a ajouté la fouine.

— Quelqu'un n'est pas d'accord ? a demandé Siry.

Personne n'a réagi. Comme je n'y comprenais rien, j'ai fait de même. De toute façon, je n'avais probablement pas voix au chapitre.

— Si on les attaque, a déclaré Loque, notre quête sera terminée avant même d'avoir commencée. On n'aura peut-être jamais d'autre occasion de partir voir le monde.

— Si on ne fait rien, a repris Siry, on ne pourra plus jamais se regarder dans la glace.

— C'est vrai, a acquiescé Loque.

J'ai senti un courant d'excitation traverser le groupe. De quoi parlaient-ils ?

Siry a eu un sourire.

— On voulait vivre une aventure. Nous voilà servis.

244

Tout le monde l'a acclamé. Siry a couru vers la barre en aboyant des ordres :

– Machinistes, aux soutes. Larguez les voiles. En avant toute !

Tous ont gagné leurs postes prédéterminés. Je suis resté planté là comme un crétin. Ai-je déjà dit que je ne comprenais rien à Ibara ? Comme je ne savais pas quoi faire, j'ai suivi Siry et je l'ai regardé prendre position derrière son espèce de volant.

– Qu'allez-vous faire ? ai-je demandé.

– Arrêter les Utos.

– Comment ? Mais vous n'avez pas d'armes. D'ailleurs, vous ne savez même pas ce que c'est !

La grande voile s'est dépliée dans un claquement sonore. Notre petit bateau a bondi.

– Je te l'ai dit, Pendragon, a repris fièrement Siry. On a piloté des bateaux toute notre vie !

– Mais vous n'avez pas d'armes ! ai-je répété.

Siry m'a adressé un sourire malicieux.

– Et celle qui se trouve sous tes pieds ?

Hein ? J'ai mis quelques secondes à comprendre ce qu'il voulait dire. Et je l'ai aussitôt regretté.

– Tu veux leur rentrer dedans ? ai-je hoqueté.

– Nos moteurs ne sont pas très puissants, a-t-il répondu, mais le vent est avec nous. On peut rattraper ce petit monstre gris et le couper en deux.

– Et s'ils rendent coup pour coup ? Et cette fois-ci, s'ils cherchent vraiment à nous couler ?

– On coulera de toute façon, a-t-il répondu. Mais on ne peut pas laisser ces Utos pénétrer dans la baie.

J'aurais bien voulu poursuivre le débat, mais je me suis rendu à ses arguments. Les gens de Rayne étaient impuissants. Nous étions les seuls qui aient une chance d'arrêter ces envahisseurs. Bien sûr, j'aurais préféré ne pas être mêlé à cette attaque kamikaze. Mais je ne pouvais plus rien faire, sinon baisser la tête et espérer que tout ça ne se termine pas trop mal.

Siry et les Jakills n'arrêtaient pas de me surprendre. C'était une bande de rebelles hostiles à toute autorité et qui n'avaient pas hésité à voler un bateau. Mais ce n'était pas que des casse-cou en mal d'aventure. Ils voulaient vraiment apprendre la vérité sur leur monde, quitte à devenir des hors-la-loi en exil. Et maintenant, ils abandonnaient leur rêve pour sauver leur village. Au mieux, ils stopperaient les Utos, mais perdraient leur bateau et ne retourneraient à Rayne que pour se faire arrêter. Et s'ils échouaient, eh bien… je préférais ne pas y penser. Quoi qu'il arrive, ils ne pourraient plus explorer Ibara. Et ils n'avaient même pas eu à en discuter. Tout le monde était d'accord.

En regardant ces jeunes marins mener à bien leur mission-suicide, j'ai compris quelque chose d'important. Quelle que soit l'issue de cette bataille, quoi que deviennent les Jakills, c'était leur volonté et leur curiosité qui mènerait Ibara à son moment de vérité et l'ouvrirait vers l'avenir. Je ne saurais pas décrire autrement le respect et l'admiration que m'inspirait cette bande de gamins. C'est alors que j'ai eu la certitude d'avoir pris la bonne décision. J'étais content d'être avec les Jakills.

Les voiles nous donnaient de la vitesse. La distance qui nous séparait de notre cible diminuait à vue d'œil. Heureusement, les Utos n'ont pas accéléré. Alors qu'on s'approchait de leur bateau, j'ai entendu la pulsation sourde de ses machines. À en juger par ses ratés et ses hoquets, le moteur était aussi décrépit que la coque. S'ils avaient pu mettre plein gaz pour nous échapper, ils l'auraient fait. J'ai tenté d'estimer à quel moment nos trajectoires se croiseraient. Nous devions les percuter juste avant qu'ils n'entrent dans la baie. Ils n'avaient qu'un seul moyen de nous échapper : chercher à nous couler.

Et c'est exactement ce qu'ils ont fait.

Boum !

L'obus est passé si près que j'ai senti son souffle. Ils ne voulaient plus nous tenir à distance. Ils nous prenaient pour cible !

– Vite, les amis, a ordonné Siry. Aux voiles !

Plusieurs Jakills ont obéi et tiré sur les cordes pour changer l'orientation des voiles. Pas de doute, ils connaissaient leur affaire. Je ne pouvais même pas les aider.

Boum ! Un autre obus a égratigné l'une des barres du mât de devant. Ils visaient de mieux en mieux. Heureusement qu'ils n'avaient qu'un seul canon et devaient le recharger à la main, ce qui prenait un certain temps. J'ai calculé qu'il leur restait encore deux coups à tirer avant qu'on ne leur rentre dedans. Bien sûr, puisqu'on se rapprochait, le second serait pratiquement à bout portant. Notre seul espoir était de rester à flot assez longtemps pour les percuter.

Boum ! Ce coup-ci a touché sa cible. J'ai couru vers la proue pour évaluer les dégâts. Le projectile avait frappé la grande poutre centrale – l'étrave, je crois – pour y laisser une vilaine cicatrice. Un peu plus et il fracassait la coque en bois. On était saufs. Pour l'instant.

On a fendu les vagues. Maintenant, on était assez près pour que je puisse voir les visages des Utos. Ils n'avaient même pas l'air inquiets. On n'aurait jamais dit qu'un bateau deux fois plus grand que le leur s'apprêtait à les éperonner. Ils s'affairaient, le visage dépourvu d'expression. Deux d'entre eux étaient préposés au canon, pour le recharger et le mettre en position. Ils se dépêchaient de porter ce qui ressemblait à une fusée argentée vers le tube de métal. Ce n'était donc pas un vieux tromblon balançant des boulets ronds. C'était une arme moderne.

Siry a fait tourner la barre. On était dans la dernière ligne droite. Soit ils nous coulaient, soit c'était eux qui finissaient au fond de la mer. Je suis allé me placer près du mât arrière. Je ne saurais dire pourquoi. Peut-être parce qu'il semblait solide, ou parce que je voulais pouvoir me cacher derrière si je voyais un missile argenté foncer vers moi. Dans quelques secondes, ce serait le choc. Les Utos se sont empressés autour de leur canon pour tirer une dernière charge. Je me suis cramponné au mât. Ils ont fait pivoter leur canon, droit sur nous. C'était râpé. Restait à savoir si on avait pris assez d'élan pour éperonner tout de même l'autre bateau ou si l'impact nous stopperait net.

– Accrochez-vous ! a crié Siry.

Un drôle de bruit a couvert sa voix, un cliquetis mécanique tel que je n'en avais encore jamais entendu. Siry avait l'air aussi surpris que moi. On aurait dit qu'on venait de mettre en marche une machine infernale quelconque. Mais ce bruit nous a sauvés, parce que les Utos ont arrêté ce qu'ils faisaient pour regarder autour d'eux. Eux aussi avaient l'air stupéfaits. Qu'est-ce qui se passait ?

Twig a été la première à le repérer.

– Là ! a-t-il crié en tendant le bras vers tribord et l'entrée de la baie.

À l'intersection entre les deux langues de terre marquant l'embouchure de la baie, l'eau s'était mise à bouillonner comme un chaudron infernal. Puis quelque chose a émergé. Je vous jure, tout d'abord, j'ai cru à un serpent de mer à deux têtes. Je sais, c'était absurde, mais depuis que je suis parti de chez moi, j'en ai tant vu que plus rien ne semble impossible. La créature s'est lentement extirpée des flots et sa peau détrempée a reflété les premières lueurs du soleil matinal. Tout le monde, Utos comme Jakills, est resté figé sur place. Moi y compris.

C'était bien une bête à deux têtes, mais pas un serpent de mer. Ce que j'ai vu était incroyable, et pourtant bien réel. C'est alors que j'ai compris qu'on était mal barrés.

– Vire de bord ! ai-je crié à Siry. Vite !

– Quoi ? a-t-il répondu, interloqué.

– Sors-nous de là !

Il n'a pas bougé. On dominait de toute notre taille le vaisseau des Utos. La collision était imminente. Ils n'ont pas eu le temps d'armer leur canon. Mais ils n'étaient plus notre priorité. J'ai sauté sur Siry et lui ai crié au visage :

– Écarte-toi de leur bateau ! *Allez !*

Siry était troublé. Il ne savait plus quoi faire. Je l'ai repoussé, me suis emparé de la barre et l'ai tournée brusquement vers la gauche. La proue de notre voilier s'est détournée avec une lenteur douloureuse, évitant les Utos.

– À quoi tu joues ? a crié Siry.

Il a cherché à me reprendre la barre des mains. Je n'avais pas le choix : je lui ai balancé un direct dans l'estomac. Il s'est plié en deux, le souffle coupé. J'ai gardé la barre tournée vers bâbord, évitant le bateau des Utos de quelques dizaines de centimètres. Ils étaient si près que j'aurais presque pu sentir leur odeur. Ils ne savaient pas de quel côté regarder, entre ce vaisseau qui avait bien failli les éperonner et l'étrange bête qui leur bloquait l'entrée du chenal menant à Rayne.

Loque s'est jeté sur moi, au bord de l'hystérie.

– À quoi tu joues ? On les tenait !

Siry m'a jeté un regard perçant.

– Qu'est-ce que tu as fait ?

Ils ne pouvaient pas comprendre, c'était impossible. J'étais le seul à savoir qu'on devait se mettre hors d'atteinte. Alors j'avais réagi. Avais-je raison ? Je ne tarderais pas à le savoir.

On s'est éloignés du bateau des Utos qui a continué vers le chenal. Il y a eu un grand cliquètement métallique alors que le monstre bicéphale finissait d'émerger. Les « têtes » de la bête étaient de longs tubes en entonnoir. Dans un bruit de rouages, elles ont pivoté en même temps pour s'aligner sur le bateau des Utos.

J'avais raison.

– Qu'est-ce que c'est que ces monstres ? a demandé la fouine.

– Ce ne sont pas des monstres, ai-je déclaré.

C'est alors que les deux tubes ont ouvert le feu. C'était des canons. Je ne savais pas ce qu'ils tiraient comme munitions. Ce n'était pas des détonations sèches, plutôt des chocs sourds. *Wump, wump, wump, wump.* Ils ont fusillé le bateau des Utos à bout portant. Chaque fois que l'un d'entre eux avait craché son obus, il reculait pour ensuite revenir en place.

Les Utos n'avaient pas une chance. Les missiles ont déchiré leur navire comme du papier de soie. Mais ce n'était pas des projectiles explosifs. On aurait plutôt dit des tirs de laser découpant bois et métal. Notre bateau était assez près pour que les impacts le fassent tanguer. Siry a bondi vers la barre. Cette fois, je l'ai laissé la prendre. Maintenant, il savait ce qu'il en était. Il fallait qu'on s'éloigne.

Voyant leur bateau condamné, les Utos ont sauté par-dessus bord. En quelques secondes, la coque a été mise en pièces. Je ne sais pas s'il y eut des morts, mais si certains étaient restés dans la cale, ils ne pouvaient pas s'en tirer. Les canons ont continué de marteler impitoyablement le vaisseau. *Wump, wump, wump.* Les grincements émis par le métal torturé évoquaient des ongles sur un tableau noir. Les canons argentés semblaient manipulés par une main invisible. Ils avaient beau être énormes, ils fonctionnaient simplement et sans heurts, comme des jouets. Au bout de vingt secondes, le vaisseau des Utos n'était plus qu'un souvenir. Tout ce qu'il en restait, c'était quelques bulles pour marquer l'emplacement de sa tombe et une poignée de Utos flottant entre deux eaux. Ils pourraient certainement nager jusqu'au rivage, où les forces de sécurité s'en empareraient.

Les canons se sont tus. Ils avaient rempli leur mission. Avec un bourdonnement mécanique, ils ont repris leur position centrale pour plonger à nouveau sous la surface des flots. Du moment où l'on avait entendu le cliquètement des canons jusqu'à leur disparition, toute l'opération n'avait pas duré plus d'une minute. Une minute de violence brute.

Les Jakills stupéfaits gardaient les yeux fixés en direction de Rayne. Le silence était retombé. Le soleil éclairait un jour nouveau. Comme s'il ne s'était rien passé.

Et pourtant, tout avait changé.

Journal n° 30
(suite)

IBARA

Les expressions des Jakills étaient éloquentes. En une poignée de secondes, ils avaient appris ce qu'étaient des armes à feu et leur puissance dévastatrice.

– C'était… C'était… horrible ! s'est écrié Twig.

– Qui connaissait l'existence de cette arme ? a hoqueté Loque. Personne.

– Et le bateau des Utos ? a gémi la fouine. Ils étaient armés, eux aussi ! On a de la chance de ne pas les avoir rejoints au fond de l'océan !

– J'ai peur, a renchéri Twig.

Ils se sont mis à discuter tous en même temps. Ce n'était plus une bande de pirates prêts à risquer leurs vies pour éperonner leur adversaire. Ça, ils comprenaient. Mais pas les armes de destruction massive.

– Silence ! a crié Siry.

Tout le monde s'est tu. Pendant que les autres palabraient frénétiquement, Siry avait gardé son regard braqué sur l'horizon. Il agrippait la barre pour diriger le bateau, comme s'il ne s'était rien passé. Du moins en apparence, parce que j'ai vu que ses mains tremblaient. Il faisait semblant. Quand il a pris la parole, il n'a pas quitté l'horizon des yeux. J'imagine qu'il ne voulait pas croiser les regards des Jakills de peur qu'ils s'aperçoivent qu'il était aussi secoué qu'eux.

– À quoi vous attendiez-vous ? a-t-il demandé.

– Pas à ça ! a répondu la fouine.

– Alors secouez-vous un peu ! a rétorqué Siry. Si on en est là, c'est parce qu'on veut découvrir la vérité sur notre monde. Vous pensez vraiment qu'il ne nous réservait pas quelques surprises ?

– Ce n'est pas le reste du monde, a répondu calmement Loque. Cette arme se trouve là où on a toujours vécu. Pourquoi ignorait-on jusqu'à son existence ?

– Pour la même raison qu'on ne sait rien de ce qu'il y a au-delà de cette île ! a rétorqué Siry avec colère. Le tribunal ne nous dit rien. J'ignore ce qu'est cette arme ni d'où elle vient. C'est bien ça le problème. Pourquoi tous ces secrets ?

Les Jakills ont échangé des regards nerveux.

– Rien n'a changé, a continué Siry, sauf qu'on a eu un avant-goût de ce qu'est la vie en dehors de notre petit village isolé. (Il s'est enfin tourné vers les autres et a continué avec passion :) Alors est-ce qu'on veut en savoir davantage ? Ou cela suffira-t-il à nous faire rentrer chez nous comme des gamins terrifiés, qui préfèrent vivre dans la paix et l'ignorance ?

Tous se sont regardé une fois de plus, mais personne ne s'est manifesté. Siry a hoché la tête.

– Bien. Tout le monde à son poste. Le voyage sera long.

Le groupe s'est dispersé en silence, mais sans grand enthousiasme.

– Prends la barre ! a-t-il demandé à Loque.

Celui-ci a acquiescé et prit le contrôle du bateau. Il semblait être le meilleur ami et l'homme de confiance de Siry. Je le comprenais. C'était un brave type. Siry m'a regardé droit dans les yeux. Il avait l'air secoué.

– Viens avec moi, a-t-il ordonné d'une voix qui se brisait imperceptiblement.

Il avait bien du mal à ne pas craquer. Je savais qu'il avait des questions à me poser. Moi aussi. Il m'a mené vers la proue pour entrer dans la cabine de bois. Elle ressemblait à ce qu'on pouvait attendre d'un bateau comme celui-ci. On était à peine à l'intérieur que, soudain, il s'est tourné vers moi. J'étais si surpris que je n'ai pas réagi. Il m'a pris par ma chemise et m'a poussé contre la cloison.

– Ne refais jamais ça, a-t-il sifflé, furieux.

– Ça quoi ? ai-je répondu.

Ses yeux grands ouverts brillaient de colère. Ou de peur.

– C'est moi leur chef. Peu importe qui tu es, mais je ne te laisserai pas prendre le commandement comme tu l'as fait.

J'ai compris qu'il parlait de la façon dont je m'étais emparé de la barre.

– Bien sûr, ai-je répondu, très calme. La prochaine fois qu'on risque de se faire envoyer par le fond et que tu restes figé sur place, je ne lèverai pas le petit doigt. Je ne veux pas ternir ton image de marque.

Siry voulait se mettre en colère. Je crois qu'il m'aurait volontiers flanqué une baffe. Mais il s'est contenté de me repousser et de se diriger de l'autre côté de la cabine. Il semblait tourmenté.

– Ce n'est pas tout, non ? ai-je demandé.

Siry a passé sa main dans ses cheveux bouclés. Son air bravache n'était plus qu'un souvenir.

– Ils ont confiance en moi, a-t-il dit d'une voix tremblante. Dans quoi les ai-je entraînés ?

– Tu veux revenir en arrière ?

– Non ! s'est-il empressé de répondre. Je veux juste que tout se passe bien.

– Il n'y a pas de raison, ai-je affirmé. Tu n'es pas seul. Et tu ne peux pas tout savoir.

– Non, vraiment ? a-t-il fait avec un petit rire. J'ai l'impression de ne rien savoir du tout. Viens voir ce que j'ai trouvé dans la cale.

Je l'ai suivi le long d'un escalier de bois menant à un pont inférieur. Le plafond était si bas que j'ai dû faire attention à ne pas me cogner le crâne. On a parcouru un petit couloir bordé de portes. Un peu plus loin, droit devant nous, il y avait une ouverture. Il m'a fait signe d'entrer. J'ai découvert une immense cale occupant presque toute la longueur du bateau. Elle était vide, à l'exception de rangées d'étagères de bois s'étalant des deux côtés. Chacune faisait presque deux mètres de long sur soixante centimètres de large. Elles étaient très simples, sans fioritures. À vue de nez, il devait y en avoir une centaine. Cinquante de chaque côté, sur deux niveaux.

– D'après toi, à quoi servent-elles ? a-t-il demandé.

– On dirait des couchettes, ai-je répondu. Tu sais, on ajoute un matelas et ça fait un endroit où dormir.

– C'est ce que je pense aussi, a convenu Siry. Ce n'est pas un bateau de pêche. Il était destiné à transporter une cargaison humaine. Mais pourquoi ? Et pour où ?

– Je voudrais bien le savoir aussi, ai-je répondu avec honnêteté.

Siry m'a jeté un regard soupçonneux.

– Qui es-tu vraiment, Pendragon ? Je t'ai fait confiance, mais tu ne m'as toujours pas dit d'où tu venais.

– Je croyais que tu ne voulais pas entendre parler des Voyageurs et de Halla ? Que c'était une invention de ton père ?

– Tu peux vraiment me le reprocher ?

Pas vraiment. Siry avait peur et ne savait plus où il en était. Il croyait avoir les choses en main, du moins jusqu'à l'arrivée des Utos. Mais dès le premier coup de canon, tout s'était écroulé. Maintenant, il était dans un brouillard complet. C'était la première fois que j'avais une chance de l'atteindre.

– Tout d'abord, parle-moi de ton père, ai-je dit doucement. Quel genre d'homme était-il ?

Siry s'est mis à faire les cent pas nerveusement, passant ses doigts sur les étagères. Il semblait en proie à des émotions contradictoires.

– C'était un dur, a-t-il finalement répondu. Tout le monde le respectait. À ses débuts, ce n'était qu'un garde de sécurité, mais il était intelligent et a fini par siéger au tribunal.

– On pourrait presque croire que tu es fier de lui.

Siry a eu un sourire de dérision.

– Il était dur avec moi aussi, a-t-il repris. Il voulait que je sois… parfait. Il n'arrêtait pas de répéter que le fils d'un membre du tribunal devait être un exemple pour tous, qu'un jour, je prendrais sa place. Il voulait être fier de moi.

– Et ensuite ?

– J'ai découvert que le tribunal nous mentait. La plupart d'entre nous ne soupçonnent rien, mais je savais ce qu'il en était. Tu me diras, il n'était pas vraiment difficile de deviner qu'il y avait anguille sous roche. Il suffisait que quelque chose vienne s'échouer sur le rivage. Savoir qu'il y avait tout un monde au-delà de notre île était assez dérangeant, et l'idée que le tribunal puisse nous mentir l'était plus encore. On leur faisait confiance, et ils nous avaient trahis.

— Et ton père était l'un d'entre eux.

Siry a acquiescé.

— Et c'est à ce moment que tu as créé les Jakills ?

— Je n'étais pas le seul à me sentir trahi. Mais on n'était pas si bêtes. On a gardé nos idées pour nous. On ne voulait pas disparaître comme tous ceux qui posaient trop de questions. On n'en discutait que quand on était assez loin des oreilles du tribunal. Mais au début, on ne s'est pas révoltés. On cherchait plutôt à s'amuser un peu. Tout sur cette île est si… convenable. C'est vrai qu'on a secoué le cocotier. C'était notre façon de protester contre les mensonges qu'on nous imposait. Le tribunal nous prend pour une vulgaire bande de voyous. Ils ne savent pas qu'on a l'intention d'ouvrir les yeux aux habitants de l'île. Mais pour ça, il faut d'abord découvrir la vérité. C'est pour ça qu'on est là.

Il s'est tourné vers moi pour me faire face. Il avait retrouvé un peu de sa superbe.

— Je t'ai tout dit. Maintenant, à ton tour.

Ce n'était plus le moment de le ménager.

— Tu es au beau milieu d'une bataille bien plus importante que tu ne peux l'imaginer. Mais tu as au moins raison sur un point. Ton père voulait bel et bien que tu prennes sa place un jour… en tant que Voyageur.

Siry m'a décoché son habituel sourire railleur, mais cette fois-ci il semblait sur la défensive.

— Ben voyons. Saint Dane, Halla, l'avenir de tout ce qui existe. Mon père a menti à son peuple. Pourquoi devrais-je le croire ?

— Parce que c'est vrai, ai-je répondu sèchement. Tu disais vouloir découvrir la vérité, la voilà. Je ne sais pas pourquoi ton père a agi comme il l'a fait, mais c'était un Voyageur. Il avait forcément une bonne raison.

— Et quelle est ta place dans tout ça ?

– J'ai été choisi pour être le Voyageur en chef. Pourquoi ? Je ne sais pas. Par qui ? Je ne sais pas non plus.

– Alors qu'est-ce que tu *sais* ?

– J'ai suivi Saint Dane sur sept territoires. On l'a arrêté cinq fois et on a échoué deux fois. Ce n'est pas suffisant. Je pense que ce qui se passe sur Ibara pourrait être le commencement de la bataille finale pour Halla. Il est là, Siry. Je ne sais pas encore où, mais il est là, je te le garantis, et je crois qu'il va tenter de t'arrêter.

– Moi ? a-t-il demandé surpris. Il ne me connaît même pas !

– Tu te trompes, ai-je rétorqué. Maintenant, tu es un Voyageur, et il sait tout sur nous. Il est au courant de ton plan, je te l'assure. La question, c'est de savoir comment il va utiliser cette vérité pour chambouler le territoire et préparer sa victoire finale. C'est pour ça que je suis là. J'essaie de découvrir la vérité, tout comme toi. La seule différence, c'est que je me bats pour Halla, et non pour un seul territoire. Et toi aussi, que tu le croies ou non.

Siry a hoché la tête d'un air pensif et s'est assis sur une des couchettes. Je ne sais s'il assimilait ce que je lui racontais ou s'il me croyait complètement cinglé.

– Je ne veux pas être responsable de l'avenir de tout ce qui vit, a-t-il dit d'un ton las. Je pense juste que les gens devraient être libres de choisir leur destin.

– Tu sais que ça signifie ?

– Non.

– Que tu as bel et bien pris la place de ton père.

Siry a presque souri. Presque.

– Ça m'embête de le reconnaître, mais on ne serait jamais arrivé jusque là sans ton aide.

– Alors maintenant, tu me fais enfin confiance ?

Il a passé la main sous sa chemise, où une large ceinture bleue était nouée autour de sa taille. Il l'a déroulée. C'était en fait un étui imperméable. Il a tiré de la poche un morceau de papier jauni.

– J'ai trouvé ça sur la plage il y a bien longtemps, a-t-il expliqué. Le tube qui le protégeait de l'eau s'était cassé. C'est pour ça qu'il est en si piteux état.

Il traitait ce document comme si c'était un objet précieux. Il l'a déplié avec révérence et l'a posé sur une des couchettes. Avant que j'aie pu le regarder, il a dit :

— Voici la preuve que le tribunal nous ment. C'est ce qui a motivé la création des Jakills et nous a décidés à tenter l'aventure.

Il a fait un pas de côté pour que je puisse examiner ce mystérieux bout de papier. C'était une carte. Une carte vieille et usée. Elle était grossière, probablement tracée à la main. Elle avait plutôt sa place dans un musée. Impossible de déterminer son âge. L'essentiel des écritures était effacé, mais je pouvais encore distinguer les détails du relief.

— Qu'est-ce que c'est ? ai-je demandé.

— Je connais notre île dans ses moindres détails, a-t-il répondu. Chaque crique, chaque montagne, chaque ruisseau. (Il a désigné un des contours de la carte.) Là. C'est la baie qui abrite Rayne. Et là, la montagne du tribunal. Tout y est.

Ce n'était pas le relief de l'île qui m'intéressait. Plutôt le fait qu'il y en avait d'autres. La plus proche de Rayne était si grande que ses contours débordaient de la page.

— Et ça ? ai-je demandé.

— Ça, a-t-il annoncé, c'est notre destination. Si on veut découvrir d'autres civilisations, c'est un bon début.

Une péninsule saillait de l'île principale. Sa pointe était la plus proche de Rayne. Plus intéressant encore, il y avait des lettres au milieu de ces croquis. Un nom. Pas moyen de le déchiffrer. J'ai pris la carte et l'ai déployée devant un hublot pour que la lumière du soleil l'éclaire. Les lettres étaient effacées et mal alignées, mais j'ai pu déchiffrer le mot « Rubity ».

— Rubity, a dit Siry. Notre destination.

Mais j'ai aussi vu un autre mot, à peine visible le long d'une frontière. Les lettres étaient délavées, mais il n'y avait pas d'erreur possible. Ce mot était « JAKILL ».

— On pense que c'est peut-être le nom du cartographe, a repris Siry avant que j'aie pu poser la question. Ça fait un mystère en moins, non ? a-t-il ajouté avec un sourire malicieux.

— Le voyage devrait prendre combien de temps ? ai-je demandé.

– Ça dépendra des vents, mais elle n'est pas très loin. Un jour. Plus, peut-être.

– Ça fait peu ! ai-je dit, surpris.

– C'est pour ça qu'on l'a choisie. Mais c'est aussi un sacré risque. Si Rubity est peuplée, Il y a des chances que ses habitants soient peu recommandables.

– Comment ça ?

– C'est peut-être le repaire des Utos.

Je n'avais pas grand-chose à faire sur ce bateau. Comme j'ai pu le constater en me promenant sur le pont, les Jakills étaient des marins hors pair. Ils manipulaient les voiles et le réseau de câbles de main de maître. On aurait dit qu'ils étaient nés pour ça. J'en ai profité pour discuter avec quelques-uns d'entre eux. Ils m'ont dit que, quand ils étaient gamins, leur plus grande distraction était de sillonner les flots à bord de petits voiliers. Certains sont même passés aux bateaux de pêche plus grands ou ont fait leur apprentissage auprès de matelots plus expérimentés. Pas de doute, ils étaient qualifiés.

Le voyage s'est déroulé sans la moindre anicroche. L'eau était paisible, la brise chaude. Au cours de l'après-midi, quand le soleil s'est mis à taper dur, on s'est jeté depuis des cordes attachées aux mâts pour plonger dans ces eaux tropicales. C'était trop cool.

J'en ai aussi profité pour explorer le reste du bateau. Comme l'avait dit Siry, ses moteurs étaient petits et d'une puissance limitée. Ils ne servaient qu'à faciliter les manœuvres. Loque m'a expliqué qu'ils employaient un carburant distillé à partir de plantes. Pas mal, non ? Des carburants bio !

Il y avait plusieurs jarres d'eau potable à bord, mais pas grand-chose à manger. C'était un sacrifice que les Jakills s'étaient imposé. De la façon dont ils avaient prévu de prendre possession du navire, ils n'avaient pas pu emporter de provisions. Ils espéraient en trouver une fois à destination.

Sur Rubity.

Qu'est-ce que ça pouvait bien être ? C'était logique de considérer qu'il puisse y avoir un monde au-delà de leur île, mais voir une carte et lire le nom d'une autre ville lui donnait une certaine réalité. Vu comme j'étais surexcité, je m'imaginais fort bien l'état des Jakills. La perspective de découvrir Rubity devait les rendre fous. Avec peut-être un sentiment d'angoisse en arrière-plan.

Quand la nuit est tombée, j'ai pris le temps d'écrire ce journal. J'ai trouvé du papier dans une cabine de la poupe qui devait être celle du capitaine. Elle comprenait une seule couchette et une table sur laquelle j'ai pu écrire. Comme il n'y avait pas de lumière artificielle, je me suis assis près d'une fenêtre pour profiter de la clarté des étoiles. Alors que je me tenais là, tout seul, j'ai senti avec certitude que lorsque ce bateau toucherait terre, il me mènerait à Saint Dane.

Mais ce n'était pas la seule raison de ma nervosité. Depuis que je côtoyais les Jakills, j'avais pu voir qu'ils étaient prêts à tout pour reprendre le contrôle de leur vie, ce qui m'avait fait rééva-luer ma propre existence. Je me suis demandé combien de temps durerait encore ma quête, combien de temps je devrais accepter aveuglément mon destin et sauter d'un territoire à l'autre pour courir après Saint Dane. Les Jakills avaient repris le contrôle de leurs destinées, pour le meilleur ou pour le pire. Était-il temps que j'en fasse autant ?

Cette nuit-là, je me suis endormi avec toutes ces pensées qui s'agitaient dans ma tête. C'est même étonnant que j'aie pu trouver le sommeil. Je me suis allongé sur la couchette de cette cabine et j'ai cherché à oublier toutes ces idées noires. Finale-ment, je me suis laissé sombrer et j'ai dormi toute la nuit. Quand j'ai émergé du pays des songes, mon estomac gargouillait. Ça faisait un bail que je n'avais rien mangé – telle a été ma première pensée. La seconde a été que quelqu'un était sur le pont et hurlait :

– Hé ! Hé ! Les gars !

Je me suis forcé à passer mes jambes de l'autre côté de la couchette et me suis levé. Il était tôt. Le ciel s'éclaircissait à peine. Le soleil ne tarderait pas à se lever.

– Tout le monde sur le pont ! a continué la voix surexcitée.

Je me suis frotté le visage pour faire revenir la circulation et suis sorti de la cabine pour gagner le pont. En cours de route, j'ai failli percuter Loque et la fouine.

– Qu'est-ce qui se passe ? ai-je demandé d'une voix pâteuse.

– Sais pas, a répondu Loque.

On a escaladé ensemble les marches menant au pont. Plusieurs Jakills se massaient contre le bastingage en fixant l'horizon. Tout d'abord, j'ai cru qu'ils avaient repéré une baleine ou un autre bateau. Pourvu que ce ne soit pas un autre cuirassé rempli d'Utos ! J'ai rejoint le petit groupe, regardé dans la même direction et poussé une exclamation de surprise. Là, sur l'horizon, à quelques heures de trajet, s'étendait une terre. On avait atteint l'immense île sur la carte de Siry.

– Elle est encore plus près que je l'aurais cru ! a dit Siry en nous rejoignant.

– C'est magnifique ! s'est exclamé Twig.

– De loin, tout est beau, a repris Siry.

Je ne pouvais même pas m'imaginer ce qui devait leur passer par la tête. Leurs soupçons se voyaient confirmés. La carte disait vrai. Il y avait un monde au-delà de leur île. Ils n'avaient jamais rien vu de tel. Moi si ; mais assister à un tel spectacle sur Ibara et comprendre ce que ça signifiait pour eux m'a laissé tout chose. Là, devant nous, sur la péninsule que cette ancienne carte appelait « Rubity », il y avait une ville. Tout d'abord, le sommet des immeubles est apparu sur l'horizon, ce qui voulait dire qu'ils étaient grands. Très grands. Des gratte-ciel dignes de New York.

– C'est quoi, ces trucs pointus ? a demandé la fouine, admiratif.

Je n'ai pas répondu. Il le découvrirait par lui-même. Des enfants de Rayne allaient connaître la vérité à propos du monde sur lequel ils habitaient.

Moi, en revanche, j'avais d'autres appréhensions. J'étais sûr que Saint Dane était là, quelque part dans cette ville mystérieuse, et qu'il m'attendait de pied ferme.

Journal n° 30
(suite)

IBARA

C'est le silence qui m'a frappé en premier.

Ce n'est pas souvent qu'on peut dire que l'absence de bruit a un tel impact. Mais ça ne semblait pas déranger les Jakills. Dès le moment où la ville est apparue, ils ont donné libre cours à leur enthousiasme. Ça faisait des années qu'ils se cachaient pour parler de ce qui pouvait se trouver au-delà des limites de leur île. Ils se rassemblaient au milieu de la jungle pour comploter. Leur soif de vérité était telle que, pour l'étancher, ils étaient prêts à devenir des parias.

Leur quête si longtemps préparée allait toucher à sa fin dans un endroit nommé « Rubity ».

Ceux qui n'étaient pas chargés des voiles ou des moteurs s'arc-boutaient avidement sur le bastingage comme si ces quelques centimètres supplémentaires leur permettraient de mieux distinguer cette incroyable ville. Mais leur enthousiasme initial commençait à s'émousser. Leurs visages reflétaient des émotions contradictoires. Je les comprenais : je ressentais la même chose. Et si ce qu'ils allaient découvrir ne leur plaisait pas ? Pire encore : si cette vérité n'était pas à la hauteur des sacrifices qu'ils avaient faits en son nom ? Le silence retomba. Personne ne disait mot. Personne ne spéculait sur ce qui se dévoilait sous leurs yeux. Ils gardaient leurs pensées pour eux. D'une façon ou d'une autre, leurs vies allaient être bouleversées. Pourvu que leur rêve ne se transforme pas en cauchemar !

– Là, une jetée ! a crié Loque depuis la proue. On peut s'y amarrer !

Il a tendu le doigt à tribord, montrant une structure basse qui s'étendait au-dessus de l'eau. Quelques autres bateaux y étaient déjà amarrés. Autant aller les rejoindre. Siry a fait quelques corrections de cap pour nous amener vers cette jetée.

Pour moi, tout allait commencer pour de bon. J'avais l'impression de me rapprocher de Saint Dane. Ça peut sembler bizarre, mais le silence qui planait sur la ville me faisait penser à lui. Peut-être parce qu'il y avait quelque chose de décalé. Les autres ne savaient pas ce qu'ils pouvaient attendre d'une grande ville, mais moi si, et je savais que cette absence de bruit n'était pas normale. Vu la distance, on aurait dû entendre un vague bourdonnement fait de millions de sonorités distinctes, mais mélangées. Et pourtant non. J'ai tendu l'oreille, guettant des coups de klaxons, des cris, des sirènes, de la musique… n'importe quoi ! En vain. Tout ce qui me parvenait, c'était le sifflement surnaturel du vent soufflant au milieu de ces bâtiments déserts.

Siry a confié la barre à Loque et m'a entraîné à l'écart.

– Alors, Voyageur, a-t-il murmuré. Que penses-tu de tout ça ?

– C'est une ville, ai-je répondu. Imagine Rayne en quelques milliers de fois plus grande. Ça n'a rien d'anormal.

Siry s'est détendu. Ça n'a pas duré.

– Mais il y a quelque chose de bizarre, ai-je ajouté. Ce silence. Une ville devrait être pleine de gens et d'activité. C'est même sa raison d'être. Or je n'entends rien de tout ça.

Siry a écouté un instant, puis froncé les sourcils.

– Je ne sais pas ce que je devrais entendre.

– Des signes de vie, ai-je répondu. Quand on concentre des milliers d'êtres humains dans un même endroit, ils font forcément du bruit. Or même Rayne est plus bruyante.

Siry a regardé les bâtiments qui commençaient à prendre la forme de gratte-ciel. On aurait dit n'importe quelle ville de Seconde Terre. Rien d'inhabituel… sauf ce silence surnaturel. Siry a regagné la barre.

– Je prends le relais, a-t-il dit à Loque.

Celui-ci a acquiescé et crié aux autres :

– Avec moi ! On va toucher terre !

Cinq Jakills se sont détachés du bastingage pour le rejoindre. Ils se sont préparés à amarrer le bateau au quai. Je suis retourné vers la proue pour regarder à nouveau la ville. C'est alors que j'ai remarqué un détail bizarre. On était encore loin, si bien que je ne pouvais pas en être sûr. J'ai dû attendre patiemment qu'on se rapproche.

J'ai baissé les yeux. L'eau était tout aussi verte et scintillante que dans la baie de Rayne. Sous la surface, j'ai pu discerner des formes. Tout d'abord, j'ai cru à des rochers, ou peut-être un récif. Mais alors que l'eau devenait de moins en moins profonde, j'ai réalisé mon erreur. Il y avait des bateaux là-dessous. Des épaves. Beaucoup d'épaves. Et des grosses. C'était difficile à dire avec précision, puisque je ne savais pas à quelle profondeur elles se trouvaient, mais certaines avaient l'air immenses. De vrais paquebots ! L'eau était assez transparente pour différencier les bateaux de plaisance de ceux qui ressemblaient à des cargos. On a survolé une ombre monstrueuse qui était forcément un navire de croisière. J'ai pu voir à la poupe le rectangle bleu d'une piscine. Ça m'a fait frissonner. C'était un vrai cimetière marin qui se dévoilait silencieusement sous nos pieds.

J'ai jeté un coup d'œil aux immeubles bordant la côte. Alors qu'on se rapprochait, la vérité apparaissait peu à peu. Ils n'étaient pas plus vivants que les vaisseaux gisant sous la mer. Maintenant que je pouvais les distinguer de plus près, j'ai vu qu'ils étaient troués et éraflés de partout. Les fenêtres étaient cassées et béantes, et certains bâtiments semblaient partiellement écroulés. Difficile de dire s'ils avaient été frappés par des projectiles quelconques ou s'étaient dégradés avec le temps. En regardant le long d'une large avenue, j'ai vu qu'un énorme gratte-ciel s'était écroulé en travers de la route, obstruant le passage. Le sol était couvert de débris. Il y avait de gros tas de béton fracassé et de métal tordu. Ce spectacle était baigné d'une étrange radiance irréelle que j'ai trouvé plutôt jolie jusqu'à ce que je comprenne qu'elle venait de la lumière du soleil se reflétant sur des tonnes de verre brisé. Il y avait aussi des voitures. Plein de voitures. La plupart d'entre elles étaient ensevelies, leurs phares dépassant de sous les décombres comme pour apercevoir une dernière fois le ciel.

Par contre, ce que je ne voyais toujours pas, c'était des signes de vie.

Plusieurs Jakills ont abaissé la grande voile. Les moteurs se chargeraient de nous propulser en douceur jusqu'à la jetée. Les bateaux qui y étaient amarrés ressemblaient plutôt à des navires de guerre, pas si différents de celui des Utos qui avaient voulu attaquer Rayne, sauf qu'ils étaient encore plus mal en point. Leurs coques étaient mangées de grandes taches de rouille. C'était même étonnant qu'ils soient encore à flot. L'un d'entre eux était à moitié immergé : sa poupe disparaissait sous la surface de l'eau. Il ne tarderait pas à entamer son dernier voyage pour rejoindre les autres dans leur tombeau aquatique.

J'ai regardé les Jakills. Leurs visages reflétaient plus d'incompréhension que d'inquiétude. Comme ils ne savaient pas ce qu'était une ville, pour eux, tout était normal. Bien sûr, la grande question était : que s'était-il passé ? Pourquoi était-elle déserte ? Ou abandonnée ? Avait-elle connu la guerre ? Soudain, l'idée m'a traversé l'esprit que la population pouvait avoir été décimée par une épidémie quelconque et qu'on allait être exposés à la contamination. Mais quoi qui ait pu se passer ici, c'était il y a bien longtemps. Cet endroit était mort depuis des lustres. Si une menace biologique quelconque y avait sévi, elle s'était éteinte avec la ville. Du moins, c'est ce que je me suis dit.

Siry a guidé de main de maître le bateau vers la jetée. La coque l'a heurtée à tribord avec un léger soubresaut pendant que Loque et les autres Jakills sautaient à terre. Ils ont attaché les amarres aux nombreux taquets de la jetée. Ceux de la cale sont remontés, et Siry les a rassemblés près de la proue.

— Pendragon dit avoir déjà vu des endroits comme celui-ci, a-t-il annoncé avec confiance. Ça s'appelle une ville.

— Où a-t-il vu une de ces villes ? a demandé la fouine.

Tout le monde s'est tourné vers moi. Que pouvais-je répondre à ça ?

— J'en ai entendu parler, c'est tout, ai-je dit d'un ton évasif. Mais de la façon dont on me les a décrites, elles sont pleines d'activité et de gens. Celle-ci a l'air… euh…

— Morte, a terminé sèchement Loque.

Tous les yeux se sont tournés vers cette cité en ruine.

– Voilà mon idée, a repris Siry d'un ton posé. On va envoyer un petit groupe pour qu'il explore les lieux. Les autres resteront ici pour garder le bateau.

– Contre quoi ? a demandé la fouine.

Il fallait vraiment que j'apprenne son nom. Ce n'est pas sympa d'appeler quelqu'un « la fouine ».

– Des Utos peuvent rôder dans le coin, a répondu Siry.

– Qui s'y colle ? a lancé Twig.

– Toi, moi et Loque, a répondu Siry.

– Je viens avec vous, ai-je ajouté.

Siry m'a jeté un regard irrité, comme si j'avais à nouveau outrepassé mes droits. Tant pis pour lui. Pas question de rester à moisir sur ce bateau. Il fallait que j'en apprenne davantage sur cette ville. Mais pour ne pas engendrer un conflit d'ego, j'ai ajouté :

– Si vous y allez en si petit nombre, vous pourrez avoir besoin de protection.

C'est drôle, non ? Voilà que je me prenais pour une sorte de garde du corps. Un peu comme… Loor. Siry y a réfléchi un instant, puis a hoché la tête.

– D'accord, Pendragon vient aussi.

À l'entendre, on aurait dit que c'était son idée. Ce qui ne me gênait pas. Ça lui permettait de sauver la face tout en servant mes fins. Il s'est à nouveau adressé au groupe :

– Ne laissez monter personne à bord. S'il devait arriver quoi que ce soit à ce bateau…

Il n'a pas fini sa phrase. C'était inutile. Personne ne voulait rester coincé ici. Tous ont hoché la tête.

On s'est préparés, Siry, Loque, Twig et moi, en prenant chacun une sarbacane et une bourse contenant dix dards. Je ne savais pas s'ils me seraient bien utiles, vu que je n'avais encore jamais manié d'arme semblable. Je pouvais toujours m'en servir comme matraque. Mais j'ai tout de même pris les dards et fourré le tout dans mon pantalon.

– On va faire vite, a annoncé Siry.

On est passés par-dessus le bastingage pour se laisser tomber sur la jetée. Sous nos pieds, elle avait une consistance spongieuse.

– Le bois est pourri ! me suis-je écrié. Attention où vous mettez les pieds. Autant ne pas se retrouver coincé.

On a marché vers le rivage en baissant les yeux afin d'éviter de marcher sur les planches les plus abîmées. En cours de route, on a dépassé quelques-uns des navires de guerre. De près, ils faisaient encore plus peine à voir. Leurs coques étaient rouillées, leurs ponts aussi mal en point que la jetée. Mais j'ai remarqué quelque chose qui m'a rendu un peu nerveux. Les énormes canons montés sur leurs proues, fort semblables à celui des Utos, avaient l'air en meilleur état. Ils n'étaient pas flambant neufs, non, mais semblaient prêts à fonctionner. J'ai noté cette information dans un coin de mon esprit et continué mon chemin.

On a atteint le bout de la jetée pour prendre pied sur la terre ferme. La première chose qui a attiré mon attention, c'est un grand panneau indicateur jeté au sol et presque enterré sous les débris. En son temps, il était bleu avec des lettres blanches, mais il y avait longtemps que les couleurs s'étaient effacées et que les lettres avaient viré au gris. J'ai tout de même pu les lire. Il y avait une grande flèche avec écrit en dessous : PONT DE LA QUATRIÈME RUE. Je me suis demandé si c'était bien de l'anglais ou si mes dons de Voyageur – qui me permettaient de comprendre n'importe quel langage instantanément – s'étaient chargés de la traduction.

On est restés là, tous les quatre, à contempler silencieusement les ruines d'une métropole jadis pleine d'activité. Il n'en restait plus grand-chose. En fait, j'avais peur qu'une bourrasque de vent ne fasse s'écrouler un de ces gratte-ciel et qu'il nous dégringole sur le crâne. Toute cette ville ressemblait à un immense château de cartes.

– Allons jeter un coup d'œil, a dit Siry, un peu moins sûr de lui.

On s'est avancé lentement au milieu des ruines, nos sandales crissant sur la poussière de béton. Près de la jetée, il y avait un espace dégagé sans doute destiné à décharger les bateaux. À présent, ce n'était plus qu'une immense poubelle. Les débris qui la jonchaient n'étaient que des masses informes, mais parfois je pouvais les identifier. J'ai vu une valise, le squelette d'un parapluie, plusieurs bouteilles de tailles et de couleurs différentes, et même quelques chaussures. Ça, c'était angoissant. Des chaussures vides.

Twig a inspiré profondément.

— Il n'y a pas de plantes dans le coin.

— En effet, ai-je renchéri. Et c'est comme ça depuis un bon bout de temps.

— Comment le sais-tu ? a demandé Siry.

— Parce que Twig a raison, ai-je répondu. Il n'y a rien d'organique dans ce décor. S'il n'y a rien de vivant, il n'y a rien de mort non plus.

— Qu'est-ce que ça veut dire ? a demandé Loque.

— Il n'y a pas d'ossements, ai-je repris d'un ton lugubre. Tout ce qui était fait de chair et de sang est tombé en poussière. Et ça n'arrive pas du jour au lendemain.

— Qu'est-ce qui a bien pu se passer ? a demandé Loque.

J'ai pris la tête du petit groupe, me plongeant dans ce labyrinthe de ruines. J'ai scruté les alentours, cherchant les traces révélatrices d'une explosion ou d'un tremblement de terre ou de tout autre indice sur ce qui avait bien pu se passer. Sans résultat. Apparemment, seul le temps avait eu raison de ces bâtiments.

— On doit aller plus loin, ai-je dit. Peut-être dans un de ces immeubles.

— Ils ont l'air si fragiles ! a répondu Loque.

— Qui veut renoncer tant qu'il en est encore temps ? a demandé Siry.

Personne. On a donc continué.

J'ai mené notre groupe vers la rangée de gratte-ciel et la première rue qui m'a paru praticable. C'était comme d'entrer dans un canyon. De chaque côté, les immeubles formaient d'immenses parois bloquant la lumière. Au moins, ils nous faisaient de l'ombre. On a dépassé quelques voitures qui n'étaient guère que des squelettes de métal. Leurs aménagements intérieurs étaient tombés en poussière depuis longtemps.

— Que doit-on chercher ? a demandé Loque à voix basse, comme s'il traversait un cimetière.

— Un signe de vie, a répondu Siry.

On a continué notre chemin, nous enfonçant encore plus profondément dans la cité morte. Apparemment, le rez-de-chaussée des immeubles abritait jadis des magasins. Je serais bien allé jeter un coup d'œil, mais mon petit doigt me disait que, vu la fragilité des structures, ce serait trop dangereux. Au fur et à mesure qu'on progressait dans ce paysage monotone, on n'a rien vu qui sorte de l'ordinaire. La ville était simplement déserte. J'ai tout de même fini par repérer un détail incongru, droit devant nous. Impossible de dire à quelle distance, parce qu'un nuage de poussière en suspension planait dans l'air et rendait difficile de voir au loin. Ça ressemblait à un mur noir. Plus étrange encore, il semblait former un plan incliné par rapport à la rue. Tous les bâtiments étaient des structures horizontales ou verticales, ce qui rendait cette section en diagonale plus intrigante encore. Je n'aurais su dire pourquoi, mais il m'a mis mal à l'aise. Je voulais aller y voir de plus près lorsque Siry est intervenu.

– Stop, a-t-il dit. On s'éloigne trop du bateau.

– Juste encore un peu, ai-je demandé.

– Non, s'est empressé de répondre Siry. Il n'y a là rien qui puisse nous servir. On pourrait continuer encore pendant des heures sans rien trouver.

– Tu ne voulais pas connaître la vérité ? ai-je argué. On ne va pas rebrousser chemin maintenant.

– On ne rebrousse pas chemin ! s'est-il défendu. Je pense qu'on n'est pas au bon endroit. Il n'y a personne ici. Ces immeubles ont l'air prêts à s'effondrer. Ce serait idiot que notre quête se termine alors qu'elle commence à peine.

– C'est vrai, a renchéri Loque. Si on est là, c'est uniquement parce que c'était l'île la plus proche sur la carte. On devrait peut-être explorer la côte.

C'était d'une logique imparable, mais je n'en démordais pas. Je n'arrivais pas à détacher les yeux de cet étrange mur noir par-dessus l'épaule de Siry. Qu'est-ce que c'était donc ?

– J'ai faim, a ajouté Twig. On n'a rien mangé depuis hier.

– C'est vrai, a renchéri Loque. Il nous faut de la nourriture et de l'eau.

– J'ai une idée ! s'est écriée Twig avec enthousiasme. Retournons à Ibara, attendons la nuit, puis envoyons quelques hommes à terre pour piquer des provisions !

— Et s'ils nous tirent dessus avec cette espèce d'arme ? a contré Siry.

— S'ils voulaient nous couler, ils l'auraient fait hier, a répondu Loque. L'idée de Twig n'est peut-être pas mauvaise. Je peux nager jusqu'au rivage avec quelques-uns des nôtres. La moitié d'entre nous pique des provisions pendant que l'autre trouve un bateau plus petit et...

J'avais écouté le débat d'une oreille distraite jusqu'à ce que les mots de Twig finissent par rentrer.

— Attendez, ai-je brutalement coupé. Qu'est-ce que tu as dit, Twig ?

Elle m'a regardé, interdite.

— Qu'on pouvait rentrer chez nous pour piquer des provisions.

— Non, qu'est-ce que tu as dit exactement ?

Tous trois m'ont regardé d'un air surpris. Ils ne voyaient pas où je voulais en venir. Je n'en étais moi-même pas si sûr.

— Je ne comprends pas, a dit Twig.

— Où as-tu dit qu'on devrait retourner ?

— Sur Ibara ?

— Oui ! me suis-je exclamé. Tu as dit qu'on devait retourner à Ibara !

— Et alors, Pendragon ? a demandé Siry.

Mon pouls s'est accéléré.

— Pourquoi n'as-tu pas dit Rayne ?

Ils ont échangé des regards circonspects.

— Parce qu'Ibara est le nom de cette île. Qu'est-ce qu'il y a ?

Maintenant, c'était mon esprit qui s'emballait. Pourvu qu'il y ait une explication toute simple !

— Vous appelez « Ibara » l'île où se trouve Rayne ? ai-je demandé.

— Oui, a répondu Loque. Ibara, c'est l'île, et Rayne, le village. Tu ne le savais pas ?

De toute évidence, non.

— Alors comment appelez-vous tout le reste ?

Siry eut un sourire moqueur. Loque m'a dévisagé. Twig avait l'air vaguement effrayée. À ses yeux, je devais passer pour un dingue. Et j'espérais que ce soit le cas.

— Qu'est-ce que tu racontes, Pendragon ? a demandé Siry.

J'avais l'impression de perdre pied.

— Cette planète. Ce monde. Tout ça. Pas que l'île, mais aussi tout le reste. Est-ce que ça a un nom ?

Loque a éclaté de rire.

— Mais bien sûr !

— C'est Ibara ? ai-je insisté, plein d'espoir.

— À quoi tu joues ? a demandé Loque. Ibara est le nom de notre île.

— Alors comment s'appelle cette planète ? ai-je crié.

— Je ne vois pas où tu veux en venir, a repris Siry, mais...

— Réponds-moi. Quel est le nom de ce monde ? Dans sa *totalité*.

Siry m'a répondu d'un seul mot dévastateur :

— Veelox.

J'ai eu l'impression d'être emporté par une tornade. Les immeubles qui nous entouraient ont tournoyé. Ce nom a eu un tel impact sur moi que j'ai failli tomber raide. Je pouvais à peine respirer.

— Veelox ? ai-je réussi à dire d'une petite voix pathétique. Siry, ce territoire s'appelle Veelox ?

Twig et Loque se sont regardés en retenant des rires nerveux. À leurs yeux, j'étais devenu complètement cinglé. Et à ce moment précis, j'étais d'accord. C'était de la folie. Mais Siry a froncé les sourcils. Ma réaction ne lui disait rien.

— Ça va ? a-t-il demandé.

Impossible de lui répondre. Ce qui voulait dire non.

— Rubity, ai-je balbutié, pensant à haute voix. Ce n'est pas Rubity, mais Rubic City.

— Oh oh, a dit Loque.

Oui. Tu pouvais le dire.

— Quoi encore ? a demandé Siry.

J'ai levé les yeux. Loque ne rigolait plus. En fait, il avait l'air on ne peut plus sérieux. Il ne pensait plus que ce vieux Bobby Pendragon avait pété un câble. Il ne me regardait même pas. Il fixait un point derrière moi. Quelque chose qui lui avait coupé toute envie de rire.

— On a de la compagnie, a-t-il dit d'une voix tremblante.

Journal n° 30
(suite)

IBARA

Un sifflement aigu m'a vrillé les tympans. C'était le premier bruit qu'on ait entendu depuis notre arrivée à Rubity, pardon, Rubic City. Sur Veelox. Oui, on était sur Veelox. C'était impossible. C'était insensé. Et pourtant vrai. Mais dans l'immédiat, j'avais d'autres choses à penser. On n'était pas seuls, comme le prouvait ce sifflement. Bientôt suivi d'un autre, et d'un autre encore. J'étais encore trop choqué pour enregistrer ce qui se passait, mais j'ai vite dû revenir à la réalité.

— Ahhhh ! a crié Twig.

Elle venait de se faire projeter à terre. Un groupe d'Utos jaillissait de nulle part. On les avait enfin trouvés. Ou plutôt, *eux* nous avaient trouvés. Et ils passaient à l'attaque. Ils étaient nombreux, en plus. Bien trop pour qu'on puisse leur tenir tête.

— Au secours ! a-t-elle crié, terrifiée.

Les sifflements provenaient de cordes nouées pour former des lassos improvisés. Les Utos nous les lançaient, cherchant à nous capturer. Ils ont ferré Twig comme un vulgaire poisson. Loque a plongé vers elle, s'étalant sur son corps pour la clouer au sol. J'ai bondi pour la libérer, mais j'ai senti un lasso se refermer sur mon cou. Je n'ai pas eu le temps de réagir : l'Uto a tiré un bon coup, m'étranglant à moitié. J'ai empoigné la corde et tiré à mon tour. Celui qui la tenait ne devait pas s'attendre à ça, parce qu'il est tombé à plat ventre. Quel idiot ! Il aurait dû lâcher prise. Ça m'a laissé le temps de m'en dépêtrer.

Avec leurs haillons, les Utos ressemblaient à une bande de zombies sortis de leurs tombes. Ils avaient le même regard vide que ceux que j'avais vus sur Rayne. Sur Ibara. L'île. Pas le territoire. J'étais sur Veelox ! Ils ont ramené leurs cordes pour les lancer à nouveau. J'étais prêt à leur rentrer dedans, mais d'autres encore sont arrivés, s'écoulant d'un bâtiment comme des rats d'un tas d'ordures. On n'avait pas une chance.

Loque a libéré Twig. Siry s'est agenouillé près de moi tout en portant sa sarbacane à ses lèvres.

– Laisse tomber, ai-je crié. Cours !

Il ne se l'est pas fait dire deux fois. Il m'a aidé à me relever et on est partis tous les quatre par le chemin d'où on était venus. Notre seul espoir était d'arriver au bateau avant qu'ils ne nous rattrapent.

On n'est pas allés bien loin. Une poignée d'Utos est apparue devant nous, escaladant un amas de débris. On ne pouvait pas les éviter. J'ai tiré ma sarbacane, prêt à assommer le premier qui passerait à ma portée. Je m'attendais à ce qu'ils attaquent en force, mais un seul s'est dirigé vers moi. Il n'était pas très bon combattant, mais n'avait peur de rien. Il a foncé dans le tas sans se soucier de sa propre sécurité, battant des bras dans l'espoir de porter un coup. J'ai reculé en parant sans mal tout ce qu'il me balançait. Il a posé sa tête contre ma poitrine et m'a poussé en arrière comme un bélier. J'ai pivoté et profité de son propre élan pour le faire passer par-dessus ma hanche. Les Utos étaient obstinés, mais ils ne savaient pas se battre. J'ai vite regardé les autres : Siry et Loque affrontaient chacun un adversaire. Ce n'était pas logique : ils devaient être au moins une dizaine. Alors pourquoi nous attaquaient-ils un par un ? J'ai couru vers Siry et me suis jeté sur son assaillant, balançant mes deux pieds dans sa cage thoracique. Il est tombé avec un grognement.

– Twig ! a crié Siry avec tant de frayeur dans sa voix que mon cœur s'est serré.

Les secondes suivantes furent cauchemardesques. J'ai compris que les Utos savaient très bien ce qu'ils faisaient. Ils n'étaient pas aussi débiles que je le croyais. S'ils ne nous attaquaient pas en masse, Siry, Loque et moi, c'est parce que les autres s'en prenaient à Twig. Ils voulaient nous abattre un par un, et cette pauvre fille était leur première cible.

– Siry ! criait-elle désespérément. Au secours !

Plusieurs Utos l'entraînaient… quelque part. Je devais prendre une décision, et vite. C'est bien une des plus dures que j'aie jamais dû prendre. Siry s'est avancé pour l'aider… et je l'en ai empêché.

– Non ! ai-je crié. Tu ne peux rien faire pour elle.

– Pendragon ! a-t-il protesté.

– Regarde ! ai-je dit, désignant un point derrière le groupe qui entraînait la malheureuse Twig.

Le nombre des Utos ne cessait de croître. Ils devaient être une cinquantaine qui convergeaient vers nous. Si on cherchait à sauver Twig, ce serait la fin. Pour nous tous. Et Siry l'a compris. Pour lui aussi, ç'a été une décision pénible à prendre. Je crois que je n'oublierai jamais l'expression horrifiée de Twig alors qu'on l'entraînait loin de nous. Pourvu qu'elle survive à son épreuve et qu'on ait une autre chance de la sauver !

– On lui viendra en aide, mais pas maintenant, ai-je dit à Siry.

Son expression m'a retourné les tripes. C'était bien plus que ce à quoi il s'attendait en partant à l'aventure avec ses amis pour explorer Ibara.

Non, pour explorer Veelox.

– Allez ! lui ai-je crié.

Siry a reculé à contrecœur. On a tourné les talons. Loque s'était débarrassé de l'Uto qui l'avait attaqué et nous a rejoints. Plus que trois. Qui serait la prochaine cible ? D'autres Utos sont sortis en nombre d'un second bâtiment sur notre droite, nous coupant le chemin qui menait au bateau.

– Par là ! a crié Loque.

Il est aussitôt parti sur la gauche, vers l'un des bâtiments décrépits.

C'était une décision dangereuse. On était trois, ils étaient des dizaines. Si on était assez malins, si on avait de la chance, on pourrait peut-être les semer au milieu de ces immeubles vides. Et si on avait encore plus de chance, les murs ne nous dégringole-raient pas sur la tête. Mais si on restait à découvert, on était fichus. On n'avait pas le choix, et Loque le savait. Siry et moi avons fini par lui emboîter le pas. On s'est précipité vers la première porte venue. À l'intérieur, il n'y avait que des meubles fracassés et des étagères affaissées. Cet endroit avait peut-être été un magasin, ou un bureau. Quoique, pour ce qui me concernait, ça pouvait aussi bien avoir été un zoo. Tout ce que je voulais, c'est me débarrasser du gros des Utos. J'ai vite compris que j'avais choisi le bon cheval, si j'ose dire. Les Jakills n'étaient pas des combattants, mais ils savaient se rendre invisibles. Ils avaient de l'expérience en la matière, vu qu'ils ne cessaient de jouer à cache-cache avec les forces de sécurité de Rayne. Pour eux, traverser le labyrinthe qu'était l'intérieur de ce bâtiment était aussi naturel que de foncer dans la jungle qui leur servait d'abri. En fait, j'ai eu du mal à tenir leur rythme alors qu'ils sautaient par-dessus des amas de débris tout en cherchant le meilleur chemin.

Les Utos, eux, n'avaient pas cet avantage. Ils étaient trop nombreux et se gênaient les uns les autres. Loque nous a fait traverser plusieurs pièces jonchées de débris. On aurait presque dit qu'il savait où il allait. Finalement, on a jailli dans un immense atrium vide. Après toutes ces petites salles, finir dans un endroit aussi vaste était réconfortant.

C'était un vaste immeuble de verre. Le plafond et deux des murs étaient composés de vitraux colorés. À un moment ou à un autre, ç'avait dû être une espèce de cathédrale. Cette extraordinaire mosaïque représentait un paysage marin avec des bancs de poissons, des coraux, des baleines et des algues. Les couleurs, éclairées de derrière par la lumière du soleil, étaient extraordinaires. Bizarrement, elle était presque intacte, excepté quelques trous par où s'infiltraient les rayons du soleil pour former un réseau incandescent striant la salle. On s'est figés tous les trois pour fixer cet incroyable dôme de verre en cherchant à reprendre notre souffle. Bien sûr, on aurait davantage apprécié ce spectacle si on ne devait pas avant tout sauver notre peau.

– Il faut faire demi-tour, a hoqueté Siry. Ils ont capturé Twig.

– Aller la rejoindre ne nous avancera guère, ai-je dit. On retournera la chercher, mais quand on sera prêts.

– Je n'aurais jamais dû l'emmener, s'est écrié Siry. Je n'aurais jamais dû emmener qui que ce soit !

– C'était notre choix, a souligné Loque. On a eu plus d'une occasion d'y renoncer.

– Ce n'est pas le moment d'en discuter, ai-je remarqué. Vous aurez tout le temps de vous faire des reproches plus tard. Débarrassons-nous d'abord de ces brutes.

Crash !

Ce bruit venait de la pièce d'à-côté. Les Utos se tarderaient pas à nous rejoindre. J'ai parcouru des yeux l'immense atrium, cherchant la meilleure voie d'évasion.

– On ne pourra jamais traverser tout ça à temps, ai-je conclu. On n'a qu'à se planquer quelque part et prier pour qu'ils ne nous voient pas.

On n'avait pas le temps d'en débattre. Loque s'est remis à courir le long du mur jusqu'à ce qu'il trouve une issue. On l'a suivi à l'intérieur d'une petite salle sans lumière ni sortie. Si les Utos nous trouvaient là-dedans, on serait pris au piège. Mais on ne pouvait revenir en arrière, parce que nos poursuivants venaient d'entrer dans la cathédrale.

Siry s'est planqué derrière les restes de ce qui devait être un cabinet ou un bureau. Loque et moi l'avons suivi en tentant de nous rendre invisible. J'ai rampé sur le ventre derrière le meuble et ai trouvé un trou de souris par où regarder. J'avais une vue imprenable sur la porte. À peine étais-je en position que j'ai vu plusieurs Utos émerger à l'autre bout de la cathédrale. Apparemment, notre plan avait fonctionné. Ils pensaient qu'on avait continué notre chemin. Mais ils étaient nombreux. Ils pouvaient se séparer pour fouiller les alentours. Il faudrait être sûr qu'ils étaient tous partis avant de bouger.

Il faisait sacrément chaud là-dedans. La sueur me dégoulinait sur le visage. J'allais m'essuyer le nez lorsqu'une ombre a traversé le seuil. Je me suis immobilisé. Un Uto aux aguets est passé devant nous. Ils étaient à nos trousses. Je n'ai même pas osé respirer ni baisser ma main de peur de nous faire repérer. C'est dire si j'étais nerveux. L'Uto a jeté un bref coup d'œil avant de continuer. Je n'ai toujours pas bougé. J'avais raison. Juste derrière lui, un autre type a passé sa tête par l'entrée pour examiner les lieux. Pouvait-il nous voir ? Quelle importance s'il appelait ses collègues pour qu'ils fouillent la pièce ? Je m'y suis préparé mentalement, imaginant ces sauvages investissant notre cachette, calculant le meilleur moment pour passer à l'attaque.

L'Uto a fait un pas à l'intérieur le temps de scruter sommairement les lieux avant de repartir. Si ces gars se déplaçaient en si grand nombre, ce devait être parce qu'ils n'étaient pas très courageux individuellement. Je n'ai pas osé regarder Siry et Loque de peur de faire un bruit. Un autre Uto est passé tout tranquillement devant la pièce et y a jeté un bref coup d'œil. Puis un deuxième l'a inspectée à son tour. J'en ai vu d'autres encore qui nous cherchaient au centre de la cathédrale. J'ai repris un peu espoir. Ils allaient peut-être négliger cette pièce ? Les minutes se sont écoulées. Les Utos se sont faits de plus en plus rares. Et pourtant, je n'osais toujours pas bouger. Pour autant que je sache, ils nous attendaient de l'autre côté de cette porte dans l'espoir qu'on soit assez bêtes pour tomber dans le panneau. Sans s'être concertés, on savait tous les trois qu'on avait tout intérêt à rester ici le temps qu'il faudrait.

Cinq minutes ont passé. Puis dix. J'ai perdu la notion du temps. Comme ça faisait longtemps qu'on n'avait pas vu l'ombre d'un Uto, je me suis enhardi. J'ai tourné la tête vers les autres. Siry n'était qu'à quelques mètres de moi. Contre toute attente, il tournait le dos à la porte. Il avait replié ses genoux et les serrait dans ses bras, le regard perdu dans le vide. Il n'était pas paralysé par la peur, non, c'était pire que ça. Il avait l'air… anéanti. Je ne le comprenais que trop. Sa quête flamboyante avait viré au cauchemar. Twig, la plus vulnérable de nous tous, avait été capturée. À présent, elle était aux mains des Utos. Était-elle encore en vie ? Ces animaux étaient-ils capables de tuer une jeune fille de sang-froid ?

J'ai fait un bond : on me touchait l'épaule. Je me suis redressé trop vite et me suis cogné la tête. Je ne me suis pas fait mal, mais le bruit a résonné comme une explosion. Pourvu que personne ne l'ait entendu ! C'est Loque qui m'avait fait sursauter. On est restés figés sur place, attendant une réaction.

Quelques minutes se sont écoulées. Toujours rien. On a repris confiance. Si personne n'avait entendu ce bruit, c'est qu'ils étaient tous partis.

– Je vais jeter un coup d'œil, a chuchoté Loque. Si la voie est libre, je vous ferai signe et on pourra y aller.

J'ai acquiescé. Siry n'a pas bougé. Loque m'a fait un sourire.

– Ne t'en fais pas : dès qu'on sera sortis d'ici, on trouvera bien un moyen de libérer Twig.

Siry n'a toujours pas réagi. Loque m'a jeté un regard soucieux, puis s'en est allé. À en juger par notre petit voyage dans la jungle, c'était le plus à même de réussir sa mission. Il était rapide et silencieux. Moi, je serais bien capable de me prendre les pieds dans quelque chose et de faire un boucan d'enfer qui attirerait les Utos.

– Ça va ? ai-je demandé à Siry.

Il a continué de fixer le vide.

– Ça ne devait pas se passer comme ça, a-t-il dit doucement.

– Je sais.

– Pas question de quitter cette cité des horreurs sans Twig, a-t-il ajouté.

Je n'allais pas le contredire. À quoi bon ? Le cours des événements nous dicterait ce qu'il faudrait faire. Avec un peu de chance, il nous mènerait à Twig. Mais même si je le souhaitais de tout cœur, je savais que ce n'était pas gagné. Chaque chose en son temps. J'ai laissé Siry et me suis dirigé vers la sortie. Je me suis agenouillé pour scruter l'intérieur de la cathédrale. Sur ma droite, j'ai vu Loque qui progressait le long du mur, passant d'un amas de débris à un autre, à peine visible.

Siry m'a rejoint, s'agenouillant à côté de moi. Quand nos regards se sont croisés, il a hoché la tête avec un sourire rassurant. Il avait l'air d'un enfant apeuré. Ç'aurait pu être moi il y avait quelques années. Ou en ce moment.

Loque a traversé l'immense pièce pour se rapprocher du vitrail. L'immense mosaïque débutait à même le sol pour s'étendre jusqu'au dôme transparent servant de toit. Elle était magnifique. J'ai ressenti une pointe de tristesse face à la disparition d'une ville entière et de sa population. On était sur Veelox. Là où Saint

Dane nous avait vaincus[1]. Était-ce là l'avenir de ce monde ? Voyais-je de mes yeux ce que devenait un territoire lorsque Saint Dane l'avait détruit ? Je me posais tant de questions, et pourtant elles devraient attendre. D'abord, il fallait qu'on s'en aille d'ici. Avec Twig, du moins je l'espérais.

J'ai parcouru des yeux cet incroyable vitrail. Je ne m'y connaissais pas assez pour pouvoir juger de sa qualité, mais le fait qu'il occupe une superficie équivalent à la moitié d'un terrain de football suffisait à m'impressionner.

Loque était arrivé à mi-chemin et prenait de plus en plus d'assurance. Les Utos étaient partis. Ils étaient allés nous cher-cher ailleurs. Ou peut-être avaient-ils renoncé pour retourner dans le trou à rats d'où ils étaient sortis. Peu importe. On avait évité le pire. Mais on n'était pas sauvés pour autant. Il nous restait à retourner au bateau et à décider de la conduite à suivre.

Loque était là, à une centaine de mètres de nous. Il semblait si petit sous cet immense mur. Il s'est levé, a jeté un coup d'œil autour de lui, puis nous a fait un signe de la main. La voie était libre. Il voulait qu'on le suive. J'ai regardé Siry : il se redressait déjà. J'allais faire de même – quand je me suis figé.

– Un instant, ai-je chuchoté sèchement.

Siry s'est immobilisé. Je me suis levé pour regarder la mosaïque géante. Elle occupait peut-être un mur complet, mais restait faite de verre. De verre transparent. Quelque chose se déplaçait à l'extérieur du bâtiment. Quelque chose d'énorme. Impossible de dire ce que c'était exactement : les fragments de verre colorés le dissimulaient. Ça se déplaçait lentement de la gauche vers la droite. Quoi que ce soit, c'était fait d'un bloc. Je n'ai pas vu la moindre pièce en mouvement. J'ai fait signe à Loque de regarder, mais il ne me voyait pas. Je n'ai pas osé l'appeler. Ce n'était peut-être qu'une illusion, et je ne voulais pas courir le risque de révéler notre position.

Le soleil a brillé de plus en plus fort, soulignant les contours de cet étrange objet. Plus grand que Loque, il semblait flotter dans

---

1. Voir Pendragon n° 4 : *Cauchemar virtuel.*

l'air. Peut-être était-il monté sur un socle vertical... Puis il a pivoté et le soleil s'est reflété sur sa surface. Ça m'a suffi à comprendre ce que c'était. Horrifié, je suis parti en courant vers le centre de la cathédrale sans me soucier de me faire repérer.

— Va-t'en ! ai-je crié à Loque. Éloigne-toi de cette vitre !

J'ai agité les bras pour mieux le convaincre. Il m'a fait signe de me calmer, les paumes vers le bas. Il a même porté un doigt à ses lèvres pour me faire taire.

Pas question ! Siry a couru vers moi et a cherché à me maîtriser.

— Arrête ! m'a-t-il chuchoté à l'oreille.

Je ne l'ai pas écouté.

— Vite ! Va-t'en ! ai-je crié à Loque.

Il a regardé autour de lui sans trop savoir que faire. Il ne voyait pas pourquoi je m'excitais comme ça. Il s'est mis à marcher vers moi. Lentement. Trop lentement.

— Qu'y a-t-il ? a-t-il crié. Ils sont partis !

— Non ! Ils sont là-dehors et ils ont un...

Boum ! J'avais déjà entendu ce bruit. C'était celui des canons de ce bateau blindé qui nous avait tiré dessus. Les Utos n'étaient pas partis. Ils savaient qu'on était dans cette cathédrale.

Et ils voulaient en faire notre tombe.

L'instant d'après, le vitrail a explosé. Ç'aurait été spectaculaire si ça n'avait pas été si terrifiant. Des fragments de verre ont sifflé tout autour de nous... Mais on ne risquait rien. Loque, si. Des tonnes de verre fracassé se sont effondrées sur sa tête.

— Non ! a crié Siry, comme si ça pouvait changer quelque chose.

J'ai eu la présence d'esprit de m'arrêter de courir pour le pousser en arrière. Il était trop choqué pour réagir. Je l'ai entraîné dans la petite pièce où on s'était cachés et l'ai plaqué contre le mur. Une fois en sécurité, on a regardé le spectacle.

C'était à la fois horrible et magnifique. En entendant l'explosion, Loque s'était figé de surprise. Ou peut-être de curiosité. C'était bien la pire réaction possible. Il a regardé le mur de verre exploser au-dessus de lui. Il n'a pas cherché à fuir, ni à se protéger. Je pense qu'il n'en croyait pas ses yeux, tout simplement. C'était mieux ainsi. Sous nos yeux, un déluge multicolore s'est abattu sur le garçon blond – le meilleur ami de Siry. J'ai dû détourner les yeux. Je ne voulais pas voir ça. L'entendre me suffisait amplement. Le bruit était assourdissant, comme les cris perçants d'un vol d'oiseaux. Et ça a continué, encore et encore alors que les débris s'amassaient à terre. Des fragments de verre ont volé vers nous, et j'ai senti leur piqûre contre mon bras. J'aurais dû me cacher derrière le mur pour me protéger, mais j'étais trop sonné pour réagir. Je voulais qu'ils me lacèrent le bras, je voulais sentir leur brûlure.

Le fracas a continué encore plusieurs secondes avant de diminuer. Quuand j'ai risqué un œil, j'ai d'abord cru que quelqu'un avait allumé mille projecteurs pour illuminer la cathédrale. Mais non : cette lumière était celle du soleil. Ce qui avait été un magnifique vitrail était désormais une ouverture béante sur l'extérieur. La pile de débris qui s'étendait au sol devait bien faire plusieurs mètres de haut. Je l'ai fixée comme si je m'attendais à ce que Loque en sorte, qu'il s'extirpe des fragments de verre pour revenir vers nous. En vain.

Siry a couru vers les débris.

– Loque ! a-t-il crié d'une voix blanche.

– Non, attends ! ai-je crié.

Il n'a rien voulu entendre. Je suis parti derrière lui. Tout en courant, il scrutait les débris, cherchant une trace de son ami.

– On ne peut pas rester ici ! ai-je plaidé. Regarde !

À travers le vitrail fracassé, je pouvais distinguer le canon. C'était bien le même que celui que j'avais vu sur le bateau. Et des Utos l'entouraient. Ils savaient très bien ce qu'ils faisaient. Comme ils n'avaient pas pu nous trouver, ils voulaient nous enterrer vivants. Mais ils n'avaient eu que Loque.

Siry a ouvert de grands yeux. Il fixait quelque chose sur le sol. J'ai suivi son regard. Soudain, mes jambes se sont transformées en coton. C'était une sandale. Celle de Loque. Siry s'est précipité vers l'amas de verre comme s'il voulait creuser de ses mains nues. J'ai dû l'arrêter avant qu'il ne s'entaille les doigts.

– Il faut qu'on s'en aille, ai-je dit. Et vite !

Les Utos inspectaient déjà les débris, sans doute à la recherche de nos cadavres.

Siry était au bord des larmes. Il avait perdu deux de ses Jakills les plus fidèles, dont son meilleur ami. On n'avait que peu de chances de retrouver Twig, mais au moins il restait un espoir. Pas pour Loque. Je n'osais imaginer à quoi il devait ressembler sous ces tonnes de verre. J'ai réalisé que cette sandale était peut-être tout ce qui restait du garçon blond. J'ai dû chasser cette image de mon esprit.

— Vite, Siry, ai-je dit doucement, mais fermement.

Il a inspiré, regardé les Utos qui se dirigeaient vers nous, puis tourné les talons et couru vers le chemin par où on était entrés dans la cathédrale. Je l'ai suivi aussitôt, tentant de ne plus penser à ce qui venait de se produire. Je n'oublierai jamais la vision de Twig emmenée par ces brutes ou de Loque écrasé par cette avalanche de verre. Ces images resteront à jamais gravées dans ma mémoire. Mais je ne pouvais pas me laisser aller. On aurait tout le temps de porter le deuil. Plus tard, on pourrait même essayer de sauver Twig. Mais pas si les Utos s'emparaient de nous. C'était une question de vie ou de mort. J'espérais que Siry pensait comme moi.

Je ne savais pas ce qui comptait le plus : la vitesse ou la discrétion. Plus on s'éternisait dans cette ville, plus les Utos auraient des chances de nous trouver. Il fallait absolument regagner le bateau, mais si on n'était pas assez prudents, on risquait de tomber sur d'autres de ces racailles. Impossible de deviner où ils se terraient. Soudain, cette ville m'évoquait une vieille baraque infestée de termites. On ne pouvait pas les voir, mais on savait qu'ils étaient là. Et qu'ils étaient des milliers à surveiller nos moindres faits et gestes. Siry et moi avons refait en sens inverse le chemin qui nous avait mené à la cathédrale. Pourvu que les Utos ne s'attendent pas à ça. Après avoir parcouru ce labyrinthe, je me suis arrêté dans l'embrasure de la porte donnant sur la rue. Pas question de tomber dans un autre piège. On s'est accroupis le temps de reprendre notre souffle et de définir un plan d'action.

— Pourvu qu'ils nous croient morts, ai-je dit entre deux goulées d'air. Ça nous laissera le temps de regagner le bateau et de lever l'ancre.

Le regard de Siry était vitreux, comme s'il était sous le choc.

— Ils l'ont tué, a-t-il repris. Ils ont tué mon meilleur ami. Pourquoi ont-ils fait ça ?

— Je ne sais pas. Je ne sais rien d'eux.

— C'est par vengeance ? a continué Siry comme s'il ne m'avait pas entendu. Tout ce qu'on a fait, c'est protéger notre ville. Ce sont eux les assaillants, pas nous.

J'ai pris Siry par les épaules et l'ai secoué sans ménagement. Il m'a regardé, surpris.

— Arrête ! ai-je sifflé. Reprends tes esprits. Si on reste ici, on est morts, nous aussi.

— Je crois que ça m'est égal, a-t-il répondu doucement.

— Et les autres Jakills ? ai-je rétorqué. Tu ne te soucies plus d'eux ? Ils vont venir nous chercher, tu le sais comme moi. Si on ne retourne pas les prévenir, ils vont tomber dans le même piège que nous.

Là, j'avais touché juste. Il a aussitôt repris ses esprits.

— Il faut rester le plus près possible des murs, a-t-il dit, reprenant le contrôle de la situation. On sera moins visibles.

— Non, ai-je répliqué sur-le-champ. Ces immeubles sont infestés d'Utos. Si on s'en rapproche, ils seront sur nous avant qu'on n'ait pu réagir.

— Alors qu'est-ce qu'on fait ?

— On court. Le plus vite possible, au beau milieu de la rue, loin des bâtiments. Comme ça, on les verra venir.

— Et s'ils nous voient venir, *eux* ?

— Oh, ils nous verront. Mais si on est au milieu de la rue, on aura quelques secondes pour réagir.

Je pouvais sentir cliqueter les rouages de son esprit alors qu'il calculait toutes les possibilités. Il a hoché la tête lentement, puis avec plus de fermeté tout en s'y préparant mentalement.

— Un… deux… trois… *go !*

Et il s'est jeté à découvert.

Je lui ai emboîté le pas. On a sprinté vers le milieu de la rue. De là, on a tourné à gauche et continué notre chemin vers le rivage. On scrutait les bâtiments alentour, à l'affût du moindre mouvement prouvant que les Utos nous avaient repérés. À chaque tas de débris, je craignais de voir surgir un groupe de sauvages en haillons prêts à nous couper la route.

On était dans la dernière ligne droite avant la plage séparant les derniers immeubles de la jetée. Mes jambes me brûlaient, j'avais un point de côté et l'impression d'étouffer, mais pas question de ralentir. Il n'y avait pas quarante-huit heures, j'étais cloué au lit après avoir été piqué par un essaim de guêpes, et maintenant, j'étais une fois de plus en train de courir pour sauver ma vie. Siry, lui, ne semblait pas fatigué. Il n'était même pas hors d'haleine. On a dépassé les derniers bâtiments pour continuer sous la lumière du soleil, si forte qu'elle m'a aveuglé. Mais ça ne nous a pas arrêtés pour autant. On était loin des immeubles et des dangers qu'ils représentaient. Mon moral a remonté. On allait réussir. J'étais si confiant que j'ai commencé à envisager la suite des opérations. L'essentiel était de reprendre la mer. Ensuite, il faudrait décider ce qu'on allait faire pour Twig. Je savais que Siry ne l'abandonnerait pas, et les autres Jakills seraient certainement d'accord. Je tenais à la retrouver, bien sûr, mais ce n'était pas tout. Je voulais comprendre ce qui était arrivé à Rubic City, et à Veelox. Il me restait aussi à trouver Saint Dane. Je sentais sa présence tout autour de moi. D'une façon ou d'une autre, je retournerais à Rubic City, j'en étais convaincu.

Il y avait plusieurs amas de débris qui s'interposaient entre la jetée et nous, si hauts qu'ils nous empêchaient de voir le bateau. Mais comme on y était presque, on pouvait se détendre un peu. On avait cavalé plus d'un kilomètre sous un soleil de plomb. Maintenant que l'adrénaline retombait, la fatigue reprenait ses droits.

– On... peut... ralentir ? ai-je demandé, à bout de souffle.

Siry n'a pas discuté. Lui aussi commençait à traîner la patte. On a continué en marchant d'un pas vif. On ne s'est rien dit : on était trop occupés à reprendre notre souffle. Tout ce que j'avais en tête, c'est de monter à bord de ce bateau avant qu'il arrive encore une catastrophe.

Siry a été le premier à voir la fumée.

– Regarde ! a-t-il hoqueté.

Au-dessus d'un énorme amas de débris, dans la direction approximative de la jetée, s'élevait un panache de fumée noire.

On s'est arrêtés brièvement pour mieux voir, puis on s'est regardés. Finies les vacances. On s'est remis à courir. Tout d'un coup, on avait oublié la fatigue. On a foncé, contournant le tas pour voir… le plus horrible des spectacles.

Notre bateau jaune était en flammes. Il était entouré par deux vedettes bourrées d'Utos. On est restés là, sans rien dire, pendant qu'ils déchargeaient à bout portant leurs canons sur notre vaisseau condamné, fracassant la coque embrasée. Un autre obus a frappé la base du grand mât, qui s'est effondré sur le pont dans un craquement déchirant et un jaillissement d'étincelles. Le bateau a pris du gîte, comme on dit. Il ne tarderait pas à rejoindre les autres épaves au fond de l'eau.

— Où sont-ils ? a coassé Siry, à peine capable de faire sortir ses mots.

Je n'avais pas de réponse à lui proposer. Il n'y avait pas la moindre trace des Jakills. Avaient-ils pu s'échapper avant l'attaque ? Ou avaient-ils péri dans les flammes ? Je ne pouvais rien faire, juste fixer ce bateau condamné.

— Pourquoi les Utos font-ils ça ? a demandé Siry. Ce sont… des bêtes.

J'avais ma théorie sur ce point. Ou plutôt une idée. Le comportement de ces Utos me donnait à penser que, d'une façon ou d'une autre, ils étaient sous l'influence de Saint Dane. Par contre, je ne savais pas pourquoi. J'ignorais qui ils étaient et ce qu'ils croyaient accomplir en persécutant les gens de Rayne, mais je finirais par le découvrir. C'était mon boulot.

— On est coincés, a dit Siry. Mes amis sont partis et on est pris au piège. (Il m'a regardé et a ajouté :) Que va-t-on faire ?

— On va essayer de ne pas prendre de risques inutiles, ai-je dit. Et de chercher des réponses.

— Comment ? a demandé Siry.

— En devenant des Voyageurs. Il est temps que tu comprennes que c'est ton seul espoir.

Journal n° 30
(suite)

IBARA

Notre priorité était de trouver une cachette sûre. Pour ça, on n'avait pas beaucoup de choix. Retourner à Rubic City ? Autant se jeter dans la gueule du loup. Et pourtant, il allait falloir courir ce risque. On est restés plantés là jusqu'à ce qu'un obus vienne exploser à quelques mètres de nous. Oui, ceux du bateau nous avaient repérés. Il était temps d'aller voir ailleurs si on y était. Sans un mot, Siry et moi avons contourné l'amas de débris pour retourner vers les immeubles de Rubic City.

Boum ! Sur ma droite, un autre amas de débris a volé en éclats, nous aspergeant de poussière et de ciment. Un instant, le nuage m'a aveuglé, mais ça ne m'a pas arrêté. J'ai continué de cavaler en me frottant les yeux quand, tout à coup, *boum !* Derrière nous, le sol s'est soulevé. Projeté en avant, Siry est tombé à genoux. Je l'ai ramassé au passage sans même ralentir. On a fini par arriver à hauteur des premiers bâtiments au moment même où un obus pulvérisait le mur le plus proche. Des fragments de béton m'ont égratigné le dos, mais rien de grave. On était sauvés. Sauvés ? J'ai vraiment écrit ça ? On était peut-être hors de portée des canons, mais on était sur le terrain de chasse des Utos. C'était vraiment voguer de Charybde en Scylla.

— Ils nous ont vu entrer en ville, ai-je dit, hors d'haleine. Il faut qu'on s'en aille le plus vite possible.

Une fois au premier croisement, on a pris sur la droite pour ne pas emprunter encore une fois le même chemin. J'ignorais si ça nous aiderait à les semer, mais, sur le moment, ça semblait être la chose à faire. Je voulais trouver un endroit sûr, où on pourrait se reposer et reprendre nos esprits. Jusqu'à présent, on n'avait fait que réagir aux événements au fur et à mesure qu'ils se présentaient. Il fallait réfléchir à un plan d'action. On a parcouru une rue en pente, à la recherche d'une cachette.

— Là ! a crié Siry.

La porte se trouvait en-dessous du niveau du sol. Elle devait donner sur une boutique quelconque. J'ai acquiescé. Lorsqu'on est entrés, on s'est fait accueillir par un drôle de bruit. C'était une cloche à l'ancienne accrochée au-dessus de la porte qui tintait à chaque fois qu'on passait le seuil pour signaler l'arrivée de clients. Mais, dans les circonstances présentes, ce carillon joyeux paraissait beaucoup moins sympathique.

La boutique comprenait de longs comptoirs et des étagères, vides bien sûr. C'était sans doute une ancienne épicerie. En effet, plusieurs panneaux jaunis vantaient les mérites de différents types de gloïde. Oui, de gloïde. Je croyais ne plus jamais entendre parler de ce machin. C'était l'espèce de gelée bourrée d'éléments nutritifs qui était la principale alimentation des gens de Veelox. Veelox. J'avais encore du mal à m'y faire. De petits indices comme celui-ci me disaient que je ne me trompais pas. Que ça me plaise ou non, j'étais sur Veelox, aucun doute là-dessus. Mais la grande question était : que venait y faire Saint Dane ?

On a traversé la boutique pour gagner une autre pièce à l'arrière. Une dernière porte s'ouvrait sur une cour. Cette cachette en valait bien une autre. Si des Utos entraient, on pourrait s'enfuir par l'arrière. S'ils nous encerclaient, eh bien... inutile de se torturer la cervelle avec des choses sur lesquelles on n'avait aucun contrôle. Je voulais reprendre mon souffle et m'éclaircir les esprits. Je me suis assis par terre en scrutant les grands immeubles qui nous entouraient. Des Utos nous surveillaient-ils, tapis derrière ces fenêtres ? Siry s'est adossé dans l'embrasure de la porte, la tête basse. Je ne reconnaissais plus le leader crâneur et charismatique qui refusait de vivre dans le mensonge. Il avait l'air anéanti.

— C'est fini, a-t-il dit. Tous mes amis sont morts, tous jusqu'au dernier.

Pour autant que je sache, c'était peut-être vrai, mais je ne voulais pas l'enfoncer encore plus.

— On n'en est pas sûrs, ai-je répondu, histoire de positiver. Les autres peuvent s'être échappés. Et Twig doit être prisonnière des Utos.

— Ils sont morts sur ce bateau, a-t-il repris, plus sonné que furieux. Je leur avais ordonné de ne laisser personne monter à bord. Et c'est ce qu'ils ont fait, j'en suis sûr. Jusqu'au bout.

— Les Jakills sont loyaux, mais pas idiots. Quand ils ont vu qu'on les attaquait, je suis sûr qu'ils ont abandonné le navire. Au moins quelques-uns.

— Tout est de ma faute, a-t-il gémi. Ils sont morts à cause de moi. Et pourquoi ?

— S'ils étaient là, c'était parce qu'ils l'ont choisi, ai-je insisté. Arrête de culpabiliser.

— Pourquoi ?

— Parce que j'ai besoin de toi.

— C'est fini, Pendragon.

Ce moment était important. J'étais sur le point de perdre Siry. Son sentiment de culpabilité était trop fort.

— Je sais que tu ne veux pas participer à ce combat contre Saint Dane, ai-je repris, et je ne peux pas t'en blâmer. Moi aussi, ça m'a pris un bout de temps. Mais il y a quelque chose dont je suis sûr, et je veux que tu le comprennes. Non : il le *faut*. Je ne sais pas combien de Jakills sont morts aujourd'hui. Peut-être tous, peut-être aucun. Mais ils ne seront pas morts en vain.

— Comment peux-tu dire ça ? a-t-il rétorqué.

— Parce que je cherchais la vérité et que je l'ai trouvée. Siry, cette quête que vous avez entamée a peut-être sauvé Veelox d'une catastrophe.

Siry ne savait comment prendre ça.

— Tu avais raison, ai-je continué. Il se passe plus de choses que le tribunal ne veut bien vous le dire. Maintenant, j'en suis sûr. Je sais ce qu'ils vous cachent. Du moins en partie.

Il m'a regardé d'un air complètement paumé.

— Siry, je suis déjà venu sur Veelox. C'était il y a bien longtemps, enfin je crois. Plusieurs générations, peut-être.

– Quoi ? Pourquoi est-ce que tu ne m'as rien dit ?

– Parce que je ne le savais pas moi-même. Certains territoires sont situés sur le même monde, mais à des époques différentes. D'où je viens, il y en a trois. Ce qui constitue un territoire n'est pas forcément son emplacement. C'est davantage une question de moment de vérité. Saint Dane en a trouvé dix dans tout Halla. Des points précis de l'histoire où il se produit un événement dont dépendra l'avenir d'un territoire. Si les choses se déroulent comme elles le doivent, ce monde connaîtra la paix, comme il est écrit. Saint Dane tente d'influer sur ces moments de vérité pour en faire changer le cours et plonger chacun de ces territoires dans le chaos. C'est ce qu'il veut, Siry. Que Halla s'effondre pour pouvoir le remodeler à sa guise. On l'a affronté sur sept territoires et on a échoué par deux fois. Sur Quillan, là où est mort ton père. Et sur Veelox.

Siry a froncé les sourcils et secoué la tête.

– Si je comprends bien, tu es déjà venu ici, tu y as affronté Saint Dane et tu as perdu ?

– Exactement.

– Mais si Veelox s'est effondrée, pourquoi sommes-nous encore là ?

– Je ne sais pas. L'île d'Ibara semble avoir échappé au sort qui attendait le reste du pays après la victoire de Saint Dane. Regarde cette ville. Elle n'est plus que ruines. Je crois que la majeure partie de Veelox ne vaut pas mieux. Voilà cette vérité que le tribunal veut cacher au peuple d'Ibara.

Siry s'est levé pour aller poser sa main sur l'un des murs. Le plâtre s'est effrité sous ses doigts. Une métaphore qui ne nous a pas échappés. Veelox s'était écroulée.

– Mettons que je te croie, a dit Siry prudemment. Ça signifie qu'Ibara aussi va tomber. Ils ne pourront pas repousser les Utos éternellement. Si Veelox est vraiment condamnée, à quoi bon lutter ?

– Ce qui compte, c'est qu'Ibara est un territoire. Remudi en était le Voyageur. Maintenant, c'est ton tour.

Il a eu un reniflement de mépris. Je n'ai pas relevé.

– Chaque territoire connaît son moment de vérité, ai-je repris. Si on m'a envoyé ici, c'est que celui d'Ibara va bientôt se produire.

Ce qui veut dire qu'on aura peut-être l'occasion de sauver Veelox. Tu crois que les Jakills sont morts pour rien ? Au contraire, ils nous ont donné cette chance. Si on ne tente pas de la saisir, si *tu* ne fais rien, alors oui, ils seront morts en vain.

Siry avait envie de me croire. Je l'ai lu dans ses yeux. Mais c'était tout de même dur à avaler. Je devais le convaincre. Ça semblait impossible... Jusqu'à ce que je me souvienne de quelque chose que j'avais aperçu avant l'attaque des Utos.

– Je peux te montrer une preuve de ce que j'avance. C'est ce que tu as toujours cherché, non ? La vérité ? Si tu veux tout savoir de Veelox, viens avec moi !

– Où ?

– Tu as déjà vu une pyramide ?

Quelques minutes plus tard, on s'enfonçait à nouveau dans les profondeurs de la ville. Cette fois, je savais où j'allais. Maintenant, je comprenais pourquoi cette vision m'avait mis mal à l'aise sans que je puisse dire pourquoi. Siry et moi nous sommes arrêtés avant de tourner à l'angle d'un mur.

– Si on veut préserver l'avenir de Veelox, ai-je dit, il faut d'abord connaître son passé.

Et on a tourné à l'angle. Siry a eu un sursaut de surprise. J'en aurais fait autant si je n'avais pas déjà su à quoi m'attendre. Mais ça m'a tout de même impressionné. C'était une immense pyramide noire. Elle tranchait sur ce décor, non seulement à cause de sa taille, mais aussi parce que son architecture ne ressemblait en rien au reste de la ville. Je savais qu'il y en avait d'autres un peu partout sur le territoire. Ces monolithes noirs étaient la raison pour laquelle Veelox était tombée. L'incroyable technologie qu'ils contenaient avait mené le territoire à sa perte. Non, ce n'est pas ça. Ce n'était pas à cause de la technologie, mais du peuple qui en était devenu l'esclave.

Utopias.

– Qu'est-ce que c'est ? a demandé Siry.

Comment pouvais-je expliquer cet incroyable générateur de réalité virtuelle à un type qui avait grandi dans une cabane de bambous ?

– Commençons par y rentrer.

Ce serait plus facile s'il le voyait de ses yeux.

La pyramide était si grande qu'on a dû courir encore quelques centaines de mètres avant d'y arriver. Dans mes souvenirs, ses parois noires étaient brillantes, mais c'était il y a bien longtemps. Le temps ne l'avait pas épargnée. La surface était écaillée, dévoilant son infrastructure. Elle avait perdu de son lustre, sans doute après avoir été exposée aux éléments pendant si longtemps. Combien de temps exactement ? À quand remontait ma dernière visite ? Des décennies ? Des siècles ? En ce temps-là, la ville était déjà en plein déclin. Techniquement, elle était toujours fonctionnelle, avec l'eau courante et l'électricité, mais les gens avaient déjà abandonné leurs demeures pour s'immerger dans le monde de rêve d'Utopias.

C'était la même pyramide que j'avais visitée la première fois. Mes souvenirs étaient encore frais, puisque, selon mon compteur, ça remontait à quelques années tout au plus. La base de la pyramide était une vraie poubelle où s'amassaient les restes de cette civilisation. Heureusement, la porte coulissante était libre. Elle était de taille normale, mais semblait minuscule par rapport à la taille de la pyramide. J'ai donné un coup d'épaule au panneau. Il n'a pas bougé. Siry s'est joint à moi : on s'est adossés à la porte tout en poussant avec nos jambes. Petit à petit, douloureusement, la porte a cédé avec un grincement métallique. On a pu dégager assez d'espace pour se faufiler à l'intérieur.

On s'est retrouvés dans un grand couloir. C'était cet espace de stérilisation où des tubes de néon violets se chargeaient de liquider tous les microbes qui jouaient les passagers clandestins. Mais ses lumières s'étaient éteintes depuis longtemps, plongeant le corridor dans le noir. La clarté du soleil n'éclairait qu'un minuscule rectangle. Le reste de la pyramide n'était qu'une masse de ténèbres.

— Qu'est-ce qu'on fait ? a demandé Siry.

— Il y a une autre pièce tout au bout de ce couloir. J'espère qu'il y aura de la lumière.

Je lui ai pris la main. Comme le couloir n'était pas bien large, en tendant le bras, on pouvait toucher les cloisons des deux côtés. On a avancé lentement en palpant les murs, traînant les pieds pour éviter d'éventuels obstacles. Il faisait si noir que je ne voyais même pas le bout de mon nez. On avait fait une dizaine de mètres tout au plus quand j'ai marché sur quelque chose. On aurait dit un tas de baguettes.

– Repousse-les, ai-je dit.

Ce qu'on a fait sans difficulté avant de continuer notre chemin. En se rapprochant de l'extrémité du couloir, j'ai pu apercevoir les contours de la porte. De l'autre côté, il y avait de la lumière. On a pu entrer dans la grande salle d'Utopias. Le soleil filtrait par les nombreux trous creusés dans le mur de la pyramide. Ils dissipaient à peine la pénombre, mais au moins, on pouvait évoluer sans se cogner contre quelque chose. La salle était telle que dans mes souvenirs. C'était là que les utilisateurs d'Utopias s'enregistraient avant de partir dans leur monde des rêves. Derrière la réception, j'ai vu quelque chose qui m'a arraché un sourire. C'était le portrait jauni d'un garçon de seize ans.

– Qui c'est ? a demandé Siry.

– Le docteur Zetlin, ai-je répondu. Le type qui a inventé tout ça.

– Et c'est quoi exactement, tout ça ?

– D'abord, je vais te montrer quelque chose. Après, ce sera plus facile de t'expliquer.

Derrière la réception, il y avait une porte qui, je le savais, donnait sur la salle centrale de la pyramide. Elle était entrouverte, ce qui nous a facilité les choses. Je me suis retrouvé dans le couloir aux parois de verre qui m'était familier. Certaines portions étaient cassées, mais l'essentiel était intact. Derrière ces cloisons, de chaque côté, s'étendaient les postes de contrôle d'où les veddeurs contrôlaient les sauts. Ce qui m'a rappelé bien des souvenirs. Pas tous agréables.

Il y avait juste assez de lumière pour pouvoir se diriger. On est passés devant les postes et les centaines d'écrans d'où les veddeurs vérifiaient la bonne marche d'Utopias. Bien sûr, ils étaient tous éteints. Je me suis demandé depuis combien de temps personne ne s'était plongé dans son univers virtuel customisé. Siry regardait tout ça d'un air émerveillé. On a fait encore quelques pas, puis quelque chose a attiré mon attention. Devant nous, à l'un des postes de contrôle, la lumière n'était pas la même.

Jusque-là, on dépendait de celle qui filtrait par les fissures de la pyramide, mais celle-ci semblait plus accueillante. On est entrés dans le poste de contrôle. Il était exactement semblable aux autres, sombre, mort et poussiéreux. À un détail près.

– Qu'est-ce que c'est ? a demandé Siry.

Le fauteuil était vide. D'après mes souvenirs, les instruments de contrôles se trouvaient sur ses bras. Et là, une lumière brillait. Une seule. Un petit cercle orange entourant un bouton argenté. Il ne dégageait pas beaucoup de lumière, juste assez pour attirer notre attention.

– Là où il y a de la lumière, il y a de l'énergie ! ai-je déclaré. On peut chercher à allumer une ou deux lampes.

Ce poste de contrôle était compliqué. J'aurais pu appuyer sur des boutons pendant des lustres sans trouver le bon. Et pourtant, il fallait bien que je tente le coup. Autant commencer par celui qui brillait. Logique, non ? Je me suis donc penché sur le fauteuil et ai touché le cercle.

Devant nous, un écran s'est allumé.

– Que… ? s'est écrié Siry en faisant un bond en arrière.

Une réaction normale pour quelqu'un qui n'avait jamais vu un écran de télévision.

– C'est bon, ai je-dit. Tout va bien.

On avait de l'énergie. J'en ai conclu que désormais, je pourrais expliquer à Siry ce qu'étaient Utopias, Zetlin et le bogue. Je pensais que voir le matériel l'aiderait, sinon à accepter la réalité, au moins à la comprendre. Ou ne pas me prendre pour un cinglé qui avait inventé toute cette histoire. L'écran s'est éclairé dans un déluge de crachotements statiques. Si je pouvais en allumer d'autres, on aurait assez de lumière pour continuer.

Je n'en ai jamais eu l'occasion.

L'écran s'est bien allumé, mais sur un tourbillon de couleurs qui se sont assemblées pour former une image. En la voyant, toutes mes forces m'ont quitté. J'ai dû me laisser tomber sur le fauteuil du veddeur.

– Qu'est-ce qu'il y a ? a demandé Siry. Qui est-ce ?

J'étais incapable de parler, mais ça ne changeait rien. L'image sur l'écran était assez éloquente. Comme au bon vieux temps.

C'était un gros plan d'une fille que je connaissais fort bien. Elle avait des cheveux longs ramenés en une queue-de-cheval, des yeux bleu foncé et des lunettes cerclées de jaune. Elle portait la même combinaison bleue de veddeur que la dernière fois que je l'avais vue. Elle nous a regardé avec cette intensité et cette intelligence dont je me rappelais fort bien.

– Je m'appelle Aja Killian, a-t-elle dit avec sécheresse et clarté.

C'était bien elle. Toujours droit au but.

– Je suis la veddeuse en chef de cette pyramide d'Utopias, la plus grande de Rubic City. Je suis aussi la Voyageuse du territoire de Veelox. Ceci est mon journal numéro douze. C'est peut-être mon dernier. J'espère qu'un jour, quelqu'un pourra l'écouter.

Ce moment était venu.

Journal d'Aja Killian n° 12

VEELOX

Bonjour, qui que vous soyez. Si vous êtes en train de regarder cet enregistrement, j'espère que vous savez déjà tout de la situation désespérée qui est celle de Veelox. Le simulateur de réalité virtuelle du nom d'Utopias s'est avéré bien plus populaire que ne l'avait prévu son inventeur, le docteur Zetlin. Les gens viennent dans cette pyramide, entrent dans leur propre tube d'isolation, se plongent dans leur rêve personnalisé et choisissent de ne jamais en sortir. Ces mondes imaginaires que crée Utopias sont bien trop réalistes, bien trop parfaits pour qu'ils veuillent en sortir. C'est pourquoi j'ai inventé ce virus que j'ai appelé « Réalité détournée », pour rendre ces univers factices moins attirants. Et j'ai échoué. Mes amis Bobby Pendragon et Loor m'ont aidé à éviter le pire en détruisant ce virus défectueux, sauvant ainsi des milliers de vies. Il n'ont fait que retarder l'inévitable. Depuis, Veelox se meurt à petit feu. Je me demande si le remède n'a pas été pire que le mal.

D'abord, c'est l'infrastructure même de la ville qui s'est désagrégée. L'eau potable s'est faite rare parce qu'il n'y avait personne pour s'occuper des pompes et des systèmes de filtrage. Les routes se sont effondrées. Les égouts ont suivi de peu. Les tuyaux ont débordé, si bien que les déchets se sont mêlés aux débris qui polluaient les rues. La ville s'est retrouvée plongée dans le noir : le peu d'énergie que produisaient encore les centrales était consacrée au fonctionnement d'Utopias. On a fini par ne plus savoir ce qu'étaient des produits frais. Le gloïde, notre principale alimentation, est devenu précieux. On a utilisé nos réserves pour nourrir les millions de gens enfermés dans cette pyramide, mais on n'en produisait plus. Il n'y avait personne pour s'en occuper. Tout le monde pensait qu'il y aurait toujours quelqu'un pour faire tourner le système. Mais non. Tout le monde était dans Utopias.

Ou presque.

Je suis fière de vous dire que bien des phadeurs et des veddeurs ont travaillé inlassablement pour maintenir Utopias en état de fonctionner et assurer la sécurité des rêveurs. On a gardé l'espoir en se disant qu'un jour, d'une façon ou d'une autre, les gens retrouveraient la raison et quitteraient Utopias. Tout d'abord, on pensait qu'ils seraient assez nombreux à regagner la réalité pour faire revivre notre monde. Mais le temps est impitoyable. Les villes étaient si dégradées que rien n'aurait pu les sauver. On a donc dû revoir nos attentes à la baisse : on s'est mis à espérer qu'assez de gens échappent à Utopias pour repartir à zéro et créer un nouveau monde. Ce jour n'est jamais arrivé. Tout s'est passé si vite ! Je n'avais jamais réalisé la somme d'efforts nécessaires pour faire fonctionner une société, ni la vitesse à laquelle tout peut s'écrouler.

L'issue était inévitable. Les rêveurs d'Utopias ont commencé à mourir. D'abord les plus âgés, ceux qui souffraient déjà de maladies. Sur tout le territoire, les écrans se sont éteints un par un. On a fini par laisser les cadavres dans les tubes. On n'était plus assez nombreux pour les enterrer tous. Les pyramides d'Utopias sont devenues des tombeaux. Ces premiers décès ont eu pour effet de prolonger notre déclin. Comme les rêveurs étaient moins nombreux, on avait moins besoin d'énergie, mais ce n'était qu'une question de temps avant qu'on atteigne le point de non-retour.

Finalement, les gens ont bel et bien quitté Utopias pour découvrir les conséquences de leur négligence. Ils abandonnaient leur vie de rêve idéale pour découvrir une réalité cauchemardesque. Certains ont choisi de retourner tout droit dans Utopias pour vivre heureux jusqu'à la fin de leurs jours, aussi proche soit-elle. Nombreux sont ceux qui ont préféré ne plus s'approcher des tubes et reconstruire leur monde. Mais c'était impossible. Cela faisait trop longtemps qu'il était à l'abandon. La ville était devenue dangereuse. Des bêtes sauvages hantaient ses rues. Elles ont attaqué en premier les enfants et les personnes âgées. Des gens disparaissaient sans laisser de traces. La nuit s'est emplie des cris des victimes de ces créatures féroces en mal de viande.

Il fallait faire quelque chose. Prendre des mesures désespérées. Veelox était condamnée, on le savait tous. Du moins la Veelox qu'on connaissait. Comme on ne pouvait rebâtir notre société, on a décidé d'en créer une autre. Les phadeurs et les veddeurs restants se sont réunis pour en décider.

Nous avons choisi l'île d'Ibara pour servir de berceau à notre civilisation renaissante. C'est un endroit paisible et magnifique qui avait jadis servi de base militaire. Comme cela fait des générations que nous n'avons plus besoin d'armée, elle est déserte. Notre idée est d'y envoyer un maximum des nôtres pour qu'ils s'y installent. Là, nous construirons une nouvelle société, plus simple. Nous sommes bien déterminés à ne plus jamais laisser la technologie contrôler notre façon de penser et nos existences mêmes. Nous avons passé un pacte entre nous, jurant de tout faire pour qu'Ibara reste un lieu de paix et d'harmonie. Et plus important encore, ce sera un lieu où les relations humaines primeront sur la technologie.

Mais ici, à Rubic City, une faction puissante fait tout pour nous en empêcher. Les survivants se sont scindés en deux groupes distincts : ceux qui désirent partir et tout recommencer ailleurs, et ceux qui refusent une telle réorganisation de la société. Ces derniers sont des mercenaires, des hors-la-loi qui pillent la ville pour y trouver de quoi survivre. Ils ne connaissent aucune loi. Il n'y a pas de police pour les arrêter. On peut les appeler des pirates. Ou des voleurs. Ou des pillards. Ils considèrent qu'ils étaient destinés à vivre dans Utopias, c'est pourquoi ils se font appeler… les Utos. Ils sont un danger pour tous ceux qui veulent repartir à zéro. C'est aussi pour ça qu'on a choisi l'île d'Ibara comme refuge. Elle a déjà ses propres défenses. Elles nous permettront de tenir les Utos à l'écart. C'est l'endroit parfait pour tenter de rebâtir une société.

Avons-nous une chance de réussir ? Nul ne peut le dire. Peut-être que cette société idyllique n'est qu'un rêve. Ceux qui vont partir pour Ibara ont fait un choix difficile. Renoncer à l'ancienne Veelox signifie abandonner Utopias et les derniers rêveurs. Ceux-ci sont condamnés. Notre seule consolation, c'est qu'ils le seraient de toute façon. Notre départ ne fera que hâter l'issue fatale. C'est un monde tout entier qu'on s'apprête à abandonner. Rubic City sera abandonnée aux bêtes sauvages et aux Utos – il n'y a pas grande différence entre les deux. Je ne peux pas parler pour le reste de Veelox. Peut-être que d'autres groupes ont des projets similaires. Je l'espère. Sinon, ce sera notre devoir de survivre assez longtemps pour qu'un jour, on puisse quitter Ibara et faire revivre le reste de ce monde. Mais nous sommes sûrs d'une chose : afin de pouvoir revivre, Veelox doit d'abord mourir.

Encore une chose. Je ne sais pas qui regardera ce journal, ni quand. Si vous êtes de Veelox, il vous expliquera brièvement comment notre monde est mort. Si vous êtes un Voyageur, j'ai un message pour vous.

Je suis une Voyageuse, moi aussi. J'avais pour responsabilité de protéger le territoire des manigances de Saint Dane. J'ai échoué. Lamentablement. Saint Dane a gagné. Veelox a plongé dans le chaos. Maintenant, mon seul espoir est de sauver ce qui peut l'être d'une société jadis florissante. Sur Veelox, Saint Dane a battu les Voyageurs. Il m'a vaincu moi. J'ignore ce qu'il entend faire de ce territoire, ou comment il compte s'en servir dans sa quête pour contrôler Halla. Mais je sais une bonne chose : le combat n'est pas terminé. J'ai dit à Pendragon que je voulais prendre ma revanche, et je crois qu'en créant un nouveau monde sur Ibara, c'est ce que je fais. Le temps seul dira si j'ai réussi. J'espère que Pendragon et le reste des Voyageurs auront plus de succès que moi dans leur combat contre ce monstre. Mais je vous promets que je n'ai pas baissé les bras. Qui que vous soyez, il faut que vous le sachiez. Ce monde n'est pas encore mort. Il est toujours en vie – sur Ibara. Un jour, les braves gens qui sont sur le point de s'embarquer pour ce grand voyage feront revivre Veelox. Ce sera peut-être leurs fils et leurs filles, ou leurs petits-

enfants. Ça durera ce que ça durera, mais l'essentiel, c'est qu'ils refusent de baisser les bras. Et, en tant que Voyageuse de Veelox, je ferai tout mon possible pour les aider.

Je suis Aja Killian, et j'enregistre ce qui sera peut-être mon dernier journal. J'espère que quiconque l'écoutera vivra dans un monde meilleur que celui d'aujourd'hui.

Journal n° 30
(suite)

IBARA

L'image d'Aja a disparu. Je suis resté planté là, à fixer l'écran éteint. Mes pires craintes venaient de se voir confirmées. Saint Dane avait réussi à faire tomber un territoire. Était-ce ce qu'il avait prévu pour tout Halla ? Il disait qu'il devait d'abord le détruire pour pouvoir le reconstruire. Je ne voyais pas grand-chose de reconstruit sur Veelox. Combien de temps avant que Quillan ne soit plus que ruines ?

– Tu la connais ? a demandé Siry.

J'ai acquiescé.

– Moi aussi, a-t-il répondu d'une voix douce.

Je me suis retourné d'un bond.

– Enfin, a-t-il repris, je ne la connais pas vraiment, mais j'ai entendu parler d'elle.

– Qu'est-ce que tu racontes ?

– J'ai vu les archives du tribunal. Elles contiennent d'anciennes directives expliquant comment construire et gouverner Ibara. Le nom d'Aja Killian y figure un peu partout. Elle avait de la person-nalité, même si elle ne choisissait pas toujours la voie la plus populaire. C'était une rebelle à sa façon, qui luttait au nom du peuple tout entier. C'est pour ça qu'on s'est appelés Jakills.

– Je ne comprends pas.

– Tu te souviens de la carte que je t'ai montrée ? Je ne l'ai pas trouvée sur la plage, je l'ai volée dans les archives du tribunal. Je crois que c'est Aja en personne qui l'a dessinée. Certaines lettres sont effacées, mais je peux remplir les blancs.

– Aja Killian, ai-je murmuré. Jakills.

– Elle est une légende. Nous aussi, on voulait que l'histoire retienne notre nom.

Je n'ai pu retenir un sourire.

– C'est tout Aja. Elle n'est plus là, mais elle s'arrange quand même pour tirer les ficelles.

– C'était une Voyageuse ? a demandé Siry.

– Oui. On n'a pas pu sauver le territoire, mais elle n'a jamais voulu s'avouer vaincue.

– Nous non plus, a-t-il affirmé.

Bien. C'était sa première réflexion positive depuis un bon bout de temps.

– Aja et ses contemporains ont donné une seconde chance à Veelox, ai-je dit. C'est pour ça que Saint Dane est ici. Il a peur que sa victoire se transforme en défaite. Veelox va connaître un nouveau moment de vérité.

Siry a acquiescé.

– En voyant ce qui est arrivé à Rubic City... (Il a inspiré profondément. On aurait dit qu'il retenait ses larmes.) Je ne sais pas. Je comprends peut-être mieux ce qui est arrivé à Ibara.

Il passait un sale moment.

– J'aimerais que les autres puissent voir ça, a-t-il soupiré. C'est cette vérité qu'on voulait tant découvrir.

– L'île d'Ibara est tout ce qui reste de votre civilisation, ai-je repris. C'est l'avenir de ce monde. Saint Dane l'a dans son collimateur, j'en suis sûr et certain.

– Alors comment peut-on l'arrêter ?

J'ai souri. Je pouvais à nouveau compter sur lui. Avant que j'aie pu dire un mot, un autre écran s'est allumé. Puis un autre. Et encore un autre. Un par un, tous les écrans du poste de travail se sont mis à luire d'une lumière blanche. Puis ce fut le tour du poste d'à côté, puis de tous ceux du couloir.

– Qu'est-ce qui se passe ? a demandé Siry, effrayé.

Je n'en avais pas la moindre idée. En un rien de temps, toute la salle centrale s'est illuminée. Les témoins des instruments de contrôle se sont allumés à leur tour. Au bout de quelques secondes, on aurait pu croire qu'Utopias était à nouveau opérationnel, comme la dernière fois que j'y étais passé

– C'est Aja qui fait ça ? a demandé Siry.

Je n'en savais rien. Mais quelqu'un d'autre a répondu :

– Aja, Aja, Aja ! a résonné une voix familière s'écoulant de tous les haut-parleurs de la salle.

Siry s'est bouché les oreilles. Il n'avait encore jamais rien entendu de pareil. Moi si. Malheureusement.

– Cette ennuyeuse gamine se donne plus d'importance qu'elle n'en a, a repris la voix. Surtout qu'elle a échoué lamentablement. Tu n'es pas d'accord avec moi, Pendragon ?

Siry m'a jeté un regard terrifié. J'en avais mal pour lui. Je savais ce qui allait se passer. S'il avait encore des doutes au sujet des histoires que lui racontait son père, ça ne durerait pas. Ces dernières heures, il avait fait bien des découvertes désagréables. Et ce n'était pas fini.

– Pendragon ? a-t-il demandé d'une voix tremblante. Qui est ce type ?

– La raison de notre présence ici, ai-je répondu calmement.

– Regarde ! s'est-il écrié en désignant un écran.

Là, flottant sur un fond blanc, il y avait deux yeux d'un bleu intense brûlant d'une lueur maléfique. Au-dessus sont apparues des cicatrices rouges en zigzag. Puis les contours d'un visage. Finalement, l'image s'est éclaircie. Il était là. Saint Dane. Ce n'était qu'une projection sur un écran, mais on aurait dit qu'il pouvait nous voir. Son image s'est dupliquée sur un autre écran, puis un autre et encore un autre jusqu'à ce qu'il soit partout. Siry ne savait plus où regarder. Ou qu'il se tourne, ce Voyageur démoniaque le scrutait de ses yeux de glace.

– La Convergence est pour bientôt, Pendragon, a tonné sa voix dans les haut-parleurs. Je me moque complètement de cette pathétique société primitive. J'ai juste choisi Ibara comme point de départ.

– Qu'est-ce qu'il entend par là ? a demandé nerveusement Siry.

J'ai gardé mon calme et scruté les écrans. Lequel était le bon ? Cela n'avait pas vraiment d'importance. Saint Dane comprendrait que je m'adressais à lui.

– Je n'y crois pas, ai-je dit d'une voix forte. Vous ne faites jamais rien par hasard. Pour vous, Ibara a autant d'importance que n'importe quel autre territoire. On a une nouvelle chance, et cette fois-ci, on va l'emporter.

Les innombrables images de Saint Dane ont ri à l'unisson. Ça m'a glacé le sang. Je ne pouvais même pas imaginer ce que Siry devait ressentir.

– Ta confiance t'honore, comme toujours. Cette bravoure est charmante, mais guère plausible. Excuse-moi, mais je ne me sens pas vraiment menacé par quelqu'un qui, il n'y a pas si longtemps, ne savait même pas sur quel territoire il se trouvait.

– Peu importe, ai-je craché en tournant comme un lion en cage tout en fixant tour à tour chaque écran. Je sais comment vous opérez. Vous avez convaincu les Utos d'attaquer Ibara. Mais ce n'est qu'une perte de temps. Leurs défenses sont trop puissantes. Aja s'en est assuré. Oui, une poignée d'Utos peuvent prendre pied sur l'île, mais pas en nombre suffisant pour faire de véritables dégâts. Ibara est forte. Sa culture est en train de renaître. Votre victoire n'était que temporaire. On va reprendre Veelox.

Je ne savais pas si c'était vrai, mais ça sonnait bien. Si je narguais Saint Dane de la sorte, c'était dans l'espoir qu'il finisse par nous révéler son véritable plan.

– Pendragon, a répondu Saint Dane en détachant les syllabes d'un ton moqueur, comme s'il grondait un gamin. Comme à ton habitude, tu en sais juste assez pour te rendre ridicule !

– Alors prouvez-moi que je me trompe. Écrasez-moi de votre supériorité.

Ses milliers de visages m'ont regardé depuis d'innombrables écrans.

– Tu es devenu bien prétentieux, a-t-il fait avec un petit rire. Toutes ces victoires t'ont fait croire que tu es… invincible.

– Vous n'avez remporté que deux territoires, ai-je rétorqué. Et au train où vont les choses, l'un d'entre eux échappe à votre emprise. Tout est terminé. Halla ne tombera pas. Vous avez perdu. Les peuples des territoires sont trop forts pour vous. Tout va se dérouler comme il était écrit.

— Tiens donc, s'est rengorgé Saint Dane. Qu'est-ce qui te dit que l'avenir qui est écrit n'est pas celui que j'envisage *moi* ?

Là, il a marqué un point. J'ai fait de mon mieux pour ne pas le montrer.

— Je n'y crois pas, ai-je répliqué. Si les Utos avaient une seule chance de conquérir Ibara, il y a longtemps qu'ils l'auraient fait. Ça fait combien temps que les habitants de Rubic City y ont émigré ? Des dizaines d'années ? Un siècle ?

Saint Dane a éclaté de rire.

— Pas vraiment. Selon le calendrier de Seconde Terre, ça fait trois siècles qu'ils ont abandonné Rubic City.

Oh. Ça faisait un bail.

— Trois siècles, ai-je répété. Et pendant tout ce temps, Ibara n'a cessé de se renforcer. Les Utos n'ont pas une chance.

Saint Dane a éclaté de rire une nouvelle fois. J'avais horreur de ça.

— Tu me déçois, Pendragon. Tu devrais savoir que le temps ne signifie rien. Ce qui compte, ce sont les décisions, les occasions et les moments de vérité. Celui d'Ibara se rapproche. Et tu n'as toujours pas la moindre idée en quoi il va consister.

Je n'ai rien dit. C'était inutile. Il avait raison et il le savait.

— Entre dans la pyramide, a ordonné Saint Dane, et emmène ton jeune ami le Voyageur. Il est bien dommage que son père ne soit pas là pour apprécier ce qu'il va découvrir. Bien que ce soit probablement ma faute, puisque c'est moi qui l'ai tué.

J'ai jeté un regard à Siry. Ses yeux ont jeté des éclairs. Il avait retrouvé toute son énergie.

— J'aurai sa peau, a sifflé Siry.

— Pas de précipitation, ai-je prévenu. Ce n'est qu'un début.

Je pouvais sentir sa tension. Sa haine. Saint Dane s'était fait un ennemi mortel. Pas moyen de dire si c'était une bonne chose ou si ça risquait de se retourner contre nous. Je n'étais sûr de rien, sinon que j'avais besoin d'en savoir davantage. Alors si Saint Dane voulait nous faire l'article, ça me convenait.

— Entre dans la pyramide, Pendragon, ont répété ses innombrables images. Et contemple le futur.

— Vous ne pouvez pas prévoir l'avenir d'Ibara, me suis-je avancé.

— Ibara ? a-t-il rétorqué froidement. Je te parle du futur de Halla.

Journal n° 30
(suite)

IBARA

— Viens, ai-je dit à Siry en lui prenant le bras.

Il m'a laissé faire, mais il était tendu comme un ressort. Ça pouvait se révéler utile, mais pas dans l'immédiat. Je l'ai entraîné hors du poste de travail pour l'emmener le long du couloir menant au centre de la pyramide. Saint Dane nous a surveillés du haut de ses milliers d'écrans en riant doucement. J'avais l'impression de me retrouver dans une attraction de foire où un clown infernal s'amusait bien plus que nous.

— On va au centre de la pyramide, ai-je dit à Siry, là où se trouvent les tubes. Et ce que Saint Dane veut nous montrer.

— Pourquoi fait-on ce qu'il nous demande ?

— Pour savoir ce qu'il mijote. Reste sur tes gardes. À un moment ou à un autre, il va falloir qu'on prenne la fuite. Suis-moi sans discuter.

Siry a acquiescé. J'ai poussé la porte au bout de la salle centrale, et on est entrés dans l'immense cœur d'Utopias. À mon grand étonnement, il n'avait pas tellement changé en trois siècles. C'était un vaste espace caverneux avec des rangées de balcons le long de ses murs inclinés. Le sol faisait environ la taille de deux terrains de football mis côte à côte. Les parois décrivaient un angle pour se rejoindre tout en haut, à la pointe de la pyramide. On accédait aux balcons par un tube central comprenant un ascenseur qui montait jusqu'au sommet. Des centaines de passerelles partaient du tube pour accéder aux différents niveaux. J'avais déjà parcouru un de ces passages entre ciel et terre.

Ce souvenir m'a fait transpirer. Mes paumes sont devenues toutes moites. J'avais alors eu l'impression de marcher sur une corde raide.

Tout autour des balcons s'ouvraient les milliers de chambres comprenant les tubes d'Utopias. Bon nombre d'entre elles étaient fermées, comme dans mes souvenirs. Sauf que cette fois-ci, sur les portes, il n'y avait pas de témoin lumineux allumé indiquant la présence d'un rêveur. Ce n'était plus Utopias. C'était un mausolée. Après toutes ces années, ses clients n'étaient plus que des squelettes. Ou de la poussière. En fait, ce qu'on avait sous les yeux, c'était des milliers de tombes. Cette idée m'a fait frissonner.

Siry, lui, ouvrait de grands yeux émerveillés. Il ne savait pas ce qu'était Utopias ni pourquoi c'était devenu un cimetière. Peu importe. C'était de l'histoire ancienne. En regardant devant moi, j'ai compris que ce n'était pas la taille même de cet endroit qui le laissait sans voix, mais autre chose de bien plus dérangeant. Là, à une vingtaine de mètres de nous, les bras croisés, se tenait Saint Dane. En chair et en os – ou quoi que ce soit dont il est fait. Le voir là, seul, immobile, m'a donné la chair de poule. Il avait repris son apparence normale, son costard noir drapant sa silhouette de deux bons mètres et faisant ressortir encore davantage son crâne chauve. Il souriait en nous regardant de ses yeux de glace.

– Heureux de te voir de retour, Pendragon, a-t-il dit avec un rictus sinistre, et sa voix a résonné dans la pyramide.

– Où est Twig ? a braillé Siry en faisant un pas menaçant dans sa direction.

Je me suis empressé de le retenir.

– Tu perds ton temps, l'ai-je averti.

– Un twig ? a demandé Saint Dane d'un ton innocent. Qu'est-ce que c'est ?

– J'espère pour vous qu'elle n'a rien, a rétorqué Siry en luttant pour se dégager.

Saint Dane a secoué lentement la tête d'un air déçu.

– Ne lui as-tu pas déjà expliqué qu'il y a bien plus en jeu que la vie d'une de ses petites camarades, Pendragon ?

– Qui êtes-vous ? a hurlé Siry, furieux.

Je l'ai serré encore plus fort pour l'empêcher de faire une bêtise.

– Tu ne sais pas ? a répondu Saint Dane avec une joie malsaine. Je suis le croque-mitaine.

– Arrête, ai-je chuchoté à l'oreille de Siry. Ça ne sert à rien de crier.

Siry a cessé de lutter. Il ne s'est pas calmé, mais c'était un début.

– Que vouliez-vous nous montrer ? ai-je demandé.

Saint Dane s'est avancé d'un pas nonchalant en regardant les balcons.

– Tu sais, a-t-il commencé, depuis le début, c'est Veelox mon véritable but. C'est là que j'ai préparé la première étape de ma conquête de Halla. On peut dire que j'ai mis trois siècles pour y parvenir. Quand j'aurai détruit Ibara, la Convergence pourra commencer.

– Vous ne m'avez toujours pas dit ce qu'est cette fameuse Convergence, ai-je lâché d'un ton tout naturel.

Saint Dane s'est arrêté, s'est tourné vers moi et a souri.

– Non, vraiment ?

Et il n'en a pas dit davantage. Au temps pour ma petite ruse.

– À vrai dire, a-t-il continué, Ibara n'est pas si importante. Mettons que c'est un coup d'essai.

– Pour arriver à quoi ?

– Voyons, Pendragon ! a-t-il répondu, feignant la surprise. Toi qui es si intelligent, je croyais que tu avais tout compris !

C'est alors que j'ai senti un mouvement, comme si Saint Dane avait envoyé un ordre muet. Siry s'est crispé. Ils ont surgi de l'ombre où ils se terraient comme des rats. Les Utos. Des dizaines. Non, des centaines. D'autres sont apparus derrière nous, nous forçant à nous rapprocher de Saint Dane. Ils ont formé un cercle autour de nous. Maintenant, je comprenais pourquoi ils étaient crasseux et en haillons. Ils étaient un exemple vivant de ce qu'était devenue cette ville. Si leurs vêtements tombaient en lambeaux, c'est parce que personne n'en avait fabriqué de neufs depuis des siècles. Ils vivaient dans l'ordure, comme des cafards.

Rien d'étonnant à ce que Saint Dane ait réussi à les manipuler pour les envoyer à l'assaut d'Ibara. Quoi qu'il ait pu leur promettre, c'était forcément mieux que cette existence misérable.

– C'est indigne de vous, ai-je dit à Saint Dane. Ces gens sont au bout du rouleau. Ils feront tout ce que vous leur demanderez. C'est un peu trop facile, non ?

– C'est vrai, a-t-il convenu, ç'a été facile.

– Alors à quoi bon ? ai-je demandé. Vous débitez toujours de grandes théories philosophiques, comme quoi vous voulez prouver que les gens sont pourris. Ou arrogants. Ou avides. Quelle leçon dois-je tirer de tout ça ? Que cherchez-vous à démontrer ? Que vous pouvez pousser une bande de *losers* prêts à tout pour attaquer Ibara ? C'est… pathétique.

J'espérais le mettre en colère. Dans mes rêves. Il a éclaté de rire, une fois encore. J'ai déjà dit à quel point j'ai horreur de ça, non ? Oh, pas plus d'une centaine de fois.

– Pendragon, mon garçon, j'espérais qu'un jour tu comprendrais à quel point tes efforts sont vains. J'ai essayé encore et encore de te démontrer que les gens des territoires sont leurs pires ennemis, mais tu n'as jamais voulu retenir la leçon. Cela ne me réjouit pas, mais j'avoue que sur ce point, j'ai échoué. Je ne peux plus rien faire pour toi. Tu aurais pu rejoindre mon camp pendant que je forgeais un nouveau Halla, mais je crains que ma proposition ne soit plus valable. Il ne me reste plus qu'à terminer ce que j'ai commencé.

Le cercle des Utos s'est rétréci. Ils nous fixaient de leurs yeux sans âme. Ce qui me dérangeait moins que le discours de Saint Dane. Il était toujours aussi sûr de lui, mais il semblait avoir changé. Comme s'il ne se souciait plus de moi. J'ai toujours eu l'impression que, pour conquérir Halla, il devait d'abord me vaincre. Cette nouvelle attitude me donnait à penser que je n'entrais plus dans l'équation. Ou pire, qu'il m'avait déjà battu. Il fallait que je remonte sur le ring.

– Vous voulez rire ? me suis-je rengorgé. C'est ça, l'avenir de Halla ? Vous pensez vraiment que ces pouilleux peuvent conquérir quoi que ce soit ? C'est vrai, ils ont vaincu une poignée de gamins, mais vous ne pensez tout de même pas qu'ils peuvent menacer Ibara ? Et même s'ils parvenaient à envahir l'île, que se passera-t-il ensuite ? Vous comptez vraiment emmener cette bande de clodos marcher sur la Seconde Terre ? Ou la Troisième ? C'est ça, votre grande Convergence ? (J'ai éclaté de rire. C'était bien mon tour.) Alors allez-y ! Mais attendez-moi, parce que je ne veux pas rater ça !

Saint Dane n'a pas cessé de sourire. J'ai tenté d'en faire autant. Pas si facile. Je me doutais bien qu'il ne m'avait pas tout dit.

– À vrai dire, a-t-il repris d'un ton sinistre, j'espère bien que tu seras là pour y assister.

Soudain, un bruit assourdissant a fait vibrer la pyramide. Tout d'abord, je n'ai pas su l'identifier. On aurait dit un piaillement suraigu. Il semblait venir de toutes les directions et se répercutait contre les cloisons de cet espace caverneux.

– Qu'est-ce que c'est ? a demandé nerveusement Siry.

J'ai surpris un mouvement au-dessus de nous. Partout, sur tous les niveaux, les portes menant aux tubes s'ouvraient. Toutes jusqu'à la dernière. Un instant, je me suis dit que les fantômes des rêveurs revenaient d'entre les morts. Mais malheureusement, ce n'était pas ça. Oui, malheureusement, car j'aurais encore préféré affronter des esprits. Ceux qui sont descendus des caissons d'isolation étaient bien vivants. Chaque tube ne pouvait contenir qu'une seule personne, mais comme il y en avait des milliers...

– Des Utos, a hoqueté Siry.

Sous mes yeux, les nouveaux arrivants se sont dirigés d'un pas lourd et raide vers les rambardes pour regarder en bas.

– On ne pourra jamais affronter une foule pareille ! a fait Siry, au bord de la panique.

J'ai scruté ces dizaines de milliers de visages alignés, tous penchés vers nous. Ma gorge s'est serrée. Mon cerveau n'arrivait pas à accepter ce que mes yeux me transmettaient. Soudain, le plan de Saint Dane m'est apparu, clair et limpide. Une fois de plus, je l'avais sous-estimé. Il avait largement de quoi conquérir Ibara. Pire encore, je voyais pourquoi cette île n'était qu'un coup d'essai avant de passer aux choses sérieuses. Face à cette armée, elle n'avait pas une chance. Mon esprit a chancelé. Les implications étaient trop horribles pour que j'ose les examiner. En effet, ce n'était peut-être qu'un début.

– Tu veux toujours assister au spectacle, Pendragon ? a fait Saint Dane avec une joie malsaine.

Je comprenais, maintenant. Tout. En effet, Vellox n'était qu'un tremplin d'où il partirait à la conquête de Halla. La réalité était là, tout autour de nous, et nous regardait de ses milliers d'yeux.

– Pendragon, a remarqué Siry d'une voix qui se brisait. Ce ne sont pas des Utos.

En effet. Même s'ils portaient les mêmes haillons, toute ressemblance s'arrêtait là. Déjà, ils étaient plus grands et plus costauds. Je ne peux pas dire qu'ils avaient l'air mieux nourris, parce que ce n'était pas ça. Mais je connaissais ces types. Je les avais déjà affrontés. En Première Terre. À la porte du flume. J'en avais empoigné un par sa chemise, et elle était tombée en poussière. Maintenant, je comprenais pourquoi. Oui, toutes les pièces du puzzle s'assemblaient pour former une image terrifiante. En Première Terre, ils n'étaient qu'une poignée. Ici, ils étaient des milliers, et il était impossible de dire combien d'autres pouvaient se cacher derrière eux.

– Oui, ce ne sont pas des Utos, ai-je dit à Siry. On les appelle des dados, et Ibara n'a aucune chance.

Journal n° 30
(suite)

IBARA

Sous les yeux des dados, le cercle des Utos s'est peu à peu resserré autour de nous. J'ai fini par réaliser ce qui se passait, et une émotion que je ne pourrais définir m'a submergé. Disons que je me suis senti... vaincu. Et pas que sur Veelox. J'avais perdu la guerre.

– Tu avais raison, Pendragon, a repris Saint Dane. Ces Utos sont incapables de déployer assez d'hommes. Et pourtant, ils m'ont été bien utiles. Ça fait un certain temps maintenant qu'on teste les défenses d'Ibara. Grâce à leur bon travail, les pertes seront minimales quand on commencera vraiment à s'amuser.

« S'amuser ». Il allait prendre d'assaut Halla avec des légions mécaniques. Vous parlez de mélanger les territoires ! Tout ce qui avait précédé n'était qu'un prélude. Avec une armée pareille, il pouvait abattre non seulement Ibara, mais aussi la Seconde et la Troisième Terre et tous les autres territoires. Personne ne saurait comment repousser cet ennemi invincible.

– Comme je l'ai dit, Pendragon, il est trop tard.

– Pourquoi ? ai-je demandé, même si je n'avais pas vraiment envie d'entendre sa réponse.

– Pour que tu te joignes à moi, a-t-il repris en feignant la sympathie. Ça ne serait pas la même chose. Je voulais te prendre sous mon aile lorsque tu croyais avoir encore une chance. Maintenant que tu sais que je t'ai vaincu, eh bien, je ne veux pas te voir supplier. Alors abstiens-toi. À moins que tu ne veuilles t'abaisser à ce point.

– Qu'est-ce qu'on fait ? a chuchoté Siry.

– Rien. C'est fini.

– Oh, non ! a-t-il sifflé, furieux.

Tout ce que je voulais, c'est ramper dans un de ces caissons d'Utopias et ne plus jamais en ressortir. Siry m'a pris brutalement le bras.

– Ahh ! s'est exclamé Saint Dane en riant. Ce jeune Voyageur mal dégrossi a donc encore un peu d'énergie ! Tu devrais peut-être lui expliquer pourquoi la situation est désespérée.

J'étais dans le brouillard. Au lieu de chercher une solution, mon esprit voyait des armées de dados marchant sur Washington. Ou New York. Ou Xhaxhu. À chaque seconde, je m'enfonçais de plus en plus profondément dans le désespoir... pendant que les Utos se rapprochaient de nous.

Siry m'a tiré par le bras, m'obligeant à le regarder. Ses yeux brûlaient de rage. Il m'a fait face et a chuchoté avec colère :

– On ne peut pas abandonner comme ça.

– Ce sont des robots, Siry. Des hommes mécaniques. Ils ne peuvent pas mourir. Et même si on en détruit un, dix autres prendront sa place.

– Il faut prévenir les miens, a-t-il continué. Ils doivent savoir ce qui les attend. Qu'ils puissent tenter de se défendre.

– Tout ça dépasse largement Ibara.

– Pas pour le moment, a-t-il rétorqué. Il est hors de question de baisser les bras.

Je l'ai regardé. Siry avait pas mal mûri ces derniers jours. Risquer la mort et frôler l'apocalypse peut avoir cet effet. Je me laissais abattre, mais lui raisonnait sainement. Par-dessus son épaule, j'ai vu se rapprocher les rangs des Utos. On se trouvait au centre d'un cercle qui ne tarderait pas à dépasser Saint Dane.

– On fait des messes basses ? a raillé Saint Dane. Vous croyez vraiment pouvoir arrêter une armée de dados ?

Siry avait l'air déterminé. J'ai regardé Saint Dane et n'ai vu qu'arrogance. C'était le coup de fouet qu'il me fallait. La haine qu'il m'inspirait m'a submergé de nouveau. On était peut-être au bord de la débâcle, mais on ne se rendrait pas sans combattre.

– Reste près de moi, ai-je chuchoté à Siry.

Avant de pouvoir m'en dissuader, j'ai foncé vers le centre de la pyramide, Siry sur mes talons. J'espérais prendre les Utos par surprise, qu'ils n'aient pas le temps de nous arrêter. J'ai foncé vers le plus petit d'entre eux et l'ai percuté, l'envoyant bouler en arrière. On était sortis du cercle.

Le rire de Saint Dane a résonné dans toute la pyramide. Il s'amusait toujours autant. Grand bien lui fasse. On avait passé le premier obstacle, mais il en restait encore pas mal d'autres. Incroyable mais vrai, j'avais un plan. Désespéré, certes, mais c'était bien le mot pour décrire notre situation. J'ai foncé vers l'ascenseur situé au centre de la pyramide. Si on pouvait rentrer dans la cabine et refermer la porte derrière nous, on pourrait accéder à un autre niveau et les semer. Bien sûr, c'était loin d'être l'idéal. Il y avait des dados partout. Rien ne disait que l'ascenseur fonctionnait encore. Ou que la cabine serait au rez-de-chaussée. C'était un plan désespéré, oui, mais c'était toujours mieux que rien.

Les Utos ont fini par se dire qu'ils devaient se bouger un peu et se sont lancés à nos trousses. Ils n'étaient pas très malins. On a atteint la colonne centrale avec une bonne longueur d'avance.

— Où on va ? a demandé Siry.

— En haut !

La porte de l'ascenseur était grande ouverte. La cabine était bien au rez-de-chaussée. La chance était avec nous. On s'est précipités à l'intérieur et je me suis mis à pianoter sur les boutons. Comme je ne savais pas comment fonctionnait ce machin, ce devait être le meilleur moyen de fermer la porte. Enfin, s'il y avait encore de l'électricité pour faire marcher tout le bastringue, bien sûr.

Les Utos se sont précipités vers nous.

— On est piégés ! a dit Siry.

C'est alors que la porte s'est refermée. J'ai entendu plusieurs chocs sourds alors que les Utos se cognaient contre le panneau. Ils l'ont martelé de leurs poings comme si ça pouvait le forcer à s'ouvrir. J'ai vu un levier qui, me suis-je dit, devrait nous permettre de nous élever. Pas moyen de me rappeler la façon dont Aja manipulait cet engin. J'avais peur de me tromper de bouton et que la porte s'ouvre à nouveau. « Salut les Utos ! C'était pour rire ! » Mais quand j'ai actionné le levier, la cabine s'est mise en branle. Il y avait encore assez de puissance !

— On bouge ? a demandé Siry, épouvanté.

C'est vrai qu'il n'avait jamais vu un ascenseur.

— On monte le long du tube central, ai-je expliqué.

— Pour aller où ?

— Je ne sais pas. Jusqu'au terminus. On verra bien où il nous mènera.

— Merci, Pendragon, a-t-il dit sincèrement. Je refuse de m'avouer vaincu.

— C'est toi qui as raison. On ne doit pas baisser les bras. Il faut qu'on essaie de prévenir Ibara. Le peuple doit pouvoir choisir son propre destin, n'est-ce pas ?

Siry m'a souri et a hoché tristement la tête.

— C'est sans espoir, hein ?

En effet, la situation était on ne peut plus désespérée. Mais au moins, on était encore en vie. Il fallait continuer. C'était notre devoir.

— Il y a toujours un espoir, ai-je répondu. Ça, au moins, Saint Dane ne peut pas le détruire.

— Alors tout est donc vrai, a-t-il repris. Tout ce que mon père m'a raconté.

J'ai acquiescé en hochant les épaules.

— Alors pourquoi était-il membre du tribunal ? S'il se souciait tant du moment de vérité de Veelox, il n'avait rien à y faire, non ?

C'est comme si un rayon de lumière avait traversé les ténèbres. Cette simple remarque m'a fait comprendre que, contre toute attente, ce n'était peut-être pas la fin des haricots.

— Saint Dane ne nous a pas tout dit, ai-je déclaré. Ce n'est pas juste un essai. Il veut que le moment de vérité tourne en sa faveur. C'est sa spécialité.

— À t'entendre, on dirait que c'est une bonne chose, a répondu Siry, interdit.

— Ça l'est. Ce n'est pas la bataille qui compte, mais les décisions qu'on prend. Les choix. C'est ce qui oriente le destin des territoires. S'il suffisait de remporter une guerre, il y a longtemps que Saint Dane les aurait tous fait tomber. S'il pousse les peuples à prendre les mauvaises décisions, c'est qu'il a quelque chose à prouver.

– Quoi ? Et à qui ?

– Ça, je n'en sais rien. Sinon, je pourrais découvrir ce qui se cache vraiment derrière tout son plan. Mais je sais ce qu'il cherche à démontrer. Que les peuples de Halla sont égoïstes et incapables de se prendre en main. Il m'a dit que, s'il a pu les manipuler comme il l'a fait, c'est parce qu'ils le voulaient bien.

– Et c'est vrai ?

– Non ! ai-je répondu. Il est plus tortueux que ça. Il a le don de faire croire aux gens qu'ils agissent pour le bien de tous alors qu'en réalité, il les pousse à la catastrophe. Les moments de vérité sont des points critiques dans l'histoire d'un territoire. Si Remudi était membre du tribunal, ça veut dire que ce moment de vérité a un rapport avec Ibara. C'est pour ça que Saint Dane veut l'envahir. Ce n'est pas juste pour conquérir l'île, mais pour forcer son peuple à prendre de mauvaises décisions. Ensuite, il pourra dire que tout est de leur faute.

– Alors que fait-on ?

– On doit retourner prévenir le tribunal, mais aussi deviner ce que peut être ce moment de vérité. Si on y arrive, la bataille n'aura peut-être aucune importance.

Siry a froncé les sourcils.

– Je n'y comprends rien.

La cabine s'est arrêtée. Je me suis crispé, prêt à foncer dans le tas. Ou à me faire rentrer dans le lard. Les portes ont coulissé. J'étais prêt à tout, mais pas à me retrouver aveuglé par une lumière éblouissante et balayé par une rafale de vent si puissante qu'elle nous a projeté en arrière. Je suis tombé à genoux. Un coup de pouce de mon instinct. Siry s'est avancé lentement pour se cramponner aux montants de la porte. J'en ai fait autant en plissant les paupières, attendant que mes yeux s'accoutument à la lumière.

– On est au sommet des nuages ! a hoqueté Siry.

Il n'était pas loin de la vérité. L'ascenseur s'était ouvert tout en haut de la pyramide. Des siècles d'érosion avaient creusé d'énormes trous dans les parois, ce qui veut dire qu'on contemplait Rubic City depuis le point le plus élevé de toute la ville. Dire que la vue était magnifique serait en dessous de la réalité. Les gratte-ciel qui semblaient si hauts vus du sol ressemblaient à des Legos. Un peu plus loin, l'océan miroitait. Cette vision m'a émerveillé, mais aussi attristé. Rares étaient ceux qui pouvaient profiter d'une telle vue. Les villes sont des créations immenses et incroyablement compliquées. Voir celle-ci d'en haut me donnait une perspective nouvelle. Il était douloureux de penser que plus personne n'habitait cette immense cité devenue une nécropole.

Il n'y avait qu'une trentaine de centimètres entre la porte et le mur extérieur, ou ce qu'il en restait. Le sol lui-même n'était pas en meilleur état. Des portions entières s'étaient écroulées.

– Attention où tu mets les pieds, ai-je dit.

Mais j'avais peur que ça ne soit pas suffisant. Le plancher semblait aussi solide qu'une feuille de papier. On a hésité, peu pressés de sortir de la cabine, jusqu'à ce que les portes commencent à se refermer.

– Allons-y ! ai-je crié.

On a fait un bond en avant. J'ai retenu mon souffle, redoutant que le sol ne s'effondre sous nos pieds. Les portes se sont refermées. On a entendu le bruit de la cabine qui redescendait. Je me doutais bien qu'elle ne tarderait pas à revenir, et cette fois, elle serait bourrée d'Utos. Ou de dados.

– Et maintenant ? a demandé Siry.

Apparemment, notre fuite nous avait menés dans une impasse. Je n'avais fait que retarder l'inévitable. Tout ce qu'on avait gagné, c'est une jolie vue. J'ai traversé prudemment le balcon vers ce mur détruit. Le vent sifflait à travers les cavités. J'ai jeté un coup d'œil le long de la pyramide – et j'ai bien failli perdre l'équilibre. On aurait dit que, tout d'un coup, mon oreille interne me jouait des tours. Je me suis redressé et j'ai fermé les yeux pour lutter contre le vertige.

– Qu'est-ce que tu as vu ? a demandé Siry.

– On est bien loin du sol, ai-je répondu sans ouvrir les yeux. Je crois que l'angle du mur m'a désorienté.

C'est alors qu'une lumière s'est allumée dans mon esprit. J'ai inspiré profondément, ouvert les yeux et regardé en bas, le long du plan incliné. Cette fois, je savais à quoi m'attendre. Impossible d'estimer la distance. Il y avait des siècles, la surface de la pyramide était d'un beau noir de jais. Maintenant, ce n'était plus qu'une ruine constellée de cratères de toutes tailles. Partout saillaient des morceaux de l'infrastructure du bâtiment. On aurait plutôt dit une décharge à ciel ouvert que la paroi d'une pyramide.

Pour moi, c'était surtout une voie d'évasion.

– On va descendre par là, ai-je annoncé.

– Quoi ? a rétorqué Siry, horrifié.

– La paroi n'est pas si escarpée que ça, et il y a des points d'appui un peu partout. Je pense qu'on peut tenter le coup. À moins que tu n'aies une meilleure idée ?

Siry m'a rejoint, a regardé en bas. Il a longuement scruté la paroi, puis s'est tourné vers moi.

– Tu es dingue, tu sais ça ?

– Peut-être, mais dans une minute ou deux l'ascenseur va arriver en bas, Saint Dane va monter dedans et venir nous chercher avec quelques-uns de ses potes. Quoi qu'il arrive, on est sûrs de descendre. Notre seule alternative est de décider comment.

Siry semblait au bord de la nausée. Moi aussi, je suppose. Je n'étais pas aussi confiant que j'en avais l'air. Sans attendre que Siry se décide, j'ai passé mon pied dans le trou, je me suis tourné vers lui… et j'ai entamé ma descente le long de la pyramide. Au début, les rafales de vent ne m'ont guère facilité la tâche. J'ai pu me trouver une prise assez sûre, mais j'ai bien cru qu'elles allaient me balayer comme un fétu de paille. Je me suis aplati contre la surface pour créer un maximum de friction.

– Ne regarde pas en bas, ai-je conseillé.

– Aucun risque.

J'ai entamé ma descente, non sans précautions. Il s'agissait de trouver les bonnes prises pour les pieds et les mains et, vu l'état des murs, elles ne manquaient pas. Je n'ai pas eu le temps de me dire que c'était de la démence. J'étais là, accroché au mur d'un bâtiment, à des centaines de mètres de hauteur. Je n'avais pas peur de tomber, plutôt de glisser. Un faux mouvement, et ce

316

serait le début d'une interminable glissade que je ne pourrais jamais interrompre. Ce qui serait aussi grave qu'une chute.

Siry était juste derrière moi. Ou plutôt au-dessus de moi. Quelque chose comme ça. S'il perdait pied, il me tomberait dessus et ce serait la fin des haricots pour tous les deux.

— Ça va ? ai-je crié.

— Je suis toujours là, a-t-il répondu.

Je m'en contenterais.

Tout au long de la descente, j'avais le choix entre quatre solutions. Entre mes deux mains et mes deux pieds, je trouvais toujours une prise. Mon plan avait l'air de fonctionner. On descendait, peu à peu. Par contre, que se passerait-il si Saint Dane nous découvrait ainsi, suspendus entre ciel et terre, sans la moindre défense ?

Mais j'ai vite eu d'autres soucis plus pressants. J'ai entendu un craquement déchirant juste au-dessus de moi. Au même moment, Siry a poussé un grand cri.

Il avait perdu prise et commençait à dévaler la pente. Quand il est passé à côté de moi, j'ai tenté de le rattraper. Mauvaise idée. Au moment où ma main gauche a lâché son appui, je me suis mis à glisser à mon tour. J'ai vite dû me cramponner à nouveau pour éviter de le rejoindre. Sous mes yeux horrifiés, Siry a pris de la vitesse. C'est alors que j'ai compris à quel point notre plan était débile. J'ai eu un nouvel accès de vertige. J'ai dû fermer les yeux et presser ma joue contre le mur. J'avais envie de le battre de mes poings.

J'ai entendu un bruit étouffé et un cri. Ce qui ne pouvait rien présager de bon. J'ai inspiré profondément plusieurs fois et baissé les yeux pour voir… rien du tout. Siry avait disparu. Mais c'était impossible ! Il ne pouvait être tombé aussi vite !

— Pendragon ? a fait une voix pâteuse.

— Ça va ? ai-je répondu.

— Le mur s'est écroulé. Je suis à l'intérieur.

Il était toujours en vie, du moins pour l'instant. Lentement, graduellement, je me suis remis en mouvement, guidé par sa voix. J'avais à peine parcouru quelques mètres lorsque j'ai réalisé que la surface de la pyramide devenait instable. Avant que j'aie pu réagir, le panneau qui supportait mon poids s'est effondré.

Je suis tombé dans un déluge de tuiles noires… pour me retrouver à côté de Siry, qui se tenait assis, le regard vitreux. On s'est regardés tous les deux.

— Essayons d'éviter ça à l'avenir, ai-je dit.

On était hébétés et égratignés de partout, mais à part ça, tout allait bien. J'ai vu qu'on se trouvait dans une alcôve contenant deux caissons d'isolation.

— Qu'est-ce que c'est ? a demandé Siry.

Il a désigné deux trappes rondes sur le mur. Elles étaient closes. Je n'allais certainement pas les ouvrir. Je ne voulais pas savoir ce qu'il y avait à l'intérieur. Sur le panneau de contrôle, les lumières étaient éteintes. Il y avait longtemps que les rêveurs étaient morts.

— Ce sont des caissons d'isolation, ai-je dit. C'est par là que les gens accédaient à Utopias.

— Il y a des êtres humains là-dedans ?

— Plus maintenant.

Autant ne pas entrer dans les détails.

Je me suis relevé lentement, m'assurant que je n'avais rien de cassé. Quelques éraflures, rien de plus. Siry s'en tirait encore mieux. On avait survécu à une escalade en apparence impossible, mais on restait prisonniers de cette pyramide infestée de dados.

J'ai ouvert doucement la porte. La première chose que j'ai vue, c'est deux dados qui se dirigeaient vers moi. Je me suis figé sur place. Est-ce qu'ils m'avaient vu ? Non. Ou alors ils n'étaient pas à notre recherche. Quoi qu'il en soit, ils ont continué leur chemin. J'ai jeté un coup d'œil à l'extérieur pour constater qu'on avait dû descendre environ un quart de la pyramide. Apparemment, mon idée n'était pas si délirante que ça. Bon, d'accord, on avait bien failli se tuer, mais on avait réussi à s'en sortir. On était au beau milieu du plus grand des balcons, qui longeait tout le périmètre de la pyramide, et des tubes de saut s'étendaient de chaque côté de nous. Or ce balcon grouillait de dados, qui marchaient lentement et méthodiquement autour de la pyramide. D'autres encore arpentaient les passerelles menant à l'ascenseur central. *Beaucoup* d'autres.

— On ne pourra jamais les éviter, a soupiré Siry.

J'ai regardé autour de moi, cherchant... Je ne sais pas trop. N'importe quoi. En regardant à l'intérieur de la pièce aux caissons, dans un coin, j'ai vu quelques vêtements soigneusement repliés.

– C'est un début, ai-je déclaré.

Il y avait deux pantalons de couleur foncée et des chemises de couleur plus claire, des chaussures aussi. On aurait dit ce qu'on portait sur Veelox – il y avait trois siècles. Quand je les ai ramassés, ils ont failli se désagréger entre mes doigts. Je me suis alors dit qu'ils devaient appartenir à ceux qui se trouvaient dans les tubes, qui avaient endossé la combinaison verte des sauteurs. Vous parlez d'une idée déprimante. Il ne restait probablement rien de ces combinaisons, ni de ceux qui les portaient. Tout ce qui leur avait survécu, c'était les vêtements qu'ils avaient sur le dos avant de se plonger dans leur rêve.

– Mets-les, ai-je dit en retirant mes propres habits d'Ibara. Avec un peu de chance, ils nous prendront pour des Utos et on pourra leur échapper.

On s'est empressés de passer ces tenues de l'ancienne Veelox. Il fallait faire attention, parce que le tissu s'effritait sous nos doigts. Mais c'était aussi un bon point : plus on aurait l'air de loqueteux, plus on ressemblerait à des Utos. Les haillons de Siry étaient trop grands, les miens trop petits, mais ça pouvait aller.

– Qu'est-ce que tu en dis ? a demandé Siry.

– Un vrai clodo, ai-je répondu. C'est parfait.

En plus, ces machins étaient loin d'être confortables. Non seulement on aurait dit qu'ils étaient faits de papier de verre, mais en plus l'idée de porter les vêtements de gens morts depuis longtemps était assez flippante. On a tout de même gardé nos sandales : les chaussures n'étaient plus que des ruines, et il nous faudrait peut-être courir. Nos cheveux étaient moins crasseux que ceux des Utos. Mais on ne pouvait pas faire mieux.

– Il doit bien y avoir un moyen de redescendre sans passer par l'ascenseur central, ai-je dit.

– Trouvons-le, a répondu Siry.

On s'est glissés hors de la pièce pour passer sur le balcon. La plupart des dados l'avaient abandonné et marchaient vers l'ascenseur. Plus intéressant encore, d'autres se dirigeaient vers l'autre bout du balcon.

— Ce doit être la bonne voie, ai-je déclaré.

Je suis allé regarder par-dessus la rambarde. Mon estomac s'est crispé, mais pas à cause de la hauteur. Tout en bas, au rez-de-chaussée, les dados se rassemblaient. Ils s'écoulaient en un flot constant de l'ascenseur et des quatre coins de la pyramide.

— Regarde d'où ils viennent ! s'est écrié Siry. Il doit y avoir des escaliers !

Il avait raison. On avait trouvé un moyen de descendre. Mais ce n'est pas ce qui m'a frappé. De plus en plus de dados se massaient au rez-de-chaussée pour se mettre en formation militaire. Des bataillons de vingt hommes en ligne sur quarante en rang. Et les autres s'écoulaient entre ces carrés pour s'assurer que les formations étaient impeccables. Ils étaient là, au garde-à-vous, attendant les instructions.

— C'est une armée, ai-je dit doucement. Une armée bien organisée. Ils se préparent.

— Pour quoi ?

— Pour envahir Ibara.

— Pendragon, en admettant qu'on arrive à sortir d'ici, comment veux-tu qu'on aille les prévenir ?

— Rien de plus facile.

Siry m'a jeté un regard interloqué.

— Je peux nous ramener à Ibara, ai-je affirmé. Il nous suffit de trouver un moyen d'éviter ces abeilles tueuses.

Journal n° 30
(suite)

IBARA

L'essentiel, c'était de retourner sur Ibara.

Ces gens devaient savoir qu'ils allaient subir un assaut tel qu'ils n'en avaient encore jamais vu. Pire : tel que *personne* n'en avait jamais vu. C'était une chose que de lutter contre une poignée de loqueteux, mais protéger l'île contre des milliers de robots… Je n'avais pas oublié les canons qui avaient coulé le bateau des Utos. Pourvu qu'il y en ait d'autres. Face aux dados, des sarbacanes ne serviraient pas à grand-chose.

Siry et moi sommes partis en courant le long du balcon jusqu'à ce qu'on atteigne l'angle et l'ouverture d'un escalier, qu'on s'est empressés de descendre. Empressés ? Ça nous a pris une éternité ! On était dans une pyramide, ce qui veut dire que les marches décrivaient un angle moins important qu'un escalier normal, si bien que, tout en descendant, on s'éloignait du centre de la pyramide. En cours de route, on a dépassé des centaines de dados qui se déplaçaient d'un pas lent et méthodique. Tout d'abord, j'ai eu peur qu'ils cherchent à s'emparer de nous, mais ils n'ont pas bronché. Ils devaient nous prendre pour des Utos. Ou ils ne nous prêtaient aucune attention, tout simplement. Après tout, ce n'était que des robots. Ils m'ont rappelé les gardes de Quillan, avec leurs têtes carrées et leurs corps surdimensionnés. Leurs yeux étaient tout aussi vides. Pour autant que je sache, ce pouvait être les mêmes dados que j'avais vus sur Quillan. Saint Dane avait bien dû les faire venir de quelque part. Veelox n'était même pas capable de fabriquer des vêtements, encore moins des robots complexes. Les murs entre les territoires craquaient de toute part.

J'étais trop occupé à cavaler pour me soucier des implications globales. Une demi-heure plus tard, on a enfin atteint le rez-de-chaussée de la pyramide.

– C'est là que ça devient chaud, ai-je dit à Siry, comme si tout ce qui avait précédé ne l'était pas assez comme ça.

Alors qu'on se rapprochait du sol, des Utos ont commencé à se mêler aux dados. Ils avaient beau porter les mêmes haillons, il n'y avait pas d'erreur possible. Les dados étaient grands et baraqués, les Utos plus petits que moi. Ce devait être l'effet de la sous-alimentation. Et je doute qu'ils se soient jamais coupé les cheveux. Et ils sentaient mauvais. Au moins, les dados ne dégageaient pas cette odeur rance.

Curieusement, personne ne nous a accordé plus qu'un regard passager. Je commençais à croire que les Utos n'avaient pas plus de cervelle que les robots. S'il suffisait de changer de tenue pour les tromper, trois siècles d'évolution n'avait guère amélioré leur intelligence. Quelle bande de crétins ! Quand on est entrés dans le centre de la pyramide, j'ai constaté que les Utos s'y étaient carrément installés. Plusieurs d'entre eux dormaient, adossés aux murs. Il y avait des ordures partout et des haillons malodorants entassés au hasard. Sans doute leur lessive. Leur linge *propre*. Un relent d'écurie planait sur ce campement improvisé. Ils n'étaient pas regardants sur l'hygiène.

– Regarde ! a murmuré Siry en désignant le centre de cet immense espace.

C'était Saint Dane. Les mains croisées dans le dos, il paradait devant un rang de dados comme un général inspectant ses troupes. Je ne sais pas si cette armée était plus effrayante que pathétique, ou l'inverse. Ils n'avaient pas d'uniformes, uniquement des haillons, comme les Utos. J'ai reconnu des combinaisons rouges, bleu foncé ou vertes – celles que portaient jadis les veddeurs, phadeurs et rêveurs d'Utopias, désormais en lambeaux. Ils ne semblaient pas non plus avoir d'armes.

Mais c'était des dados. On ne pouvait pas les tuer. Chacun était l'exacte réplique du suivant. Ils faisaient tous un bon mètre quatre-vingts, avec de grosses mains et de larges épaules. On aurait dit des culturistes, même si, techniquement parlant, les robots n'avaient pas de muscles. Et leurs fronts carrés les faisaient ressembler à des créatures de Frankenstein. S'ils étaient impressionnants, c'était aussi par leur nombre. Même si mille d'entre eux succombaient en se lançant à l'assaut d'Ibara, il en resterait plusieurs autres milliers pour prendre leur place. Pas la peine d'être bon combattant, d'avoir de l'expérience ou une stratégie élaborée. Il leur suffisait juste d'avancer, vague après vague.

Cette vision était à couper le souffle.

— Pourquoi est-ce que Saint Dane ne nous fait pas rechercher ? a demandé Siry.

— Il doit nous croire piégés au sommet de la pyramide. Il ne s'imagine probablement pas qu'on puisse être assez cinglés pour descendre le long de la paroi.

— Moi aussi, j'ai encore du mal à y croire, a ajouté Siry.

On s'est accroupis pour attendre que Saint Dane se soit éloigné avant de passer. On s'est alors faufilés le long du mur, se dirigeant vers le couloir de verre et la sortie, évitant les Utos endormis, occupés à ronger des os (je préférais ne pas savoir de quoi) ou à regarder les dados assemblés. Ils ne s'intéressaient pas à deux gamins un peu moins crados que la moyenne qui filaient vers la sortie. On a regagné le centre sans problème et continué entre les panneaux transparents d'Utopias. Les moniteurs étaient allumés. C'était incroyable de penser qu'il y avait encore de l'électricité au bout de trois siècles. Mais je n'allais pas m'arrêter pour deviner pourquoi et comment.

La dernière étape avant de sortir de la pyramide était assez macabre. Vous vous souvenez, je vous ai dit qu'en entrant, on avait dû écarter des bâtons de notre chemin ? Maintenant qu'il y avait de la lumière, j'ai vu qu'il s'agissait d'ossements. Des ossements humains. Beaucoup. Si je savais qu'ils étaient humains, c'est parce qu'il y avait aussi des crânes. *Beaucoup* de crânes. Siry s'est figé. Il n'avait jamais rien vu de tel. D'ailleurs, moi non plus. La seule chose qui puisse s'en rapprocher était l'enclos à quigs sous le château Beedowan de Denduron[1]. J'avais qualifié

---

1. Voir Pendragon n° 1 : *Le Marchand de peur*.

Rubic City de nécropole, mais jusque-là, on n'avait jamais vu les restes de ceux qui avaient succombé. Je m'en serais bien passé.

– Voilà le grand dessein de Saint Dane pour remodeler Halla, ai-je dit. Tu as besoin d'en voir plus ?

Les yeux de Siry étaient vitreux. Il s'est avancé avec soin au milieu des ossements en cherchant à ne pas les déranger. Quelques instants plus tard, on retrouvait les rues écrasées de soleil de Rubic City.

– Je ne croyais pas qu'on y arriverait, a dit Siry.

– On n'est pas encore tirés d'affaire, ai-je remarqué.

– Alors comment rentre-t-on à Ibara ?

– Ça, c'est facile, ai-je répondu en souriant. Il y a un flume à Rubic City. Viens.

Je suis parti en courant. C'était évident : comme ça, on serait rendus en un rien de temps. Je n'avais jamais voyagé ainsi à l'intérieur d'un territoire, mais comme les flumes nous déposaient toujours au bon endroit au bon moment, je m'étais dit qu'à coup sûr on arriverait à destination sans encombre. Bon, je n'en étais peut-être pas si sûr que ça, mais on pouvait toujours essayer. Il valait mieux que les gens de Rayne aient tout le temps de se préparer avant l'assaut. Oh, j'oubliais, il faudrait aussi éviter les abeilles-quigs. Bon, chaque chose en son temps.

Selon mon horloge personnelle, il y avait quelques années à peine que j'avais quitté Veelox, et je me souvenais fort bien de l'endroit où se trouvait le soupirail menant au réseau souterrain et au flume. On a continué de courir. Maintenant qu'on ressemblait à des Utos, je n'avais plus peur qu'ils nous attaquent. Quels idiots ! En un rien de temps, on est arrivés dans la rue où se trouvait le flume. Il n'y avait qu'un seul problème.

La rue n'était plus là. Enfin si, une rue ne peut pas disparaître comme ça, mais elle était ensevelie sous les débris d'un immense gratte-ciel éboulé. J'ai regardé autour de moi dans l'espoir de m'être trompé. Mais de toute façon, ça n'aurait pas changé grand-chose. Tout le pâté de maison gisait sous un tas de gravats haut comme un immeuble de trois étages.

– On peut toujours creuser ? a suggéré Siry.

– Avec quoi ? Nos mains ?

On a regardé les ruines de ce qui avait été une rue entourée de jolis petits bâtiments de briques et d'arbres. Inutile de compter sur le flume. On savait tous les deux ce qu'il nous restait à faire. Sans un mot, on est partis vers la jetée. C'était le moment de passer au plan B. Il nous fallait un bateau. On s'est retrouvés à l'endroit même où on était entrés dans la ville. Là, le long de la jetée, se trouvait notre voilier pirate. Ce n'était plus qu'une épave carbonisée encore fumante qui gîtait vers la droite, sa proue dressée vers le ciel comme si elle suffoquait lentement. Siry et moi sommes restés là, à fixer ce triste spectacle.

— Tu crois qu'il y a des survivants ? a-t-il demandé.

— Possible, ai-je répondu sans trop de conviction.

— On n'a pas retrouvé Twig non plus, a-t-il ajouté tristement.

— On a de la chance de s'en sortir vivants. Quand tout sera terminé, on reviendra les chercher. Tous.

— Quand tout sera terminé, a repris Siry, Ibara ressemblera peut-être à Rubic City.

On a échangé un regard sinistre.

— Allons chercher un bateau.

Les cuirassés rouillés qui avaient attaqué notre navire jaune avaient disparu. J'ai scruté le port, cherchant un autre vaisseau. En vain. Deux autres jetées surplombaient l'océan, mais rien n'y était amarré, pas même une barque.

— Je n'y comprends rien, ai-je dit, pensif. Si Saint Dane veut envoyer des milliers de dados attaquer Ibara, comment compte-t-il les y emmener ?

Siry a ouvert de grands yeux. Il a retiré sa ceinture avec la bourse contenant l'ancienne carte d'Aja Killian et l'a dépliée.

— On est là, sur cette péninsule, a-t-il dit. D'après la carte, le reste du bord de mer a l'air très accidenté.

J'ai examiné une fois de plus le port. La mer était d'huile.

— Pourquoi auraient-ils planqué leurs bateaux au lieu de les garder près du lieu d'embarquement ? me suis-je demandé à haute voix.

— Il faudrait un vaisseau sacrément gros pour emmener une telle armée, a renchéri Siry. Plusieurs, même. Ils pourraient les amarrer là, à ces jetées.

Les jetées. Je les ai regardées toutes les trois. Il y avait quelque chose qui ne collait pas. Deux d'entre elles étaient exactement semblables, mais celle de droite était différente. Elle était un peu plus haute. Là où les autres se dressaient sur des piliers de métal visibles à marée basse, celle-ci avait l'air solide.

– Je veux la voir d'un peu plus près, ai-je dit.

On a parcouru une centaine de mètres d'un pas vif. Plus on se rapprochait, plus la jetée ressemblait à une structure close.

– Il y a peut-être quelque chose à l'intérieur, ai-je dit.

Siry n'avait pas l'air convaincu.

– Oui, mais quoi ? Il n'y a pas la place pour un bateau.

Un peu plus tard, le mystère s'est épaissi. Deux Utos sont apparus de derrière un amas de ferrailles tordues pour continuer tout tranquillement sur la jetée.

– À quoi jouent-ils ? a demandé Siry.

– D'après moi, ils gardent ce qu'il y a à l'intérieur.

Siry a jeté un œil prudent.

– Tu as raison, il y a peut-être quelque chose là-dedans.

La seule façon de s'en assurer était de me débarrasser des Utos. Il me fallait une arme. Il n'y avait rien, que des débris… Et des tubes d'acier. J'ai pris un morceau de tuyau de deux mètres de long, testé sa résistance, évalué son poids et je l'ai fait tournoyer en l'air avant de le saisir dans mon autre main. Parfait.

– Hé ! s'est écrié Siry, où as-tu appris à faire ça ?

– Ce serait une longue histoire.

Il était temps de mettre en pratique ce que Loor m'avait appris. Serrant le tuyau contre mon flanc, je me suis avancé en silence, passant d'un tas de gravats à un autre. Les Utos n'étaient pas des cracks du gardiennage. Ces deux-là se disputaient. Je ne savais pas à quel propos et je m'en fichais pas mal. Ils se sont mis à se pousser mutuellement. Ils n'en venaient pas encore aux mains, mais la discussion s'échauffait.

Et ce n'était qu'un début, parce que j'allais entrer en scène.

Tout à leur dispute, ils ne m'ont pas vu approcher discrètement. C'était parfait, sauf que ça n'a pas duré. Je suis allé me cacher derrière le dernier tas de débris. Il me restait une vingtaine de mètres à découvert. Je ne pouvais m'approcher davantage sans m'exposer. Siry s'est glissé derrière moi.

– Dès que la bagarre commencera, lui ai-je chuchoté, cours vers la jetée.

Il a acquiescé. Il ouvrait de grands yeux effrayés, mais il était prêt.

Il ne me restait plus qu'à passer à l'attaque. J'ai jailli de ma cachette pour me jeter sur les Utos. J'étais à découvert. Ils n'avaient qu'à tourner la tête pour me voir. Heureusement, ils restaient à se regarder en chiens de faïence. Je pensais avoir une chance de leur sauter dessus avant qu'ils ne m'aient repéré.

Je me trompais.

Je n'avais plus que cinq mètres à parcourir quand l'un d'entre eux m'a vu. Il a eu un air ahuri qui était presque drôle – presque. Sauf qu'il n'y avait pas de quoi rire.

– Ahhhh ! a-t-il crié tout en se retournant pour se défendre.

Je me suis dirigé vers lui et j'ai feinté pour lui faire croire que j'allais abattre mon bout de tuyau. Quand il a levé les bras, j'ai attaqué par l'autre côté – et raté lamentablement mon coup. Il a paré en roulant sur lui-même. Il était plus vif que je ne l'aurais cru. Tant pis. Mais il n'a pas contre-attaqué, au contraire : il a pivoté pour s'enfuir. J'ai alors réalisé que je tournais le dos à l'autre Uto et virevolté… Mais lui aussi s'enfuyait déjà. Tous deux sont partis au triple galop. Tu parles de gardiens. Je n'avais jamais remporté un combat aussi facilement. En tout cas, maintenant, on avait accès à cette mystérieuse jetée.

Je me trompais une fois de plus.

Tout en battant en retraite, un des Utos a tiré quelque chose de sous ses haillons et l'a porté à sa bouche. Un sifflement aigu m'a vrillé les oreilles. Il sonnait l'alarme. À une centaine de mètres de là, les portes d'un immeuble se sont ouvertes et une horde d'Utos s'en est déversée pour se précipiter vers nous. Ils étaient si nombreux qu'ils m'ont rappelé les abeilles-quigs. On était pris au piège. Devant, les Utos ; derrière, l'océan. Il fallait qu'on rentre à l'intérieur de cette jetée. S'il y avait un bateau caché dedans, on avait peut-être une chance de le faire partir avant qu'ils soient sur nous. Une chance bien mince. On a tourné les talons pour se mettre à courir. Le ciment était en meilleur état que la jetée où on avait abordé – ce qui m'a donné l'espoir que celle-ci dissimulait bel et bien quelque chose. Ça et le fait que des centaines d'Utos couraient vers nous pour nous empêcher de le découvrir.

– Comment rentre-t-on ? a crié Siry.

J'ai scruté la jetée. Elle était lisse. Pas l'ombre d'une trappe, d'une échelle ou d'un moyen de descendre. J'ai soudain eu peur de m'être trompé. Et si elle était comme les autres, juste un peu plus épaisse ? J'ai jeté un coup d'œil en arrière : les Utos se rapprochaient. J'allais suggérer de continuer jusqu'au bout et de se jeter à l'eau. On avait peut-être une chance de s'échapper à la nage.

– Là ! a soudain crié Siry.

Il y avait un panneau d'un mètre carré dans le sol. Une trappe ? Ses doigts ont palpé sa surface, cherchant quelque chose à quoi s'accrocher.

– Je l'ai, a-t-il déclaré.

Un anneau était fixé sur la trappe. Il l'a soulevé et a tiré. Le panneau s'est ouvert. Sur quoi allait-il déboucher ? Mais on n'avait pas le temps de peser le pour et le contre. Sans hésiter, Siry a passé ses jambes dans l'ouverture. Ses pieds se sont posés sur une échelle de métal qu'il a descendue rapidement. Je l'ai suivi aussitôt. Les Utos avaient presque atteint la jetée. C'était sans espoir. Même s'il y avait un bateau là-dessous, on ne pourrait jamais le faire partir à temps. J'ai refermé la trappe derrière moi. Ce n'était pas grand-chose, mais chaque seconde comptait. Une fois le panneau rabattu, je me suis laissé glisser le long de l'échelle. J'avais hâte de voir ce qu'il y avait là-dedans.

Depuis le début de cette aventure, j'ai déjà dû dire un nombre incalculable de fois que je m'attendais à tout, sauf à ce que mes yeux ont découvert. C'était à nouveau le cas. Une surprise de niveau dix. Je croyais tomber sur un bateau que Siry pourrait manœuvrer. Mon vœu a été exaucé – au-delà de toute attente. Ce que j'ai vu, flottant sur l'eau, n'était pas un bateau. Ou deux. Ou trois. À vue de nez, il devait y en avoir un millier. Et la vraie surprise, c'est que ce n'était pas vraiment des bateaux.

C'était des skimmers. De Cloral. Vous vous souvenez[1] ? Ces espèces de scooters des mers flanqués de pontons avec lesquels les aquaniers sillonnaient les flots. Avec leurs coques blanches luisantes, on aurait dit des torpilles. Voilà comment Saint Dane comptait envoyer ses dados à l'assaut d'Ibara ! Chaque skimmer pourrait facilement en emporter une demi-douzaine. Ils étaient rapides et très maniables, ce qui signifiait qu'ils pouvaient éviter les canons protégeant l'île. Et même si quelques-uns étaient touchés, des centaines d'autres passeraient.

En les voyant tanguer sur les flots, j'ai vu se mettre en place la dernière pièce du puzzle qui déboucherait sur la destruction d'Ibara. Je ne pouvais en tirer qu'un seul point positif : je savais comment filer d'ici.

Siry fixait la petite flotte, bouche bée, émerveillé. Je n'avais pas le temps de lui expliquer. J'entendais déjà le martèlement des pieds des Utos. Ils étaient là, au-dessus de nos têtes, et ne tarderaient pas à nous rattraper.

— Allons-y ! ai-je ordonné, avant de me mettre à courir le long de l'étroite passerelle parallèle aux rangées de skimmers.

Il nous fallait prendre le tout premier, le plus proche de la porte.

— Pendragon ? a demandé Siry en courant derrière moi. C'est quoi, ces engins ? D'où viennent-ils ?

— Plus tard !

J'ai entendu un grincement, celui de la trappe qui s'ouvrait au-dessus de nous. Des Utos ont commencé à descendre l'échelle. D'autres trappes se sont ouvertes. Il faudrait jouer serré.

On a atteint le bout de la rangée de skimmers. Heureusement, l'extrémité de la jetée donnait directement sur l'océan. Tout ce qui nous barrait la sortie, c'était quelques lourdes chaînes barricadant les portes.

— Enlève-les ! ai-je crié.

Siry ne se l'est pas fait dire deux fois. Il s'est jeté sur les chaînes et a tiré dessus. J'ai sauté sur le tout premier skimmer en

1. Voir Pendragon n° 2 : *La Cité perdue de Faar.*

retenant mon souffle. Si le réservoir n'était pas plein, on était fichus. J'ai jeté un coup d'œil en arrière. Un premier groupe d'Utos avait gagné la passerelle et courait vers nous. Ce n'était pas le moment de me laisser distraire. Pourvu que je sache encore piloter cet engin ! J'ai abaissé une par une les manettes alignées sur la console et j'ai été récompensé par le sifflement aigu typique de leurs moteurs. *Oui !* J'ai retenu un cri de joie.

Siry luttait toujours avec les chaînes. S'il n'arrivait pas à nous ouvrir le passage, peu importerait si l'engin fonctionnait ou non. On resterait pris au piège. J'ai abaissé les deux dernières manettes, et les pontons alignés de chaque côté du bateau sont descendus dans un bourdonnement régulier. Il fallait qu'ils soient tous les deux immergés pour qu'on ait un maximum de propulsion, mais les skimmers étaient si serrés qu'ils risquaient de rester coincés contre la passerelle sur la gauche ou l'autre bateau sur la droite. Il faudrait attendre d'être au large pour qu'ils puissent se déployer, mais pour ça, on devait retirer ces fichues chaînes.

– Aide-moi ! a crié Siry, exaspéré.

J'ai sauté du skimmer pour l'aider à débrouiller le nœud de métal. Les Utos n'étaient plus qu'à une cinquantaine de mètres et seraient bientôt sur nous.

– Tire ! ai-je ordonné.

On a empoigné la chaîne passant par un anneau accroché au flanc de la jetée. Elle était lourde. Nos forces combinées ne seraient pas de trop. Ensemble, centimètre par centimètre, on a réussi à l'arracher. Le métal a grincé en passant dans le cercle. Les Utos ont poussé de grands cris. Je ne savais pas ce qu'ils disaient, mais ils n'avaient pas l'air contents. Et ils étaient remontés. S'ils nous mettaient la main dessus, Dieu seul savait de quoi ils seraient capables.

D'un dernier effort, on a arraché la chaîne, qui est tombée à l'eau. Le chemin était libre. Siry a sauté sur la passerelle et regardé les Utos.

– Vite ! a-t-il crié en montant d'un bond sur le skimmer.

Je me suis mis au poste de pilotage. Les moteurs poussaient leur cri suraigu, mais les flotteurs restaient bloqués chacun de leur côté.

– Assieds-toi ! ai-je crié à Siry.

Je me suis emparé du guidon semblable à celui d'une moto et j'ai mis plein gaz. On a avancé lentement, péniblement. Tant que les flotteurs ne toucheraient pas la surface de l'eau, on ne pourrait pas bénéficier de toute la puissance des moteurs.

– Allez, allez ! ai-je grogné.

Le skimmer ne m'a pas écouté. On avançait toujours, mais trop lentement.

– Pendragon ! a fait Siry nerveusement.

Je savais ce qu'il voulait me dire. Les Utos étaient presque sur nous. Les flotteurs ont raclé la passerelle et le skimmer d'à côté. Plus que quelques dizaines de centimètres ! J'avais peur qu'on ne s'accroche quelque part. Ce serait la fin des haricots.

Le premier Uto nous a rattrapés. Il a sauté tête la première sur le skimmer et a heurté Siry, qui est tombé à mes pieds sur le pont. Je me suis tourné, j'ai empoigné notre assaillant et je l'ai balancé à la flotte. Mais ses copains le suivaient de près. J'ai regardé Siry, allongé sur le dos. Il me fixait d'un air terrifié.

– Accroche-toi ! ai-je ordonné.

Il a roulé sur lui-même et empoigné la rambarde du skimmer. Les deux flotteurs ont touché la surface de l'eau. J'ai agrippé le guidon et fléchi mes jambes.

– Hobie-ho, c'est parti ! ai-je dit en mettant plein gaz.

Un second Uto s'est jeté sur nous au moment où on démarrait. Il n'avait pas une chance. À peine avait-il touché le pont que la puissance de l'accélération lui faisait perdre l'équilibre. Il a basculé dans l'eau.

– Ouaaah ! a crié Siry alors que le skimmer bondissait.

Et nous voilà partis, sillonnant les flots de la même façon que je l'avais fait sur Cloral. Je n'ai même pas regardé en arrière. On avait franchi le dernier obstacle. Prochain arrêt : Ibara.

*

C'est là que se termine ce journal, Courtney. Je finis de le rédiger sur Ibara, dans la clairière des Jakills. Oui, on est parvenus sans encombre à bon port. Enfin, presque. Pour les habitants de Rayne, on est des hors-la-loi. On a dû se trouver un bout de plage où échouer le skimmer sans se faire voir. Ce qui a été relativement facile : quand on y est arrivés, la nuit était tombée. D'après moi, on a abordé au même endroit que les Utos venus explorer Ibara.

Le trajet a pris bien moins longtemps qu'avec le vaisseau pirate. Les skimmers sont rapides. À vrai dire, je préférais que les gens d'Ibara ne voient pas celui-ci. Il faut croire que je m'en tiens toujours au règlement, qui dit qu'il ne faut pas mélanger les territoires. Le skimmer est le produit d'une technologie qu'ils ne devraient pas connaître. Je suppose que c'est assez idiot de ma part, parce que bientôt ils en verront toute une flotte. Maintenant, Siry et moi devons trouver un moyen de rejoindre le tribunal pour les avertir de ce qui les attend. Il le faut, même si je doute qu'ils puissent empêcher l'invasion des dados. Ibara va tomber, ce qui signifie que Veelox va tomber. Une fois de plus. Sauf qu'il reste un moyen d'empêcher ça.

Retrouve Mark, Courtney. Si tu peux l'empêcher d'introduire la technologie Forge en Première Terre, j'espère que ça changera l'histoire pour lui faire reprendre son cours normal. C'est le seul moyen d'arrêter les dados : en s'assurant qu'ils ne soient jamais inventés. Ainsi, ils ne pourront envahir Ibara. Du moins, je l'espère.

Il me reste à deviner ce que peut être le second moment de vérité de Veelox. Ce n'est pas l'attaque des dados. Ça ne colle pas. Il y a quelque chose d'autre qui doit se produire naturellement, un événement sur lequel Saint Dane veut influer. C'est obligé. Si je pouvais découvrir ce que c'est, il y aurait peut-être encore de l'espoir. Toujours au conditionnel.

Avant de terminer ce journal, Courtney, je dois te dire encore une fois à quel point je suis désolé. J'aurais dû rester en Première Terre. C'est mon ego qui m'a amené sur Ibara. Sur Veelox. Je pense qu'à présent Saint Dane se fiche pas mal de moi. D'ailleurs, on s'est échappés un peu trop facilement de la pyramide d'Utopias. Suis-je fini ? Est-ce que je ne vaux plus rien en tant que Voyageur ? Saint Dane m'a-t-il déjà vaincu ? Je n'arrive pas à m'y résigner. Je dois continuer de me battre, même si je ne sais pas pourquoi.

Trouve Mark. Empêche-le de nuire. Je crois que c'est notre dernière chance.

Fin du journal n° 30

PREMIÈRE TERRE

Six remorqueurs escortaient tranquillement le *Queen Mary* vers la sortie du port de New York. Le paquebot dominait de toute sa masse les petits bateaux qui tiraient la ville flottante, dépassant la statue de la Liberté pour aborder le détroit de Verrazano. Au-delà s'étendait l'océan Atlantique, où ils abandonnèrent le paquebot pour qu'il continue vers l'Angleterre de toute la vitesse de ses propres moteurs.

Courtney et Dodger ne virent rien de tout ça. Ils étaient restés sur le pont inférieur, où ils avaient trouvé un petit restaurant encore fermé. Bientôt, il grouillerait de passagers avides de voir si la réputation flatteuse des cuisines du bateau était justifiée. En attendant, c'était l'endroit idéal pour dévorer le journal de Bobby.

Courtney finit sa lecture la première. Elle confia les dernières pages à Dodger et regarda l'océan par un hublot. Comme elle n'avait jamais mis les pieds sur un paquebot, elle ne savait pas trop à quoi s'attendre. Elle n'avait pas l'impression de bouger, même si elle percevait le martèlement constant des moteurs. Elle savait ce qu'elle devait faire, mais n'avait pas la moindre idée de la marche à suivre.

– Maintenant, c'est clair, affirma Dodger. On a bien fait de monter à bord. On est au bon endroit au bon moment.

– Je ne sais pas quoi penser, dit Courtney d'un ton rêveur. Je ne sais plus reconnaître le bien du mal. Saint Dane a abattu les barrières entre les territoires et va bientôt détruire Veelox une bonne fois pour toutes. Mais Mark et moi avons débarqué sur Eelong, ce qui est en principe interdit, et on a *sauvé* ce territoire ! Et maintenant, me voilà dans le passé, à bord d'un paquebot, à essayer de modifier l'avenir pour que tout redevienne comme avant. Tout devient si… incroyable.

– Devient ? répéta Dodger. Ça ne l'était pas déjà ?

Il rejoignit Courtney devant le hublot.

– Tout ce que je sais, c'est ce que je lis dans ces journaux et ce que tu m'as raconté. Comment dire s'il est vraiment si dangereux de mélanger les territoires ? Pour moi, c'est de la science-fiction. Mais je sais encore reconnaître le bien du mal. Saint Dane et ses espèces de dados vont s'en prendre à des innocents, et ça, c'est mal. Si on peut l'en empêcher en arrêtant Mark, eh bien, on n'a pas vraiment le choix.

Courtney s'est tournée vers Dodger. Ses yeux étaient humides. Dodger ne lui demanda pas pourquoi, et même s'il l'avait fait, Courtney n'aurait pas su lui répondre. La liste était trop longue.

– Tu crois vraiment qu'on peut sauver Veelox en arrêtant Mark ? demanda-t-elle.

Il eut un petit rire.

– J'imagine que c'est possible, mais ce n'est pas à moi qu'il faut poser la question. Et puis, maintenant qu'on est à bord, que veux-tu qu'on fasse ? Qu'on joue au ball-trap ?

Courtney ne put s'empêcher de rire.

– Ça ne va pas être facile. On est des passagers clandestins, mais on ne peut pas se cacher et attendre que ça passe. Il faut qu'on fouille le bateau.

– Pas de problème, reprit Dodger confiant. Au contraire, il vaut mieux ne *pas* se cacher. Je propose qu'on se balade comme si on était ici chez nous. Que tout le monde nous voie. Comment veux-tu qu'ils sachent qu'on n'a pas de cabine ? Tu es avec la bonne personne, Courtney. Ce bateau est comme un hôtel flottant, et les hôtels, ça me connaît. On va trouver Mark. Mais ensuite, le plus dur restera à faire.

– Qu'est-ce que tu veux dire ?

– Il faut qu'on l'arrête. Et là, je ne peux pas t'aider.

Courtney se tourna vers l'océan. Ils n'avaient toujours pas répondu à la question numéro un. Pourquoi Mark était-il parti de Seconde Terre pour changer l'histoire ? Tant qu'elle ne le saurait pas, elle ne voyait pas comment elle pourrait le convaincre.

– On n'a pas beaucoup de temps, avertit Courtney.

– Si ! On a six jours devant nous. C'est amplement suffisant !

– Tu te trompes. L'histoire dit que le cadavre d'un passager du *Queen Mary* s'est échoué sur un rivage du New Jersey. C'est peut être Mark, ou peut-être pas, mais qui que ce soit, il se fera descendre peu après le départ. Je doute qu'un cadavre puisse traverser la moitié de l'océan.

Dodger poussa un sifflement admirateur.

– Je n'avais pas pensé à ça.

– Donc, conclut Courtney, en plus de tout le reste, il nous faut résoudre un meurtre avant même qu'il ne soit commis.

– Qu'est-ce qu'on attend ? annonça Dodger, enthousiaste. Allons le chercher. Je propose qu'on se sépare. Toi, va fouiner sur les ponts. Je suis sûr que tu le dénicheras. On ne part pas en croisière pour rester enfermé.

– Tu ne connais pas Mark, précisa Courtney. Il est probablement dans sa cabine, à bouquiner en mangeant des carottes.

– Des carottes ?

– Laisse tomber.

– Oui, ben en attendant, c'est là que j'entre en scène, reprit Dodger avec assurance. Je vais aller chercher la liste des passagers. Comme ça, on connaîtra le numéro de sa cabine.

– Comment comptes-tu faire ?

– Je te l'ai dit : les hôtels, ça me connaît. Fais-moi confiance.

Courtney haussa les épaules. Dodger tendit la main pour lui retirer sa casquette.

– T'es une jolie poupée, alors cherche pas à ressembler à un garçon. Habillée comme ça, tu vas te faire remarquer.

Courtney baissa les yeux sur son pantalon de laine et son pull. Soudain, elle aurait aimé porter une de ces immondes robes à fleurs qu'elle avait vues dans la vitrine du magasin, lorsqu'ils étaient encore à New York.

– J'ai l'air d'un de ces immigrants qu'on voit sur les photos d'Ellis Island, admit Courtney, découragée.

– Ne t'en fais pas, je trouverai bien un moyen d'arranger ça.

Courtney acquiesça.

– Où est-ce qu'on se retrouve ?

Dodger y réfléchit un instant avant de dire :

—Dans une heure, à la poupe. Fais gaffe à toi et ne t'arrête pas en chemin. Évite les membres d'équipage, mais pas de façon trop évidente. Ils ne connaissent pas encore tous les passagers.

– D'accord, bonne chance.

– Bonne chasse.

Dodger porta sa main à sa casquette en guise de salut et fila par la porte.

Courtney se retrouva à nouveau seule. La tâche qui l'attendait était ardue, mais avait l'avantage d'être claire. Trouver Mark. L'arrêter. Lui sauver la vie, mais surtout l'arrêter. Elle ne pouvait pas se permettre d'échouer. Il fallait le convaincre de détruire le prototype de cette technologie qu'il appelait Forge. L'histoire se modifierait aussitôt et tout redeviendrait tel qu'il devait être. Les dados cesseraient d'exister et la bataille pour Ibara n'aurait jamais lieu. Bobby serait en sécurité, Mark serait sauvé, et Halla serait hors de danger.

Courtney fourra sa casquette dans sa poche et fit bouffer ses cheveux pour se rendre à peu près présentable. Elle enleva son pull et retira les pans de sa chemise de son pantalon. Enfin, elle noua les manches du pull autour de sa taille afin d'avoir l'air sportive. Elle se regarda dans le miroir qui couvrait tout un mur du restaurant et remonta son col afin de se donner une touche de classe. Mais c'était sans espoir. Ainsi habillée, elle ne pouvait espérer se mêler incognito aux passagers. Sa seule chance de ne pas se faire repérer était encore d'éviter les membres de l'équipage. C'est dans cet état d'esprit qu'elle se mit en quête de Mark.

Elle comptait se limiter aux endroits où la foule était la plus dense. C'était là qu'elle avait le plus de chances de repérer Mark, du moins le pensait-elle. Et surtout, elle se fondrait dans la masse. Mais ses espoirs se dissipèrent au moment où elle posa le pied sur le pont-promenade. Il était long et large avec un toit et des fenêtres pour le protéger des éléments. La frénésie qui accompagnait la procédure d'embarquement était retombée, mais le pont restait bondé. Malheureusement, au milieu de tous ces passagers, Courtney faisait toujours tache.

Au temps pour l'idée de se mêler à la foule.

Les femmes portaient toutes des robes ou des tailleurs élégants, les hommes des costumes et des cravates. Courtney s'était toujours imaginé que les passagers d'une croisière mettaient des tenues moins formelles et couraient en short d'une animation à l'autre. Apparemment, ce n'était pas le cas en 1937. Elle avait l'impression d'être une gamine à une réception entre adultes, ce qui était presque le cas. Pire encore, elle n'était pas invitée. Elle décida de ne plus penser à rien d'autre qu'à retrouver Mark. Si elle arborait un air coupable, quelqu'un finirait par la repérer et la dénoncer. Mieux valait explorer les lieux rapidement et méthodiquement. Elle fit d'abord le tour du pont-promenade, examinant les visages de tous les hommes qu'elle croisait dans l'espoir de trouver Mark. En retour, elle n'obtint que des regards noirs.

Finalement, elle n'eut plus qu'à passer sur le pont-soleil, ainsi nommé parce qu'il n'avait pas de toit et juste une rambarde. Là, elle eut davantage l'impression d'être sur un bateau. Elle pouvait sentir le soleil, le vent et les embruns. Des canots de sauvetage étaient accrochés en hauteur sur les flancs du pont, ce qui lui rappela le film *Titanic*. Elle s'empressa de chasser cette image. Elle avait assez de soucis comme ça sans se tourmenter avec des images de naufrage.

On était en fin d'après-midi et le soleil déclinait à l'horizon. Courtney aurait bien aimé pouvoir s'arrêter pour profiter de la vue, comme les passagers qui se massaient contre la rambarde. Mais elle avait une mission à remplir. Elle passa devant des gens qu'elle aurait juré avoir vu dans de vieux films. Comment s'appelaient-ils déjà ? Clark Gable ? Cary Grant ? Cary Gable ? Elle vit un type grassouillet qui lui rappela un comique de l'époque, même si elle n'aurait pas pu dire s'il s'agissait de Laurel ou Hardy. Ou ni l'un, ni l'autre. Mais ce n'était pas des reliques du passé : ici, en Première Terre, ils étaient bien vivants. Elle croisa ainsi des centaines de personnes, mais pas de Mark.

Courtney se sentit bien plus à l'aise sur le pont sportif, où les passagers jouaient au palet et au tennis. Heureusement, ils ne portaient ni robes, ni costumes. Les hommes étaient vêtus de pulls et de pantalons longs, les femmes de jupes amples. Elle aurait bien voulu rester un peu plus longtemps, ne serait-ce que parce qu'ici elle n'avait pas l'impression de faire tache. C'était aussi quelque chose de voir tous ces gens faire du sport sur le pont d'un navire, à l'ombre de trois énormes cheminées orange et noires. En fait, ç'aurait été plutôt distrayant si le sort de l'humanité toute entière ne pesait pas sur ses épaules.

Elle arpenta le vaisseau pendant une heure, mais lorsque vint le moment de rejoindre Dodger à la poupe, elle était toujours bredouille. Elle réalisa avec irritation qu'il ne serait pas facile de trouver Mark. Il leur faudrait une bonne dose de chance. Pourvu que Dodger ait bel et bien trouvé le numéro de sa cabine, parce qu'il ne fallait pas compter lui tomber dessus par hasard. Ce bateau était bien trop grand. Alors qu'elle se dirigeait vers la poupe, elle chercha à se mettre dans la peau de Mark. Où irait-il ? Que ferait-il ? La réponse était évidente : il ne bougerait pas de sa cabine et se plongerait dans un bouquin. C'était tout Mark. Oui, mais il était aussi curieux. Il n'était encore jamais monté sur un paquebot. Il voudrait certainement savoir ce qui le faisait fonctionner. Par quoi commencerait-il ? Il ne passerait quand même pas *tout* son temps à lire.

Lire. Bien sûr. La bibliothèque. C'est là qu'il se rendrait en premier. Y avait-il une bibliothèque sur cet immense bateau ? Oui, forcément. Elle marcha vers un des stewards, qui servait des rafraîchissements à un couple confortablement installé sur des chaises longues.

– Excusez-moi, demanda-t-elle poliment, pouvez-vous me dire où est la bibliothèque ?

– Certainement, mademoiselle. Elle se trouve sur Regent Street. Prenez la...

– C'est bon, merci !

Courtney s'éloignait déjà au pas de course. Elle n'avait pas besoin de regarder en arrière pour se douter que son allure de garçon manqué en pantalon attirait des regards intrigués. Tant pis. Elle savait précisément où se trouvait Regent Street et comment s'y rendre. Elle n'était à bord du *Queen Mary* que depuis quelques heures mais commençait à connaître sa topographie. Elle dévala plusieurs étroits escaliers de bois qui la ramenèrent au pont-promenade, puis entra dans le centre commercial de Regent Street et ses boutiques de luxe. Tout au bout, elle trouva la bibliothèque. Elle franchit la porte en coup de vent, faisant sursauter une dame assise derrière un guichet, qui devait être la bibliothécaire.

– Oh ! s'exclama-t-elle.

– Désolée, s'excusa Courtney.

Elle scruta la petite pièce entourée d'étagères bourrées de volumes à reliures de cuir. Beaucoup de livres et personne en vue.

– Puis-je vous aider, mademoiselle ? demanda gentiment la dame, qui avait repris ses esprits.

– Non, merci, répondit Courtney, puis une idée la frappa et elle s'approcha du guichet. Tout compte fait, reprit-elle, peut-être que si. Un ami à moi a dit qu'il passerait par ici pour réserver quelques livres et m'a demandé de venir les chercher. Pouvez-vous regarder s'il est déjà venu ?

– Bien sûr, affirma la dame avec un léger accent anglais. Quel est son nom ?

– Dimond. Mark Dimond.

C'était un sacré coup de dés, mais cela valait la peine d'essayer.

– Mark Dimond ! s'exclama la dame. Vous venez de le rater ! Il est venu prendre ses livres il n'y a pas cinq minutes !

Courtney eut l'impression de recevoir un coup de massue.

– V-v-vraiment ? bégaya-t-elle. Vous êtes sûre que c'était lui ?

– Oh, bien sûr, reprit-elle gaiement en consultant une liasse de cartes. J'avais mal épelé son nom, et il s'est empressé de préciser que c'était « Dimond », avec un « d ». Un charmant garçon.

– Il avait des cheveux noirs ? De l'acné ? Des lunettes ?

– Oui, c'est bien lui. Pourquoi, y a-t-il un problème ?

– Non, bafouilla Courtney, pas de problème. Quel est le numéro de sa cabine ?

La dame posa la carte contre sa poitrine. Courtney comprit qu'elle commençait à avoir des soupçons.

– Pardonnez-moi, dit-elle sèchement, mais je ne suis pas autorisée à divulguer cette information. Comment m'avez-vous dit que vous vous appeliez ?

– Je n'ai rien dit de tel, a répondu Courtney en reculant vers la porte. Savez-vous où il est allé ?

– Oh, oui ! Il voulait voir le coucher du soleil depuis la poupe avec son amie. Un spectacle magnifique.

– Merci. Merci de tout cœur.

Elle se tourna pour prendre la porte, puis s'arrêta net et regarda à nouveau la bibliothécaire.

– Son amie ?

– Oui. Une très jolie fille, je dois dire. Ce M. Dimond doit être un beau parti pour que deux ravissantes jeunes femmes lui courent après.

Courtney jaillit de la bibliothèque et se précipita vers le pont-promenade. Elle faillit renverser un steward en filant comme une dératée le long de Regent Street et continua vers la poupe au pas de course. Peu lui importait d'attirer les regards. Mark était à bord. Elle l'avait loupé de peu. Son cœur battait la chamade, et pas à cause de sa course effrénée.

Le pont n'était plus si peuplé. Tout le monde devait se mettre sur son trente et un avant le dîner. Tant mieux : cela faisait autant d'obstacles en moins. Elle atteignit la fin de la portion couverte du pont-promenade et se retrouva face à un énorme soleil de novembre qui se couchait derrière la côte des États Unis. Les passagers se découpaient en silhouettes sombres sur ce globe embrasé, si bien qu'il était difficile de voir leurs traits. Elle courut vers la rambarde et scruta le pont en contrebas.

Une véritable foule s'y massait pour admirer le couchant. Tous les yeux étaient braqués vers l'ouest. Autant dire qu'ils lui tournaient le dos. Cela devenait frustrant. Impossible de reconnaître qui que ce soit. Elle allait se mettre à courir le long de chaque rambarde pour mieux voir les passagers lorsque son œil accrocha quelque chose deux ponts plus bas. Un couple se tenait là, serré l'un contre l'autre. Ils portaient de longs manteaux de laine gris pour se protéger du froid. L'homme était coiffé d'un de ces chapeaux de style Borsalino. La femme était un peu plus grande que lui. Ses cheveux châtains étaient impeccablement coupés juste au-dessus des épaules avec une raie au milieu recouverte d'un petit chapeau gris. Malgré la brise, elle n'avait pas une mèche en désordre. Elle s'entretenait avec l'homme en tournant le dos au couchant, ce qui voulait dire qu'elle faisait face à Courtney. Même de sa position élevée, cette dernière constata qu'en effet, la jeune femme était ravissante. Mais c'était moins important que les deux livres reliés de cuir que l'homme tenait sous son bras. Comme s'il sortait de la bibliothèque.

Il se tourna face à sa compagne, et Courtney put le voir de profil. Il portait des lunettes à monture métallique. Une boucle de cheveux noirs dépassait de sous son chapeau.

Courtney retint son souffle.

– Ma..., commença-t-elle, mais soudain, elle se sentit violemment entraînée en arrière et projetée contre la cloison.

– Salut, Chetwynde, fit une voix familière.

Elle regarda l'homme qui l'avait agressée. Il portait un long manteau noir et la regardait de dessous le rebord d'un chapeau gris.

– Rien ne vaut un peu d'air marin pour faire circuler le sang, non ? dit-il avant de se racler la gorge et de cracher sur le pont.

– Mitchell, hoqueta Courtney.

– Bienvenue à bord, reprit Andy Mitchell avec un rictus.

Saint Dane était à nouveau en lice.

PREMIÈRE TERRE
(suite)

– Alors tu n'es pas morte dans ce taxi ? demanda Mitchell, plus odieux que jamais.

– Oh, arrête ton char, rétorqua Courtney. Si tu voulais que j'y reste, je ne serais pas là. Tu savais que je m'en sortirais.

Mitchell eut un petit rire moqueur.

– Toujours aussi sûre de toi, hein, Courtney ? Jusqu'au bout.

Il portait la même tenue que la majorité des passagers, ce qui le faisait paraître plus âgé que ses dix-sept ans. Ses cheveux blonds graisseux, généralement longs, étaient coupés à ras, le vieillissant encore davantage. Bien sûr, Courtney savait qu'en réalité il avait bien plus de dix-sept ans.

Courtney restait le dos au mur comme une bête acculée. Impossible d'appeler à l'aide. Saint Dane n'avait rien fait de mal. Elle risquait de voir l'équipage se retourner contre elle.

– Je ne sais ce que tu as fait pour attirer Mark en Première Terre, reprit-elle, mais j'ai bien l'intention de l'empêcher de répandre Forge sur ce territoire. Je suis arrivée juste à temps pour ça.

Mitchell éclata d'un rire qui se transforma en toux rauque de fumeur. Courtney frissonna de dégoût.

– Juste à temps ? croassa-t-il. Tu penses que c'est une course contre la montre ? Mais le temps n'est certainement pas de ton côté ! Où crois-tu que j'ai trouvé cette espèce de plastique, sinon en Troisième Terre ? C'est dans trois mille ans environ.

343

– Je sais bien que tu ne l'as pas inventé, répliqua-t-elle. Le cœur de Forge n'est pas sa peau de plastique, mais le squelette que Mark a conçu. Tout ce que tu as fait, c'est mélanger des technologies issues de différents territoires. Une fois de plus !

– Parfaitement ! répondit Andy Mitchell. C'est formidable de pouvoir passer d'une époque à l'autre. En termes d'années terrestres, Utopias sera inventé cinq siècles après la Troisième Terre. Pour les dados de Quillan, compte encore un siècle, et ils ont provoqué la fin de Rubic City deux cents ans après. Tu penses vraiment que pour moi, le temps a la moindre importance ?

L'esprit de Courtney s'efforçait d'assimiler toutes les possibilités. Et les impossibilités.

– Allons, Chetwynde ! reprit Mitchell. Tu crois vraiment être arrivée juste à temps ? Pourquoi c'est si important ? Tu veux empêcher les Utos de détruire Ibara ? C'est ça ? Tu veux aider Pendragon ? C'est n'importe quoi. Cette bataille n'aura pas lieu avant des milliers d'années !

– Non, répondit Courtney.

Elle s'avança d'un air menaçant. Elle était assez furieuse pour croire qu'elle pouvait l'intimider, comme avant – avant qu'elle n'apprenne qu'Andy Mitchell n'était autre que Saint Dane.

– Ce qui compte, reprit-elle, c'est Mark et son invention. Le temps n'a rien à voir avec ça. Il s'agit d'influencer les peuples des territoires et de les amener à provoquer leur propre perte. Voilà ce qui compte pour toi. D'une façon ou d'une autre, tu as embrouillé Mark pour qu'il fasse quelque chose qu'il n'aurait jamais dû faire. Je vais changer ça.

Elle s'avança jusqu'à se trouver nez à nez avec Mitchell et cracha d'une voix brûlante de haine :

– Et tu ne peux rien faire pour m'en empêcher !

Ses yeux jetèrent des éclairs bleus, renvoyant Courtney à la réalité. Ce n'était pas Andy Mitchell, *loser* intégral. C'était Saint Dane, démon majeur. Involontairement, elle fit quelques pas en arrière et heurta le mur.

– N'oublie pas à qui tu as affaire, grinça Mitchell. Andy Mitchell n'existe pas.

– Non, mais Mark, si, rétorqua Courtney, luttant pour se reprendre. Et je compte bien le sauver.

Elle courut vers la rambarde.

– Mark ! cria-t-elle.

Mais il n'était plus là. Elle regarda à droite et à gauche dans l'espoir de voir s'éloigner le couple. Trop tard. Le soleil disparut derrière l'horizon. Les lumières de bord s'allumèrent pour éclairer les ponts. Courtney fit volte-face.

– Je vais le retrouver, et...

Mitchell n'était plus seul. À côté de lui se tenaient deux officiers de bord qui, avec leurs uniformes bleu marine, ressemblaient à des militaires.

– Je ne suis pas un mouchard, leur dit poliment Mitchell, mais cette demoiselle ne cesse d'importuner les passagers, et ce depuis quelques temps déjà. Je pense que c'est peut-être une passagère clandestine.

Un instant, le temps s'arrêta. Les officiers regardaient Courtney d'un air lugubre. Andy Mitchell souriait d'un air fat. Il leva la main et lui fit un petit signe qu'elle seule put voir.

– Veuillez nous suivre, mademoiselle, dit un des officiers alors que tous deux faisaient un pas dans sa direction. S'il vous plaît, ne faites pas d'esclandre.

Courtney se décida en une fraction de seconde et se mit à courir. Où ? Elle n'en avait pas la moindre idée. Il fallait qu'elle retrouve Mark. Et Dodger. Et surtout, elle devait échapper aux membres de l'équipage, parce que s'ils mettaient la main sur elle, tout serait terminé. Pour elle comme pour Halla. Elle dévala un escalier et continua son chemin, s'enfonçant dans les profondeurs du vaisseau. Courtney était une athlète. Dans une course, elle pouvait distancer n'importe qui. C'était le moment de mettre le turbo. Elle fila le long du pont tout en faisant signe aux passagers de dégager le chemin. Elle avait un avantage et le savait. Elle ne connaissait peut-être pas le bateau de fond en comble, mais ses poursuivants ignoraient où elle irait. C'était comme pendant un match de foot, se dit-elle. Il est plus dur d'être défenseur qu'attaquant, puisque celui qui a la balle contrôle le jeu. Or, à ce moment précis, c'était Courtney qui avait la main..

Elle courut jusqu'à atteindre un escalier intérieur qui la ramena au pont-promenade. Elle comptait emprunter un itinéraire aussi tortueux que possible dans l'espoir de les semer. Elle grimpa les escaliers et continua vers la poupe. Grossière erreur. L'un des officiers était resté sur ce pont et se précipitait vers elle. Mais comme il ne l'avait pas encore repérée, Courtney plongea dans la première ouverture venue.

Elle se retrouva dans une immense et luxueuse salle de restaurant. Depuis le plafond incroyablement haut, plusieurs lampes rectangulaires jetaient une lumière accueillante. Des piliers de bois aux quatre coins de la salle la faisaient ressembler à un temple. Tout au bout sur une estrade, un orchestre de swing jouait une musique d'ambiance (c'est-à-dire ennuyeuse). Il y avait des centaines de tables couvertes de nappes blanches et de services en porcelaine élégants. Les dîneurs arrivaient déjà, les hommes en smokings, les femmes en robes portant la griffe des meilleurs couturiers. Courtney avait du mal à croire qu'on puisse trouver une salle aussi luxueuse à bord d'un bateau. Mais elle n'avait pas le temps de s'y attarder. Elle courut vers l'orchestre. À la gauche de l'estrade, il y avait une porte tournante par laquelle les serveurs ne cessaient d'entrer et sortir. Probablement les cuisines. Et un moyen de sortir d'ici.

Elle vit un des officiers de bord franchir cette même porte et changea aussitôt d'idée. Sans même ralentir, elle vira de bord vers la scène, passant à côté du chef d'orchestre, et la traversa au milieu des musiciens stupéfaits qui ne firent même pas une fausse note. Elle trouva une porte qui débouchait sur un étroit couloir. Et maintenant ? À ce stade, elle ne suivait plus que son instinct. Elle voulait semer ses poursuivants et gagner du temps pour réfléchir à ce qu'elle allait faire ensuite.

Le couloir l'amena à l'arrière de la cuisine, où les chefs s'affairaient à préparer le repas. Elle put se glisser au milieu d'eux et atteindre l'autre côté sans se faire remarquer. Elle se retrouva dans un escalier de service. Monter ou descendre ? Elle avait une chance sur deux. Elle choisit de descendre. Elle s'enfonça de plus en plus profondément dans les entrailles du vaisseau, pensant pouvoir semer ses poursuivants dans ce labyrinthe de couloirs et de cabines. Elle s'arrêta au niveau du pont D.

Il fallait qu'elle gagne la poupe, où Dodger devait toujours l'attendre. Elle devait lui raconter ce qui s'était passé. Elle était en cavale et finirait bien par se faire pincer. Désormais, ce serait à lui de trouver Mark. Pourvu que l'équipage ignore qu'il y avait deux clandestins ! Un bien mince espoir, mais c'était mieux que rien.

Elle continua de courir, traversant un vestibule en pensant tomber sur un couloir. Mais lorsqu'elle ouvrit la porte de l'autre côté, une bouffée d'air chaud et humide lui frappa le visage. Elle pensa être tombé sur la salle des machines, mais en fait elle se retrouva sur un grand balcon dominant une piscine. Cette vision la prit de court. Avec ses murs couverts de gravures et son magnifique dallage, cette piscine aurait été plus à sa place dans un manoir européen qu'au plus profond d'un paquebot. Il n'y avait personne dans l'eau, ce qui rendait le spectacle encore plus étrange. Pourquoi partir en croisière sur l'océan pour aller nager dans les entrailles du bateau ? Courtney ne comprenait rien à 1937, et ce qu'elle en voyait ne lui plaisait guère.

Elle fonça le long du balcon et sortit par la porte située à l'extrémité pour entrer dans un autre restaurant. Avec son plafond bas, il ne ressemblait en rien à la salle luxueuse du pont-promenade. Il était tout aussi bondé, mais là, personne ne portait de smoking ou de robe de haute couture. Ce devait être la deuxième classe ou quelque chose comme ça. Elle se demanda si ces gens savaient ce qu'ils rataient en restant enfermés là en bas. Probablement pas, sinon ils se mutine-raient. Mais elle fit néanmoins attention à ne pas se faire remarquer tandis qu'elle traversait la pièce. À l'autre bout, elle tomba sur un nouvel escalier. Elle devait se trouver près de la poupe : elle choisit de le gravir. Encore et encore. Les marches semblaient ne devoir jamais se terminer.

Lorsqu'elle sentit enfin la caresse de l'air frais du soir sur sa joue, elle déboucha dans ce qui ressemblait à un night-club de luxe. Des gens buvaient et discutaient face à un bar incurvé. L'atmosphère était plutôt festive. Une bonne partie de la foule écoutait une chanteuse qui se tenait près d'un piano à queue blanc et interprétait une chanson que Courtney se souvenait vaguement avoir entendu dans un vieux film. Elle devait avoir quitté les quartiers des deuxièmes classes, parce que tout le monde était à nouveau en smoking ou robe de soirée. Elle scrutait des yeux la pièce, cherchant une issue, lorsqu'elle réalisa que l'un des murs était en fait une immense fenêtre donnant sur la poupe massive du paquebot. Elle avait réussi ! Enfin, presque. Elle prit la porte pour sortir dans la nuit glaciale et emprunta une coursive qui passait sous l'immense verrière.

Les différents ponts superposés du navire se dévoilèrent sous ses yeux, se rejoignant pour former la poupe. La mer était noire, mais des lampes illuminaient les coursives. Au-dessus d'elle, au bout du mât, se trouvait la hune, d'où les marins inspectaient l'océan pour déceler d'éventuels dangers. Là, les ponts n'étaient pas protégés des éléments par les structures du navire, et il y faisait un froid de canard. Le vent du large sifflait entre les rambardes. Tant mieux : cela voulait dire qu'il n'y aurait pas trop de monde dehors et qu'elle aurait plus de chances de retrouver Dodger rapidement. Elle mit sa main en visière pour éviter d'être aveuglée par les lampes. La pointe de la poupe était à une centaine de mètres. En plissant les yeux, elle put voir une silhouette solitaire qui attendait là. C'était forcément lui.

Courtney voulut l'appeler, mais il était trop loin et le vent soufflait trop fort. Il faudrait aller à sa rencontre. Mais la structure même du bateau ne l'aidait guère : elle dut descendre des marches pour gagner le pont principal, remonter jusqu'au pont A, parcourir une trentaine de mètres, puis encore un escalier pour revenir au niveau du pont principal. Et il lui restait encore une vingtaine de mètres pour atteindre Dodger.

Elle se mit à courir tout en espérant que les membres de l'équipage lancés à sa poursuite ne regardent pas par la fenêtre du night-club. Ce n'est que lorsqu'elle eut gravi l'ultime escalier que Dodger la repéra.

– Hé, cria-t-il, je me gèle ici ! Où étais-tu passée ?

– Ne dis rien, écoute-moi.

Elle lui prit le bras et l'entraîna dans la direction d'où elle était venue.

– Il est là, Courtney, fit Dodger. J'ai découvert qu'il est bien monté à bord.

– Je t'ai dit de m'écouter. J'ai vu Mark. Et aussi Saint Dane.

– Quoi ? s'écria Dodger, surpris.

Ils se dirigeaient vers les escaliers du pont A.

– J'ai bien retrouvé la trace de Mark à la bibliothèque. Il est à bord avec une femme.

– Oui, acquiesça Dodger, KEM Limited a fourni trois billets. Par contre, je n'ai pas pu trouver les numéros de leurs cabines.

– Écoute-moi ! aboya Courtney. Ils savent que je suis une clandestine. Ça fait une demi-heure que je cours pour leur échapper !

– Oh. La poisse.

– Pour toi, je ne sais pas s'ils sont au courant. Saint Dane lui-même ignore peut-être que tu es à bord. Mais tôt ou tard, ils vont me tomber dessus, alors je compte sur toi pour retrouver Mark. Tu as toujours sa photo ?

Dodger fouilla sa poche de manteau pour en tirer le vieux cliché représentant Mark et ses parents.

– Il ne ressemble plus tellement à son portrait, remarqua Courtney. Il a les cheveux courts. Il porte un costume et des lunettes cerclées de métal qui lui donnent l'air plus adulte. Sauf qu'il ne l'est pas. C'est juste… Mark.

Ils avaient traversé le pont A et montaient les marches menant au pont principal.

– Saint Dane est là sous son apparence d'Andy Mitchell, continua Courtney, hors d'haleine. Tu te souviens du chauffeur de taxi qui a bien failli nous noyer ?

– Je ne l'oublierai pas de sitôt !

– C'est lui. Par contre, je ne sais pas qui est cette femme. Je ne l'avais encore jamais vue.

– Pour moi, c'est une actrice, affirma Dodger. Tu sais, une de ces dames d'Hollywood.

– Qu'est-ce qui te fait dire ça ?

– Parce qu'elle s'est inscrite sous un faux nom.

– Comment tu le sais ?

– Je te l'ai dit, il y avait trois personnes sur la liste des passagers. Mark Dimond, Andy Mitchell et une dame. Enfin, je pense que c'en était une. Je n'ai jamais vu un blase pareil.

– C'est-à-dire ?

Dodge tendit la main vers la porte qui les mènerait à la section couverte du pont principal.

– Nevva Winter, dit-il. Tu parles d'un nom !

Courtney se figea sur place.

La porte s'ouvrit avant que Dodger ait terminé son geste et le repoussa alors que deux officiers de bord la franchissaient. Courtney aurait probablement tourné les talons pour s'enfuir si ce coup de théâtre ne l'avait pas figée sur place. Elle n'eut pas d'autre occasion. Les deux officiers s'emparèrent d'elle sans hésiter.

– Assez crapahuté pour ce soir, mademoiselle, déclara l'un d'eux.

Ils l'emmenèrent à l'intérieur. La porte se referma derrière eux. Les officiers n'avaient même pas vu Dodger.

Quelques heures plus tard, après avoir été interrogée par l'officier de sécurité du bord (à qui elle ne dit rien) et officiellement déclarée passagère clandestine, Courtney se retrouva seule dans une pièce qui avait tout d'une chambre d'hôpital située à l'avant du vaisseau. C'était ce qu'on appelait les « quartiers d'isolation », où on mettait les passagers atteints de maladies contagieuses pour éviter qu'ils se mêlent aux autres. Ce qui ne lui disait rien qui vaille. La pièce comprenait quatre couchettes avec des draps propres et des sanitaires, le tout assez confortable et, heureusement, sans autre occupant. La porte se referma avec un *clang* métallique et le verrou cliqueta.

Le panneau comprenait un hublot par lequel on pouvait examiner les occupants sans être contraint de respirer le même air qu'eux. Ce lieu avait beau ressembler à un hôpital, Courtney savait ce qu'il était réellement. C'était une prison. Elle était condamnée à finir le voyage dans ce trou.

Pour retrouver et arrêter Mark, elle devrait s'en remettre à Dodger.

PREMIÈRE TERRE
(suite)

Dans sa petite chambre d'hôpital transformée en geôle, Courtney tournait comme un lion en cage tout en cherchant un plan. N'importe lequel. Mais elle ne pouvait rien faire tant qu'elle ne serait pas sortie de ce trou, ce qui était impossible. Il n'y avait plus une seconde à perdre. Mark était en danger. Si les événements suivaient le cours qu'on lui avait décrit en Troisième Terre, il ne tarderait pas à se faire assassiner et jeter à la mer. Son seul espoir était que Dodger le retrouve avant son meurtrier.

Pour la cinquantième fois, Courtney appuya sur la poignée de la porte. Elle était tout aussi fermée que les quarante-neuf fois précédentes. Le visage du gardien s'encadra dans le hublot rond de la porte. C'était un type plutôt sympa qui s'était présenté sous le nom de sixième officier Taylor Hantin. Il était chargé de surveiller Courtney et de s'assurer qu'elle reste en cage. D'après Courtney, il perdait son temps : il était impossible de s'évader de ce cachot métallique. Elle allait tenter d'appuyer sur la poignée pour la cinquante et unième fois lorsqu'une idée lui traversa l'esprit, une idée si simple qu'elle se demanda pourquoi elle n'y avait pas pensé plus tôt. Maintenant que l'équipage savait qu'elle était à bord, elle n'avait plus besoin de se cacher. Si elle n'allait pas à Mark, Mark pouvait venir à elle. Elle bondit vers la porte et tambourina sur le panneau.

– Excusez-moi ! cria-t-elle poliment.

L'officier Hantin apparut à la fenêtre. Il devait avoir entre vingt et trente ans. Un peu jeune pour être officier – même s'il n'était que *sixième* officier. Pas vraiment le haut du pavé.

– Oui, mademoiselle ?

Heureusement, personne ne la traitait comme une dangereuse criminelle. L'équipage anglais restait très poli. Ou, du moins, autant qu'on peut l'être lorsqu'on vous enferme dans une boîte de conserve pour vous surveiller avec un pistolet chargé à la hanche.

– Je sais que je ne mérite pas de traitement particulier, mais je dois absolument voir un des passagers, dit-elle du ton qui se voulait le plus innocent possible.

– Je crains que cela ne soit contraire au règlement, mademoiselle, répondit-il non sans sympathie.

– Je le sais, reprit-elle avec une moue. Mais j'ai pas mal d'ennuis et, à part cet ami, je n'ai personne vers qui me tourner. Il ne sait même pas que je suis à bord, mais il sera content de l'apprendre.

Elle était délibérément vague, et pourtant, c'était la stricte vérité.

– Je ne sais pas…

Courtney sentit qu'il se laissait fléchir.

– Pouvez-vous au moins lui dire que je suis là ? plaida-t-elle.

L'officier regarda Courtney par le hublot. Elle tenta de prendre un air suppliant. Finalement, l'officier eut un sourire.

– Comment s'appelle-t-il ?

– Mark Dimond, s'empressa de répondre Courtney. Merci, m'sieur l'officier, merci de tout cœur. Vous ne pouvez pas imaginer à quel point c'est important pour moi.

– C'est monsieur le sixième officier, et j'espère que cela ne me vaudra pas de finir dans la même cellule que vous.

Et il s'en alla. Courtney donna un coup de poing en l'air. Lorsque Mark saurait qu'elle était à bord, il viendrait aussitôt la voir, elle n'en doutait pas un seul instant. En fait, se retrouver dans cette cellule était peut-être ce qui pouvait lui arriver de mieux. Saint Dane l'avait livrée aux autorités, mais son plan allait se retourner contre lui.

Mais qu'allait-elle dire à Mark ? Elle avait tant à lui apprendre ! Il n'avait lu aucun des journaux que Bobby avait envoyé de Quillan. Il ignorait que la femme qui l'accompagnait, cette Nevva Winter, était la Voyageuse de Quillan et une traîtresse qui avait pris le parti de Saint Dane. Sans elle, Quillan ne serait pas tombée. Elle avait trahi son peuple, et les Voyageurs[1].

Courtney tenta de préparer un speech, mais elle ne savait pas dans quel état d'esprit elle trouverait Mark. L'avait-on obligé à venir en Première Terre ? Ou était-ce par ruse ? Ou l'inimaginable s'était-il produit ? S'était-il rallié à Saint Dane, comme Nevva Winter ? Non, ça, c'était impossible. Quoi qu'il en soit, elle avait deux choses à faire : l'empêcher de répandre la technologie Forge en Première Terre et le prévenir qu'il y avait à bord de ce bateau quelqu'un qui voulait le tuer. Si elle y parvenait, Saint Dane et Nevva Winter seraient le cadet de leurs soucis.

Une heure s'écoula. Toujours pas de Mark. Ni de sixième officier Hantin. Courtney commençait à se faire du souci. Ce bateau était grand, mais pas *si* grand. Trouver Mark ne devrait pas prendre si longtemps. Hantin avait peut-être changé d'avis. Ou peut-être l'avait-il bien trouvé, mais que Mark ne voulait pas la voir. Ou le pire était-il déjà arrivé ? Mark flottait-il déjà entre deux eaux ? Alors que toutes ces possibilités se succédaient dans son esprit, elle se remit à faire les cent pas. Chaque minute qui passait accroissait son inquiétude. Elle allait tambouriner sur la porte et demander à voir un officier lorsqu'elle entendit un cliquetis.

Celui de la serrure.

Courtney se figea. Une boule lui noua la gorge. Son cœur battit encore plus vite. Elle allait retrouver Mark ! La porte s'ouvrit et le sixième officier Hantin passa la tête à l'intérieur. Il regarda Courtney et dit :

– Ne faites pas de bêtise, mademoiselle !

---

1. Voir Pendragon n° 7 : *Les Jeux de Quillan.*

Elle acquiesça en silence. L'officier se recula, et Courtney l'entendit déclarer :

– Vous êtes sûre que ça ira ?

Pas de réponse. La porte s'ouvrit un peu plus et quelqu'un entra.

C'était Nevva Winter.

La Voyageuse déchue s'avança au-devant de Courtney. Elle ressemblait en tout point à une femme de 1937. Elle portait une superbe robe de soirée dont le tissu luisait à la lumière de l'ampoule nue et un léger châle de fourrure pour se protéger du froid de la nuit. Ses cheveux, son maquillage, tout était parfait. Pour Courtney, on aurait dit une star du cinéma de l'âge d'or d'Hollywood.

Elle avait aussi l'apparence d'une traîtresse. Courtney l'aurait volontiers égorgée.

– Tu sais qui je suis ? demanda Nevva.

– Où est-il ? répondit froidement Courtney.

– Je ne suis pas une criminelle, Courtney, reprit calmement Nevva. Et Saint Dane non plus.

Courtney ne savait pas si elle devait éclater de rire ou se mettre à hurler.

– C'est vrai, c'est un brave type, fit-elle sarcastique. Bon, d'accord, il a détruit deux civilisations, mais tout le monde a ses petits défauts, non ?

Nevva lutta pour garder son calme.

– C'est une révolution, et à chaque révolution, il y a forcément des victimes. C'est malheureux, mais inévitable. L'avenir de l'humanité est en jeu. Ça vaut bien quelques sacrifices.

– Tu y crois vraiment ? demanda Courtney, sentant monter sa colère. Tu es sérieuse ? Ce type tue de sang-froid. Non, pardon. « De sang-froid » n'est pas le bon mot. Il *aime* tuer. Quoi qu'il puisse mijoter pour Halla, penses-tu vraiment que ça justifie tout ce qu'il a infligé à ces peuples ?

– Oui, parce qu'il m'a fait part de sa vision, répondit Nevva.

– Eh bien, je ne demande qu'à l'entendre ! Dis-moi que je me trompe. Tout comme Bobby et les Voyageurs. Dis-moi que les milliers, non, les millions de personnes dont il a pourri l'existence ne s'en porteront que mieux quand il aura atteint son but. J'ai hâte de l'apprendre.

Courtney se rapprocha de Nevva. À chaque pas, sa colère ne cessait de croître. La Voyageuse déchue ne bougea pas un cil. Courtney était prête à lui décocher un coup de poing lorsque quelqu'un d'autre entra dans la cellule. Courtney s'arrêta net. Là, planté devant la porte d'un air penaud, se tenait Mark Dimond. En le voyant, Courtney oublia tout de Nevva Winter. Des larmes lui brûlèrent les yeux.

– Salut, Courtney, se contenta-t-il de dire.

La première chose qui la frappa, c'est que, malgré l'intensité de la situation, Mark ne bégayait pas. La seconde, c'est qu'il avait l'air très adulte. Ses cheveux étaient non seulement courts, mais bien peignés, pour une fois. Ses lunettes à monture de fer lui donnaient dix ans de plus que son âge. Le smoking qu'il portait complétait cette image surprenante. Ce n'était plus le gamin boutonneux de Stony Brook qu'elle connaissait, mais un adulte, un homme. Courtney pouvait à peine respirer et encore moins parler.

– Je vous laisse seuls, dit Nevva (Avant de sortir, elle se tourna vers Mark et ajouta :) Je serai là, de l'autre côté de la porte.

Et elle s'en alla. Mark et Courtney se retrouvèrent face à face pour la première fois depuis cette après-midi où le journal n° 25 de Bobby leur était arrivé de Quillan. Plus tard ce soir-là, Mark avait appris la mort de ses parents lorsque leur avion s'était écrasé au beau milieu de l'Atlantique. Cet événement avait marqué le début d'une odyssée qui les avait menés là, dans la cellule d'un paquebot de l'année 1937. Ils restèrent figés sur place, mal à l'aise, sans savoir que dire. Courtney fut la première à se jeter à l'eau :

– Alors, où en est l'équipe des Yankees ? demanda-t-elle d'un ton badin.

Mark eut un petit rire. Courtney aussi. La glace était rompue. Si l'on veut.

– Que dis-tu de ma suite royale ? reprit Courtney d'un ton faussement joyeux. Chouette, non ? Tu veux que je te fasse apporter quelque chose des cuisines ?

– Tu ne devrais pas être là, Courtney, dit Mark d'une voix douce.

Elle aurait juré que sa voix était plus grave que dans son souvenir. En tout cas, elle était nettement plus assurée.

– Oh, si, reprit-elle. Au contraire, c'est *toi* qui ne devrais pas être là. Et pourtant, te voilà.

– Tu ne sais pas ce qui...

– Si, rétorqua Courtney. Je sais tout. (Elle inspira profondément pour se calmer.) J'ai tant de choses à te dire, Mark, mais avant, c'est à ton tour de t'expliquer. Pourquoi es-tu venu ici ? Que s'est-il passé la nuit où...

Elle ne finit pas sa phrase. Mark s'en chargea :

– La nuit où mes parents sont morts ?

Courtney acquiesça. Mark s'assit sur une chaise en bois. Elle s'adossa à sa couchette. Maintenant qu'elle allait enfin avoir des réponses aux questions qui la hantaient depuis si longtemps, elle n'était pas sûre de vouloir les entendre. Elle avait peur de ce que Mark allait lui dire.

Mark avait l'air nerveux. C'était un moment pénible. Un instant, Courtney crut qu'il allait redevenir ce qu'il était, un ado boutonneux manquant d'assurance. Mais lorsqu'il parla, ce fut avec fermeté. Et sans bégayer.

– Cette nuit-là, Andy Mitchell et moi sommes allés remettre de l'ordre dans la boutique de fleurs de son oncle. Un des arroseurs s'était déclenché et avait tout inondé. Il fallait sauver les fleurs de Noël, ou son oncle ferait faillite. C'est pour ça qu'on est restés pendant que mes parents prenaient l'avion.

– Je m'en souviens.

– Alors tu sais ce qui s'est passé, reprit-il solennellement. Leur avion s'est écrasé au beau milieu de l'Atlantique. Il n'y a eu aucun survivant.

Courtney acquiesça.

– Je suis désolée, Mark.

– Je ne l'ai appris que vers minuit, continua-t-il. Une fois au magasin, on a travaillé d'arrache-pied. La compagnie aérienne a trouvé le numéro de mon portable. Tout d'abord, j'ai cru à une mauvaise blague. Ça semblait impossible, non ? Mais il m'a suffi d'allumer la télévision pour constater que c'était bien vrai. (Mark eut une hésitation. Revivre un tel moment lui était pénible.) J'ai essayé de t'appeler.

— Je sais, répondit Courtney en s'étranglant d'émotion. J'avais éteint mon téléphone. Ce n'est que le lendemain que j'ai écouté le message. Si seulement j'avais…

— Ce n'est rien. De toute façon, tu n'aurais rien pu faire. Mais j'ai vu arriver quelqu'un qui en était capable.

— Qui ? demanda Courtney, soudain alarmée.

— Nevva Winter. La Voyageuse de Quillan. Tu sais que Saint Dane a remporté la bataille de Quillan ?

— Oui, j'en ai entendu parler, fit Courtney d'un ton léger. Nevva Winter est passée en Seconde Terre ?

— Elle s'est échappée de Quillan avant sa chute. Elle m'a dit que Saint Dane abattait les cloisons entre les territoires et que Bobby Pendragon avait besoin de mon aide.

— Oh, vraiment ? reprit Courtney sur un ton sarcastique. Notre ami Andy Mitchell a-t-il entendu tout ça ?

— Oui, répondit Mark en baissant la tête, l'air honteux. Je sais, j'aurais dû garder le secret, mais je ne raisonnais pas sainement. Je venais quand même d'apprendre la mort de mes parents ! J'ai essayé de parler avec elle en privé, mais elle m'a dit qu'on aurait aussi besoin de lui.

— Ouais, je m'en doute, reprit Courtney, encore plus sarcastique.

— Andy a été moins surpris que je ne l'aurais cru. C'est vrai que c'était dur à avaler, mais n'oublie pas qu'il avait lu les premiers journaux de Bobby. Il savait à quoi s'attendre. Je lui ai confirmé que c'était bien Bobby qui les avait rédigés. Je ne savais pas quoi faire d'autre. Maintenant, Mitchell sait tout.

Courtney comprit alors que Mark ignorait toujours qu'Andy Mitchell n'était autre que Saint Dane. Elle avait hâte de le mettre au courant, mais voulait d'abord écouter ce qu'il avait à dire.

— Nevva nous a révélés qu'après sa défaite sur Quillan, Bobby a compris que le meilleur moyen de vaincre Saint Dane était encore de retourner contre lui ses propres tactiques. Il était inutile de vouloir garder les territoires indépendants. En plus, sa prochaine cible n'était autre que la Seconde Terre. C'est ce qu'on a toujours redouté, Courtney. On savait que ça finirait par arriver un jour, et ce moment était venu. Mais Nevva connaissait un moyen de l'arrêter.

– Je suis impatiente de l'entendre, rétorqua Courtney.

– Elle m'a dit qu'en changeant le passé, on pouvait créer un nouvel avenir auquel Saint Dane n'était pas préparé. C'est pour ça qu'on est venus en Première Terre.

On y était. Courtney hocha la tête. Nevva était la clé, comme sur Quillan.

– Si j'ai bien compris, reprit Courtney, Nevva vous a dit, à toi et à Mitchell, d'amener votre technologie Forge en Première Terre, ce qui changerait le cours de l'histoire et provoquerait la défaite de Saint Dane en Seconde Terre ?

– C'est ça.

– Et tu l'as cru ? hurla Courtney.

– Ce n'est pas tout.

– Je l'espère bien, grinça Courtney, de plus en plus furieuse. Mark, je t'aime comme un frère, mais je n'arrive pas à croire que tu aies fait quelque chose d'aussi énorme sur la foi de quelqu'un que tu ne connais même pas !

– Ce n'est pas tout, répéta calmement Mark. Nevva a dit aussi que si on réussissait à changer le cours de l'histoire, mes parents s'en sortiraient.

Courtney allait lui crier après une fois de plus, mais se ravisa. Il y avait une certaine logique dans tout ça. Nevva et Saint Dane avaient embrouillé Mark pour lui faire croire non seulement qu'il agissait pour le bien de la Seconde Terre, mais aussi pour sauver ses parents. Saint Dane savait très bien sur quels boutons appuyer. Pauvre Mark. Il n'était responsable de rien. Courtney avait toujours eu peur de Saint Dane, mais à présent elle le haïssait de toutes ses forces. Elle allait devoir dire la vérité à Mark. Rien ne pouvait ressusciter ses parents. Une idée bien douloureuse. Mark croyait faire le bien, alors qu'en réalité il donnait à Saint Dane les instruments nécessaires pour faire tomber Halla.

Aussi déprimante que soit la situation, elle voyait cependant poindre une lueur d'espoir. Mark n'était pas un traître. Il ne s'était pas rangé du côté de Saint Dane. Quoi qu'il ait fait, ses intentions restaient pures. Mark était toujours Mark. Mieux encore, il n'avait toujours pas répandu sa technologie Forge. Le flume l'avait bien envoyée au bon endroit au bon moment. Elle pouvait encore empêcher le pire. Mais pour ça, elle devrait lui exposer la réalité, aussi horrible soit-elle. Elle s'agenouilla aux côtés de Mark et lui prit la main.

– Écoute-moi, Mark, commença-t-elle. Je comprends pourquoi tu as agi ainsi. Si je perdais mes parents, j'imagine que je pèterais un plomb, moi aussi. Et si quelqu'un me proposait un moyen de tout arranger, je sauterais dessus. Ce n'est pas ta faute.

– Ma faute ? répéta Mark surpris. Je ne comprends pas.

Courtney inspira profondément avant de continuer :

– On t'a menti. Dans les grandes largeurs. Et comme tous les bons mensonges, il contient juste assez de vérité pour le rendre plausible. Oui, les Voyageurs ont perdu la bataille de Quillan. Oui, tes parents sont morts dans cet accident. Et oui, en introduisant la technologie Forge en Première Terre, tu changeras l'avenir de la Seconde Terre. Mais là où on t'a menti, c'est que les résultats seront bien différents de ce qu'on t'a raconté.

Mark regarda Courtney dans les yeux, suspendu à ses lèvres.

– Je ne sais pas comment te le dire, fit-elle nerveusement.

– Vas-y, accouche.

– Mark, Andy Mitchell est Saint Dane. Il l'a toujours été, depuis qu'on le connaît. Il s'est insinué dans ta vie et s'est arrangé pour devenir ton ami pour qu'à vous deux, vous puissiez créer Forge pour en faire exactement ce que tu comptes en faire. Mais tu ne sauveras pas Halla pour autant. Mark, Forge va provoquer une réaction en chaîne qui mènera à la création d'une armée avec laquelle Saint Dane détruira Halla. C'était son plan. Depuis le début. Nevva Winter n'est pas ton amie. C'est une Voyageuse, mais elle a aidé Saint Dane à faire tomber Quillan. J'aimerais pouvoir te montrer les journaux de Bobby, mais je ne les ai pas avec moi. Nevva Winter nous a trahis. Ces deux-là t'ont fait croire que tu agissais pour le bien de tous, mais c'est faux.

Mark baissa la tête. Courtney pouvait à peine imaginer ce qu'il devait endurer. Elle avait horreur de devoir lui révéler la vérité de façon si brutale.

– Pourquoi me racontes-tu tout ça ? finit-il par dire.

– Parce que tu dois savoir. Je suis désolée.

– Mais tu te trompes ! dit Mark en reculant jusqu'à l'autre bout de la pièce.

– Pas du tout ! rétorqua Courtney. Je sais que c'est dur à avaler, mais c'est la vérité. Le lendemain de la mort de tes parents, j'ai fait ce que tu m'as demandé, tu te rappelles ? Je suis allée au flume. Et il s'est passé quelque chose pendant que j'étais dans cette cave. Mark, je sais que Forge va changer la Seconde Terre. Je l'ai vu. Tu as accéléré l'évolution technologique. Tout est différent. Mais il y a une chose qui n'a pas changé.

– Laquelle ?

Courtney hésita. Elle aurait préféré y aller en douceur, mais il fallait absolument convaincre Mark. Elle décida d'attaquer bille en tête.

– Tes parents étaient toujours morts. Ce que tu as fait en Première Terre, ce que tu *vas* faire n'y a rien changé.

Mark gardait les yeux fixés sur le plancher.

– Voilà la preuve que Nevva t'a menti, insista Courtney. Tu ne peux pas sauver tes parents. Saint Dane et elle t'ont trompé, comme tant d'autres avant toi. Ils t'ont attiré avec cette promesse de sauver la Seconde Terre. Ou d'aider Bobby. Ou de protéger Halla et de ressusciter tes parents. Sauf que rien de tout ça ne va arriver.

Mark se tortilla nerveusement. Il devait commencer à transpirer.

– Mais il n'est pas trop tard ! s'exclama-t-elle, encourageante. C'est pour ça que je suis là. Maintenant que tu connais la vérité, tu peux tout arrêter. Tu peux faire en sorte que Halla reprenne son cours normal. Ici et maintenant.

Mark s'essuya les yeux. Courtney trouva qu'il s'en tirait plutôt bien, vu la bombe qu'elle venait de lâcher.

– Je ne comprends pas, dit-il d'une petite voix.

– Demande-moi, insista Courtney. Tout ce que tu voudras. Je connais toute l'histoire.

Mark la regarda. Ses yeux étaient rouges.

– Je ne comprends pas pourquoi tu me mens.

Courtney accusa le coup. Elle en resta bouche bée.

– Je... Je ne..., balbutia-t-elle. Pourquoi préfères-tu croire Nevva Winter et pas moi ?

– Mark ?

C'était une voix féminine provenant de l'extérieur de la pièce. Courtney la connaissait, mais pas moyen de l'identifier.

– Entrez ! lança Mark.

Deux personnes les rejoignirent dans la cellule. En les voyant, Courtney faillit s'évanouir. Elle se sentit comme étourdie. Elle n'y comprenait rien. C'était absurde. C'était de la folie. N'importe quoi. Soudain, ses jambes refusèrent de la porter. Elle dut s'asseoir sur le rebord de la couchette.

– J'allais justement partir, dit Mark aux nouveaux arrivants.

Courtney leva les yeux. Là, devant elle, se tenaient un homme et une femme. Vêtus respectivement d'un smoking et d'une robe de soirée. Rien d'original d'après ce qu'elle avait vu... Et pourtant, ils ne pouvaient pas être là.

La femme dut sentir son trouble.

– On sait, Courtney, dit-elle gentiment. Mark nous a tout expliqué. Les Voyageurs, les territoires et ce qui est arrivé à Bobby Pendragon.

– On est fiers de toi, Courtney, reprit l'homme. On sait que tu as subi pas mal de stress ces derniers temps, avec ton accident et tout ça. Dès qu'on sera arrivés à Londres, on fera tout pour te faire innocenter, et on paiera ton voyage. Tout ce qu'on veut, c'est que Mark et toi puissiez terminer ce que vous avez commencé et que vous aidiez Bobby à arrêter Saint Dane.

– Bobby a besoin de toi, ajouta la femme. Halla aussi. Essaie de te reposer.

Courtney en resta sans voix. Son cerveau faisait de son mieux pour nier ce qu'elle voyait de ses yeux. L'homme et la femme qui se tenaient devant elle n'étaient autres que M. et Mme Dimond. Les parents de Mark. Bien vivants. En Première Terre.

– On viendra te voir demain matin, dit Mme Dimond.

– Bonne nuit, ajouta M. Dimond.

Et ils s'en allèrent, laissant Mark et Courtney face à face. Mark lui jeta le genre de regard qu'on réserve à un enfant désobéissant.

– Peut-être que demain, tu seras d'humeur à me dire ce qui se passe vraiment.

Et il partit à son tour en refermant la porte derrière lui. Le grincement de la serrure résonna dans la cellule. Courtney resta figée sur place. Tout ce qu'elle croyait être la réalité venait d'être chamboulé. Elle serait peut-être restée comme ça toute la nuit si son doigt ne s'était pas mis à tressauter.

Son anneau s'activait.

Le nouveau journal de Bobby était en route.

Journal n° 31

IBARA

Là, les gars, je crois que je vais péter un câble.

Parce que je ne peux rien faire, juste attendre. Et ça me fout en l'air. Les prochaines heures seront décisives pour l'avenir d'Ibara. Ou de Veelox. Ou de Halla. C'est comme d'attendre l'arrivée d'une tempête. Le temps se traîne. On sait qu'elle va éclater d'un moment à l'autre, mais pas moyen de dire quand. J'ai hâte qu'elle arrive, parce que je suis prêt à rendre les coups. J'ai passé les derniers jours à m'y préparer. Hein ? Ai-je parlé de jours ? Je ne sais pas combien de temps s'est écoulé depuis que Siry et moi sommes revenus sur Ibara après nous être échappés de Rubic City. Des jours ? Des semaines ? Je sais, c'est n'importe quoi. Mais après avoir lu ce journal, vous comprendrez.

Courtney, au moment où j'écris ces mots, j'imagine que tu n'as pas encore trouvé Mark. Ou peut-être que si, mais que ça n'a rien changé. Le combat pour Ibara semble inévitable. Mais je suis prêt. Plus que je ne l'ai jamais été. Je ne peux pas prédire l'avenir, mais si on perd cette bataille, ça ne sera pas notre faute. Pour l'instant, je suis tellement remonté que j'ai hâte d'en découdre. Comme je ne tiens pas en place, il a fallu que je me concentre à mort pour rédiger ce journal. Celui-ci est important, Courtney, parce que la prochaine fois que je t'écrirai – s'il y a une prochaine fois – l'avenir de Halla sera décidé. Soit on aura réussi à neutraliser Saint Dane, soit la Convergence aura commencé. Dans les deux cas, je veux que tu saches pourquoi j'ai agi comme je l'ai fait. Maintenant, je joue selon les règles établies par Saint Dane. Autant dire qu'il n'y a plus de règles du tout. Je ne vois pas d'autre solution. J'espère que quand la poussière de la bataille retombera, Halla sera sauvé une bonne fois pour toutes.

En attendant, ça risque de ne pas être beau à voir.

Mais revenons à la nuit où Siry et moi sommes retournés à Ibara à bord d'un skimmer. Comme je l'ai précisé, je ne saurais pas dire si c'était il y a quelques jours ou quelques mois. Je n'ai plus aucune notion du temps.

Donc, lorsque Siry et moi sommes arrivés, la nuit était tombée. On a abordé une petite plage rocailleuse et caché le skimmer sous les frondaisons, puis on l'a recouvert de feuilles de palmiers. De là, on s'est frayé un chemin jusqu'à la clairière des Jakills. Elle était déserte. Sous la clarté de la lune, ce spectacle était plutôt déprimant. Il n'y a pas si longtemps, ce lieu vibrait d'espoir et d'énergie. Là, on aurait plutôt dit un monument commémorant un rêve brisé. Pour Siry, ce devait être bien pire. Tous ses grands idéaux avaient été piétinés. Ses amis étaient morts. Je devais l'empêcher de sombrer. Au contraire, c'était le moment de se tourner vers l'avenir. Plus tard, il aurait tout loisir de porter son deuil. On trouve toujours du temps pour les regrets.

Il fallait qu'on se repose. Il restait quelques provisions, et on a mangé ce qui était encore comestible. J'avais trop peur pour avoir de l'appétit, mais je me suis forcé. Qui sait quand on en aurait à nouveau l'occasion ? J'ai aussi terminé mon précédent journal. Une fois de plus, autant en profiter. On a dû rester là environ trois heures. Sans fermer l'œil, ni l'un ni l'autre. L'adrénaline nous gardait éveillés.

– C'est trop bête, ai-je fini par déclarer. Je ne sais pas pour toi, mais moi, je suis trop nerveux pour dormir. Et si on allait trouver le tribunal pour les prévenir de ce qui les attend ?

– Ça ne sera pas facile, a remarqué Siry. On est des criminels. On risque de finir en prison avant d'avoir une chance de s'expliquer.

– Alors comment les contacter ?

– Par l'intermédiaire de Telleo, a affirmé Siry. Si quelqu'un peut se faire entendre de Genj, c'est bien sa fille.

– Est-ce qu'elle acceptera ?

– J'en suis sûr. (Siry m'a regardé d'un air grave.) Pendragon, il faut qu'on fasse tout ce qui est en notre pouvoir pour arrêter cette invasion.

— Bien, d'accord, ai-je répondu du ton le plus ferme possible.

Sous la lumière de la lune, on a couru vers le village, passant par des sentiers sinuant à travers la jungle. Je ne quittais pas Siry des yeux. S'il sautait, j'en faisais autant. S'il se baissait, moi aussi. Je ne suis tombé qu'une seule fois. Lorsqu'on est arrivés sur la plage, Siry a ralenti son allure jusqu'au village. Il restait encore quelques heures avant le lever du soleil. Tout le monde dormait. C'était le moment idéal pour chercher Telleo. Siry est passé devant la cabane où je m'étais réveillé pour la première fois sur Ibara, puis on a traversé le village pour se diriger vers la montagne du tribunal. On a fini par s'arrêter devant une petite hutte située non loin du centre du village, où Telleo et moi avions dansé lors du festival de Zelin. Zelin. Était-ce une variante de Zetlin, l'inventeur d'Utopias, qui se serait simplifiée au fil des siècles ?

Siry m'a fait un geste signifiant « c'est là », puis a porté son doigt à ses lèvres avant d'entrer dans la hutte.

L'intérieur comprenait quelques meubles de bambous et beaucoup de fleurs coupées. Telleo aimait s'entourer de belles choses. J'ai suivi Siry qui se déplaçait rapidement et silencieusement. Il a gagné la seconde pièce, où Telleo était allongée sur un lit bas. Elle portait le même type de vêtements pour dormir que dans la journée. Siry s'est agenouillé à son chevet. Telleo s'est retournée sur sa couche. Doucement mais fermement, Siry lui a donné un petit coup sur le bras tout en posant son autre main sur sa bouche.

— Telleo, a-t-il chuchoté.

Celle-ci a entrouvert des yeux voilés par le sommeil. Puis ils se sont posés sur lui et se sont ouverts en grand, comme galvanisés par un courant électrique. Telleo s'est assise sur son lit, prête à hurler, mais Siry l'en a empêchée.

— Tout va bien, a-t-il chuchoté d'une voix rassurante. C'est moi. Et Pendragon.

Telleo l'a reconnu, mais ne s'est pas détendue pour autant. Tout d'abord, j'ai cru qu'elle sortait d'un cauchemar dont elle avait du mal à se dépêtrer, parce qu'elle n'arrêtait pas d'agiter la tête de gauche à droite.

— C'est bon, a-t-il repris.

Telleo a arraché la main qui couvrait sa bouche. Elle semblait terrifiée.

– Non, ce n'est pas bon ! a-t-elle répondu à voix basse. Vous ne devez pas rester ici. Depuis votre départ, ils gardent un œil sur ma cabane.

Aïe. La demeure de Telleo était sous surveillance. C'est pour ça qu'elle voulait qu'on s'en aille, pas parce qu'elle avait peur de nous.

– Allez ! a-t-elle ordonné en se levant. Retournez dans la jungle avant de vous faire…

– Arrêter ? a terminé une voix arrogante provenant de la première pièce.

On s'est retournés, Siry et moi, pour voir entrer une flopée de gardes de sécurité. Ils étaient aussi intimidants que dans mes souvenirs, avec leurs cheveux longs et leurs lourdes matraques accrochées à leurs tailles. Certains avaient dégainé la leur, prêts à l'abattre sur nous si on faisait un geste de trop.

Siry a réagi plus vite que moi et s'est tourné vers Telleo.

– Ibara est en danger, a-t-il dit très vite. C'est pour ça qu'on est venus, pour prévenir tout le monde. Il faut qu'on s'entretienne avec le tribunal.

Les gardes se sont approchés de nous. Je n'ai rien fait pour les en empêcher. Ils nous tenaient.

– Il a raison, Telleo, ai-je insisté. Il faut qu'on parle à ton père.

– Laissez-les ! a-t-elle lancé aux gardes.

Ils ne lui ont pas obéi. Ils se sont emparés de nous, nous tordant brutalement les bras pour les ramener dans nos dos.

– Je vous ai ordonné d'arrêter ! a repris Telleo en repoussant la brute qui m'immobilisait.

– Allons, lui a-t-il répondu, ces deux-là sont des voleurs et des pirates. Laisse-nous faire notre boulot !

On est restés plantés là. Drôle de moment. Ils voulaient nous embarquer, mais n'avaient pas envie de se mettre à dos la fille de leur chef. Telleo a marché vers moi et m'a regardé droit dans les yeux.

– Qu'est-ce qui menace Ibara exactement ?

– Une invasion, ai-je répondu. On pense que la plupart des Jakills sont morts. Si on ne prévient pas ton père à temps, tous les habitants d'Ibara risquent de subir le même sort.

Ses yeux ont reflété sa surprise et son horreur.

– C'est vrai ? a-t-elle demandé à Siry.

Celui-ci a acquiescé.

– Ils sont tous morts, Telleo. On a bien trouvé ce qu'on cherchait. C'est un cauchemar. Il faut qu'on prévienne Genj.

Telleo avait l'air sous le choc, et les durs de durs ne valaient guère mieux. Telleo s'est adressée à eux :

– Je ne vous demande pas de les laisser partir, mais de les amener au tribunal. Avec moi. J'en prends la responsabilité.

Les gardes ont échangé un regard nerveux.

– Arrêtez-les, a ajouté Telleo. Faites votre boulot. Mais laissez-moi les conduire au tribunal pour qu'ils aient une chance de raconter leur histoire. Ensuite, mon père statuera sur leur sort. S'ils disent la vérité, il faut qu'ils puissent raconter ce qu'ils ont vu. Vous ne voudriez pas les empêcher de livrer des informations vitales...

Plusieurs d'entre eux ont regardé celui qui s'était emparé de Siry. Sans doute leur chef.

– Bon, d'accord, a-t-il fini par dire à contrecœur. Mais si c'est une entourloupe...

– Croyez-moi, on préférerait tous que ce soit une entourloupe, ai-je dit sèchement.

Telleo a pris les choses en main en passant la porte. Les autres sont restés interdits, sans savoir quoi faire.

– Allez ! a-t-elle crié depuis la pièce d'à côté.

Cette fois, les gardes ont obéi. Ils nous ont poussés vers l'extérieur, et nous voilà partis vers la montagne du tribunal. J'ai entendu pépier des oiseaux saluant une nouvelle journée. Le soleil ne tarderait pas à se lever. L'ennui, c'est qu'il risquait de nous amener des milliers de dados. Une fois arrivés à destination, Telleo nous a laissés dans une des cavernes du bas pour aller réveiller le tribunal. Les quelques minutes qui ont suivi ont été assez gênantes. Siry et moi nous sommes assis le long d'un mur pendant que les six gardes se dressaient devant nous, les bras croisés, à nous toiser d'un air méprisant. À leurs yeux, on était des moins que rien. Et ils ne risquaient pas de nous apprécier davantage une fois qu'on aurait raconté notre histoire. Tant pis pour eux.

Telleo n'a pas traîné. Elle est revenue en courant, hors d'haleine.

– Ils vont vous recevoir, annonça-t-elle. Tout de suite.

– Ils sont déjà là ? ai-je demandé. Ce n'est pas, heu… un peu tôt ?

Telleo ouvrait de grands yeux surexcités.

– C'est un grand jour. Je n'aurais jamais cru ça.

– Qu'est-ce qui se passe ? a demandé Siry.

– Venez voir par vous-même, a-t-elle répondu avant de repartir.

On allait la suivre quand les gardiens se sont emparés de nous. Ils ne nous ont pas lâchés pendant qu'on rejoignait Telleo. Je ne me suis pas rebiffé. À vrai dire, on méritait amplement ce traitement. On était bel et bien des voleurs et des pirates. J'étais juste content d'avoir l'occasion de comparaître devant le tribunal.

On a emprunté à nouveau l'escalier de pierre que j'avais gravi quelques jours plus tôt. Les gardes nous ont fait poireauter à l'entrée de l'immense caverne jusqu'à ce qu'on nous demande d'approcher. Quelques secondes plus tard, les trois membres du tribunal sont apparus pour gagner au pas de course leurs places au centre de la salle. Au passage, Genj nous a fait signe de les rejoindre. Les gardiens nous ont poussés en avant sans douceur. Le tribunal s'est assis et leurs regards se sont tournés vers nous. Ils avaient l'air impatients, comme si on les avait arrachés à quelque chose d'important. Devait-on prendre la parole ou attendre qu'on nous en donne la permission ? Telleo a pris l'initiative :

– Je sais ce que vous pensez de ces deux-là, a-t-elle dit. Ils ont volé un bateau.

Drea, la femme aux taches de rousseur, a renchéri :

– Tu n'as pas la moindre idée de la véritable valeur de ce voilier.

– Je suis d'accord, a repris Telleo, mais quelles que soient leurs méthodes, je crois qu'ils ont découvert quelque chose qui peut être crucial à la survie d'Ibara et au succès de notre opération d'aujourd'hui.

Hein ? Quelle opération ? Le tribunal a continué de nous toiser d'un air sceptique. À ma grande honte, je dois avouer que mon cerveau s'est figé. Sans doute parce que je me suis mis à leur place. Je ne savais pas quoi faire. Devais-je lâcher tout de go qu'une armée de robots venus d'un autre territoire s'apprêtait à envahir leur île, montés sur des Jet-Skis ? Ils ne me croiraient jamais. Soudain, tous nos efforts me semblaient bien futiles.

Heureusement, Siry n'avait pas ce problème.

– Le bateau qu'on a volé est au fond de l'océan. Tous mes amis sont morts.

Le tribunal s'est tourné vers lui comme un seul homme. Pas de doute, il avait capté leur attention. La dernière fois qu'on s'était retrouvés ici, Siry s'était montré brusque et agressif. Maintenant que la situation l'exigeait, il était très sérieux.

– Tout ce qu'on voulait, a continué Siry avec passion, c'est savoir qui nous sommes vraiment. Malheureusement, on l'a découvert. Je ne veux pas que mes amis soient morts pour rien. Le mieux que je puisse faire pour honorer leur mémoire, c'est de vous prévenir qu'un grand danger menace Ibara.

Les membres du tribunal se sont regardés.

– Laissez-nous, a dit Genj aux gardes.

– Mais, monsieur ! a protesté le plus grand.

– Tout ira bien, a assuré Genj. Restez au bas de l'escalier. En cas de besoin, nous vous appellerons.

Une fois de plus, ils ont échangé des regards nerveux.

– Allez ! a ordonné Genj.

Ils sont repartis vers la sortie. Je suis sûr qu'ils sont restés juste à côté de la porte. Le vieil homme les a regardés et a laissé échapper un soupir las.

– Alors, vous avez trouvé Rubic City ?

Mince. J'ai accusé le choc. Siry avait l'air aussi stupéfait que moi.

– C'est quoi, Rubic City ? a demandé Telleo, choquée elle aussi, mais pas pour les mêmes raisons que nous.

Genj s'est levé et s'est mis à faire les cent pas. Il avait l'air troublé. Et il n'avait encore rien entendu.

– Vous êtes partis en quête de la vérité, a-t-il dit. Une vérité que nous cachons depuis des siècles au peuple d'Ibara.

– Alors, vous l'admettez ? s'est étonné Siry. Vous reconnaissez que vous empêchez les nôtres de découvrir les secrets du passé ?

– C'était nécessaire, a répondu Genj.

– Nécessaire ? s'est écrié Siry. Et tous ceux qui se posaient des questions ? Tous ceux qui ont disparu ? Leur mort était-elle nécessaire ?

– Qu'est-ce qui te fait croire qu'ils sont morts ? a demandé Moman, la femme à la peau noire.

– Parce qu'ils ont disparu ! Vous ne me ferez pas croire que vous ne les avez pas fait exécuter. Ou, au mieux, enfermer dans un cachot, pour les mettre hors d'état de nuire.

– Veux-tu les voir ? a demandé Drea.

Siry s'est figé. Que pouvait-il répondre à ça ? J'ai jeté un coup d'œil à Telleo :

– Tu sais ce qui se passe ici ?

– Un petit peu, oui. C'est magnifique.

– Magnifique ? a bafouillé Siry, qui ramait tout autant que moi.

– Remudi a travaillé aussi dur que n'importe lequel d'entre nous pour préparer ce jour, a repris Genj. On peut dire qu'il y a consacré sa vie. (Il s'est tourné vers Siry.) Veux-tu voir la merveille à laquelle ton père a contribué ?

Siry ne savait plus comment réagir. Genj m'a regardé et a ajouté :

– Remudi nous avait annoncé ton arrivée, Pendragon.

– Pourquoi penses-tu qu'on t'a laissé en liberté ? a ajouté Moman. Tu crois vraiment qu'on a gobé cette histoire d'amnésie ?

Bon. Au final, ma petite ruse n'aura trompé personne.

Drea a pris la parole :

– Remudi a déclaré que s'il n'était pas là pour voir ce jour, un étranger du nom de Pendragon se présenterait à nous, et que nous le reconnaîtrions à son anneau. Il nous a dit de faire confiance à cet étranger, parce qu'il ferait tout ce qui est en son pouvoir pour nous aider.

Genj a regardé Siry.

– Et il nous a demandé d'avoir confiance en son fils, a-t-il ajouté. Je l'avoue, au début, j'étais sceptique. C'est pour ça que je vous ai réunis tous les deux. Je m'attendais à tout, mais certainement pas à ce que vous voliez un bateau.

J'ai saisi l'occasion d'intervenir :

371

— Mais en agissant comme ça, on a peut-être donné une seconde chance à Ibara.

— Et le pèlerinage, alors ? a demandé Drea. Ces bateaux sont d'une valeur incalculable !

— Le quoi ? a demandé Siry.

Genj a soudain tourné les talons.

— Suivez-moi ! a-t-il crié. Tu voulais connaître la vérité, Siry ? Il est temps que tu découvres ce qu'il en est.

Il s'est éloigné dans la caverne. Moman et Drea lui ont emboîté le pas. Comme je ne savais pas trop quoi faire, je me suis tourné vers Telleo.

— Qu'est-ce qui se passe ? ai-je demandé.

— Je savais que ce moment viendrait. J'ignorais que ce serait aujourd'hui.

— Que va-t-il se passer ?

— Veelox va renaître, a-t-elle répondu, me serrant dans ses bras d'un air extatique. Allez, viens !

Et elle est partie à la suite de son père. Siry a secoué la tête. Il n'y comprenait goutte. Autant suivre le mouvement. On a gravi des escaliers de pierre sinueux menant jusqu'au sommet. Là, après un petit couloir, on a émergé dans une pièce d'où on avait une vue spectaculaire sur le flanc de la montagne — du côté opposé au village. Les trois membres du tribunal sont allés se poster devant cette verrière panoramique pour contempler la jungle dense d'Ibara et, au delà, la surface de l'océan. Siry, Telleo et moi les y avons rejoints. Un spectacle extraordinaire nous attendait.

Tout en bas dans la jungle, une grande piste s'étendait des profondeurs de la jungle, longeant la montagne pour finir à hauteur du quai, là où mouillaient les dix bateaux multicolores. Enfin, neuf, puisque l'un d'entre eux gisait au fond du port de Rubic City.

— Aujourd'hui, a fièrement annoncé Genj, après des siècles de préparation, notre grand dessein va porter ses fruits. Ces braves gens que tu vois là en bas sont les pèlerins qui feront revivre notre monde.

Des dizaines de personnes portant les vêtements colorés typiques d'Ibara arpentaient la piste. Hommes, femmes et enfants, tous marchaient vers les bateaux d'un pas vif, mais en bon ordre.

La plupart des neuf voiliers avaient largué leurs amarres et se dirigeaient vers le large. Même à cette distance, je pouvais voir que leurs ponts étaient bondés. D'autres « pèlerins » étaient déjà sur le quai et montaient à bord des navires restants. D'autres encore s'affairaient à lancer des vergues et charger des marchandises. Huit des vaisseaux étaient déjà en mer ou quittaient le quai en levant leurs voiles. Sous les feux du soleil levant, c'était un spectacle prodigieux. J'aurais juste voulu savoir ce qu'il signifiait.

– C'est un grand jour, a déclaré Genj.

On aurait dit qu'il pleurait de joie. Les deux femmes du tribunal étaient certainement au bord des larmes. Elles agitaient les mains pour saluer ceux qui défilaient tout en bas, bien qu'ils soient trop loin pour les voir.

– Où vont-ils ? a demandé Siry.

– Vers le futur, a répondu Genj. Conformément au plan d'Aja Killian.

La mention de ce nom m'a ébranlé. J'avais oublié que c'était elle qui avait fondé la colonie d'Ibara... il y avait trois siècles de ça.

– Aidez-moi un peu, ai-je dit. Qu'est-ce qui se passe ?

Sans quitter des yeux les bateaux, Genj a répondu :

– Tu es allé à Rubic City. Tu connais Utopias ?

– Plus que je ne le voudrais.

– Alors tu as vu la catastrophe qu'il a entraînée. Des millions de personnes sont mortes. Ç'a été une sorte de génocide volontaire. Aja Killian était une phadeuse. Elle a senti venir le danger. Elle a rejoint ceux qui résistaient à l'attrait d'Utopias et se souciaient encore de l'avenir de Veelox.

On connaissait son plan, Siry et moi. On avait visionné son journal. Mais on ne connaissait pas tout pour autant.

– Ce sont eux qui ont choisi l'île d'Ibara, a continué Genj. Jadis, c'était une base militaire équipée d'un système de défense automatisé. Quarante colons ont quitté Rubic City pour s'installer sur cette île. Leur philosophie était simple : ne plus jamais devenir esclave de la technologie. Il fallait éviter que l'histoire se répète. C'est pourquoi nous vivons de cette façon rustique. Notre culture, notre mode de vie, tout a été soigneuse-ment planifié par nos ancêtres. Nous sommes tous les descen-dants de ces quarante pionniers.

Drea a pris le relais :

— La première partie du plan d'Aja était de fonder une commu-nauté. Au départ, les colons ont vécu dans les montagnes, puisqu'elles étaient déjà sillonnées de couloirs et de cavernes. Puis ils ont construit les premières cabanes de ce qui allait devenir le village de Rayne. Des enfants sont nés. Les familles ont grandi. Les villages se sont multipliés aux quatre coins de l'île. Personne n'a raconté aux plus jeunes la triste histoire de Veelox et de la création d'Ibara. Ils craignaient trop qu'ils soient tentés de redécouvrir Utopias. Au fil des générations, ceux qui connaissaient la vérité se sont faits de plus en plus rares. Selon les directives d'Aja, les villageois éliraient un tribunal de trois membres. Eux seuls seraient les dépositaires de notre histoire et en révèleraient juste assez pour pouvoir mettre en œuvre le dernier volet du plan.

— Pourquoi ? a demandé Siry. Pourquoi était-il si important de cacher la vérité ?

Genj lui a jeté un regard glacial.

— Pour éviter que des curieux fassent exactement la même chose que toi. Pour éviter que la tentation de quitter l'île devienne trop grande. Pour devenir le siège d'une nouvelle civilisation, Ibara devait être forte. Elle avait besoin de garder ses enfants. Tous ses enfants.

— Donc, ai-je repris, le but du jeu, c'était de créer une nouvelle population ici même, sur l'île.

— Oui, a répondu Genj. Notre plus gros souci, c'était la maladie. Un virus, une infection, une épidémie auraient pu avoir un effet dévastateur. Il fallait préserver l'île de toute contamina-tion extérieure, et pour ça, il fallait empêcher que ses habitants entrent en contact avec le reste de Veelox. Comme tu l'as vu, nous avons réussi, mais principalement parce que nous avons gardé le secret.

J'ai regardé les bateaux. Les ultimes passagers montaient à bord du dernier encore à quai.

– Alors qu'est-ce que c'est que ce cirque ?

– Le pèlerinage était prévu depuis le début, a répondu Moman. Dès que la population est devenue assez nombreuse pour assurer notre survie, on a commencé à sélectionner des membres de la communauté pour qu'ils aillent vivre dans un autre village à l'autre bout de l'île où on leur enseignait la véritable histoire de Veelox. C'était un honneur d'en faire partie, car ces gens seraient des pionniers, les premiers à quitter cette île pour repeupler le monde. Ce sont les pèlerins de Rayne.

– Ces bateaux les emmènent fonder des colonies sur les autres continents, a ajouté Genj.

– Alors tous ceux qui ont disparu suivaient une formation pour devenir pèlerins ? a demandé Siry.

– Comme tu le vois, a répondu Genj. C'était la vision d'Aja Killian, depuis le début. Dommage que son existence se soit terminée de façon si tragique.

– Que voulez-vous dire ? me suis-je empressé d'insister.

– Aja Killian n'a jamais mis les pieds sur Ibara, a répondu Genj. Après avoir concocté ce plan pour sauver Veelox, elle a été assassinée par les Utos quelques jours à peine après le départ des quarante colons.

Après avoir entendu tout ça, je ne savais pas trop quoi en penser. J'étais fier d'Aja. Elle avait tenté de sauver Veelox et de vaincre Saint Dane. D'abord, elle avait cherché à combattre la technologie par la technologie en créant ce virus qu'elle appelait Réalité Détournée[1]. Malheureusement, ç'avait été un échec. Elle avait donc choisi la direction opposée, celle qui évitait toute technologie. Pas vraiment le chemin le plus rapide. Cette bataille durerait des siècles, et elle était sur le point de la remporter. Elle voulait prendre sa revanche contre Saint Dane, et maintenant, elle allait avoir le dernier mot. Veelox allait revivre.

– Une fois les pèlerins en sécurité, a repris Moman, il sera temps de passer au dernier stade, c'est-à-dire mettre toute l'île au courant de notre héritage. Maintenant, notre population est assez

---

1. Voir Pendragon n° 4 : *Cauchemar virtuel*.

nombreuse pour que les gens puissent choisir de leur propre chef s'ils veulent rester ou s'ils préfèrent rejoindre les nouvelles colonies. Notre mission est presque terminée. Nous avons sauvé Veelox.

Et voilà. C'était le moment de vérité d'Ibara. Le second moment de vérité de Veelox. Voilà pourquoi Remudi faisait partie du tribunal. Le Voyageur d'Ibara faisait de son mieux pour réaliser la vision de la Voyageuse de Veelox. C'est ce qui était écrit.

– Pourquoi avoir choisi aujourd'hui ? ai-je demandé.

– Parce que les Utos sont de plus en plus audacieux, a répondu Genj. Les attaques de ces deux derniers jours nous ont obligé à hâter le mouvement. Nous avons mis des années à construire ces vaisseaux, et on craignait qu'ils ne s'en emparent. Sans eux, pas de pèlerinage possible. (Genj s'est éloigné de la verrière pour avancer droit sur Siry.) Mais à cause de tes velléités d'aventurier, on a un bateau en moins. Nous avons décidé de partir maintenant, avant d'en perdre un autre.

Siry a baissé la tête. Genj a continué :

– Ton père ne vivait que pour ce jour, Siry. Voir partir ces bateaux, emportant avec eux l'espoir d'une nouvelle Veelox, l'aurait empli de fierté. Mais je ne peux pas en dire autant de toi.

Siry avait l'air désespéré. Moi-même, je ne me sentais pas vraiment au mieux de ma forme. J'avais aidé à voler ce bateau, et j'allais doucher leur bel enthousiasme. Pèlerinage ou pas, leur avenir s'annonçait plutôt mal.

– On a peut-être contribué à ce pèlerinage, ai-je déclaré.

Genj m'a jeté un regard méprisant.

– Qu'est-ce qui te fait croire ça ?

– Ce qu'on a trouvé à Rubic City. Genj, la guerre est inévitable. Ibara sera bientôt assiégée. Je ne sais pas si vos défenses suffiront à repousser cette armée, mais même si vous réussissez à protéger Ibara, ces bateaux sont des cibles parfaites. Le simple fait qu'ils aient pu quitter cette île est une victoire en soi, même s'ils ne sont que neuf.

Genj a regardé les femmes du tribunal d'un air consterné. Ils ne savaient que faire de cette information. Devaient-ils être soulagés, ou terrifiés ? Les deux, à mon avis. La guerre était inévitable, en effet. Mais pour la première fois depuis notre départ de Rubic

City, j'ai senti une lueur d'espoir. Parce que je venais de comprendre que ce pèlerinage était sans doute le moment de vérité d'Ibara. Saint Dane devait forcément en être conscient. S'il avait attaqué Ibara avec son armée de dados, il aurait pu empêcher le pèlerinage et renvoyer Veelox trois siècles en arrière. Mais avec le lancement de cette flotte, l'impossible s'était produit.

Saint Dane allait arriver trop tard.

Oh, il pouvait toujours attaquer l'île et la mettre à feu et à sang, mais à présent, tous nos espoirs étaient ailleurs. Lorsqu'il comprendrait que le moment de vérité était passé, Saint Dane rappellerait-il son armée ?

– Tu étais au courant de tout ça, Telleo ? ai-je demandé.

– En partie seulement. Je savais qu'on enverrait bientôt les pèlerins explorer le reste du monde, mais je ne savais pas pourquoi. Et je ne connais toujours pas l'histoire de Veelox.

– Quel est ton rôle dans tout ça, Pendragon ? a demandé Genj. Qui es-tu vraiment, et pourquoi Remudi avait-il tellement confiance en toi ?

Tous les regards se sont tournés vers moi. Oh oh. Comment répondre à ça ? J'ai décidé de leur dire la vérité : qu'une armée s'était assemblée à Rubic City. Le tribunal devait se préparer à la guerre. J'avais l'espoir que Saint Dane annulerait son assaut, mais impossible d'en être sûr. Je devais convaincre le tribunal de la réalité de cette menace.

Malheureusement, je n'en ai jamais eu l'occasion. Un bruit étouffé a interrompu notre conversation. Genj me regardait lorsqu'il a retenti, et j'ai lu la surprise dans ses yeux. J'aurais voulu que ce moment se prolonge, parce que je ne voulais pas voir se concrétiser mes pires craintes. C'était leur heure de gloire, mais ce bruit m'a fait redouter qu'elle ne soit de courte durée.

C'était un coup de canon.

– Non ! a crié Moman.

Tout le monde s'est précipité vers la verrière pour regarder au large. J'en ai fait autant pour voir qu'en effet, mes pires craintes se réalisaient. Les neufs navires avaient quitté la jetée et se dirigeaient vers l'horizon. La plupart avaient levé les voiles. Ils s'étaient éparpillés, chacun partant dans une direction différente.

Et devant eux, quatre croiseurs bourrés d'Utos venaient d'apparaître.

Face à eux, ces vaisseaux qui emportaient dans leurs flancs l'espoir d'une nouvelle Veelox. Neuf vaisseaux bariolés... et sans défense.

Pour Saint Dane, il n'était pas trop tard. Il arrivait même juste à temps.

Journal n° 31
(suite)

IBARA

Je ne sais pas pourquoi je m'étais laissé bercer d'illusions. Est-ce que les choses ont déjà tourné de la façon dont je l'espérais ? Jamais ! Saint Dane avait toujours une longueur d'avance. Pas plus tard que ce matin, je croyais que la plus grande menace qui pesait sur Ibara était l'armée des dados, mais je me trompais. Ces gens étaient sur le point de fonder les bases d'un monde nouveau. C'est ce genre de moment qui constitue la cible préférée de Saint Dane : quand on reprend espoir. Lorsqu'on croit qu'on va l'emporter. C'est dans ces moments-là qu'il passe à l'attaque.

Et cette fois, il frappait fort.

Les croiseurs se sont rapprochés. Ils étaient plus rapides et bien plus maniables que ces lourds voiliers. Ça, au moins, je le savais, parce que je les avais vus à l'œuvre. Les vaisseaux des pèlerins devaient être encore plus lents, vu qu'ils étaient remplis de monde. Et ils étaient sans défense. Sans armes. Ils étaient condamnés.

Les croiseurs ont d'abord visé les bateaux qui avaient déployé leurs voiles. Ils ont ouvert le feu en succession rapide, à bout portant, droit dans les mâts. Même à cette distance, j'ai entendu les craquements du bois torturé. L'assaut avait à peine commencé, et déjà deux bateaux étaient en flammes. L'incendie dévorait les voiles comme du papier. Des gens terrifiés s'écoulaient des cales transformées en piège mortel pour plonger dans la mer. J'ai vu des adultes serrer dans leurs bras des petits enfants avant de sauter. Certains s'étaient munis de sacs qui leur tenaient lieu de flotteurs. Ces bateaux ne comportaient pas d'équipements de sécurité, genre canots ou gilets de sauvetage. Les victimes devraient se débrouiller. La plupart d'entre eux se sont mis à nager le plus loin possible des brasiers. Mais ça n'a pas arrêté les Utos. Ils ont pilonné les voiliers encore et encore, jusqu'à ce qu'il ne reste plus rien que des épaves carbonisées.

Le système de défense automatique d'Ibara a fini par se déclencher. Ces étranges canons argentés se sont élevés au-dessus des flots et ont canardé les assaillants. Mais les Utos avaient tiré les leçons de leur dernier coup de main. Ils bougeaient sans arrêt, changeant constamment de direction, se cachant derrière les voiliers des pèlerins. Impossible de viser avec précision. La plupart des obus se sont abîmés dans l'océan.

Plus grave encore, les pèlerins ont commis une grave erreur tactique. Ils se sont rapprochés les uns des autres pour tenter de se protéger. On ne pouvait imaginer pire. Non seulement ils formaient des cibles faciles, mais ils s'interposaient entre les canons et les croiseurs. Les Utos se sont empressés de se placer derrière les bateaux des pèlerins. Du coup, les canons de défense n'ont pu les éviter. C'était horrible de voir ces innocents pris entre deux feux. En un rien de temps, les voiliers étaient tous en flammes, en train de couler ou déjà par le fond. Les canons de l'île ont cessé de tirer. Ils n'avaient servi qu'à aggraver les dégâts. Les cuirassés des Utos n'avaient même pas une égratignure.

Les survivants pataugeaient dans l'océan. Je m'attendais à ce que les Utos les attaquent. Heureusement, il n'en ont rien fait. De petits bateaux de pêche étaient déjà en route pour les ramasser. Les Utos les ont ignorés également. Il était assez clair qu'ils avaient pour mission de couler les voiliers, point barre. Tuer les survivants n'était pas au programme. En vingt minutes grand maximum, ils avaient pulvérisé un plan, un espoir entretenu trois siècles durant. Alors que le dernier bateau finissait de couler, ils ont repris la direction de Rubic City. Et ils s'en sont allés aussi vite qu'ils étaient arrivés. La bataille était terminée.

La bataille ? Qu'est-ce que je raconte ? C'était un massacre. Y assister du haut de cette montagne était le comble de l'horreur. On ne pouvait rien faire, juste regarder et pleurer. Genj et les femmes du tribunal étaient sous le choc. Ils connaissaient le passé de Veelox *via* les écrits de leurs ancêtres, mais je doute qu'ils aient jamais assisté à quelque chose d'aussi violent. Impossible de dire combien de pèlerins avaient été tués. Les bateaux de pêche les ramassaient par dizaines, mais à voir comment les voiliers avaient été mis en pièce, ils ne pouvaient pas s'en être tous sortis. Le monde protégé d'Ibara, cette petite île paisible, venait d'être brutalement rappelé à la réalité.

Saint Dane m'a dit un jour que la défaite est encore plus pénible quand elle survient au moment où l'on croit remporter la victoire. C'est ce qui était déjà arrivé sur Veelox et sur Quillan. Voir couler les bateaux des pèlerins m'a rappelé les archives de M. Pop sur Quillan, qui avaient également fini dans les flammes. Ce n'était pas juste la destruction ou les pertes humaines, mais l'annihilation totale de l'espoir qu'ils portaient.

Je suis passé du choc à l'engourdissement pour finir dans une colère noire. Saint Dane avait gagné, une fois de plus. Il avait anticipé le moment de vérité de ce territoire et manipulé son peuple pour l'orienter à sa guise. Ici, il s'était allié aux Utos. Tout autant que les gens d'Ibara, ils faisaient partie de l'histoire de Veelox. La grande différence, c'est que les gens d'Ibara voulaient reconstruire un monde. Les Utos étaient des bêtes. C'est pour ça qu'ils plaisaient à Saint Dane. Il savait manipuler les faibles, les opportunistes. J'avais envie de hurler, de prendre le contrôle d'un de ces canons argentés et de tirer dans le tas. Ou plus exactement de pulvériser un de ces croiseurs Utos.

Si j'étais en colère, ce n'était pas uniquement à cause de ces malheureux pèlerins. C'était à cause d'Ibara. De Veelox. De Halla. Saint Dane n'avait plus qu'à cueillir ce territoire. Ibara était le dernier avant-poste de cette civilisation, or il ne pourrait jamais repousser les dados. Et ensuite ? Où irait Saint Dane ? En Seconde Terre ? En Troisième Terre ? Je n'avais jamais ressenti une telle fureur. J'avais envie d'affronter Saint Dane, là, tout de suite. Le mettre en pièces de mes mains nues.

Un silence de mort planait sur l'assemblée. Qu'y avait-il à ajouter ? Pour le tribunal, tout était terminé. Leurs ancêtres leur avaient légué cette mission, et ils avaient échoué. Désormais, les choses ne pouvaient aller qu'en empirant.

Je ne pouvais pas laisser faire ça. Dès que j'avais vu les dados pour la première fois, j'avais esquissé un plan, mais jusqu'à ce moment, je n'avais jamais sérieusement envisagé de le mettre en œuvre. C'était un geste désespéré, une tentative de dernière minute. Mais en assistant à la destruction de cette flotte tout en sachant que les dados allaient attaquer, quelque chose en moi a craqué. Oui, j'étais en colère, C'était peut-être le moment. Être un gentil petit Voyageur et suivre les règles que l'oncle Press m'avait posées ne suffisait plus. Il n'y avait plus ni bien, ni mal. C'était le moment de rendre coup pour coup. Quitte à se salir les mains.

– Genj, ai-je dit, ne vous laissez pas abattre. Sinon, Ibara sera perdue pour de bon.

– On a déjà perdu, a-t-il répondu d'une voix éteinte. Il faudra des générations pour remplacer ces bateaux.

– Qui est-ce, Pendragon ? a demandé Telleo, terrifiée. Qui est derrière tout ça ?

– Quelqu'un qui veut vous détruire, ai-je répondu. Remudi le savait. Maintenant, il est mort.

– Mort ? a répété Moman, stupéfaite. Comment ?

– Des mains de celui qui s'apprête à attaquer l'île, ai-je répondu. Et moi, je suis là pour l'arrêter.

– Mais, les dados…, a repris Siry.

– Rassemblez votre peuple, ai-je ordonné à Genj. Faites-les venir au centre du village. Dites-leur qu'ils vont devoir défendre Rayne. Ils ont vu ce qui est arrivé aux pèlerins. Ce n'est qu'un début. On aura besoin de toute personne en état de combattre.

Genj était secoué. Il avait l'air de ne plus trop savoir que croire. Soudain, il semblait bien vieux.

– C'est… C'est… horrible. Des générations entières ont travaillé pour préparer ce jour !

J'ai pris Telleo par le bras et l'ai regardée droit dans les yeux.

– Essaie de lui faire entendre raison. Quand je reviendrai, il faudra que tu sois prête.

– Où vas-tu ? a demandé Telleo.

– Peu importe. À toi de t'assurer que ce village est prêt à se défendre.

– Pour combien de temps pars-tu ?

– Pas très longtemps. Quelques heures, peut-être. Pas plus. Je ne peux pas me le permettre.

– À quoi bon ? a demandé Siry.

– On va recevoir de l'aide.

Peu après, Siry et moi traversions le village pour gagner la plage. Les gens se traînaient dans les rues, comme hébétés. La plupart d'entre eux avaient assisté à la destruction de la flotte, mais ne savaient pas ce que ça signifiait. On a fait un arrêt à la cabane de Telleo, celle où j'avais été soigné. Là, on a rassemblé plusieurs petites fioles remplies de poison. Enfin, pour nous, il était inoffensif, mais il était mortel pour sa cible désignée.

Les abeilles.

On a quitté la cabane pour repartir vers la plage. Retrouver la caverne a été relativement facile.

– Qu'est-ce qu'on fait là ? a demandé Siry. Je suis déjà venu dans cette grotte. Il n'y a rien là qui puisse nous aider.

Je n'ai pas répondu. Il ne tarderait pas à comprendre. On est entrés dans la caverne et on a progressé rapidement dans le laby-rinthe. À chaque fois qu'on arrivait à un croisement, je regardais mon anneau de Voyageur pour qu'il m'indique le chemin à suivre. Et à chaque fois, la pierre grise brillait plus fort. Quand on s'est retrouvés face à l'immense grotte où j'avais rencontré les quigs d'Ibara, j'ai préféré ne pas courir de risques. J'ai fait un signe à Siry. Il a jeté une des fioles dans cette cathédrale de pierre.

– Il y a là assez de poison pour tuer des milliers d'abeilles, a-t-il dit.

– J'espère que tu as raison.

J'ai passé ma tête par l'ouverture pour voir les quigs tomber en pluie du plafond. Par milliers. Raides morts. Ils ont vite formé un tapis jaune sur le sol. Siry a eu un hoquet de surprise :

– J'ai vécu ici toute ma vie, et je n'ai encore jamais rien vu de tel.

– Faudra t'y faire.

On a traversé la caverne, piétinant les quigs morts. Quelques tournants plus tard, on a retrouvé la caverne avec un petit plan d'eau qui abritait le flume.

– Nous y voilà, ai-je déclaré.

– Hein ? Je l'ai déjà explorée. Ce n'est qu'une mare.

J'ai pris les flacons de poison et les ai disposés le long du mur en prévision du retour. Quoique, si mon plan fonctionnait, on n'en aurait plus besoin. J'ai regardé les eaux vertes de la mare. Je n'avais encore jamais emprunté ce flume et n'étais pas sûr de ce que je faisais.

– Je suis d'accord pour te suivre, Pendragon, mais dis-moi au moins ce qui se passe.

– Tu dois être fort, ai-je répondu. Tu vas voir des choses qui te sembleront impossibles. Tout ce que je peux te dire, c'est que ton père savait tout ça. Si tu as le moindre respect pour sa mémoire, aie confiance en lui. Et en moi.

– J'ai confiance en toi.

– Alors allons nous baigner.

J'ai plongé la tête la première dans la mare. Siry m'a suivi. On n'a pas pris la peine de se changer. Ce n'était plus d'actualité, surtout pour ce que j'avais en tête. Était-ce la bonne conduite à tenir ? Je ne le savais pas et je m'en fichais. À présent, je voulais affronter Saint Dane, et rien ne pourrait m'en dissuader.

– C'est un puits sans fond, a dit Siry. Il n'y a rien là-dedans.

– Tu te trompes. Au contraire, il y a tout. Tout ce qui a été, tout ce qui sera. (J'ai inspiré profondément et ai crié :) *Veelox !*

L'eau s'est mise à tourbillonner. C'était comme de se retrouver dans un jacuzzi géant. Des lumières sont apparues tout au fond.

– Pendragon ? a demandé nerveusement Siry.

– Pas de panique. C'est indolore.

Une seconde plus tard, on était aspirés sous la surface et on partait honorer notre rendez-vous avec… un fantôme.

Journal n° 31
(suite)

IBARA

Tous les deux, on a sillonné ce tunnel de cristal traversant l'éternité. Je n'avais pas le temps d'expliquer au fur et à mesure à Siry les merveilles du flume. Il allait devoir apprendre en cours de route. J'imagine que j'aurais dû m'inquiéter de sa réaction, mais franchement, j'avais autre chose en tête. Comme de trouver Saint Dane et d'empêcher l'attaque des dados. Siry suivait le mouvement et m'aiderait si besoin était. S'il me ralentissait, je le renverrais aussitôt sur Ibara.

Derrière les parois de cristal, j'ai vu d'autres images spectrales des territoires flotter dans l'espace. Leur nombre croissait à chaque voyage. Elles étaient désormais si denses que j'avais du mal à apercevoir les étoiles au-delà. Les visages se fondaient pour former des silhouettes d'animaux qui, à leur tour, devenaient des armées en marche. C'était comme de voir plusieurs films aux images vaguement translucides projetés en même temps. Un spectacle bien sinistre. En le voyant, un mot m'est venu à l'esprit, celui de « chaos ». Ou peut-être que « Convergence » était plus approprié. Toutes ces images me confirmaient que j'avais pris la bonne décision. Il fallait mettre fin à ce chaos avant qu'il ne dévore toute chose.

Siry ouvrait de grands yeux. Comment lui expliquer ce que signifiait tout ça ? Je ne savais pas par où commencer.

— Je sais, ai-je simplement dit. C'est incroyable et tu as mille questions à poser. J'y répondrai, mais pas maintenant. Il va falloir que tu me fasses confiance.

Il a acquiescé, bouche bée. Au moins, maintenant, pour lui, il n'y avait plus de doute possible. Les Voyageurs étaient bien réels.

Il n'a posé qu'une seule question :

— Mon père connaissait tout ça ?

— C'était un Voyageur. C'est ce qu'on fait.

Je craignais qu'il ne se mette à paniquer. Ce n'est pas facile de voir ainsi son univers mis sens dessus dessous. Tout ce qu'il avait vu jusque-là était incroyable, mais au moins, il pouvait l'expliquer. Plus maintenant.

— Ça va, Pendragon, a-t-il dit comme s'il lisait dans mes pensées. Mais la prochaine fois que tu me montres quelque chose comme ça, préviens-moi avant que je devienne cinglé, d'accord ?

J'ai presque éclaté de rire.

— D'accord. Attention, ça va commencer. On est en train de remonter le temps vers un autre territoire. On se rend à Veelox avant sa chute.

Siry a réfléchi un instant avant de dire :

— Bon. Je dois pouvoir tenir le choc.

— Bien. Alors tu es prêt à rencontrer Aja Killian ?

Siry m'a jeté un regard incrédule. Je ne savais pas s'il allait rire ou pleurer.

— Tu ne vas pas me péter un câble, j'espère ?

Il n'a pas eu le temps de répondre, parce que les notes musicales qui accompagnent toujours les voyages en flume se sont faites plus sonores, ce qui signifiait qu'on ne tarderait pas à arriver à destination. On a atterri. Les lumières se sont rétractées dans le flume. La musique s'en est allée. On était dans le noir absolu.

— Où est-on ? a demandé Siry.

— Dans le passé. Le vôtre.

Une mince langue de lumière indiquait la sortie. J'ai poussé le panneau et la clarté du tunnel a envahi la caverne rocailleuse abritant le flume. Je suis sorti, suivi de Siry, et ai refermé la porte derrière nous.

— Cette étoile indique la présence d'un flume, ai-je expliqué en désignant le symbole sur le mur gris.

Je lui ai pris la main. Sur son anneau, la pierre luisait. Je lui ai montré le mien, qui brillait également.

– Ça peut t'être utile. Plus tu te rapproches d'une porte, plus la lumière est forte.

– C'est de la magie, a-t-il hoqueté.

– Si seulement c'était aussi simple.

On était dans un décor familier, du moins pour moi. C'était un couloir de métro aux rails brisés. Mais on ne risquait pas de voir arriver une rame. On a marché vers le quai.

– Comment sais-tu qu'on est là où il faut ? a demandé Siry.

– Le flume dépose toujours les Voyageurs au bon endroit et au bon moment. Je ne sais pas s'ils lisent nos pensées ou s'il y a un genre de contrôleur général qui les dirige. Tout ce que je sais, sauf erreur, c'est qu'on est sur Veelox à l'époque d'Aja Killian.

On a atteint l'échelle de métal qui menait à la surface et on l'a gravie. À chaque fois que je voyais un détail familier, je reprenais courage. Une fois en haut de l'échelle, j'ai soulevé le couvercle. Je me suis dit brièvement que si le flume avait eu un raté, la rue était déjà enterrée sous ce gratte-ciel éboulé. Mais non : le couvercle a cédé facilement. L'instant d'après, on s'est retrouvés dans un décor que je connaissais bien.

Siry m'a rejoint et demandé :

– Tu sais où on est ?

– Oui. Et toi aussi. À Rubic City.

Siry a regardé autour de lui d'un air émerveillé.

– Non, tu dois te tromper. Il y a des arbres et des panneaux indicateurs. On dirait qu'elle est habitée.

– C'est le cas. N'oublie pas qu'on est dans le passé.

– Où sont les gens ? a-t-il demandé.

Malheureusement, je connaissais la réponse à cette question. Il était temps de lui présenter Utopias. On a couru vers la pyramide, traversant des rues désertes. La ville commençait à peine son long déclin. Des journaux voletaient sur les trottoirs, les magasins débordaient de marchandises, les fenêtres et les vitrines étaient intactes. Et il y avait aussi toute une gamme d'odeurs. La ville semblait... vivante. Elle le serait encore un certain temps avant de mourir pour de bon.

Siry s'est brusquement arrêté. Il venait d'apercevoir la pyramide d'Utopias.

— C'est bien Rubic City, a-t-il dit doucement.

Les parois de la pyramide étaient à nouveau d'un noir luisant. On est repartis vers l'entrée. Au fur et à mesure qu'on se rapprochait, on a commencé à voir des gens. Quelques phadeurs et veddeurs traînaient devant la pyramide pour profiter des rayons du soleil. Siry s'est immobilisé en les voyant.

— C'est bon, ai-je assuré, ce ne sont pas des Utos.

Les employés d'Utopias nous ont jeté de drôles de regards quand on est entrés dans la pyramide. On a parcouru d'un pas vif le couloir aux néons violets désinfectants. Les poils sur ma nuque se sont hérissés. Une sensation réconfortante. Ça voulait dire qu'Utopias fonctionnait toujours. Je ne savais pas à quelle époque exactement le flume nous avait déposés, mais c'était certainement avant que la pyramide ne tombe en panne. J'en ai eu confirmation lorsqu'on est entrés dans la salle centrale. Chaque poste était opérationnel. Tous les écrans étaient allumés. Des milliers de sauts étaient en cours. Les fantasmes individuels de chaque rêveur s'étalaient devant nous, sur les écrans. J'ai jeté un coup d'œil à Siry pour guetter sa réaction. Je crois que son cerveau s'était figé.

— Ça va ? ai-je demandé.

— Je croyais que tu devais m'avertir pour m'éviter de perdre la raison.

J'ai entendu une voix stridente et familière :

— Dis-moi que le moment est venu.

Aja Killian se tenait au centre du couloir menant à la salle centrale, les mains sur les hanches, les jambes écartées, vêtue de la combinaison bleue des phadeurs. Elle avait l'air aussi confiante que dans mes souvenirs. Ses cheveux blonds étaient ramenés en une queue-de-cheval impeccable. Elle portait ses éternelles lunettes jaunes cerclées de métal. La seule différence, c'était ses yeux. Ils étaient aussi bleus et aussi pétillants qu'avant, mais ils avaient l'air fatigués. Aja paraissait vieillie, et pas seulement en termes d'années.

— Le moment pour quoi ?

Aja s'est dirigée vers moi.

– Tu m'a promis que j'aurais ma revanche contre Saint Dane. Je veux savoir si ce moment est venu. Au fait, pas mal, les fringues, a-t-elle ajouté, sarcastique.

– C'est bon de te revoir, Aja.

– Qui est-ce ? a-t-elle demandé en désignant Siry.

Celui-ci était comme pétrifié. Le choc, probablement. Ce n'est pas tous les jours qu'on se retrouve en présence d'une légende vivante.

– Il s'appelle Siry. C'est un Voyageur.

– D'où ? a demandé Aja en le toisant.

– D'Ibara.

Aja m'a jeté un regard stupéfait.

– Tu as bien dit...

– Oui. Ibara.

Pour une fois, la grande Aja Killian en est restée sans voix.

– Veelox va connaître un autre moment de vérité, Aja, ai-je dit. Il se passera dans trois cents ans, sur Ibara. Tu en as entendu parler ?

– Tu ne serais pas là si tu ne connaissais pas déjà la réponse, a-t-elle répondu fermement.

– Alors oui, le moment est enfin venu. Tu vas prendre ta revanche sur Saint Dane.

Quelques heures plus tard, on s'est retrouvés tous les trois dans la salle de contrôle d'Utopias. Le domaine d'Aja. C'était de là qu'elle supervisait le bon fonctionnement de la pyramide. Aja nous a servi un « délicieux » (hum) plat de gloïde multicolore, cette gélatine qui est la source d'alimentation principale sur Veelox. Elle n'avait pas changé : fruitée, pas très consistante, mais pleine d'énergie. Siry a hésité à attaquer son assiette jusqu'à ce qu'Aja le regarde droit dans les yeux et ordonne :

– Mange !

Ce qu'il a fait, jusqu'au bout, comme un toutou bien dressé. C'est pratique d'être une légende.

J'ai raconté à Aja l'essentiel de ce qui m'était arrivé après mon départ de Veelox. Je ne suis pas entré dans les détails, mais je lui en ai dit suffisamment pour qu'elle comprenne que cette Convergence, comme l'appelait Saint Dane, était pour bientôt et qu'elle commencerait à Ibara.

J'ai été un peu plus exhaustif dans ma description de l'île elle-même. Là, Siry m'a secondé. Il se sentait de plus en plus à l'aise face à Aja, et il lui a parlé avec chaleur de son village natal. Ibara était telle qu'Aja l'avait imaginée. Il a tenu à lui faire savoir qu'on la considérait (ou plutôt considérerait) comme une légende, elle qui lui avait donné naissance.

Aja a eu l'air d'apprécier.

Le flume nous avait ramenés à l'époque où Aja avait déjà planifié l'occupation d'Ibara. Elle savait qu'Utopias ne tarderait pas à s'effondrer. Il y avait déjà eu des morts. Ce n'était plus qu'une question de temps. Elle n'avait pas encore choisi ses quarante colons, mais avait déjà décidé de leur destination. Ibara. C'était une bonne chose de lui apprendre que son plan avait fonctionné à merveille. Ibara était devenue une société prospère et idyllique qui ne dépendait pas de la technologie. La population s'était renouvelée. Veelox était sur le point de renaître.

Par contre, j'ai pris beaucoup moins de plaisir à lui parler des Utos et de la destruction des vaisseaux des pèlerins. Pour finir avec les dados qui s'apprêtaient à envahir l'île. Oui, son plan avait bien marché… jusqu'à un certain point.

— C'est le moment de vérité d'Ibara, ai-je conclu. Saint Dane a convaincu les Utos d'attaquer les pèlerins. L'invasion ne devrait pas tarder. C'est pour ça qu'on est là.

Aja faisait les cent pas. Elle ne perdait pas de temps à se lamenter sur ce qui était déjà arrivé. Elle cherchait déjà des solutions.

— C'est simple, a-t-elle affirmé. Je vais modifier l'équation. Puisqu'ils suivront mon plan à la lettre, je vais en concevoir un meilleur. Je vais faire en sorte qu'ils construisent des bateaux plus solides. Ou qu'ils les arment. Ou mieux encore, je vais avancer la date du pèlerinage. (Elle commençait à s'échauffer.) C'est incroyable, Pendragon ! a-t-elle repris, les yeux brillants. Comme je sais ce qui va se produire, je peux contre-attaquer depuis le passé ! Je peux contrôler l'avenir !

— Non, ai-je répondu sèchement.

— Pourquoi pas ? Puisqu'on a tout ce qu'il nous faut, autant nous en servir.

— Ça ne changera rien. C'est bien ça, le problème. Halla est devenu fluide. Si on modifie quelque chose aujourd'hui, Saint Dane nous contrera en changeant autre chose le lendemain. C'est *lui* qui a une vision d'ensemble qui englobe tout Halla. C'est comme ça qu'il peut identifier les moments de vérité. Quoi qu'on fasse maintenant, Saint Dane le contrera. Si tu ordonnes aux pèlerins de construire des bateaux plus solides, les Utos auront des armes plus puissantes. Si le pèlerinage a lieu plus tôt, ils avanceront également leur attaque. J'ai demandé à Courtney d'empêcher Mark d'inventer les dados, mais ça n'a servi à rien. L'oncle Press m'a toujours dit que les choses devaient suivre leur cours naturel. C'est précisément ce que Saint Dane cherche à court-circuiter. Il fait tout pour perturber le cours naturel des choses. La Convergence. Le chaos. Quand Halla aura implosé, il pourra le reconstruire à sa guise.

— Alors pourquoi es-tu venu ici ? a demandé Aja.

— Parce que je vais me battre, Aja. (J'ai désigné Siry.) *On* va se battre, avec l'aide du peuple d'Ibara. Une guerre, selon ses règles. Il a dit que la destruction d'Ibara déclencherait la Convergence. D'accord. Ça signifie qu'on doit l'arrêter. Pas par un artifice quelconque ou en changeant l'histoire, mais en l'affrontant face à face et en retournant ses propres tactiques contre lui pour mieux le vaincre.

Aja ne m'a pas quitté des yeux. Je m'attendais à ce qu'elle me contredise.

— Tu n'es plus le même, Pendragon.

— J'ai mûri.

— Ce n'est pas tout, a-t-elle repris d'un air pensif. Je sens en toi… de la colère. De l'amertume. Laisses-tu tes émotions prendre le pas sur ton jugement ?

— Après ce que j'ai vu, ai-je répondu franchement, c'est difficile de ne pas être en colère.

— Je m'en doute. Tu sais à quel point je veux vaincre Saint Dane. Mais je n'ai pas perdu toute capacité de raisonnement logique.

– Mon raisonnement est tout à fait logique ! ai-je protesté.

– Alors je te pose à nouveau la question : pourquoi es-tu là ?

– Je dois en apprendre le plus possible sur Ibara. À une époque, c'était une base militaire, et qui dit base militaire dit armement. Il doit aussi y avoir des cartes topographiques. Tout ce que tu peux trouver. Si on doit se défendre, je veux disposer de tout ce qui peut nous permettre de prendre l'avantage.

Aja a hoché la tête d'un air pensif.

– Les vieux plans de l'île décrivent des kilomètres de tunnels souterrains et donnent une liste exhaustive de ses défenses.

– Parfait ! me suis-je écrié.

Les affaires reprenaient !

– C'est tout ?

Je ne savais pas vraiment comment lui présenter la suite de mon plan. Pourvu qu'elle réagisse de façon froide et logique, comme à son habitude, parce que ça allait faire mal.

– Je veux que tu viennes avec nous. On a besoin de toi. Le peuple d'Ibara a besoin de toi. C'est la dernière ligne droite, Aja. Tu ne peux pas rater ça. C'est ta chance de prendre ta revanche sur Saint Dane.

Je l'ai regardée dans l'espoir qu'elle me réponde tout simplement « oui ». Elle s'est tournée vers le principal panneau de contrôle d'Utopias. Je pouvais presque sentir tourner les rouages de son cerveau.

– Je ne peux pas, a-t-elle fini par déclarer. Que va-t-on raconter aux gens ? Que je suis un fantôme du passé ? Une voyageuse temporelle ? Je croyais qu'il ne fallait pas mélanger les territoires ?

– Rien ne nous oblige à leur révéler ta véritable identité, ai-je répondu. On peut dire qu'on t'a trouvé dans les ruines de Rubic City. Oui, c'est ça ! Tu es une Uto qui a changé de bord et qui veut nous aider à vaincre les dados.

– C'est ridicule !

– Je sais pourquoi il veut que tu viennes, a fait Siry d'une voix douce.

– Non ! l'ai-je interrompu.

– Je t'écoute, Siry, a repris Aja.

Elle avait raison. Comme toujours. Mon plan était absurde. J'aurais dû me douter qu'elle ne serait pas dupe. Il fallait lui dire toute la vérité. Siry m'a jeté un regard penaud. J'ai haussé les épaules. Qu'il vide son sac !

– Tu vas te faire assassiner, Aja, a déclaré Siry. Juste avant le départ de ces quarante colons. Tu ne mettras jamais le pied sur Ibara. Je suis désolé.

Aja a fixé le mur. Impossible de dire ce qui lui passait par la tête. Comment le pourrais-je ? C'était comme de tirer une carte chez une voyante et de l'entendre dire : « Vous allez bientôt mourir. Bonne journée quand même. » Ça jette un froid. Pendant un moment, on est restés silencieux. Aja avait besoin de temps afin d'intégrer cette information et de calculer les options qui lui restaient. C'était tout elle.

Finalement, elle a levé les yeux sur moi et a dit d'une voix claire et ferme :

– Tu as raison, Pendragon. Saint Dane cherche à perturber l'ordre naturel de Halla. Et en effet, vouloir changer le cours de l'histoire est une erreur. Au mieux, ce serait futile, au pire désastreux. C'est pourquoi je me demande si je dois te confier ces cartes d'Ibara. Mais je peux le justifier, parce qu'elles existent dans le passé d'Ibara. Qui sait ? Elles sont peut-être déjà en possession du tribunal. Donc, je vais te les donner. Mais je ne vais pas partir avec vous. Si je suis censée mourir, je *dois* mourir. Qui sait ce qui arriverait si je changeais le cours naturel des choses ?

J'ai ravalé mes larmes. Je ne pouvais pas imaginer de continuer sans Aja Killian.

– Tout le monde doit mourir un jour, Pendragon, a repris Aja. Ce que je veux, c'est que tu retournes là-bas, que tu mobilises ces gens comme tu sais le faire, et que tu le détruises. Lui, ses robots et ses machinations. Si tu y arrives, la guerre sera terminée.

Nous avons passé la nuit dans la demeure d'Evangeline, l'Acolyte d'Aja. On avait besoin de repos, et on n'était pas pressés par le temps. J'ai expliqué à Siry que la durée de notre absence importait peu, puisque le flume nous déposerait sur Ibara au bon moment. C'est pour ça que j'ai dit à Genj et Telleo qu'on ne partait que pour une heure ou deux. Il a compris ; enfin, je crois. Moi-même, je n'y pigeais pas grand-chose. Mais j'y croyais.

Quand on s'est réveillés le lendemain matin, Aja n'était plus là. Elle nous avait laissé un message expliquant qu'elle ne voulait pas nous dire adieu. La prochaine fois qu'elle aurait de nos nouvelles, elle espérait bien qu'on lui raconterait notre victoire sur Ibara. Elle a tout de même ajouté un avertissement : « Tu as bien mené cette guerre, Pendragon. Comme nous tous. On n'a peut-être pas toujours été victorieux, mais on a lutté au nom du bien. Il est de notre devoir de s'assurer que Halla connaisse la paix, mais néanmoins on doit respecter l'ordre naturel des choses. Ce qui est écrit. Je sais que tu prendras les bonnes décisions. Bonne chance. »

Ce mot était attaché à une épaisse liasse de papiers. Les plans d'Ibara.

Sa dernière phrase est restée gravée dans mon esprit. Elle voulait vaincre Saint Dane, mais sans faillir à nos principes et aux lois de Halla. Je me fiais à son jugement, cependant, avec tout le respect que je lui devais, elle n'avait pas vécu ce que j'avais vécu. Je savais que si on voulait battre Saint Dane, on devait trouver de nouvelles méthodes. N'importe lesquelles. En d'autres termes, fini de suivre la règle du jeu.

C'est bien reposés et bien nourris que Siry et moi sommes retournés au flume. Ça ressemblait au calme qui précède la tempête, mais il était inutile de se presser : celle-ci n'éclaterait pas avant notre retour à Ibara. On a trouvé la trappe, on est descendus et on a suivi l'étoile. En un rien de temps, on s'est retrouvés face au flume, prêts à partir.

— Comment te sens-tu ? ai-je demandé.

— Comme si on m'avait projeté au beau milieu d'un jeu auquel tout le monde joue depuis longtemps, mais dont je ne connais même pas les règles.

J'ai éclaté de rire.

— Oui, c'est à peu près ça.

J'ai tendu les cartes à Siry, qui les a touchées avec révérence.

— Tu crois vraiment pouvoir en tirer assez d'informations pour stopper les dados ?

J'ai regardé le flume, puis Siry. Que pouvais-je lui dire ? J'ai choisi la vérité :

— Non.

— Oui, je m'en doutais.

— Mais de toute façon, je n'ai jamais cru que ces cartes suffiraient.

— Alors pourquoi es-tu revenu les chercher ?

— Ce n'est que le début, ai-je répondu en scrutant le flume.

Siry m'a regardé droit dans les yeux.

— Dis-moi tout : on ne retourne pas directement à Ibara, n'est-ce pas ?

— Pas tout de suite.

Je me suis tourné vers le flume et ai crié :

— *Zadaa !*

Journal n° 31
(suite)

IBARA

J'avais deux raisons de passer par Zadaa. Premièrement, je voulais éviter Loor. Si elle apprenait que je comptais affronter Saint Dane bille en tête, elle voudrait certainement venir avec nous. Ou plutôt, elle *exigerait* de venir avec nous. Non, elle n'accepterait même pas qu'on puisse en discuter. Elle viendrait avec nous, point barre.

Oh, je ne nie pas que j'aurais bien aimé l'avoir à mes côtés lorsque la bataille commencerait, mais je doute qu'une seule personne, même une guerrière de son calibre, puisse changer le cours des choses. Je me souciais davantage de ce qui se passerait *après* la bataille. Quoi qu'il arrive, Loor serait le choix logique pour me remplacer en tant que Voyageuse en chef. D'ailleurs, je me suis souvent dit qu'elle aurait dû occuper ce poste depuis le début, mais bon, on ne m'a pas demandé mon avis. Je voulais être sûr que Loor soit toujours là pour continuer le combat.

Le flume nous a déposés dans cette grande caverne aux murs bruns que je connaissais bien[1]. Elle m'évoquait des souvenirs pas toujours agréables. C'est là que Saint Dane et Loor avaient trouvé la mort… pour aussitôt ressusciter. Ce qui m'a donné à penser que les Voyageurs ne sont peut-être pas des êtres humains comme les autres. Saint Dane a dit que nous ne sommes que des illusions. J'ignore ce que ça signifie. Je n'ai pas l'impression d'être

---

1. Voir Pendragon n° 6 : *Les Rivières de Zadaa*.

différent des autres garçons nés en Seconde Terre. Mais les Voyageurs ont quelque chose en plus, je ne peux pas le nier. En fait, je me suis aussi dit que la mort de Loor pouvait être une illusion. Peut-être avons nous *cru* que Saint Dane l'avait tuée ? Je sais, c'est n'importe quoi, mais pas plus que de penser qu'on est de purs esprits, non ? Quoi qu'il en soit, pas question de courir le moindre risque. Loor devait rester chez elle, en sécurité.

Le second but de ce voyage, et la principale raison de notre présence ici, était d'y chercher quelque chose qui pourrait nous être utile.

— Parle-moi de ce territoire, a demandé Siry alors qu'on traversait hâtivement la caverne.

Je lui ai fait un résumé de l'affrontement entre les Batus et les Rokadors, avec pour enjeu des rivières souterraines. Ce pauvre bougre risquait une overdose d'informations. Les autres Voyageurs avaient eu un peu plus de temps pour assimiler ce qu'était Halla.

On a gravi l'escalier interminable creusé à même la pierre. En un éclair, je me suis dit qu'un serpent pouvait rôder dans la pénombre, mais je ne m'en suis pas plus préoccupé que ça. Comme Saint Dane en avait fini avec ce territoire, il avait dû emmener ses quigs avec lui. On s'est glissés à travers la crevasse creusée dans le toit de pierre, puis continué jusqu'à la trappe de bois donnant sur les tunnels sinuant sous Xhaxhu. La plupart d'entre eux avaient été détruits lors de l'inondation, mais, heureusement, ceux qui menaient au flume étaient intacts.

Ça ne durerait pas.

Je n'ai pas pris la peine de refermer la trappe. Et je n'avais pas non plus passé les vêtements rokadors laissés près de l'entrée du flume. Peu importait qu'on nous repère ou pas. Une seule chose comptait : nous préparer au combat.

Siry sur mes talons, j'ai traversé rapidement ce labyrinthe d'étroits couloirs menant à la rivière souterraine qui coule sous Xhaxhu. On n'a pas tardé à entrer dans l'immense caverne où, des années plus tôt, j'avais contemplé pour la première fois les rivières de Zadaa.

Celle-ci s'écoulait toujours dans l'immense cascade. J'avais bien envie de sortir voir les changements qu'avait apportés cette immense mer jaillie au beau milieu du désert. À présent, Xhaxhu devait être redevenue une cité luxuriante et non une ville asséchée. C'était une grande victoire pour les Voyageurs et une défaite pour Saint Dane.

C'était un moment historique.

Lorsqu'on est entrés dans la caverne de la cascade, Siry s'est arrêté net. Je le comprenais : c'était une vision extraordinaire. Mais il y avait autre chose. Quelque chose qu'il n'avait jamais vu et ne reverrait probablement jamais. Là, au bord de la rivière, il y avait un petit véhicule argenté biplace.

— Qu'est-ce que c'est ? a-t-il demandé, émerveillé.

— Ça s'appelle un dygo, ai-je répondu en inspectant le véhicule. Les Rokadors s'en servent pour creuser leurs tunnels.

C'était un des petits modèles, à peu près de la taille d'un chariot de golf. Si vous vous rappelez, la cabine est une sphère argentée montée sur chenilles avec une visière panoramique qui en fait le tour. La foreuse en spirale posée sur son support mesure deux mètres de large et peut être orientée selon n'importe quel angle autour de la sphère. La partie la plus large de la foreuse flanque la cabine et se termine en pointe. Elle est composée de plusieurs instruments tranchants qui se mettent à tourner quand on les active. J'avais déjà vu ces machins creuser la roche la plus dure comme du papier mâché.

J'ai ouvert la trappe de la sphère argentée et fait signe à Siry de se glisser à l'intérieur. Le cockpit d'un dygo biplace ressemble à celui d'une petite voiture, étroit mais confortable. Je me suis assis dans le siège gauche et j'ai bouclé ma ceinture de sécurité.

— À quoi ça sert ? a-t-il demandé.

— La cabine va se déplacer dans tous les sens. C'est pour éviter que tu tombes de ton siège.

— Oh, a-t-il fait, pas très rassuré, avant de boucler sa ceinture.

J'ai regardé les instruments familiers. Devant moi, les deux joysticks contrôlant la direction de la sphère. J'ai abaissé la manette servant de démarreur et le moteur a ronronné. J'ai jeté un regard rassurant à Siry, qui m'a répondu par un sourire nerveux.

— Regarde, ai-je dit en manipulant les joysticks.

La sphère a pivoté vers la droite, puis la gauche, puis en avant. J'ai tiré sur les deux en même temps, et on s'est retrouvés face au plafond.

– Comme je te l'ai dit, ça risque de secouer.

– Je veux bien te croire, a fait Siry d'une petite voix.

J'ai redressé la sphère jusqu'à ce qu'on se trouve face à la rivière tumultueuse. C'était le moment où jamais. On allait démontrer qu'on avait vraiment cessé de suivre les règles. Maintenant, on opérait avec les mêmes méthodes que Saint Dane.

Et c'était bon.

Siry a senti ma tension.

– Je me contente de suivre, a-t-il dit. Je n'ai pas le droit de mettre en doute quoi que ce soit qui regarde les Voyageurs, mais... tu es sûr de savoir ce que tu fais ?

Je ne voulais pas répondre trop vite. C'était une bonne question. Une grande question. Je me l'étais posée... oh, un bon million de fois.

– Les Jakills ont volé un des bateaux du pèlerinage. Était-ce une bonne chose ?

Siry y a réfléchi un instant avant de répondre :

– Non. Je pense qu'on a eu tort.

Là, j'en suis resté bouche bée. Malgré ce qui s'était passé, j'étais sûr qu'il aurait défendu leur décision.

– Je me suis laissé emporter par la colère et l'émotion, a-t-il ajouté. Moi comme les autres. On s'est monté la tête. On était tellement convaincus d'avoir raison ! Maintenant, les autres sont morts et je me retrouve à bord d'une drôle de machine à l'autre bout de nulle part, prêt à repartir à l'aventure. Alors *toi*, dis-moi si j'ai eu raison de voler ce bateau.

– La réponse est oui, ai-je affirmé. Si les Jakills n'avaient pas pris la mer, on ne serait pas en train de préparer la défense d'Ibara.

Siry a acquiescé d'un air pensif.

– C'est peut-être vrai. J'espère juste qu'on ne fera rien qui aggrave la situation.

Là, j'ai tiqué. J'essayais de sauver son pays et son peuple. Comment pouvait-il douter de moi ?

– Je peux compter sur toi, oui ou non ? ai-je demandé sèchement.

— Tu peux, Pendragon. Jusqu'au bout, quoi qu'il arrive.

Fin du débat. J'ai fait pivoter la sphère pour qu'elle se retrouve face au mur opposé de la caverne – celui qui contenait le tunnel menant au flume. J'ai manié l'un des joysticks. La foreuse s'est abaissée. J'ai mis en marche les lames, qui se sont activées dans un gémissement sourd. C'était le point de non-retour. Une fois qu'on commencerait à creuser, on ne pourrait plus revenir en arrière.

Le dygo s'est ébranlé. Siry s'est penché en arrière comme s'il croyait qu'on allait s'écraser contre la paroi. Bien sûr, on ne risquait rien. Les lames ont attaqué la pierre, forant un nouveau tunnel sous les sables de Zadaa. On a poursuivi notre chemin, en traversant parfois un couloir préexistant. Tout en manœuvrant, j'ai calculé la distance qu'il nous faudrait parcourir. Au bout d'une minute, j'ai fait plonger le dygo vers le bas. Pour me guider, je n'avais que mon sens de l'orientation et mon anneau de Voyageur. La pierre grise n'a pas tardé à scintiller. On se rapprochait du flume. Peu après, on a pulvérisé le mur pour déboucher dans une caverne familière. Je me suis arrêté pour reprendre mon souffle. J'étais en sueur. Non pas à cause de l'effort, mais de la nervosité.

Siry ne valait pas mieux.

— C'était… intéressant, a-t-il dit avec un faible sourire.

J'ai fait pivoter la sphère pour voir le tunnel qu'on venait de forer. Pour la discrétion, on repassera. Aux quatre coins de Halla, les flumes sont dissimulés dans des recoins isolés, là où personne ne risque de tomber dessus par accident. Ce n'était plus le cas, du moins sur Zadaa. On ne manquerait pas de découvrir ce nouveau tunnel, et le flume avec. Je venais d'abattre une nouvelle barrière entre les territoires. Pas de doute : maintenant, j'étais sur le même pied que Saint Dane.

— Cette machine est extraordinaire, a dit Siry. Comment va-t-elle nous aider à battre les dados ?

— Elle ne le fera pas. Du moins pas directement.

J'ai fait pivoter le dygo à cent quatre-vingts degrés pour le positionner face à l'embouchure du flume, puis j'ai avancé tout doucement jusqu'à ce que ce tunnel vers l'infini emplisse notre champ de vision.

Siry m'a regardé sans comprendre.

– Dans ce cas, pourquoi l'emmène-t-on sur Ibara ?

– Ce n'est pas notre destination. Du moins, pas encore. Il nous reste encore un arrêt à faire.

– Ou ça ? a demandé Siry, les yeux écarquillés.

J'ai inspiré profondément et crié :

– *Denduron !*

Le flume s'est animé. J'ai fait rentrer le dygo dans le tunnel. On était partis pour un nouveau territoire… et la promesse d'un nouveau Halla.

Journal n° 31
(suite)

IBARA

Il y a deux embouchures de flumes sur Denduron[1]. L'une se trouve au sommet d'une montagne enneigée dominant le village milago, l'autre est enterrée profondément dans le sol. Cette dernière est inaccessible depuis l'explosion de la veine de tak qui a muré les mines d'azur. Je n'avais aucun moyen de savoir laquelle nous recracherait, mais quoi qu'il arrive on était prêts. Soit le dygo nous ferait descendre la montagne, soit on creuserait une sortie à travers les anciennes mines éboulées. Sortir du flume était bien le dernier de mes soucis.

Voyager en flume à bord d'un véhicule était une expérience inédite. Ç'aurait même été plutôt distrayant si notre mission n'avait pas été si cruciale. Comme je n'avais pas le moindre contrôle sur notre destination, j'ai lâché les joysticks et laissé faire le flume. Seul l'étroit pare-brise du dygo nous permettait de voir à l'extérieur, ce qui n'était pas plus mal. Je n'avais aucune envie de scruter cet océan du temps et de l'espace pour constater les changements qui étaient peut-être apparus suite à notre petit coup de main sur Zadaa.

Comme on était enfermés dans la cabine, je ne pouvais pas non plus entendre les notes musicales émises par le flume. C'était elles qui m'apprenaient que le voyage touchait à sa fin. Là, je devais scruter le tunnel pour chercher des indices. J'avais peur

---

1. Voir Pendragon n° 1 : *Le Marchand de peur.*

qu'on débarque dans la caverne éboulée avant que je n'aie pu actionner la foreuse et qu'on s'écrase contre le mur de pierre.

Je n'ai rien dit de tout ça à Siry. Il avait assez de soucis comme ça.

Au bout de quelques minutes, j'ai décidé de ne pas prendre de risques et j'ai mis en marche la foreuse. Mais je n'aurais pas dû m'en soucier. À peine les lames s'étaient-elles mises à tourner que le flume nous a recrachés. Une lumière éblouissante a illuminé les vitres de notre sphère. Où qu'on soit, ce n'était pas sous des tonnes de pierre.

– Sortons de là, ai-je dit en ouvrant la trappe.

Je suis tombé sur un spectacle familier. On se trouvait bien au sommet de la montagne, là où, pour la première fois, j'avais mis le pied sur un territoire différent du mien. Denduron. Ça m'a immédiatement fait penser à l'oncle Press. Que penserait-il de tout ça ? Mais j'ai préféré éluder la question.

– Où est-on, cette fois-ci ? a demandé Siry.

Il avait l'air fatigué. Je crois que plus rien ne pouvait plus le surprendre.

– Denduron est le territoire où les Voyageurs ont remporté leur première victoire contre Saint Dane, ai-je expliqué. Tiens, mets ça.

Près de l'embouchure du flume, il y avait un petit tas de vêtements de cuir et de fourrure. Sauf que maintenant, je me fichais pas mal de me fondre dans la masse. Si quelqu'un nous voyait crapahuter dans un dygo argenté, peu importerait ce qu'on aurait sur le dos. Non, c'était plutôt du climat que je m'inquiétais. Il faisait sacrément froid sur ce monde. Si on gardait nos vêtements tropicaux, on gèlerait sur pied. J'ai jeté ma tenue d'Ibara dans le dygo et, une nouvelle fois, j'ai endossé la tunique de cuir de Denduron. J'ai aussitôt senti une différence. Ces vêtements étaient bien moins grossiers que la première fois que j'étais venu. Preuve que les conditions de vie des Milagos s'étaient améliorées après la défaite de Saint Dane. Et ce n'était qu'un début.

– Deux tribus se partagent le pays, ai-je expliqué. Les Milagos et les Bedoowans. Les Milagos sont un peuple de fermiers, les Bedoowans sont plus évolués. Ils habitaient un château d'où ils commandaient une armée qui traitait les Milagos en esclaves. Les fermiers devaient travailler aux mines pour en extraire un minerai précieux appelé azur, source de la richesse des Bedoowans. Mais les mines étaient dangereuses et les fermiers y laissaient souvent leur peau. Ils ont fini par se révolter et renverser les Bedoowans. Le Voyageur de ce territoire, un Bedoowan, s'appelle Alder. Il m'a dit que, maintenant, les deux tribus vivent en paix. Les Bedoowans partagent leur expertise et leur savoir, les Milagos leurs dons pour les travaux manuels. Mais ce qui compte, c'est que sur Denduron, Saint Dane a connu sa première défaite.

On a fini de s'habiller en chaussant nos sandales à semelles de cuir. J'avais du mal à y croire, mais ces tenues étaient plutôt confortables. Le cuir était doux et de bonne facture. Même si j'avais encore eu mon caleçon, j'aurais pu m'en passer. On est remontés à bord du dygo et je l'ai fait avancer pour sortir sous le soleil de Denduron. On s'est retrouvés sur le champ de neige où les quigs nous avaient attaqués, l'oncle Press et moi. Heureusement, je n'ai pas vu d'échines surgir de la neige. Ces monstres ne nous dérangeraient pas plus que sur Zadaa. Le moment de vérité était passé.

Le dygo a descendu la pente, laissant l'empreinte de ses chenilles sur la neige. Siry est resté silencieux, contemplant ce magnifique décor de montagnes couronnées de neige qui nous entourait. C'était vraiment un territoire magnifique, tout rustique qu'il soit. Durant notre descente vers le village milago, il n'a fait qu'un commentaire.

— Est-ce que j'ai des visions ? a-t-il demandé en regardant le ciel.

— Non, ai-je répondu avec un petit rire. Il y a bien trois soleils.

Siry a cligné des yeux et s'est radossé à son siège. Il avait l'air sonné. Quand il était parti à l'aventure avec les Jakills, il ne se doutait pas dans quoi il s'embarquait.

Au bout d'un moment, de l'herbe est apparue entre les plaques neigeuses. J'ai arrêté le dygo et on est sortis examiner les lieux. On était tout en haut de la vallée dominant le nouveau village milago. La dernière fois que je l'avais vu, il était en ruine. L'explosion des mines avait détruit le château bedoowan, une bonne partie du village et creusé le sol lui-même. À présent, il n'y avait plus la moindre trace de destruction, au contraire. Les cabanes des Milagos avaient été reconstruites – en mieux : elles paraissaient plus grandes et plus solides. Les chemins de terre qui sinuaient entre elles semblaient mieux organisés. On aurait même dit qu'ils étaient pavés. Plus loin, j'ai vu les immenses champs qui nourrissaient la population. La récolte était pour bientôt. Le tableau était idyllique.

Un autre détail m'a arraché un sourire. On était en fin d'après-midi, et les trois soleils se couchaient à l'horizon. Tout en bas dans le village, des réverbères s'allumaient un par un. À mon dernier passage, les Milagos n'avaient pas d'éclairage public, ni d'électricité. Ce n'était qu'en entrant dans le château bedoowan que j'avais compris que le territoire était moins arriéré que je le croyais. Sous la coupe de leurs tyrans, les Milagos vivaient comme au Moyen Âge. J'étais heureux de voir que désormais les Bedoowans les faisaient bénéficier de leur technologie. Le village milago était bien vivant.

– Allons-y avant qu'il ne fasse trop noir, ai-je dit.

On est remontés dans le dygo pour continuer notre chemin. Dans ma tête, j'en étais déjà au stade suivant. Le plus difficile de tous. J'aurais préféré ne pas tomber sur Alder pour la même raison que j'avais évité Loor. Je ne voulais pas qu'il nous suive sur Ibara. Malheureusement, sur Denduron, j'aurais besoin de son aide.

J'ai trouvé un bosquet dense de pins et caché le dygo derrière les arbres.

– On finira à pied. Mieux vaut ne pas semer la panique.

On est sortis de la sphère et on s'est empressés de la recouvrir de branches. Comme camouflage, il y avait mieux, mais il faudrait s'en contenter.

– Allons trouver ce Voyageur, ai-je dit en partant vers le village.

Je ne pensais pas que quelqu'un me reconnaîtrait. Deux années s'étaient écoulées depuis ma précédente visite, et je n'étais plus le gamin terrifié qui s'en était allé après la destruction du château des Bedoowans. Bon, d'accord, j'avais toujours la frousse, mais

je n'étais plus un gamin. Siry et moi avons traversé les rues bourdonnantes d'activité du village sans attirer le moindre regard.
Apparemment, la communauté était prospère. Ce n'était plus le
genre de tribu où tout le monde se connaît. Les cabanes étaient
devenues de vraies maisons, les rues n'étaient plus boueuses et,
sous la lumière des réverbères, le village dégageait une atmosphère chaleureuse. Rien à voir avec le décor de ruines que j'avais
laissé. À un détail près. Le long d'une rue, j'ai vu un espace
découvert qui, au premier abord, ressemblait à un parc. Une
clôture noire et basse entourait une clairière herbue qui semblait
attendre des pique-niqueurs. Sauf que ce n'était pas un parc, mais
un monument. Au centre, il y avait un grand cercle de pierre que
j'ai tout de suite reconnu. C'était l'entrée d'une des anciennes
mines d'azur. C'est sur cette plate-forme que Saint Dane conduisait ses cérémonies sadiques qu'il appelait Transfert, où un
mineur était sélectionné pour être pesé en même temps que la
récolte du jour. Si le poids de minerai était inférieur à celui du
mineur, ce dernier était jeté dans le puits. Apparemment, cette
structure servait à la fois de mémorial et de piqûre de rappel.

On a demandé à un villageois où se trouvait le camp des chevaliers bedoowans. C'était l'endroit le plus logique pour commencer
nos recherches. Il nous a orientés vers les falaises dominant
l'océan, là où se dressait jadis le château. Je connaissais le
chemin. On a traversé le village, puis une prairie. C'est alors
qu'on a vu des lumières droit devant. J'ai expliqué à Siry que,
avant la bataille, ce cap verdoyant s'étendait jusqu'à l'océan.
Depuis son sommet, on n'aurait jamais deviné qu'un château se
trouvait en contrebas, creusé dans la falaise. Lorsque les mines
avaient été détruites, l'édifice tout entier s'était abîmé dans
l'océan, emportant une bonne partie du terrain avec lui.

Au fur et à mesure qu'on se rapprochait, j'ai vu que les
lumières provenaient des fondations détruites du gigantesque
château. C'était devenu le campement des chevaliers bedoowans.
Un escalier de pierre menait à un grand espace dégagé que j'ai
tout de suite reconnu : l'arène où j'avais affronté les quigs. Ce
souvenir m'a collé le frisson. Et moi qui espérais ne plus jamais
revoir cet endroit !

On s'est immobilisés à l'orée des ruines, Siry et moi, pour regarder ce qui se passait. Plusieurs chevaliers formaient un cercle autour de deux autres qui s'étreignaient en une prise de catch. C'était une compétition plutôt bon enfant. Les chevaliers acclamaient et encourageaient les lutteurs. Ce n'était qu'une bande de types qui s'amusaient un peu. Bizarre. La dernière fois que j'étais venu ici, ces chevaliers étaient les méchants. Plus maintenant.

– Prenez vos paris tant qu'il en est encore temps ! a fait une voix derrière nous.

Je n'ai pas eu besoin de me retourner pour savoir qui c'était.

– Seulement si c'est toi qui montes sur le ring, ai-je répondu. Je ne joue que si je suis sûr de gagner.

Soudain, deux bras m'ont enserré à m'étouffer.

– Bonjour, Pendragon, a fait Alder avec chaleur.

– Bon sang, comme je suis content de te voir ! ai-je répondu.

Alder m'a relâché et a fait un pas en arrière. J'avais oublié à quel point il était baraqué. J'avais pris quelques centimètres, mais il me dominait quand même de toute sa taille. Ses cheveux bruns avaient poussé et atteignaient presque ses épaules. Comme nous, il portait des vêtements de cuir léger plutôt que l'armure noire des chevaliers bedoowans. Il ne devait pas être en service. Comme je l'ai déjà écrit, Alder est un chevalier, un combattant bien entraîné, mais il ne donne libre cours à son agressivité qu'au combat. Sinon, c'est un type plutôt sympa au sourire engageant.

Mais pas aujourd'hui. Alder paraissait bien sombre.

– J'aimerais pouvoir en dire autant. Pendragon, j'ai vu ta machine. Et je ne suis pas le seul. Je ne sais pas quoi dire aux miens. Pourquoi importer quelque chose qui vient d'un autre territoire ?

– Pour sauver Halla, ai-je répondu.

Il était en colère. Je le comprenais. Je lui devais des explications. J'ai commencé par lui présenter Siry, puis on s'est assis en bordure de l'arène pour le mettre au courant des derniers développements. Je ne lui ai rien caché. Alder m'a écouté jusqu'au bout. Et c'était aussi pour le bénéfice de Siry. Mon plan pour vaincre Saint Dane sur Ibara allait à l'encontre de tous ses principes moraux, et pourtant, il n'y avait pas d'autre solution. Quand j'ai fini par dire à Alder pourquoi on était venus sur Denduron, il a encaissé le coup. Il est resté longtemps sans dire un mot, à regarder s'amuser ses camarades. Je me sentais plutôt mal. Sans nous, Alder les aurait probablement déjà rejoints. Mais ce n'était pas ce qui était écrit. Il était un Voyageur.

Il a fini par émettre un soupir las.

— En faisant ce que tu demandes, on peut également mettre en péril l'avenir de Denduron. Tu y as pensé ?

— Oui. Mais il n'y a pas que Veelox qui est en jeu. Si Saint Dane s'empare d'Ibara, une armée de dados peut débarquer ici même.

— C'est une entreprise dangereuse, a repris gravement Alder. On n'y arrivera jamais seuls.

— Tu peux trouver de l'aide ? ai-je demandé.

— Personne ne t'a oublié, Pendragon. C'est toi qui as libéré les Milagos de la tyrannie des Bedoowans. Seul Press est encore plus respecté. Mais il n'est plus là, n'est-ce pas ?

Une fois de plus, j'ai eu l'impression que l'oncle Press n'aurait pas approuvé ce que je faisais. Mais comme l'avait dit Alder, il n'était pas là. C'était donc à moi de jouer.

— Je peux trouver des gens pour t'aider, a repris Alder. À une condition.

— Dis toujours.

— Tu m'emmènes sur Ibara.

— Pas question ! ai-je crié en me levant d'un bond. Je ne vais pas te demander de risquer ta vie alors que je l'ai déjà fait deux fois.

— Pendragon, a repris Alder calmement, je n'ai pas l'intention de négocier. Ma place est avec vous. Pourquoi refuserais-tu que je vienne lutter contre Saint Dane ? À moins que tu doutes de toi et de ton entreprise ?

— Bien sûr que j'ai des doutes ! ai-je rétorqué. Je ne peux qu'improviser en essayant de comprendre ce qui se passe au fur et à mesure. S'il m'arrive quelque chose, s'il *nous* arrive quelque chose, que deviendront les Voyageurs ? C'est pour ça que je n'ai pas voulu contacter Loor. Si trois d'entre nous ne survivent pas à cette bataille alors que Gunny et Spader sont piégés sur Eelong, il ne restera plus que Patrick, Loor, Aja et Elli de Quillan. Ils auront besoin de toi, Alder. On ne peut pas courir un tel risque.

— Si cette bataille est aussi importante que tu le dis, a-t-il repris d'une voix posée, peu importe combien de Voyageurs y survivront. La guerre sera terminée.

— C'est vrai, mais je ne veux pas que tu y prennes part.

— Pourquoi ? a demandé Alder. Quelle est ta vraie raison ? Est-ce parce que tu as peur pour moi, ou parce que tu n'es pas sûr de toi ?

— Je *suis* sûr de moi, ai-je affirmé.

— Dans ce cas, a repris Alder d'un ton sans réplique, ma décision est irrévocable.

Là, j'étais coincé. J'ai cherché désespérément un autre argument, en vain.

— En fait, a ajouté Siry, j'aimerais bien qu'il vienne avec nous.

— Bon, d'accord, ai-je bafouillé. Je suis toujours contre, mais c'est adjugé.

— Ou tu es peut-être content que je sois là pour t'aider ? a proposé Alder.

— Oui, aussi.

J'ai alors réalisé que j'étais bien ingrat. Une fois de plus, Alder montait en première ligne pour m'aider. C'était un ami et un Voyageur. Je n'aurais pas dû lui répondre comme je l'avais fait.

— Excuse-moi, Alder, ai-je repris d'une voix radoucie. Je suis heureux que tu viennes nous épauler. Mais je ne voudrais pas qu'il t'arrive quelque chose.

Alder s'est levé et a posé une main sur mon épaule.

— D'après ce que tu m'as dit, le meilleur moyen de s'assurer qu'il n'arrivera malheur à aucun d'entre nous est encore de vaincre Saint Dane sur Ibara.

Il se faisait tard. On avait besoin de repos. Alder nous a trouvé des lits confortables dans les quartiers des chevaliers, au milieu des ruines. Ça m'a fait bizarre de retourner dans ce château, vu que c'était moi qui l'avais détruit. J'ai eu bien du mal à m'endormir. La tâche qui nous attendait s'annonçait difficile et dangereuse. Et je ne parle pas de la bataille contre Saint Dane, mais bien de ce qui nous restait à faire sur Denduron.

Alder s'est levé tôt le lendemain matin pour s'occuper des préparatifs. Siry et moi venions à peine de finir notre petit déjeuner qu'il avait déjà rassemblé une vingtaine de volontaires du village milago. On les a retrouvés dans la clairière entre le village et les ruines. J'en ai reconnu quelques-uns. La différence, c'est que maintenant ils avaient l'air en pleine forme. À ma première visite, ces hommes travaillaient dans les mines pour extraire l'azur et respiraient les fumées toxiques qu'il émettait. Ils avaient un teint gris et hâve. À présent, ils semblaient forts et bien nourris. Ça ne rendait que plus pénible ce que j'allais leur demander.

À leur tête, j'ai vu un homme que je connaissais bien. C'était Rellin, le chef des mineurs et leader de la rébellion contre les Bedoowans. Maintenant, il présidait le village milago. Il respirait toujours la force et la confiance, mais la colère qui brûlait en lui semblait s'être dissipée. Désormais, il était en paix avec son monde. J'espérais bien ne pas bouleverser cet équilibre.

— Tu as grandi, Pendragon, a-t-il dit avec chaleur en me serrant dans ses bras.

— Je n'arrive pas à en croire mes yeux. Ce village n'est plus le même !

— En grande partie grâce à toi et à Press, a-t-il repris. J'ai été navré d'apprendre sa mort.

J'ai hoché la tête.

— En sa mémoire, et au nom du rôle que tu as joué dans la création de ce nouveau monde, nous sommes disposés à faire ce que tu nous demandes, a déclaré Rellin. Ce sera dangereux. Tu en es conscient ?

— Oui. Je ne viendrais pas demander votre aide si ce n'était pas de la plus haute importance.

— Et en quoi est-ce si important ?

Je savais qu'à un moment où à un autre je devrais répondre à cette question. Bien sûr, je ne pouvais pas lui dire toute la vérité, mais il méritait d'en connaître une partie.

— Bien loin d'ici, un autre village est menacé par une puissance destructrice, comme celui des Milagos en son temps. J'essaie de leur venir en aide.

– Tu es un véritable aventurier, Pendragon, a dit Rellin. S'impliquer dans de tels conflits est une entreprise noble, mais pleine de risques.

Je n'aurais pas dit mieux.

– Oui, mais c'est ce qui est juste, ai-je répondu.

– Dans ce cas, pour toi et ton noble dessein, j'enverrai mes hommes dans les mines chercher du tak.

– Merci, ai-je dit sincèrement.

Ces gens ne manquaient pas de courage. J'aurais voulu pouvoir leur expliquer en quoi ils assuraient également leur propre avenir.

– Comme tu le sais, a repris Rellin, les veines de tak ont été enfouies loin en dessous de la surface du sol. Il faudra beaucoup d'efforts pour les déterrer.

– Pas autant que tu crois, ai-je déclaré.

J'ai conduit Rellin et les mineurs au dygo. Siry m'a suivi de près.

– Qu'est-ce que ce fameux tak a de si particulier ? m'a-t-il chuchoté.

– C'est une substance naturelle qu'ils ont découverte par hasard. Une sorte de glaise rouge que tu peux rouler en boule.

– Et c'est un poison ?

– Non, un explosif extrêmement puissant. Un simple dé à coudre pourrait détruire une de ces cabanes. Les mineurs voulaient s'en servir pour lutter contre les Bedoowans, mais ça aurait modifié l'évolution de leur société. Après avoir vaincu les Bedoowans, Rellin comptait conquérir d'autres régions de Denduron. Ce village paisible serait devenu une citadelle de guerriers. Mais ils n'en ont jamais eu l'occasion. Après l'explosion, les mines de tak se sont retrouvées ensevelies au plus profond du sol, bien trop loin pour qu'ils cherchent à les déterrer.

– Sauf avec un dygo.

– Exactement. Je veux provoquer une explosion telle qu'elle renverra Saint Dane d'où il vient. Une arme comme le tak nous donnera une chance de défaire son armée. Sinon...

Je n'ai pas terminé ma phrase.

– Mais une fois qu'on aura creusé le tunnel, a remarqué Siry, qu'est-ce qui empêchera les Milagos de continuer à en extraire pour leur compte ?

– Ça ne risque pas, ai-je répondu aussitôt. Ces gens ont changé. Ils ne sont plus en guerre.

Siry n'avait pas l'air convaincu.

– J'espère juste que Denduron ne souffrira pas de notre intervention.

– Ne t'en fais pas, ai-je rétorqué.

Siry n'a rien ajouté.

Lorsque Rellin et les vingt mineurs ont vu le dygo, ils en sont restés bouche bée, ce qui n'avait rien d'étonnant. Je leur ai raconté une petite fable comme quoi je venais d'une ville de l'autre côté des montagnes. Je savais qu'ils avaient des questions à me poser, mais je ne leur en ai pas laissé le temps. Siry et moi sommes montés à bord du véhicule pour partir vers le château. Impossible de savoir précisément où pouvait se trouver la veine de tak. Je me suis arrêté là où je ne risquais pas de déranger les activités du village. Sous les yeux ébahis des mineurs, j'ai actionné la foreuse et l'ai abaissée vers le sol. Il m'a suffi d'appuyer sur les pédales pour commencer à creuser. On était partis.

Forer un tunnel était facile. Trouver du tak, beaucoup moins. Je comptais creuser plusieurs galeries peu profondes et envoyer les mineurs chercher ce fameux minerai. S'ils ne trouvaient rien, il suffirait de creuser à nouveau. Encore et encore jusqu'à ce qu'on tombe dessus. Plutôt laborieux, non ? On a passé plusieurs jours sur Denduron, en vain. Par contre, on a trouvé des filons d'azur, mais les mineurs n'ont pas osé y toucher. Ils avaient assez vu cette gemme bleue.

Pendant qu'on creusait, d'autres mineurs fabriquaient des caisses pour pouvoir emporter le minerai. C'était une tâche cruciale : le tak se dissout au simple contact de l'eau. Comme notre voie d'accès sur Ibara était submergée, ces caisses devaient être étanches. Ils ont aussi construit un traîneau pour tirer notre chargement à flanc de montagne. Bien sûr, ils ignoraient qu'on ne la gravirait qu'à moitié.

Ce qui m'a touché, c'est de voir tout le monde travailler d'arrache-pied. Quand ils ont su qui était aux commandes, d'autres Milagos sont venus proposer leur aide. Certains voulaient même combattre à nos côtés, mais c'était hors de question. Finalement, les mineurs ont été assez nombreux pour qu'on fasse tourner plusieurs équipes, si bien qu'il y avait toujours quelqu'un dans les mines, du moins durant la journée. S'il y restait encore du tak, on finirait forcément par le trouver.

C'était bon de retrouver Alder. Il a donné quelques cours de combat à Siry, lui montrant comment utiliser ce long casse-tête qu'ils savaient si bien manier, Loor et lui. Siry apprenait vite, mais il était impossible d'en faire un combattant en si peu de temps. C'était plutôt pour s'amuser, ce qui était tout aussi important. Ça faisait longtemps qu'on n'avait pas un peu profité de la vie.

Les voir entrechoquer leurs bâtons m'a donné une idée. Après avoir creusé une nouvelle galerie avec le dygo, je l'ai conduit jusqu'à la montagne et l'embouchure du flume. Je n'ai dit à personne où je me rendais. De toute façon, je n'en avais pas pour longtemps. Je me suis garé devant la caverne et suis entré dans le flume.

– *Quillan*, ai-je annoncé, et je me suis retrouvé aspiré vers un territoire qui ne m'évoquait que de mauvais souvenirs[1].

Une fois à la porte, je me suis empressé de passer les mornes vêtements gris laissés près du flume. Pas une seule araignée-quig mécanique en vue, ce qui ne m'a guère étonné. Le moment de vérité de ce territoire aussi était passé. J'ai quitté le grand entrepôt où se dissimulait le flume pour gagner cette incroyable arcade de jeux qui avait été mon premier contact avec Quillan. À mon grand désarroi, elle était bondée. Les jeux de Quillan avait repris, à la puissance dix. Ça m'a fait mal de voir ça.

Dans la rue, rien n'avait changé. Je ne savais pas combien de temps s'était écoulé à l'horloge locale, mais le territoire était exactement tel que je l'avais laissé. Les rues étaient bondées de passants qui se déplaçaient comme des zombies. Les immenses écrans dominant les bâtiments montraient toujours les mêmes schémas géométriques interrompus de temps en temps par des

---

1. Voir Pendragon n° 7 : *Les Jeux de Quillan*.

bulletins débités par un reporter anonyme. J'en étais malade. Blok avait gagné. Saint Dane avait triomphé. J'avais échoué lamentablement.

Ma destination était le centre commercial souterrain abandonné où j'avais résidé avec les membres de la résistance qui se faisaient appeler les « adeptes du Renouveau ». Je connaissais le chemin. J'ai trouvé le bâtiment construit au-dessus du centre, descendu des marches antiques, puis traversé un labyrinthe de couloirs pour trouver la fissure dans le mur que les adeptes du Renouveau avaient creusée.

Je n'ai vu personne. Pas même Elli, le Voyageur local. Tant pis. Je n'étais pas venu prendre des nouvelles de Quillan, mais chercher des armes. Je les ai trouvées dans un magasin oublié au plus profond du centre commercial. Il n'y avait même pas un adepte pour les garder. C'était un autre signe de l'échec du Renouveau. Ils n'en avaient plus besoin.

Mais moi si. J'ai trouvé une cache de ces matraques de métal noir. Les tueurs de dados. Je ne savais toujours pas de quoi elles étaient faites, ni comment elles fonctionnaient. L'important, c'est que, quand on poignardait un dado avec une de ces armes, elle neutralisait sa source d'énergie. Et ça faisait un dado de moins.

En regardant l'amas de matraques, je me suis demandé pourquoi j'avais pris la peine de venir jusqu'ici. Dans cette guerre, on allait affronter des milliers de soldats mécaniques. Si on en était réduit à utiliser ces matraques, c'est qu'on aurait déjà perdu. Et pourtant, je préférais en avoir à portée de la main. C'est en voyant s'entraîner Alder et Siry que cette idée m'était venue. La présence de ces armes me redonnait confiance, si on veut. Et j'en avais bien besoin. J'en ai pris une douzaine et je suis reparti vers le flume.

C'était plutôt risqué. Si je me faisais repérer par un dado de sécurité, ce serait la fin des haricots. J'ai dissimulé les matraques du mieux que j'ai pu sous une vieille couverture abandonnée là par un adepte. Avec un peu de chance, on croirait que je transportais des bouts de bois. Ou des manches à balai. Ou des skis. Enfin, n'importe quoi, sauf des armes anti-dados. Une fois à la surface, j'ai rasé les murs en tentant de me rendre invisible. À un moment donné, j'ai vu deux dados de sécurité qui marchaient vers moi. Mon estomac s'est révulsé. Soudain, venir sur Quillan me semblait être une idée particulièrement idiote. J'avais compromis la bataille à venir pour mon confort personnel. J'ai retenu mon souffle.

Les dados m'ont dépassé sans un seul regard.

Je suis retourné sur Denduron sans problèmes. J'ai remis ma tenue de cuir devant la porte et sauté dans le flume. Une fois arrivé, j'ai déposé les armes dans la caverne et suis monté dans le dygo pour redescendre la montagne. Je ne m'étais absenté que quelques heures. Personne ne savait que j'étais parti. Pas même Alder ou Siry. En me rendant sur Quillan, j'avais couru un sacré risque, mais j'étais content de l'avoir fait.

Je ne savais pas comment mesurer le temps sur Denduron. À vue de nez, ça faisait trois semaines qu'on était là, et je commençais à croire qu'on avait fait tout ça pour rien. Si le tak était enfoui bien plus profondément que les galeries déjà creusées, il faudrait qu'on crée un réseau minier beaucoup plus complexe pour y arriver. Il faudrait aussi y consacrer beaucoup plus de temps, et je ne voulais pas que les mineurs s'empoisonnent par ma faute. Mais les jours se succédaient, et toujours rien. Je commençais à croire qu'on allait devoir s'en passer...

Quand on a découvert une striure rouge révélatrice. Les mineurs se sont rassemblés pour inspecter leur trouvaille. Rellin a pioché une poignée de poussière rouge et l'a roulée entre ses doigts. Il est retourné à l'embouchure du tunnel et, sous les yeux de toute l'assemblée, l'a jetée sur une saillie rocheuse. *Boum !* La pierre s'est désintégrée dans une avalanche de cailloux. La détonation avait été si sonore que mes oreilles ont carillonné. Lorsque la fumée est retombée, Rellin s'est tourné vers moi et m'a souri. J'ai regardé Siry.

– C'est ça, du tak.

Siry m'a regardé avec des yeux ronds.

– Tout compte fait, on a peut-être une chance.

L'extraction du minerai était encore plus dangereuse. Si on ne le frappait pas selon le bon angle, il explosait. Les mineurs ont pris tout leur temps, ce qui me convenait. Ils n'avaient à leur disposition que les outils grossiers avec lesquels ils extrayaient l'azur. La veine s'est révélée être un vrai filon. Ils l'ont exploitée prudemment, ramenant des sacs entiers de matériau pour les sortir de la galerie. Ça nous a pris plusieurs jours, mais on a fini par remplir toutes les caisses. On aurait pu en emporter encore plus, mais je ne savais pas quelle quantité le dygo serait capable de traîner. On a scellé les caisses avec de la cire pour les rendre étanches.

Finalement, on en est venu à bout. On a arrimé le traîneau au dygo à l'aide de cordes épaisses, puis on a chargé les caisses.

— Tu es sûr que ça ne va pas exploser en chemin ? a demandé Siry.

— Non, ai-je répondu en toute franchise. Et je ne sais pas non plus ce qui va se passer quand on sera dans le flume.

— J'aurais mieux fait de me taire, a remarqué Siry.

Après de longs adieux, vint le moment du départ. J'ai dit à Rellin que ses hommes et lui avaient effectué une tâche importante qui, il fallait l'espérer, permettrait au territoire de Siry de connaître une paix durable.

— Je te crois, Pendragon, a dit Rellin. Le tak a apporté la paix aux Milagos. Il peut démontrer une nouvelle fois son utilité.

Alder, Siry et moi sommes montés dans le dygo. Comme il n'était pas bâti pour trois, on a dû se serrer comme on pouvait. Siry étant le plus petit, il s'est retrouvé au milieu, coincé entre les deux sièges. Heureusement, le voyage ne serait pas long… pour bien des raisons.

— Va doucement, a conseillé Alder. Évite les cahots.

Non, sans blague ? J'ai mis le dygo en marche, et il s'est ébranlé sans que le poids qu'il traînait fasse mine de le ralentir. Et pourtant, on avait les nerfs à vif. On transportait assez de tak pour raser la montagne. Un mouvement un peu trop brutal et on serait pulvérisés. Je me suis demandé si la sphère métallique nous protègerait. Sa coque était conçue pour supporter des pressions importantes. Mais inutile de dire que j'espérais bien ne pas avoir à tester sa solidité.

J'ai pris le chemin qui me semblait le plus égal. À chaque fois qu'on heurtait un cahot, je ralentissais encore davantage pour éviter de secouer le tak. Comme on suait comme des bêtes, une odeur de transpiration a empli la cabine. On a dû s'arrêter à deux reprises pour ouvrir la trappe et aérer un peu.

Quand on a atteint la couche de neige, on s'est senti un peu mieux. La progression était beaucoup plus douce. Le terrain est revenu à l'horizontale, et j'ai fini par apercevoir l'entrée de la caverne. Le voyage avait été pénible, mais on était arrivés.

– Comment fait-on ? a demandé Alder. Est-ce qu'on entre directement dans le flume pour en sortir sur Ibara ?

– Non, ai-je répondu, il va falloir faire plusieurs voyages. Je pars en premier avec le dygo pour déblayer la porte. Vous, vous empilez les caisses à côté du flume et vous m'attendez.

On a détaché le traîneau et j'ai fait avancer le dygo dans la caverne. Une fois face au flume, j'ai crié :

– *Ibara !*

Et je me suis fait aspirer. Pourvu que le flume continue de me déposer au bon endroit et au bon moment ! S'il me faisait faux bond maintenant, eh bien, je préférais ne pas penser aux conséquences. Comme je ne pouvais rien y faire, je me suis concentré sur la tâche qui m'attendait. Il s'agissait juste de transporter notre fardeau, rien de plus. Bon, c'était un peu plus dangereux que ça, mais ce n'était pas non plus la mer à boire.

Quand le dygo est arrivé sur Ibara, j'ai enclenché la foreuse. Dès que le véhicule a atteint la surface, elle a commencé à creuser. J'ai jailli de la mare, détruisant une section de la rive en faisant jaillir de l'eau sur le sol de la caverne. Je ne m'en suis pas inquiété et j'ai continué mon chemin sur le sable trempé. L'étape suivante était de creuser un nouveau tunnel à travers le mur de la caverne. C'est par là qu'on sortirait les trente lourdes caisses bourrées de tak. S'il fallait les traîner dans ce labyrinthe de tunnel, ça prendrait des semaines. Inutile de dire qu'on n'avait pas ce temps devant nous. Ce n'était plus le moment de se la jouer discret. J'ai foncé dans le tas et ne me suis arrêté que lorsque j'ai vu le soleil inonder la plage d'Ibara.

En faisant tournoyer le dygo, j'ai vu que j'avais creusé un tunnel d'une centaine de mètres menant droit au flume. Pas de détours, pas de virages, pas de subtilités. Si quelqu'un venait traîner par ici, il trouverait le flume. Et je m'en contrefichais. De toute façon, après la bataille, impossible de dire à quoi ressemblerait cet endroit. Tout était encore possible. J'ai fait demi-tour jusqu'à la mare, je suis sorti du dygo et suis allé me poster à l'orée du flume.

– *Denduron !* ai-je crié avant de plonger la tête la première.

J'ai fermé les yeux. Je ne voulais pas voir les images de Halla me rendre mon regard. En un clin d'œil, je me suis retrouvé sur Denduron, où m'attendaient Alder et Siry. Je n'aurais pas dû m'inquiéter : le flume avait rempli son office. Les caisses étaient empilées en bon ordre, prêtes à partir.

Alder a brandi une des matraques que j'avais ramenées de Quillan.

– Qu'est-ce que c'est ?

Je l'ai prise, l'ai fait tourner dans ma main et en ai donné un petit coup à Siry.

– Des armes anti-dados. De Quillan.

– Comment sont-elles arrivées ici ? a demandé Siry.

– Je suis allé les chercher il y a quelques jours. Pourquoi, il y a un problème ?

– Pas si on peut faire se mélanger les territoires, a répondu Alder.

J'ai laissé tomber l'arme sur les autres.

– En effet, maintenant, c'est possible. Désormais, on joue selon les règles de Saint Dane. Ce n'est pas moi qui ai choisi.

Alder m'a regardé gravement. Il a touché une des caisses remplies de tak.

– C'est vrai. Mais n'oublie pas qu'on a toujours le choix.

– J'ai choisi, ai-je rétorqué. On va prendre une caisse chacun. Pas plus, ce serait trop risqué. Il vaut mieux ne pas les laisser tomber. Quand on les aura toutes transférées, je reviendrai chercher les armes.

Alder a acquiescé. Siry a haussé les épaules. Je suis passé en premier. J'ai soulevé une des caisses et reculé dans le flume.

– *Ibara !* ai-je crié, et me voilà parti.

Le plus dur nous attendait de l'autre côté. La caisse flottait, mais elle était lourde. J'ai eu bien du mal à la faire passer par la brèche que j'avais creusée avec le dygo, surtout que je n'avais pas beaucoup de points d'appui. Mais j'ai fini par y arriver, et je l'ai mise à bonne distance du flume.

Les autres sont arrivés peu après. Je les ai aidés à sortir leurs propres caisses de l'eau et à les déposer à côté de la première. Puis on a replongé chacun notre tour pour refaire le chemin en sens inverse.

C'était un travail pénible, épuisant et ennuyeux. De plus, si l'un d'entre nous glissait ou laissait tomber sa caisse, c'en serait fini. Ça nous a pris deux heures, mais tout s'est bien passé. Lorsqu'on a enfin terminé, une trentaine de caisses bourrées de tak se trouvaient sur le territoire d'Ibara.

On s'est assis au bord du flume, Alder, Siry et moi, pour prendre un peu de repos bien mérité. Ça ne durerait pas. Ça ne pouvait pas durer.

– On est de retour en temps réel, ai-je annoncé.

– Qu'est-ce que tu veux dire ? a demandé Siry.

– Qu'on est de nouveau à l'heure d'Ibara. Et je vous rappelle qu'on a une armée à affronter.

Je vais m'arrêter là, Courtney. Je suis trop nerveux pour continuer à écrire. Je te raconterai nos préparatifs dans mon prochain journal. Enfin, s'il y en a un. À ma grande satisfaction, Alder est là, avec nous. Il nous a déjà été d'un grand secours, et savoir qu'il combattra à mes côtés me pousse à croire qu'on a peut-être une chance. Sur combien ? Je n'en sais rien. Au moins, on aura fait tout notre possible.

J'ai peur et je suis excité comme un pou. Maintenant que je peux prendre un peu de recul, il est évident que le plan de Saint Dane nous a menés à ce point précis. Il pense qu'Ibara sera le premier domino qui entraînera la chute de Halla. Oui, eh bien, il va avoir des surprises. Comme je suis impatient de voir sa tête quand on réduira son armée en pièces détachées ! Même si on perd la bataille, je ferai tout mon possible pour qu'on détruise un maximum de dados. Désormais, je joue selon ses règles à lui. Il a fait se mélanger les territoires dans le but de détruire Halla. Je l'ai fait dans l'espoir de pouvoir l'arrêter une bonne fois pour toutes.

Un seul de nous deux a raison. Il ne reste plus qu'à déterminer lequel.

Et c'est reparti.

Fin du journal n° 31

PREMIÈRE TERRE

Courtney froissa les pages du journal de Bobby et les jeta contre le mur. La peur et la colère s'affrontaient en elle. Elle s'en voulait à mort d'avoir failli à sa mission. À cause de son échec, la dernière barrière entre les territoires allait s'effondrer... sur la tête de son ami.

Plus déprimant encore, maintenant qu'elle savait ce qui était arrivé à Mark, elle n'y comprenait rien. Comment ses parents pouvaient-ils être vivants ? Elle avait quitté la Seconde Terre *après* que le passé eut été modifié. Elle savait quels changements il avait entraîné et que, malgré cela, ses parents avaient bien péri dans cet accident d'avion.

Et pourtant, ils étaient bien vivants, pas de doute là-dessus.

Courtney se dit qu'un des Dimond pouvait toujours être Saint Dane sous cette apparence. Mais alors, qui était l'autre ? Saint Dane pouvait faire bien des choses, mais pas se scinder en deux. Comme elle avait vu Nevva Winter en compagnie des parents de Mark, elle devait donc assumer qu'ils étaient bien M. et Mme Dimond, à moins qu'un autre Voyageur métamorphe ne soit entré dans l'équation. Elle n'y comprenait plus rien. Elle réalisa qu'elle en venait presque à regretter que les parents de Mark soient en vie, et cette idée lui retourna l'estomac.

Pire encore, Courtney savait que parfois, Bobby et les Voyageurs devaient faire des choix difficiles pour le bien de tous, mais ils n'avaient jamais affronté un dilemme semblable à celui que Mark avait dû surmonter. Décider si ceux qu'il

421

aimait devaient vivre ou mourir. Il avait choisi de les sauver, et Nevva Winter avait tenu sa promesse. En allant en Première Terre, Mark avait sauvé ses parents. Courtney ne voyait pas comment le convaincre que Winter lui avait tendu un piège. Il allait bien introduire la technologie Forge en Première Terre, déclenchant une réaction en chaîne qui mènerait à la création des dados, à la destruction d'Ibara... et à son propre assassinat.

Courtney décida que, tout compte fait, elle n'aimait pas les croisières en mer.

On frappa à la porte, puis la serrure cliqueta. Le sixième officier Hantin passa sa tête dans l'ouverture.

– C'est l'heure du dîner, mademoiselle, dit-il gaiement.

– Je n'ai pas faim.

– Allons, allons, reprit l'officier d'un ton enjôleur, vous ne voulez pas passer tout droit de cette cellule à l'infirmerie, non ?

Un steward en veste blanche entra à son tour, poussant un chariot recouvert d'une nappe blanche. Des couvre-plats argentés gardaient au chaud des mets que Courtney n'avait pas l'intention de manger. Elle se retourna sur sa couchette.

Le steward se racla la gorge avant de dire :

– Allons, mam'zelle. Je pense que vous allez aimer notre plat du jour, ça oui.

Courtney avait déjà entendu ce drôle d'accent. Elle regarda le steward à temps pour le voir lui cligner de l'œil avant de se retourner et décocher un coup de poing au sixième officier Hantin. Celui-ci ne s'y attendait pas du tout. Il alla heurter la cloison. Il tenta de se redresser, mais le steward le mit K.-O. d'un autre coup de poing. Il tituba, puis s'effondra sur le chariot, envoyant bouler les plats et des bribes de nourriture.

– Maintenant, je *sais* que je vais me faire virer de cet hôtel ! dit Dodger en secouant sa main endolorie.

Courtney le dévisagea, bouche bée.

– Ben quoi, ça te défrise ? dit-il, insulté. J'ai remporté trois années de suite le championnat de boxe des Gants d'Or !

Courtney sauta de sa couchette et le prit dans ses bras.

– Tu m'as retrouvée ! C'est incroyable !

– Je te l'ai dit, pour moi, ce rafiot n'est jamais qu'un hôtel flottant.

Il repoussa Courtney et se mit au travail. Tout d'abord, il nettoya les plats renversés.

– Les rumeurs circulent vite, et je sais écouter. Quand j'ai entendu parler d'un passager clandestin, il m'a suffi de piquer ce costard, de prendre un plat et un air assuré, et puis de descendre jusqu'ici. Fastoche.

– Comme tu dis. Tu es trop fort !

– Un peu, mon n'veu ! Bon, maintenant, il va falloir se tenir à carreau. Dès qu'ils s'apercevront que tu t'es fait la malle, ils se mettront à la recherche d'un garçon manqué, pas d'une jeune fille de la bonne société.

– Tu en connais ?

Dodger passa sa main sous le chariot et en tira une robe de soirée d'un blanc scintillant et des chaussures assorties.

– Maintenant oui, dit-il en souriant.

Courtney déplia la robe. Ses yeux s'illuminèrent.

– Où as-tu trouvé ça ?

– J'ai fait des courses sur Regent Street, répondit Dodger d'un ton tout naturel.

– Tu l'as volée ?

– Non. (Il tira un bout de papier de sa poche.) Tout est sur le compte de M. et Mme Anthony Galvao, suite douze-douze, première classe. Ils ne s'en apercevront qu'une fois à quai. Leur réaction devrait être intéressante.

Courtney éclata de rire, sauta entre les deux couchettes et entreprit de se déshabiller. Pendant qu'elle se changeait, Dodger fit les poches de Hantin. Il en tira des clés, une paire de menottes et un pistolet. Il déposa Hantin sur l'une des couchettes, passa une des menottes autour de son poignet, accrocha l'autre à la rambarde, puis tira la couverture pour cacher son visage.

– Si quelqu'un jette un œil, il pensera que c'est toi, qui dors comme un bébé.

– Oui, mais s'il se réveille ?

– Il hurlera comme un possédé, mais il n'y aura personne pour l'entendre. Tant qu'on ne viendra pas le libérer, tout ira bien.

Courtney sortit d'entre les couchettes. La robe lui allait parfaitement. Mince et soyeuse, avec des manches courtes dévoilant ses bras musclés. Dodger eut un sifflement admiratif :

– Hé, je me doutais bien qu'il y avait une vraie demoiselle quelque part là-dessous.

– Ça ne m'étonne pas de toi, répondit Courtney en faisant la moue, même si, au fond d'elle-même, elle apprécia le compliment. Et toi ? Je doute que les stewards traînent avec les passagers.

– Bien vu, répondit Dodger.

Il déboutonna sa veste blanche et la retira. En dessous, il portait un smoking, des chaussures noires luisantes et une cravate impeccablement nouée. Il lissa ses cheveux et tendit les mains vers Courtney pour avoir son avis.

– Pas trop mal, non ?

– Cadeau des Galvao ?

– Ils sont très généreux. Allez, sortons d'ici. J'ai trouvé le numéro de la suite de Mark et…

– Il était là, Dodger.

Le groom se figea sur place.

– Hein ? Quoi ?

– Il est venu ici, dans cette cellule. Avec Nevva Winter. Je la connais, Dodger. C'est une Voyageuse. Une traîtresse. Elle a aidé Saint Dane a faire tomber Quillan. C'est elle qui est allée trouver Mark en Seconde Terre pour lui dire que s'il changeait l'histoire, il pourrait empêcher ses parents de périr dans cet accident d'avion.

Dodger cligna des yeux et fronça les sourcils. Il lui fallut une seconde pour digérer l'information.

– Quoi, fit-il, c'est vraiment si facile que ça ? Elle lui a raconté un bobard et il l'a crue sur parole ?

– Non, ce n'est pas si simple. Ses parents étaient là, eux aussi. Bien vivants.

– Mais…

– Oui, je sais, interrompit Courtney. Moi non plus, je n'y comprends rien. Nevva a vraiment assuré. Malgré ce qu'il a fait, j'ai du mal à en vouloir à Mark.

– Même s'il a servi à Saint Dane une armée sur un plateau pour lui permettre de conquérir Halla ?

– Je doute qu'elle ait évoqué ce petit détail, dit Courtney sarcastique. Mark ne sait pas qu'Andy Mitchell n'est autre que Saint Dane. Enfin, si, je lui ai dit, mais il ne m'a pas cru.

Dodger se gratta la tête et eut un sifflement admiratif.

– Alors Mark est toujours de notre côté ?

– Oui, mais on va avoir bien du mal à le persuader de détruire Forge.

– Ça, tu peux le dire.

– Mais j'en suis capable, affirma Courtney. Mark est mon ami. Mon meilleur ami. Si on peut le prendre à part, loin des autres, je saurai le convaincre.

Elle partit vers la porte, Dodger sur ses talons. Il jeta un dernier coup d'œil pour s'assurer que tout était en ordre, puis referma la lourde porte et la verrouilla avec la clé de Hantin.

– Et voilà, le tour est joué.

Ils marchèrent le long des couloirs. Courtney tenta de nouer ses cheveux pour faire comme si sa coupe était délibérée.

– Où est sa cabine ? demanda-t-elle.

– Ce n'est pas une cabine, mais carrément une suite. Ces Angliches ont mis le paquet pour le faire venir. Ils doivent connaître la vraie valeur de son gadget.

– Bon, où est sa suite ? corrigea Courtney avec impatience.

– Pont principal, à l'avant. Mais il n'est pas là.

– Comment le sais-tu ?

– Parce qu'il y avait une réservation à dîner pour cinq au nom de Dimond, répondit fièrement Dodger.

– Tu es incroyable.

– N'est-ce pas ?

Ils traversèrent rapidement le bateau, des profondeurs du pont-promenade pour passer par la salle de restaurant élégante que Courtney avait parcourue au pas de course. Ils se forcèrent à ralentir leur allure pour ne pas se faire remarquer. On leur décocha quelques regards surpris, mais uniquement à cause des cheveux de Courtney. Ils continuèrent leur chemin, passant bras dessus, bras dessous les portes grandes ouvertes du salon.

L'orchestre continuait de jouer, et sa musique égayait la salle désormais remplie de clients. Derrière les doubles portes, il y avait un petit salon avec une grande cheminée et des fauteuils confortables où s'installaient les passagers en attendant que leur table soit prête. Sur leur droite, une corde de velours menait à un podium ou un maître d'hôtel très raide pourvu d'une fine moustache accueillait les passagers et les menait à leurs places. Courtney et Dodger ne s'arrêtèrent pas, passant droit devant lui pour entrer dans le salon. De là, ils avaient une vue imprenable sur l'immense salle du restaurant. Ils se cachèrent derrière une plante en pot pour repérer leurs proies.

– Les voilà, dit Courtney.

Elle lui désigna du doigt un point situé de l'autre côté de la salle, vers la scène. Là où Mark, Andy, Nevva et les Dimond étaient attablés. Nevva et Andy riaient et semblaient bien s'amuser. Mark et les Dimond étaient plus réservés. Mark faisait tourner sa cuillère entre ses doigts, ignorant l'assiette posée devant lui.

– Je peux vous aider ? fit une voix sévère derrière eux.

Courtney et Dodger se retournèrent lentement pour se retrouver face au maître d'hôtel à la mine sinistre.

– Non, merci, dit Dodger. On cherche juste des amis à nous.

– Vous avez réservé ? insista le maître d'hôtel d'une voix qui indiquait qu'il en doutait fort.

– Non, nous n'avons pas l'intention de dîner ici ce soir, répondit Courtney.

Le maître d'hôtel leur jeta un regard sceptique. Dodger passa à la contre-attaque. Il se redressa de toute sa petite taille et rétorqua :

– Y a-t-il un problème ?

Le maître d'hôtel eut un pas de recul.

– Veuillez m'excuser, dit-il en se courbant en guise de salut. Si je peux faire quoi que ce soit pour vous aider, je suis à votre disposition.

– Ça ne sera pas nécessaire, rétorqua froidement Dodger.

Le maître d'hôtel battit en retraite. Dodger l'avait remis à sa place.

– Bien joué, dit Courtney avec un petit rire.

– Hé, on est des clients, et le client a toujours raison. Il n'a pas à nous traiter en intrus.

– Même si c'est le cas.

– Simple détail.

– Alors, qu'est-ce qu'on fait ?

– Ne te bile pas, j'ai la situation bien en main.

Courtney lui jeta un regard circonspect.

– Quoi ? s'offensa Dodger. Est-ce que je t'ai déjà déçu ?

– Je te connais à peine.

– Mais le peu que tu en connais te plaît bien. Avoue-le.

– Dodger ! Ce n'est pas un jeu !

– Bien sûr que si, et je sais y jouer, dit-il avec confiance. Garde un œil sur eux. Quand tu en auras l'occasion, fais sortir Mark d'ici.

– Quoi ? Comment ?

Dodger lui sourit.

– Fais-moi confiance. Amène-le à la poupe. Je vous y retrouverai.

– Où vas-tu ?

Dodger porta un doigt à ses lèvres.

– Chut. Secret professionnel. Tiens-toi prête.

Il prit la main de Courtney et l'embrassa élégamment, puis il lui fit un clin d'œil et s'en alla vers le maître d'hôtel. Courtney le vit chuchoter à l'oreille de celui-ci, puis il lui glissa en douce quelque chose qui pouvait être un pourboire. Il lui donna un petit coup de poing sur le bras, comme s'ils étaient de vieux amis, et quitta le restaurant. À quoi jouait-il ? Le maître d'hôtel quitta son poste pour marcher d'un pas nonchalant vers l'orchestre. Il y avait une petite piste de danse entre la salle à manger et l'estrade, et plusieurs personnes ondulaient au rythme de cette musique lente. Le maître d'hôtel s'approcha du chef d'orchestre et lui murmura quelque chose à l'oreille. Il acquiesça et le maître d'hôtel repartit.

Qu'avait bien pu lui dire Dodger ?

C'était le moment pour elle d'entrer en scène. Elle devait s'approcher de la table de Mark sans se faire repérer. Elle se glissa entre les plantes en pot... et faillit s'affaler sur une table occupée par un couple entre deux âges.

– Oups, pardon, dit-elle en rattrapant une bouteille de vin avant qu'elle ne touche le sol.

– Toi ! s'exclama la femme avec colère.

C'était la femme que Dodger et Courtney avaient percutée en montant à bord. Elle regarda autour d'elle, cherchant quelqu'un à qui la dénoncer.

– Pardon, madame, c'est ma faute, dit Courtney en reposant soigneusement le vin sur la table. Cette bouteille est pour moi. Mettez-la au compte de ma chambre. Douze cent douze. Galvao.

– Oh, heu... merci, s'exclama l'homme.

La femme n'avait pas l'air satisfaite. Elle décocha à l'intruse un regard irrité avant de retourner à sa soupe. Courtney repartit pour se rapprocher de la table de Mark tout en s'efforçant de se cacher de ses autres convives. Elle atteignit une des grandes colonnes et se dissimula derrière. Elle n'était plus qu'à quelques mètres de sa cible. Elle resta là, adossée au marbre, attendant... quoi ?

La réponse ne tarda pas. Un jeune steward traversa rapidement la salle. Il portait un plat argenté avec un mot dessus. Il se dirigea tout droit vers la table de Mark, et Courtney l'entendit dire :

– Un télégramme pour monsieur Mitchell. De Londres. Apparemment, c'est urgent.

– Merci, répondit Andy.

Ou plutôt Saint Dane. Courtney en eut la chair de poule.

Andy lut le mot et fronça les sourcils.

– Flûte ! s'exclama-t-il avec colère.

– Qu'est-ce qu'il y a ? demanda Nevva.

– C'est de KEM, rétorqua Andy. Je dois leur répondre tout de suite. Viens, Nevva.

Courtney les entendit repousser leurs chaises.

– Veuillez nous excuser, dit poliment Nevva.

– Il y a un problème ? demanda M. Dimond.

– Rien que je ne puisse résoudre, grogna Andy.

Nevva et lui quittèrent la table, passant tout près de la colonne dissimulant Courtney, qui retint son souffle. S'ils se retournaient, ils la verraient certainement. Quelle idée de s'être approchée si près ! Mais ils s'éloignèrent d'un pas pressé sans un regard en arrière. Elle put à nouveau respirer. Et maintenant ? Était-ce l'occasion qu'elle attendait ? Devait-elle se confronter à la famille Dimond au grand complet ? Elle aimait bien M. et Mme Dimond. Peut-être accepteraient-ils de l'écouter ? Ou alors ils appelleraient les autorités, et elle se retrouverait dans sa cellule. Un risque qu'il lui fallait courir. Elle allait quitter son abri lorsque l'orchestre s'arrêta de jouer. Le chef prit le micro :

– Nous avons une requête bien particulière, annonça-t-il. Une petite danse pour un couple heureux qui a quelque chose à fêter. M. et Mme Dimond, où vous cachez-vous ?

Le public applaudit en parcourant la salle des yeux. Courtney ne put s'empêcher de sourire. Elle savait que M. Dimond serait mortifié. Il n'était pas très bon danseur. Mais Mme Dimond l'entraînerait malgré tout sur la piste. Elle, par contre, aimait danser. Courtney en conclut également que Dodger était décidément plein de ressources.

Les lumières s'éteignirent. Un projecteur s'alluma et scruta les dîneurs pour se poser sur les Dimond. Sous les applaudissements de la foule, Mme Dimond entraîna son mari sur la piste de danse. Tout le monde les regardait. Courtney risqua lentement un œil. Mark était seul à la table, se tenant le menton d'une main tout en tambourinant machinalement sur la table avec sa cuillère.

– Dix minutes, déclara-t-elle en marchant vers lui. C'est tout ce que je te demande.

Mark bondit comme s'il avait reçu une décharge électrique.

– C-C-Courtney ? C-c-comment est-ce...

– Tu bégaies. Ça veut dire que le Mark que je connais est toujours là, quelque part. Viens avec moi, je t'en prie.

– Je ne p-p-peux pas, répondit Mark d'un air penaud.

– Mais si, implora Courtney. Il le faut.

– Je t'en prie, Courtney ! Tu ne peux pas me demander de faire quoi que ce soit qui puisse leur nuire !

Il regarda ses parents qui dansaient sous la lumière du projecteur. Courtney se dit qu'ils irradiaient le bonheur.

– Crois-moi, c'est bien la dernière chose que je veux faire. Mais je dois te dire ce qui se passe. Il y a beaucoup trop de choses en jeu. Toi, entre tous, tu devrais le savoir. Ou est-ce que tu as oublié tout ce qui nous est arrivé ces trois dernières années ?

Les yeux de Mark passaient nerveusement de ses parents à Courtney.

– On n'a pas beaucoup de temps, insista Courtney. Bobby va partir en guerre, une guerre que tu es le seul à pouvoir empêcher.

Le regard de Mark se posa sur elle. Courtney connaissait cette expression. Elle l'avait vue plus d'une fois pendant qu'ils lisaient ensemble les journaux de Bobby et qu'ils s'interrogeaient sur les réalités du temps et de l'espace, mais aussi quand ils étaient entrés dans le flume, lorsqu'ils avaient contemplé pour la première fois la cité de l'Eau noire et lorsqu'un flume était apparu sous leurs yeux dans le sous-sol de la maison Sherwood. Elle sut alors qu'elle ne l'avait pas définitivement perdu.

– Tu dois rentrer à nouveau dans le jeu, Mark, dit-elle.

Mark regarda ses parents. Un sourire triste étira ses lèvres. Il inspira profondément, jeta sa cuillère sur la table et se leva.

– Hobie-ho, dit-il.

PREMIÈRE TERRE
(suite)

Ils s'empressèrent de traverser le bateau, évitant la foule, prenant des voies détournées pour échapper aux regards indiscrets. Courtney savait qu'ils n'avaient pas beaucoup de temps devant eux. Lorsque tout le monde regagnerait la table et constaterait l'absence de Mark, ils penseraient sans doute qu'il était aux toilettes ou quelque chose comme ça, ce qui leur laisserait quelques minutes de battement. Mais Saint Dane et Nevva ne tarderaient pas à comprendre qu'il y avait un problème et se lanceraient à sa recherche. S'ils faisaient fouiller le bateau, on ne manquerait pas de découvrir l'évasion de Courtney, ce qui n'arrangerait guère leurs affaires. Ils n'avaient qu'une petite fenêtre d'opportunité pour sauver Halla, et Mark.

Ils jaillirent sur le pont A et coururent vers la poupe. Personne en vue. Ils seraient tranquilles, du moins pour un temps. Ils s'arrêtèrent face à la rambarde. Courtney scruta le sillage écumant du paquebot. Ils étaient bien loin de la surface des flots. Elle se tourna vers Mark et, à ce moment, retrouva le garçon qu'elle connaissait depuis si longtemps.

– Tu m'as manqué, dit-il.

Ils s'étreignirent. Courtney serra son ami contre elle. Peut-être que tout finirait par s'arranger ? Comme elle avait envie de le croire !

– Tu es glacée, remarqua Mark.

Il retira sa veste de smoking et la passa autour de ses épaules.

– Merci.

– Il s'est passé tant de choses, dit tristement Mark.

– Plus que tu ne le crois, renchérit Courtney. Mark, après ce que tu m'as dit, je comprends pourquoi tu as agi comme tu l'as fait.

– À t'entendre, on dirait que tout est joué. On n'est pas encore arrivés en Angleterre.

– C'est pour ça que je suis là, reprit Courtney. Pour ça que le flume m'a déposé avant que tu n'offres Forge à cette compagnie.

– Tu es au courant ? demanda Mark, surpris.

Courtney eut envie de rire. Elle en savait plus qu'elle n'en désirait.

– J'ai tant de choses à te raconter, reprit-elle rapidement. Mais on n'a pas le temps. Ils doivent être déjà à nos trousses. J'ai cherché mille moyens de te faire comprendre ce qui se passe vraiment. Ou ce qui va se passer. Mais j'ai fini par comprendre que le plus important se résume à un simple fait. Il est essentiel que tu me croies, parce que tout en découle.

– Qu'est-ce que c'est ?

– Tout ce que je t'ai dit est vrai. Andy Mitchell est un avatar de Saint Dane. Il l'a toujours été, depuis le jardin d'enfants où on l'a rencontré pour la première fois. Cette histoire n'a pas commencé le jour où Bobby est parti de chez lui. Saint Dane a influé sur nos vies. Il t'a manipulé. Il s'est arrangé pour que tu le craignes, puis il t'a séduit en se révélant être un génie, et enfin il a gagné ta confiance en t'aidant à me sauver après mon accident. Tout était planifié. Mark, tu sais ce qu'il a fait sur d'autres territoires. Tu sais qu'il gagne la confiance des gens pour les pousser à commettre des erreurs. C'est ce qu'il a fait en Seconde Terre. Il nous a tous manipulés. Il faut que tu me croies, Mark.

Il ne la quittait pas des yeux. Elle tenta de lire dans son esprit. Pourvu qu'il assimile toutes ces informations afin de voir les choses sous une nouvelle perspective. Mark était très intelligent. Il pouvait se sentir trahi, exploité, idiot même, mais elle était sûre qu'il comprendrait et accepterait ce qui s'était passé. Il n'y avait pas d'autre explication.

– Tu te trompes, finit-il par dire.

– Mais...

– Il n'y a qu'une seule chose qui compte pour moi. Si les événements avaient suivi leur cours naturel, mes parents seraient morts !

– Mais ils mourront de toute façon ! s'écria Courtney. Je veux dire... Je ne sais pas ce que je veux dire, mais j'ai vu la Seconde Terre après que le passé a été modifié. Après que *tu* l'as modifié. Tes parents étaient toujours morts dans cet accident.

– Alors pourquoi sont-ils là, à danser sous un projecteur ?

Elle se mordit la lèvre. Comment répondre à ça ?

– Courtney ! lança Dodger en courant vers eux.

Mark se raidit. Courtney le rassura aussitôt :

– Pas de panique ! C'est Dodger, l'Acolyte de Gunny.

Le groom serra la main de Mark.

– Content de faire ta connaissance, mon gars, affirma-t-il. On a eu du mal à te mettre la main dessus. Mais maintenant, tout est arrangé. Non ?

Mark et Courtney baissèrent les yeux. Dodger fronça les sourcils.

– Tu lui as parlé de Saint Dane, non ?

– Il ne me croit toujours pas.

– Tu n'as pas de preuves ? demanda Mark.

– Tu peux lire les journaux de Bobby, répondit-elle faiblement.

– Ça ne suffit pas ! aboya Mark. Mes parents sont là, avec moi, bien vivants. Tu veux que je détruise Forge, c'est ça ? Autant me demander de les tuer tous les deux.

– Je sais, c'est dur, convint Courtney.

– Dur ? cria Mark. C'est le moins qu'on puisse dire !

– Mark, il y a quelque chose qui cloche ! contra-t-elle. En introduisant Forge en Première Terre, tu vas déclencher une réaction en chaîne qui mènera à la création d'une technologie dont Saint Dane va se servir pour détruire Halla. C'est un fait indiscutable. Mais tu ne peux pas le savoir, parce que tu n'as pas lu les derniers journaux de Bobby.

– Ils sont peut-être faux, reprit Mark. Tu me dis que Saint Dane nous a trompés toutes nos vies pour me pousser à déclencher l'apocalypse. Il a peut-être trouvé un moyen de réécrire ces journaux. Tu y as pensé ?

– Non, répondit Courtney en secouant violemment la tête. Tu sais que c'est impossible.

– Mais tu n'as pas la bonne version de l'histoire. Mes parents en sont la démonstration. Tout ce que tu as, c'est des mots sur une page. Moi, j'ai une preuve vivante !

– Mais j'étais là ! cria Courtney, des larmes de frustration lui brûlant les yeux. J'ai vu comment la Seconde Terre a été modifiée.

– Je suis désolé, Courtney, dit Mark. Je ne doute pas que Saint Dane ait un rôle à jouer dans tout ça, mais je pense que c'est toi qu'il manipule, comme il l'a fait à Stansfield. Je vais présenter Forge à cette compagnie anglaise. Ils peuvent en faire ce qu'ils veulent : l'essentiel, c'est de déclencher une réaction en chaîne qui sauvera la vie de mes parents. Je ne sais pas ce que Saint Dane t'a raconté, mais ta version des événements n'est pas la bonne. Ce n'est pas ce qui est écrit. Une fois arrivés à Londres, on tirera tout ça au clair.

Mark toucha gentiment l'épaule de Courtney, puis fit mine de s'en aller.

– Reste où tu es, Mark, dit Dodger.

Surpris, Mark leva les yeux pour voir le groom braquer sur lui le revolver qu'il avait pris au sixième officier Hantin.

– Dodger ? s'exclama Courtney stupéfaite. Qu'est-ce que tu fais ?

– C'est notre dernière chance, répondit Dodger. Dès qu'il sera parti, on va se faire choper par l'équipage et on passera le reste du voyage aux fers. C'est maintenant ou jamais.

– Range ce machin ! ordonna Courtney.

Dodger ne cilla pas. Mark recula nerveusement vers la rambarde.

– Il ne te croit pas ! insista Dodger. S'il s'en va, tu sais ce qui va se passer. C'est ce que tu veux ?

– Non ! s'exclama Courtney. (Elle tourna vers Mark des yeux remplis de larmes.) Je t'en prie, Mark, je te dis la vérité ! Je ne sais pas comment tes parents peuvent être là, bien vivants, mais si tu ne détruis pas Forge, tu risques de provoquer la fin de Halla.

– C'est ce que tu crois, répondit-il. Pas moi.

– Ne m'oblige pas à faire ça, supplia Dodger.

Sa voix tremblait presque autant que celle de Courtney. La main qui tenait le revolver était mal assurée.

– Je vais livrer Forge, affirma Mark, et je vais sauver mes parents.

Il s'enhardit à faire un pas vers Dodger. Celui-ci hésita. Courtney lui prit le revolver des mains et le braqua vers Mark.

– Arrête ! cria-t-elle en pleurant.

Sa main tremblait, mais le canon resta braqué sur Mark.

– C-C-Courtney ? bégaya Mark comme s'il n'en croyait pas à ses yeux.

– Il y a beaucoup de choses que je ne t'ai pas encore racontées, reprit Courtney entre ses larmes. On est allé en Troisième Terre, Bobby et moi. On a examiné l'Histoire avec un grand H. Tout ce que je t'ai dit est vrai, Mark. Y compris le fait que ton cadavre s'est échoué sur le rivage. On t'a tué d'une balle de revolver. Les ordinateurs ignoraient l'identité de l'assassin, mais je crois que ce mystère est résolu. Il semblerait que ce soit… moi.

– N-n-non ! bégaya Mark. Tu me tirerais dessus, vraiment ?

– Je t'aime comme un frère, Mark, sanglota Courtney. Mais je ne peux pas te laisser faire. Je ne peux pas te laisser changer l'histoire.

Mark resta figé sur place. Courtney arma le revolver. Mark recula tout contre la rambarde. Impossible de lui échapper.

– Je t'aime aussi, Courtney, dit-il doucement. J'imagine que c'est ce qui est écrit.

Courtney leva son revolver, plissant des yeux pleins de larmes. Mark se raidit et ferma les yeux. Courtney visa. Son doigt se crispa sur la détente. Le temps se figea. Ce moment parut durer une éternité. Puis Courtney cligna des yeux, fit un pas de côté et jeta le revolver par-dessus bord. L'arme s'abîma dans le sillage du navire. Mark relâcha le souffle qu'il retenait depuis un certain temps déjà. Courtney alla le serrer contre son cœur. Tous deux se laissèrent aller, en larmes, éperdus d'émotion.

– Courtney ! cria Dodger. À quoi tu joues ?

– Je suis en train de changer l'histoire, répondit-elle. Mark a été assassiné à bord de ce bateau. Par l'un d'entre nous, on le sait maintenant. Et voilà ! Il est sauvé. L'histoire a été modifiée. Je nous ai peut-être fait gagner le temps nécessaire pour tout arranger. (Elle regarda Mark et ajouta :) Je suis désolée.

– Moi aussi. Mais je n'ai pas changé d'avis pour autant.

– À quel sujet ? fit une voix de femme.

M. et Mme Dimond s'approchaient, bras dessus, bras dessous.

– Tout va bien ? demanda M. Dimond.

– Tout va bien, répondit Mark d'une voix peu convaincante.

– On essaie toujours de comprendre, Courtney, reprit M. Dimond. On veut t'aider, et aider Bobby. Que pouvons-nous faire ?

Courtney regarda Mark, qui détourna les yeux. Elle se tourna vers Dodger, qui haussa les épaules :

– À toi de jouer.

Les Dimond se blottirent l'un contre l'autre, attendant que Courtney prenne la parole. Celle-ci avait fait leur connaissance après que Mark et elle furent devenus Acolytes, et elle les trouvait formidables. L'idée qu'elle puisse vouloir leur mort, quoi qu'en dise l'histoire, lui était douloureuse. Elle voulait que tout aille mieux et qu'ils suivent le cours naturel de leurs vies. Mais c'est alors qu'une idée la frappa.

– Vous pouvez peut-être nous aider, en effet, dit-elle. Vous êtes même les seuls qui le peuvent encore.

– Tout ce que tu voudras, répondit M. Dimond.

– Vous dites que Mark vous a tout raconté ? À propos de Halla, de Saint Dane et des Voyageurs ? C'est bien ça ?

– On est toujours sous le choc, reprit Mme Dimond.

– Mais que lui avez-vous raconté *vous* ? Je veux dire, que s'est-il passé au moment où vous alliez monter dans cet avion ?

Les Dimond se regardèrent sans comprendre.

– Il n'y a pas grand-chose à raconter, répondit M. Dimond. On ne l'a pas pris. Sinon, on ne serait pas là, n'est-ce pas ?

– Oui, mais *pourquoi* n'avez-vous pas pris cet avion ? demanda Courtney pendant que ses méninges s'emballaient. Mark croit qu'en venant en Première Terre, il a mis en branle une réaction en chaîne qui vous sauvera. Je veux savoir en quoi elle consistait. Qu'est-ce qui vous a empêché de monter dans cet avion ?

M. Dimond répondit en haussant les épaules :

– C'était Nevva Winter. Elle nous a intercepté juste avant l'embarquement. Je croyais que Mark était au courant.

Courtney jeta un coup d'œil à Mark. Il secoua lentement la tête.

– Je ne savais pas.

Courtney ferma les yeux et sourit. Elle était tellement soulagée qu'elle en aurait pleuré.

– Est-ce si important ? demanda M. Dimond.

– C'est essentiel, répondit Courtney. Mark, voilà ta preuve. Nevva savait ce qui allait arriver et elle a empêché tes parents de monter à bord. Elle vient d'un autre territoire. Rien de ce que tu peux faire n'aura d'effet sur elle. Ou sur l'accident. Cet avion va s'écraser malgré tout. Si tes parents sont en vie, c'est parce que Saint Dane les a sauvés pour te convaincre de faire précisément ce que tu t'apprêtes à faire.

Mark s'adossa à la rambarde, fixant le pont d'un regard vide. Les pièces du puzzle s'assemblaient enfin.

– Mark, s'enhardit Courtney, tu peux tout arranger sans perdre tes parents. Je t'en prie, aide Bobby.

Mark lui décocha un regard douloureux et lui posa une question poignante dans sa simplicité.

– Qu'ai-je fait ?

– Rien, s'empressa-t-elle de répondre. Enfin, pas encore.

Mark se décolla de la rambarde et avança droit devant lui, passant entre les autres.

– Où vas-tu ? demanda M. Dimond.

Sans s'arrêter, Mark répondit :

– Détruire Forge.

PREMIÈRE TERRE
(suite)

– Ils sont là ! cria Andy Mitchell.

Il se trouvait tout en haut, accoudé à la rambarde du pont-promenade, et regardait le pont principal, que Mark venait de quitter. Nevva et deux officiers de bord l'accompagnaient.

– Vite ! cria Courtney.

Mark se mit à courir, Courtney et Dodger sur ses talons.

– Ralentissez-les ! lança Courtney aux Dimond.

Mark disparut à l'intérieur du bateau, aussitôt suivi par Courtney et Dodger. Andy et les officiers dévalèrent les escaliers pour se lancer à leurs trousses, mais se cognèrent aux Dimond, qui leur bloquaient le passage au pied des marches.

– Salut, Andy ! fit gaiement M. Dimond.

– Laissez-nous passer ! ordonna Andy.

Les Dimond ne se laissèrent pas intimider.

– Je pense que tu nous dois des explications, reprit Mme Dimond d'un ton réprobateur.

Andy lui jeta un regard furieux. Un instant, ses yeux jetèrent des éclairs de colère d'un bleu glacial. Mme Dimond eut un hoquet de surprise et un pas de recul. Andy semblait sur le point de frapper quelqu'un, mais l'officier arriva juste derrière lui.

– Allons, ordonna-t-il, inutile d'en venir aux mains. Nous sommes sur un bateau. Ils ne pourront pas nous échapper bien longtemps.

Andy se retourna d'un bond, prêt à se jeter sur l'officier. Il remarqua Nevva qui se tenait en haut des marches, derrière les deux hommes, et lui fit signe de descendre par l'autre côté. Andy repoussa les officiers pour gravir les marches.

Mme Dimond se tourna vers son mari.

– Qui aurait cru que la situation pouvait devenir encore plus étrange…

Mark sprinta le long des coursives du pont principal. Il ne fit pas de détours inutiles, ne prit pas une route complexe pour semer d'éventuels poursuivants. Il fallait faire vite. Courtney et Dodger étaient sur ses talons. Ils se moquaient d'être vus, et tant pis s'ils devaient passer le reste du voyage aux fers. Maintenant, tout se résumait à une course contre la montre. Ils devaient arriver les premiers à la suite de Mark. Avant Andy ou Nevva. Ils étaient presque au bout de leur mission.

Ils devaient détruire Forge.

Devant eux, un groupe de passagers en tenue de soirée sortit de la salle de restaurant en riant.

– Chaud devant ! cria Mark.

Il n'attendit pas qu'ils obtempèrent. Il fonça dans le tas. Les hommes reculèrent, les femmes s'éparpillèrent. Courtney aurait éclaté de rire si elle-même ne risquait pas de leur rentrer dedans. Ils avaient à peine retrouvé leurs esprits qu'elle cria à son tour :

– Attention !

Les passagers se plaquèrent contre les cloisons. Courtney et Dodger passèrent en trombe sans même un mot d'excuse.

Mark continua le long d'une coursive bordée d'élégantes portes blanches. Il ralentit juste assez pour pouvoir déchiffrer les numéros, permettant à Courtney et Dodger de le rejoindre.

– C'est là ? demanda Courtney. Ta suite est là ?

– Oui, répondit Mark, reprenant son souffle tout en cherchant sa clé.

– On n'a pas toute la nuit, insista Courtney.

– Je fais de mon mieux ! rétorqua Mark.

Il s'arrêta devant une porte et tenta de fourrer la clé dans la serrure.

– Mark ! Arrête ! cria une voix derrière eux.

Andy Mitchell apparut à l'autre bout de la coursive.

– Magne-toi, mon vieux, implora Dodger.

Mark n'arrivait pas à enfoncer la clé dans la serrure.

– Je suis t-t-trop nerveux ! s'écria-t-il. Ah, voilà !

Il tourna enfin la clé et ouvrit la porte. Tous trois bondirent dans la suite. Dodger referma aussitôt le panneau derrière eux et mit le verrou. Mark se précipita vers la petite commode de bois et ouvrit le tiroir du haut pour fouiller au milieu des paires de chaussettes.

Dodger regarda autour de lui et eut un sifflement admiratif.

– Pas mal comme turne ! (Il se laissa tomber sur un divan et passa ses mains derrière sa tête.) Autant en profiter, vu qu'on va passer le reste du voyage à fond de cale.

Courtney alla se poster derrière Mark pour le surveiller d'un regard nerveux.

– Dis-moi qu'il est toujours là, supplia-t-elle.

– Je le tiens ! annonça Mark.

Il brandit le petit gadget d'apparence bien anodine qui allait changer l'histoire. Courtney ne s'en souvenait que trop. À ses yeux, on aurait dit un vulgaire morceau de pâte à modeler. À l'intérieur, il y avait un squelette complexe qui changeait de forme en réponse à des commandes verbales. Quant à sa peau de plastique, Saint Dane avait volé le concept en Troisième Terre. La technologie informatique, elle, provenait tout droit du cerveau de Mark. Il l'avait appelé « Forge ». C'était le produit de la Dimond Alpha Digital Organisation. Cette petite boule d'argile était l'ancêtre direct des dados.

– Détruis-le, ordonna Courtney.

Mark couvait son invention d'un regard affectueux. Dodger se leva d'un bond et alla poser son oreille contre la porte.

– Ils arrivent, dit-il calmement. Ne tarde pas trop.

– Je suis désolé, Courtney, reprit Mark. Je ne voulais pas en arriver là.

– On aura tout le temps d'en parler plus tard. Vas-y !

Le visage de Mark reflétait sa douleur. Il jeta la balle sur le plancher, ferma les yeux et posa son pied dessus. Courtney entendit un craquement satisfaisant. Et au moment même où Forge cessait d'exister…

L'anneau de Courtney s'anima. Elle le leva pour le montrer aux autres.

– Ça veut dire que tout a changé ? demanda Mark.

– On ne va pas tarder à le savoir, répondit-elle.

Elle retira l'anneau et le posa par terre. Dodger gardait son oreille contre la porte.

– Je ne les entends plus. Vous croyez qu'ils savent ce qu'on vient de faire ?

– J'en suis sûre, répondit Courtney.

Mark fit tourner son pied pour pulvériser les derniers fragments de son invention. Il ramassa les morceaux et les jeta par le hublot. Forge avait cessé d'exister.

Des rayons de lumières illuminèrent la pièce pendant que l'anneau grandissait. Dodger rejoignit les deux autres pour assister au spectacle. Peu après, l'anneau reprit sa taille normale. À côté, il y avait un rouleau de parchemin.

– Ça n'a pas traîné, remarqua nerveusement Courtney.

– Le temps passe vite quand on le traverse, ajouta Dodger.

Courtney ramassa la liasse et la serra contre son cœur.

– Je présume qu'on lira tout ça dans notre cellule. Je suis fière de toi, Mark.

Elle se pencha et l'embrassa sur la joue. Mark baissa les yeux.

– Tu as bien agi, mon gars, renchérit Dodger. Hem, je m'excuse d'avoir failli te tirer comme un lapin. Ça ne m'enchantait pas plus que ça.

Mark ne réagit pas. Il continua de fixer le sol.

– Ça va ? lui demanda Courtney.

– Je ne sais pas, répondit Mark. Je ne pourrai te le dire qu'une fois que je serai sûr que mes parents sont en vie.

Journal n° 32

IBARA

Ce journal sera mon dernier.

Je sais, ce n'est pas la première fois que je dis ça, mais c'était toujours par peur que quelque chose m'empêche d'écrire à nouveau. Et là, ce n'est pas le cas. Il ne va rien m'arriver. Plus jamais. Je m'en suis assuré. Au moment où j'écris ce journal, pour la première fois depuis que je suis parti de chez moi pour devenir un Voyageur, je me sens en sécurité. Et j'en ai bavé pour en arriver là. En fait, ç'a été un vrai cauchemar. Mais maintenant, c'est fini. Si on veut. Il va falloir que je revive les événements pour pouvoir les raconter. Je m'en passerais bien. C'est trop douloureux. Mais ça ne serait pas correct envers vous, ni envers les autres Voyageurs. Ni envers l'oncle Press. Je dois terminer ce que j'ai commencé, comme je l'ai fait ici, sur Ibara. Maintenant que j'ai pu prendre du recul sur tout ce qui s'est passé depuis que j'ai rédigé mon dernier journal, il y a une chose que je peux affirmer avec certitude. La bataille pour Halla est terminée. Je vais donc vous raconter comment j'en suis venu à cette conclusion, là, dans mon ultime journal. J'espère trouver les bons mots pour décrire ce qui s'est passé. Tel que je l'ai vu. Tel que c'était écrit.

Quand on est retournés sur l'île d'Ibara pour y ramener le tak, on a fait passer des vêtements locaux à Alder, puis on a traversé le nouveau tunnel, direction la montagne du tribunal. Pas un seul quig ne nous a embêtés. Le poison devait les avoir tous tués. Lorsqu'on est arrivé à Rayne, les villageois traînaient dans les rues. Une bonne partie d'entre eux étaient en armes. Certains pleuraient. D'autres tentaient de les consoler. Tous semblaient sur les nerfs. Un spectacle bien sinistre.

– C'est comme si on n'était jamais parti ! a remarqué Siry, stupéfait.

– Je te l'ai dit. Le flume nous dépose où il faut, quand il faut. Ici, l'attaque des Utos remonte à quelques heures, tout au plus.

– Stupéfiant, a chuchoté Siry, interloqué.

Pour moi, le plus stupéfiant, c'est encore que ce genre de miracle a cessé de m'étonner. Alors qu'on traversait le village, j'ai vu qu'Adler regardait autour de lui avec curiosité. Calculant nos chances de réussir, probablement. Il n'avait rien à dire de bien encourageant.

– Où est votre armée ? a-t-il demandé.

– On n'en a pas, ai-je répondu.

– Alors qui va affronter les dados ?

– Ces gens.

– Ces gens, comme tu dis, ne sont pas prêts à partir en guerre. Ils ne sont pas entraînés au combat. Comment veux-tu que des pêcheurs repoussent une armée de robots ?

– Maintenant, tu comprends pourquoi on s'est donné tant de mal pour récupérer du tak ?

Au fur et à mesure qu'on se rapprochait, j'ai constaté que Genj avait fait ce que je lui avais demandé. Toute une foule se massait à la base de la montagne. Les gardes de sécurité rassemblaient les hommes disposés à se battre – et en état de le faire. En voyant tous ces pauvres bougres terrifiés, j'ai compris qu'Alder avait raison sur toute la ligne. Ils n'avaient pas l'ombre d'une chance.

Les membres du tribunal nous attendait dans la caverne où ils tenaient audience. Telleo était présente, elle aussi. Les gardes de sécurité nous ont fait signe d'entrer. Décidément, tout avait changé. On n'était plus de vulgaires hors-la-loi.

– Je vous présente Alder, ai-je annoncé. C'est un guerrier. Il peut nous aider.

En nous voyant, Genj a froncé les sourcils.

– Tu pars chercher de l'aide et tu reviens avec un seul homme ?

443

Moman et Drea n'avaient pas l'air davantage convaincues. Telleo semblait sceptique, elle aussi. Aucune importance. Ils ne savaient pas de quoi Alder était capable.

– On ne sait pas combien de temps il nous reste, ai-je remarqué. Il faut qu'on organise nos défenses dès maintenant.

– Je ne comprends pas, a repris Moman. Les Utos ont déjà attaqué. Ils ont détruit les bateaux des pèlerins. Pourquoi repartiraient-ils à l'assaut ?

– Ce ne sont pas les Utos qui m'inquiètent, ai-je répondu. Une armée s'est assemblée à Rubic City et s'apprête à envahir Ibara. Et ces soldats sont bien plus coriaces que les Utos. Ce sont des machines.

Genj et les autres m'ont dévisagé comme si je leur parlais chinois.

– Je les ai vus, a ajouté Siry. Ils vont débarquer ici à bord de drôles de petits bateaux. Et ils sont des milliers.

– Qui les contrôle ? a demandé Genj. L'homme qui a tué Remudi ?

– C'est le chef des Utos, ai-je répondu.

C'était la vérité, si l'on veut. Bien sûr, il était bien plus que ça et avait des desseins autrement plus importants, mais ce n'était pas le moment d'en parler. D'ailleurs, ce moment ne viendrait peut-être jamais. Les membres du tribunal se sont regardés. Ils n'étaient toujours pas convaincus.

– Écoutez, ai-je dit sèchement, soit vous nous aidez, soit toute votre œuvre, tout ce que vos ancêtres ont construit, tout ce qu'Aja Killian a rêvé pour Ibara, va s'écrouler. À vous de choisir.

Là, j'ai touché juste.

– Je crois ce que dit Pendragon, a déclaré Telleo. Les Utos ont détruit notre avenir. Pourquoi s'arrêteraient-ils en si bon chemin ?

– Nous ne sommes pas des guerriers, a précisé Genj.

– Je sais. Il faudra compter sur notre intelligence… et notre chance !

Il était temps de préparer la défense d'Ibara. Je comptais amener du tak pour m'en servir contre les dados, mais c'était à peu près tout. Soudain, j'étais bien content d'avoir Alder à mes côtés. Il s'y connaissait en stratégie. C'était un soldat. Bon, d'accord, il faisait partie d'une armée de chevaliers médiévaux, mais c'était tout de même un militaire. On a étalé sur la table du tribunal les cartes que m'avait données Aja et on s'est massés autour pour les étudier.

– Où les as-tu trouvées ? a demandé Genj, surpris.

– À Rubic City, ai-je répondu.

Je n'ai pas précisé que c'était une Rubic City située quelques siècles plus tôt, ni qu'Aja Killian en personne me les avait confiées. Il aurait certainement pété un boulon.

En examinant la carte, j'ai tout de suite repéré la grande baie qui abritait Rayne. Alder s'est approché pour voir de près les détails de l'île.

– Il n'y a qu'un seul endroit où faire débarquer une armée d'invasion, a-t-il conclu. Là, dans cette baie.

– C'est pour ça qu'on y a édifié la ville de Rayne, a expliqué Genj. C'est le seul endroit où installer un port. Le reste de l'île se compose de falaises rocheuses et de plages traîtresses.

– Dans ce cas, on sait où installer nos défenses, a repris Alder. (Il a désigné plusieurs points rouges ponctuant les flots peu après l'embouchure de la baie.) Et ça, qu'est-ce que c'est ?

– Les canons que les militaires ont installés il y a des siècles, a répondu Moman. Ils sont censés défendre l'entrée de la baie.

Alder m'a regardé, interdit. Les canons, ce n'était pas son truc.

– Ils sont automatiques ? ai-je demandé.

– Non, a répondu Genj. Ils sont contrôlés par nos forces de sécurité depuis l'intérieur de cette montagne. Nos gardes se chargent aussi de leur entretien.

– Peut-on voir comment ils fonctionnent ?

Genj a secoué la tête. Cette idée ne lui disait rien.

– Ce n'est pas si facile. Depuis les premiers colons d'Ibara, nous avons toujours gardé le secret sur les installations militaires de l'île. Ces canons ont rarement été utilisés, et toujours de nuit, pour des exercices d'entraînement.

– Genj, ai-je repris en luttant pour ne pas perdre patience. Croyez-vous vraiment qu'après ce qui est arrivé aux pèlerins, il reste encore une personne sur Rayne qui ignore l'existence de ces canons ?

Il a jeté un regard angoissé à Moman et Drea. Ça me faisait mal de leur faire endurer ça. Toute leur vie durant, ils avaient suivi scrupuleusement les règles qu'Aja avait édictées il y avait des siècles de ça. Et à présent, ils devaient bien se rendre compte qu'elles n'avaient plus cours. Ils avaient été les garants de l'espoir de tout un peuple ; maintenant, ils devaient se contenter de lui éviter le pire.

— Continue, a-t-elle fini par dire.

— Qu'est-ce que c'est ? ai-je demandé en désignant un trait épais parallèle à la plage et qui passait sous le village.

— C'est un tunnel, a répondu Genj. Les militaires s'en servaient pour entreposer leurs armes.

— Est-ce qu'il en reste quelque chose ? ai-je demandé, plein d'espoir. Je veux dire, des armes ?

— Non, a répondu Genj. Quand les militaires ont abandonné l'île, ils les ont détruites.

— À part ça, de quoi disposez-vous pour vous défendre ? a demandé Alder.

— De sarbacanes, a répondu Siry. Et de dards empoisonnés.

Alder et moi avons échangé un regard peu engageant.

— Je doute qu'ils aient beaucoup d'effet sur des machines, ai-je remarqué.

— On a aussi des arcs, a repris Genj. Leurs flèches ont une portée beaucoup plus importante. Peuvent-ils vous servir ?

Alder a dressé l'oreille.

— Oh, oui, certainement, a-t-il affirmé.

Je savais ce qu'il avait en tête. Les flèches pouvaient être lestées de tak.

— On n'a pas de temps à perdre, a-t-il conclu. J'ai un plan.

Un plan qui avait sa part de génie, mais aussi une bonne dose de cette proverbiale énergie du désespoir. Notre seule chance était d'attendre les dados là où ils toucheraient terre, et notre seul avantage était de pouvoir dissimuler nos défenses. Les dados devraient venir vers nous. Là où on les attendrait.

La première chose qu'on a fait, c'est s'adresser au peuple de Rayne dans ce grand amphithéâtre en extérieur. Les gradins débordaient d'une populace angoissée. Ils avaient tous assisté à

la destruction des bateaux des pèlerins. Ça n'a pas été très difficile de les convaincre qu'un autre assaut était imminent. Genj a
pris la parole et leur a dit qu'ils n'étaient pas le dernier rempart
d'une civilisation à l'agonie, mais portaient au contraire la
promesse d'un monde nouveau. Il leur a fait peur mais, en même
temps, leur a redonné espoir. L'espoir d'un nouveau départ et la
peur de ne pas en profiter – à moins qu'ils ne se battent pour
défendre leur île. Il s'en est plutôt bien tiré. En tout cas, il a gagné
mon respect. Il ne voulait que le bien de son peuple. Bien sûr, on
n'aurait pas dû leur cacher la vérité pendant si longtemps, mais ce
n'était pas sa faute. Il ne faisait que suivre des règles qui s'étaient
transmises au fil des siècles. Des règles édictées par Aja. Bizarre,
vous avez dit bizarre ?

Genj nous a présentés à la foule, Alder et moi. Il a dit qu'on
venait d'au-delà des mers et qu'on avait les connaissances nécessaires pour défendre l'île. Il leur a prescrit de nous obéir comme
si on était nous-mêmes membres du tribunal.

Autant dire qu'il nous confiait son peuple et l'avenir d'Ibara.

On avait beaucoup à faire, et vite. Alder a chargé Telleo de
rassembler tous ceux qui n'étaient pas en état de combattre – les
enfants et les personnes âgées. Quelques émissaires ont reçu pour
mission de les emmener en lieu sûr dans un autre village de l'île.
Pendant que cet exode commençait, Siry a emmené un groupe
d'une trentaine de personnes aux cavernes près du rivage pour
transporter le tak au village.

– Qu'est-ce que je leur dis quand ils verront le dygo ? m'a-t-il
demandé.

– Que c'est à bord de ce véhicule que nous sommes venus de
l'autre côté de l'océan. Non seulement ils seront impressionnés,
mais en plus, ça renforcera notre crédibilité. Et assure-toi que
personne ne laisse rien tomber, ai-je ajouté. Sinon, le dernier son
qu'ils entendront sera un énorme « boum ».

Siry a acquiescé avant de s'en aller avec son équipe.

Un garde de sécurité nous a sommairement initiés au fonctionnement des canons, Alder et moi. La salle de commande était
localisée sur un point élevé de la montagne, d'où on dominait la
baie. De là, on pouvait surveiller leur bon fonctionnement. Il y

avait une seule chaise pivotante, un panneau de contrôle et une manette pourvue d'une détente permettant de manipuler chacun des dix canons. Le garde nous a expliqués qu'il y avait toujours quelqu'un pour monter la garde au cas où l'île serait attaquée. Mais, jusqu'à récemment, on n'avait jamais eu l'occasion de s'en servir.

Avant de quitter la pièce, j'ai jeté un œil en direction de Rubic City. La mer était déserte. Il nous restait encore un peu de temps.

Une fois que Siry et son équipe eurent terminé d'apporter le tak à la montagne, ils ont entamé la tâche plutôt délicate de fixer une noisette de cet explosif à la pointe des flèches. On en a amené des milliers depuis l'entrepôt où elles étaient conservées, ainsi que des centaines d'arcs. Siry s'est chargé de tout organiser et de former de véritables chaînes d'assemblage pour fabriquer des flèches explosives. Pas de doute, c'était un meneur d'hommes né. Par un mélange de fermeté et de persuasion, il a fait en sorte que tout le monde s'y mette à cent pour cent. Finalement, on a disposé d'un véritable arsenal de milliers de flèches. Malheureusement, les dados aussi étaient des milliers.

Alder prévoyait de constituer quatre rangées d'archers parallèles au rivage. La première commencerait tout près des flots et les autres seraient disposées à intervalle régulier jusqu'à la montagne. Ils abattraient les dados un par un dès qu'ils aborderaient. Bien sûr, ils ne pourraient jamais les détruire tous. Au fur et à mesure que les envahisseurs se rapprocheraient, les archers battraient en retraite pour rejoindre les autres à l'arrière, d'où ils continueraient de tirer. Le but du jeu était d'en tuer un maximum avant qu'ils n'atteignent la montagne du tribunal.

C'est là qu'aurait lieu l'assaut final. C'était la meilleure position défensive. Les archers reculeraient petit à petit pour rentrer dans la montagne. Avec un peu de chance, on aurait déjà décimé assez de dados pour pouvoir se débarrasser des survivants. Sinon, cette montagne serait notre tombeau.

Pendant que Siry surveillait la fabrication des flèches, on nous a menés aux tunnels sous le village, Alder et moi. Leur entrée se trouvait dans la montagne du tribunal. On a descendu des escaliers de pierre pour gagner un long passage étroit qui ressemblait à une galerie de mine creusée à travers la roche. Mon sens de l'orientation m'a dit qu'elle se dirigeait vers la plage. On est partis au pas de course, croisant des entrées de couloirs secondaires qui n'étaient même pas sur la carte. La galerie s'est terminée sur un embranchement. C'était donc cet énorme tunnel indiqué sur les croquis. Il s'étirait sur la gauche comme sur la droite, plongé dans des ténèbres impénétrables. Tous les trois mètres, il y avait des échelles apparemment très anciennes qui montaient vers le plafond. Alder en a escaladé une et a regardé par une meurtrière creusée dans la pierre.

– Je vois la mer, a-t-il annoncé. Ce sont des positions de défense. C'est là que se tiendra notre troisième ligne. Les dados ne sauront pas d'où viennent les tirs.

Quand Alder est redescendu d'un bond, j'ai vu que – incroyable mais vrai – il avait le sourire.

– Tout compte fait, Pendragon, on a peut-être une chance.

J'ai regardé le long du tunnel sombre. Une idée commençait à se former dans ma tête.

– À quoi tu penses ? m'a demandé Alder.

– Ce couloir est notre arme secrète. Il ne reste plus qu'à trouver la meilleure façon de s'en servir.

Il se faisait tard. Le soleil déclinait derrière les montagnes, allongeant les ombres. Alder a remarqué qu'il y avait peu de chance que les dados attaquent de nuit, ce qui a soulagé la pression qui pesait sur nos épaules. Enfin, un peu. Voire très peu. Lorsque le soleil se lèverait le lendemain, ce serait au-dessus de la mer. Autant dire qu'on l'aurait dans les yeux.

– S'ils sont intelligents, a remarqué Alder, ils attaqueront à l'aube, quand le soleil est au plus bas.

– Quand il nous aveuglera, tu veux dire.

Alder a acquiescé. *Super.* L'aube des dados. On aurait dit un film d'horreur de série Z. C'en était peut-être un.

Plus tard, Telleo est revenue nous prévenir que les enfants et les vieillards étaient en sécurité à l'autre bout de l'île. « En sécurité » ? Ben voyons. Pour combien de temps ? Je préférais ne pas y penser.

Maintenant, il s'agissait de rassembler notre armée improvisée au point de ralliement pour lui transmettre les derniers ordres. Enfin, armée est un bien grand mot, vu qu'il n'y avait pas de gradés ni de véritable organisation. Alder mis à part, personne n'avait la moindre expérience militaire. On se contentait d'improviser au fur et à mesure.

J'ai laissé à Siry la tâche d'organiser son peuple. Il les a divisés en groupes. Ceux qui se sentaient capables de se débrouiller avec un arc et des flèches se sont mis d'un côté. À vue de nez, je dirais que ça nous faisait une centaine d'archers potentiels. Un autre groupe a été sélectionné pour sa rapidité. Ils serviraient de messagers transmettant les ordres du poste de commande aux archers. Le dernier groupe était celui des estafettes. Ils iraient là où on aurait besoin d'eux, que ce soit pour transporter des munitions, s'occuper des blessés ou, dans le pire des cas, prendre les arcs et les munitions de ceux qui tomberaient au champ d'honneur.

Ce serait une guerre, et une guerre n'est jamais belle à voir.

Alder a expliqué sa stratégie au groupe, en leur montrant sur la carte l'emplacement de chaque ligne au moment de l'invasion. Il leur a conseillé de tenir leurs positions et d'attendre l'ordre de battre en retraite. Tout se jouerait à l'intérieur de la montagne. En attendant, il faudrait contenir les dados le plus longtemps possible.

Le plus longtemps possible. Combien d'heures ? De jours ? Quelles directives Saint Dane leur avait-il donné ? Et comment cela finirait-il ? Pourrait-on capituler, ou avaient-ils reçu l'ordre de nous exterminer jusqu'au dernier ? Je préférais ne pas y penser, et pourtant, c'était bien possible.

Pendant qu'Alder s'adressait aux villageois, je suis resté derrière lui, à scruter les visages du peuple d'Ibara. Ceux qui étaient restés pour se battre. Ils étaient environ deux cents. Personne n'a rien dit, pas un mot. Ils l'ont écouté attentivement. Ils avaient l'air de crever de trouille. Ils étaient avides de tout ce qui pourrait leur permettre de croire qu'ils auraient peut-être une chance. Ils avaient vu ce qui était arrivé aux pèlerins. Ils ne comprenaient peut-être pas la nature de leur ennemi, mais ils se faisaient une idée de ce dont il était capable. Des neuf cents pèlerins qui s'étaient embarqués ce matin, la moitié seulement avait survécu.

Jusque-là, je n'avais qu'une seule chose en tête : vaincre Saint Dane. Comme je l'ai déjà dit, la bataille d'Ibara sera sans doute la première d'une guerre impliquant Halla tout entier. Mais en regardant ces visages crispés par la peur, j'ai compris que c'était aussi leur combat. Ils n'étaient pas que des pions sur un échiquier plus vaste qu'ils ne pouvaient concevoir. C'était des innocents qui, jusque-là, avaient mené une existence paisible et productive. Ils étaient ici chez eux. Ils n'avaient rien fait pour mériter le triste sort qui les attendait. Maintenant, l'avenir de tout ce qui existait reposait sur eux. Ce n'était pas juste. Saint Dane répète sans arrêt que les gens des territoires provoquent eux-mêmes leur propre malheur. Qu'est-ce que ces gens avaient fait de mal ? Leur seule mission était de faire revivre leur civilisation agonisante. Méritaient-ils ce qui leur tombait dessus ? Non, bien sûr, et je n'en détestais Saint Dane que davantage. Je voulais remporter cette bataille pour toutes les raisons que j'ai déjà exposées, mais après avoir côtoyé ces gens, après avoir senti leur peur, je voulais vaincre en leur nom.

Quand Alder a fini son discours, il m'a demandé si je voulais ajouter quelque chose. Là, c'était un piège. Que pouvais-je dire pour leur faire comprendre à quel point la bataille serait importante ? Ou pour leur donner un peu d'espoir ? Je suis monté sur l'estrade, tout seul, et j'ai scruté leurs visages anxieux. Les membres du tribunal étaient sur le côté. Ils faisaient de leur mieux pour avoir l'air confiant, mais je savais qu'ils étaient tout aussi terrifiés que les autres. Telleo se tenait à côté de son père. Elle m'a adressé un sourire et un hochement de tête en guise de soutien. J'aurais bien voulu leur dire quelque chose qui puisse leur remonter le moral, mais quoi ? La plupart d'entre eux ne savaient pas ce qu'il y avait en dehors de leur île, alors comment leur expliquer Halla ? Ils ignoraient qu'ils allaient jouer un rôle crucial dans l'avenir de tout ce qui avait existé. Comment pouvais-je leur redonner confiance, leur faire croire qu'ils avaient une chance de s'en sortir ? Tous m'ont regardé, en mal de réponses. Ou d'inspiration. Ou Dieu sait quoi.

– Notre avenir ne dépend pas de cette bataille, ai-je fini par dire. Ce n'est pas la fin de tout. Ce n'est qu'un moment dans l'histoire. Quoi qu'il arrive, il y aura toujours un lendemain. C'est à nous de le rendre meilleur. Je crois sincèrement qu'on peut y arriver. Ne perdez jamais l'espoir, parce que c'est ce que veut l'ennemi. Peu importe le résultat de cette bataille : tant qu'on croira en un monde meilleur, on aura gagné.

Je me suis arrêté là. Je suis descendu de la scène avec l'impression d'avoir été en dessous de tout. La première personne que j'ai croisée a été Siry. Il avait les larmes aux yeux.

– Qu'est-ce qu'il y a ? ai-je demandé.

– De tout ce que tu as pu me dire, ce sont ces derniers mots qui me resteront.

Une main s'est posée sur mon épaule. C'était celle de Telleo.

– C'est le destin qui t'a amené ici, Pendragon, dit-elle. Notre avenir repose sur toi.

Elle m'a embrassé sur la joue avant de me serrer dans ses bras. Je lui ai rendu son étreinte en tentant de croire, ne serait-ce qu'un instant, que tout irait bien.

Alder et moi sommes retournés à la cabane communautaire où je m'étais installé. C'est là que j'ai terminé mon dernier journal pour te l'envoyer. De toute façon, je n'aurais jamais pu trouver le sommeil. Qu'allait-il se passer lorsque l'aube viendrait ? Serait-ce le commencement de la fin ou la plus grande victoire de tous les temps ?

Pendant toutes ces années, j'ai respecté la directive de l'oncle Press et évité de mélanger les territoires. Chacun d'entre eux est censé suivre sa propre destinée sans interférences. C'est ce qui est écrit. Mais Saint Dane a changé tout ça et m'a forcé à faire un choix pénible. Allions-nous payer un prix trop élevé pour la victoire ? Fallait-il laisser les klees d'Eelong massacrer les gars ? Aurais-je dû quitter Quillan sans concourir au Grand X ? Dire que tout doit suivre son cours naturel ne signifie pas forcément que tout ira pour le mieux. Bien sûr, nous ne devrions pas chambouler la destinée des territoires, mais Saint Dane non plus. À cause de ses machinations, le cours des événements a été modifié. Partout. Est-ce que nos méfaits respectifs vont s'annuler ?

Je n'en sais rien. Mais il est trop tard à présent pour revenir en arrière.

Courtney, alors que je termine ce dernier journal, je garde l'espoir que tu aies pu retrouver Mark. Je m'imagine ce qui se passerait si le soleil se levait sans le moindre dado à l'horizon ! Et qu'on attende leur invasion pour rien, puisqu'ils auraient cessé d'exister. Cette idée me rend encore plus nerveux. Je n'ai pas le droit de me bercer de faux espoirs. Je dois me préparer comme si la bataille était inévitable. À mes pieds, j'ai une des matraques noires anti-dado de Quillan. J'ai envie de m'en servir. J'ai hâte que le soleil se lève.

Je veux me battre.

Journal n° 32
(suite)

IBARA

Tôt le lendemain matin, Alder et moi sommes partis pour la montagne du tribunal. On a traversé le village de Rayne plongé dans les ténèbres. Il restait encore une bonne heure avant le lever du soleil, mais les archers se mettaient déjà en position. Pour autant que je sache, ils avaient passé la nuit sur place. La première ligne se situait sur la plage, la seconde dans le village, avec les cabanes pour abris. La troisième était souterraine, et les archers tiraient par les meurtrières des galeries souterraines. La quatrième et dernière était encore plus loin, à mi-chemin de la montagne. On a croisé les regards de plusieurs archers. J'y ai lu de la frayeur, mais aussi de la confiance. Ce n'était pas des soldats, mais ils étaient prêts à se battre. On n'a pas échangé le moindre mot, uniquement des hochements de tête.

Le poste de commande se trouvait dans la salle d'où on actionnait les canons sous-marins. De là, on avait une vue imprenable sur la baie, le village et l'océan qui s'étendait jusqu'à l'horizon. Le futur champ de bataille. On serait aux premières loges.

Les trois membres du tribunal étaient déjà là, accompagnés de Siry et de l'armoire à glace qui m'avait arrêté peu après mon arrivée. C'était lui notre première ligne de défense. Il était assis sur l'unique chaise. Il y avait aussi trois autres types qui serviraient de messagers pour transmettre les ordres aux archers.

Je suis allé le trouver et lui ai demandé tout de go :

– Tu es vraiment bon ?

Il a fait tourner sa chaise vers moi.

– Le meilleur, a-t-il répondu fièrement.

Il avait l'air bien sûr de lui. Pour ma part, j'attendrais de juger sur pièces.

La carte d'Ibara était accrochée au mur. On y avait tracé de grands traits indiquant l'emplacement des archers. Je l'ai fixée en me demandant ce qui allait se passer. Je pouvais imaginer la bataille elle-même, mais pas le dernier acte. Bien sûr, j'espérais qu'on réduirait les dados en tas de ferraille avant qu'ils ne puissent vraiment faire des dégâts, mais c'était bien peu probable. Loin de moi l'idée d'être pessimiste, mais les chiffres ne jouaient guère en notre faveur.

Comme s'il lisait mes pensées, Genj s'est approché de moi.

– Au pire des cas, accepteront-ils notre reddition ?

– Je ne sais pas. On verra le moment venu.

– Si ce moment arrive, a corrigé Siry.

Lui aussi semblait confiant. On était au moins deux à y croire vraiment.

– Où est Telleo ? ai-je demandé.

– Je l'ai envoyée auprès des villageois qui se cachent, a répondu Genj.

– Y a-t-il une chance que l'invasion n'ait pas lieu ? a demandé Drea.

– Espérons-le.

Je ne voyais pas quoi lui dire d'autre.

Je suis allé me tenir devant la grande fenêtre creusée dans la pierre. Le ciel commençait à s'éclaircir. Bientôt, on pourrait apercevoir la surface de l'océan et ce qui s'y trouvait. Alder m'a rejoint, et on est restés là, à scruter la mer de ténèbres.

– J'ignore si ce qu'on fait est bien, a-t-il dit, mais je ne crois pas qu'on ait le choix.

J'ai acquiescé, heureux de cette marque de soutien.

Le ciel d'encre a lentement viré au bleu, suivi par une mince langue de lumière à l'horizon. Dans quelques minutes, le soleil se montrerait. On est tous restés là, à scruter ce trait incandescent.

– Je ne vois rien, a dit Siry, plein d'espoir. On devrait les apercevoir, non ?

Je n'ai pas répondu. Je n'en savais rien.

– C'est plutôt encourageant ! a proclamé Moman, pleine d'espoir. Peut-être se contentent-ils d'avoir coulé les bateaux des pèlerins ?

Mon espoir était différent. De tout mon cœur, je souhaitais que tu aies retrouvé Mark et que les dados n'aient jamais existé.

– Tu as peut-être raison, a renchéri Drea. Ils ont pu penser que notre tentative de quitter l'île les menaçait. Ils voulaient juste s'assurer qu'on reste…

– Là, a annoncé sèchement Alder. Il y a quelque chose.

Et pourtant, l'eau restait uniformément noire.

– Moi, je ne vois rien, a repris Siry.

On a du attendre plusieurs minutes exaspérantes, le temps que le soleil éclaire l'océan. Lorsque ses premiers rayons se sont répandus sur la surface liquide, tout est devenu clair. Drea a eu un mouvement de recul. Vu le spectacle qui se dévoilait sous nos yeux, c'était une réaction plutôt modérée.

– Quel esprit diabolique peut avoir conçu une telle chose ? a demandé Genj d'une voix douce.

Je connaissais la réponse, mais je doutais qu'il veuille l'entendre. Ce qu'on a vu ce matin-là sur l'océan ne pouvait en effet qu'être le fruit d'un cerveau démoniaque. Il n'y avait pas d'autre terme pour le décrire. À ce moment, j'ai compris ce qu'avaient dû ressentir les soldats allemands de la Seconde Guerre mondiale au moment du Débarquement sur les plages françaises, en voyant la flotte alliée emplir l'horizon.

Là, face à l'embouchure de la baie, il y avait des skimmers. Des milliers. Ils se sont mis en mouvement par formations serrées, se dirigeant droit vers nous. La première ligne d'assaut se composait d'une cinquantaine de vaisseaux. Une autre la suivait. Et une autre, et une autre encore. Ils étaient trop nombreux pour que je puisse les compter. À vue de nez, il y avait trois passagers par skimmer. Sous les feux du soleil naissant, on aurait dit des fantômes. Ou des anges de la mort. Notre attente touchait à sa fin.

L'invasion allait commencer.

– Ils sont armés, a annoncé Alder.

Même de notre position éloignée, on pouvait voir que chaque dado était muni d'un pistolet doré. On aurait dit des armes de

Quillan. L'armoire à glace qui se tenait à côté de moi a ouvert de grands yeux.

– Tu prétends être le meilleur, lui ai-je dit. C'est le moment de le prouver.

Il a repris ses esprits et sauté sur sa chaise d'un air résolu. Les instruments étaient simples : devant lui, il y avait un panneau avec plusieurs manettes. Le siège était assez haut pour qu'il puisse surveiller ses engins. Une série de miroirs enchâssés dans la pierre lui permettait d'adopter le point de vue de chaque canon.

– Quel genre de munitions tirent-ils ? ai-je demandé.

– Des petits projectiles propulsés par la pression de l'eau.

Oh. Ce n'était pas vraiment la définition d'une arme de destruction massive, mais il était trop tard pour faire le difficile.

– De combien de coups disposes-tu ?

En guise de réponse, il a froncé les sourcils pour signifier « pas assez ».

Les rangs de skimmers se sont resserrés alors qu'ils se rapprochaient de l'embouchure de la baie. Bien. Ça faisait de meilleures cibles.

– Pointe les canons ! s'est écrié Genj, de plus en plus nerveux. Ouvre le feu !

– Ils ne sont pas encore à portée, a répondu le tireur. Ne vous inquiétez pas. Qu'ils se rapprochent, et ils feront connaissance avec le comité d'accueil.

Un éclair noir a traversé le ciel, survolant la montagne pour continuer vers l'océan. On aurait dit un oiseau noir surdimensionné. Je n'avais encore rien vu de tel sur Ibara, mais ailleurs si.

– Saint Dane, ai-je chuchoté à Alder.

– Apparemment, il préfère voir la bataille d'en haut.

– Oui. Offrons-lui un bon spectacle.

Mes paumes étaient moites de sueur. Par réflexe, j'ai saisi la matraque noire. Ça me donnait quelque chose à quoi me cramponner. De plus en plus de dados sont apparus. On aurait dit qu'ils ne cesseraient jamais d'arriver.

– Un peu plus près, a marmonné le canonnier en enserrant la manette. Allez !

Les dados se sont resserrés encore davantage. La première ligne n'était plus qu'à une cinquantaine de mètres de l'embouchure. Ils étaient à portée. Un silence de mort planait sur toute la scène. Ça ne durerait pas.

– Bienvenue à Ibara, a dit le canonnier en abaissant plusieurs commutateurs.

Un par un, les canons se sont élevés au-dessus des flots. Jusqu'à présent, je n'en avais vu qu'un, mais maintenant une dizaine de doubles tubes se mettaient en position, formant un demi-cercle protecteur devant la baie. L'armada des dados se dirigeait droit vers eux. La bataille d'Ibara allait commencer. Les doigts crispés sur la manette, le canonnier était prêt à ouvrir le feu. Sa main gauche planait au-dessus du panneau de contrôle pour faire alterner les canons.

– Maintenant ! a ordonné Genj.

Le canonnier a ouvert le feu. Un déluge de missiles s'est abattu sur les skimmers. *Thump, thump, thump, thump*. Aussitôt, sous nos yeux, les dados ont volé en éclats. Ç'aurait été plutôt moche s'il s'agissait d'êtres humains, mais comme ce n'était que des robots, ça revenait un peu à tirer sur une machine à laver. Une machine à laver meurtrière, mais une machine à laver quand même. Ce spectacle m'a fait jubiler.

Le canonnier s'est empressé de passer d'un tableau à l'autre pour aligner ses viseurs, sa main gauche courant au-dessus des commandes des canons alors qu'il décimait les rangs des dados. Magnifique. Il était vraiment doué. Cela dit, les assaillants étaient si nombreux qu'il aurait pu tirer dans le tas sans même viser. Comme les pilotes se tenaient à l'avant, ils étaient les premiers à y passer. Ensuite, le skimmer s'immobilisait le temps qu'un autre s'empare des commandes. Résultat : un immense embouteillage. Les skimmers se sont empilés les uns contre les autres. La réaction en chaîne à continué jusqu'à ce que le chaos s'empare de la flotte. Parfait.

– Cette guerre sera terminée avant même d'avoir commencé, s'est écrié le canonnier, confiant, sans cesser de tirer.

J'ai pensé à l'expression « un éléphant dans un couloir ». Il ne ratait jamais son coup. Les dados tombaient comme des mouches. L'eau s'est remplie de pièces mécaniques.

Drea a claqué joyeusement des mains en s'écriant :

— On n'aura même pas besoin des flèches !

Alder n'en était pas si sûr. Il regardait ce carnage en fronçant les sourcils. Je savais qu'il pensait la même chose que moi. Le canonnier s'en tirait mieux qu'on ne l'aurait pensé. Il détruisait les dados par centaines. Malheureusement, il y en avait des milliers. Ce n'était qu'un début.

Je me suis tourné vers un des messagers et lui ai ordonné :

— Va dire à la première ligne d'archers d'attendre que les dados aient pris pied sur la plage avant d'ouvrir le feu.

Il a acquiescé et s'en est allé.

— Que veux-tu dire ? a demandé Drea sans comprendre. Ils n'atteindront jamais l'entrée de la baie, et encore moins la plage.

— Ils vont renoncer, a affirmé Genj. Maintenant qu'ils ont vu qu'on peut se défendre, ils voudront éviter de subir encore plus de pertes.

— Non, ai-je déclaré sèchement.

— Qu'est-ce qui te fait dire ça ? a demandé Moman.

— Ils savaient déjà pour les canons, ai-je répondu. D'après vous, pourquoi sont-ils si nombreux ? Ce sont des machines. Peu importe s'ils se font décimer. Ils continueront de déferler, encore et encore, jusqu'à ce qu'on soit à cours de munitions.

Le canonnier a continué le massacre. L'océan était couvert de débris. Les skimmers sans pilotes se rentraient dedans comme des autotamponneuses. Les dados ne savaient pas nager. Si les missiles ne les tuaient pas, l'eau s'en chargeait. Ils étaient des centaines à battre des bras avant de couler. Les skimmers rescapés de la ligne suivante leur rentraient dedans. C'était un vrai carnage.

— Je suis presque à sec, a lancé le canonnier.

— Continue ! a ordonné Genj.

Il a continué à tirer dans le tas en changeant constamment de canon. J'ai réalisé qu'il en utilisait de moins en moins. Il n'a pas tardé à se contenter de quatre d'entre eux. Puis trois, puis deux et enfin un seul. Une dernière décharge destructrice, puis plus rien.

— C'est tout, a fait le canonnier épuisé, couvert de sueur, hors d'haleine.

En dessous de nous, il y avait toujours un embouteillage à l'entrée de la baie. Les dados de l'arrière n'arrivaient pas à passer.

– Ça ne durera pas, a remarqué Alder.

Il avait raison. Plusieurs skimmers ont quitté leurs positions pour contourner ce goulot d'étranglement, repoussant méthodiquement les débris bouchant le passage.

– Ils savent ce qu'ils font, a remarqué Siry. Ils s'attendaient à quelque chose comme ça.

Impossible de dire avec précision combien de dados le canonnier avait éliminé. Trois cents ? Cinq cents ? Mille, peut-être ? Mais quelle importance, puisqu'il y en avait des milliers d'autres et qu'ils n'étaient plus qu'à une centaine de mètres de la baie.

C'est alors que le tribunal a compris que leur moment de triomphe n'était déjà plus qu'un souvenir.

– Maintenant, aux archers de jouer, a déclaré Siry.

On ne pouvait rien faire, juste attendre, malades d'inquiétude. Il planait le même genre de calme trompeur que dans l'œil d'un cyclone. Et la tempête ne tarderait pas à reprendre de plus belle. Tout en bas, j'ai vu se crisper les archers de la première ligne. Ils savaient ce qui les attendait. À présent, c'était une simple question de nombre. Si les flèches chargées de tak abattaient suffisamment de dados, l'invasion serait terminée. Mais en regardant les innombrables rangées de skimmers qui attendaient que la voie se libère, je n'étais pas très optimiste.

– Là haut, je ne sers à rien, a décidé le canonnier. Je descends rejoindre les défenseurs.

– Tu as fait très fort, lui ai-je dit.

– Je suis fier de toi, a ajouté Genj. Comme nous tous.

Il a hoché la tête et s'en est allé.

Les dados qui ne s'occupaient pas de déblayer le passage s'étaient reformés en petits groupes juste assez importants pour franchir l'embouchure de la baie. Pas de doute, ils savaient ce qu'ils faisaient. Et pourtant, ils ne pouvaient pas avoir été prévenus de ce qui les attendait. Ils connaissaient l'existence des canons, pas celle du tak.

– C'est parti, ai-je déclaré.

La voie était libre. Les skimmers ont commencé à avancer. L'œil du cyclone était presque passé.

– Attendez, ai-je chuchoté.

Comme si la première ligne d'archers pouvait m'entendre. Et pourtant, je redoutais qu'ils n'ouvrent le feu trop tôt et que les dados s'éparpillent. On devait en attirer un maximum dans notre piège pour optimiser la puissance destructrice du tak.

Les dados n'étaient guère pressés. Ils sont entrés dans la baie lentement et en formation impeccable. On aurait plutôt dit des conquérants venus ramasser leur butin qu'une armée d'invasion.

– Ils pensent que la bataille est terminée, a dit Siry, plein d'espoir. Ils ne savent pas ce qui va leur tomber dessus.

L'armada s'est rapprochée de la plage. Pourvu que le messager ait pu porter mon ordre recommandant aux archers de retenir leur tir. Ce devait être éprouvant de se retrouver là en bas, à regarder l'ennemi s'approcher. Mais ils devaient se montrer patients. Plus ils attendraient, plus ils abattraient de dados.

– Ils ont compris, a déclaré Alder. Ils attendent. On a peut-être une chance.

La première ligne de dados a atteint la plage. Mais ils n'ont pas sauté au bas des skimmers pour se cacher à terre. Au contraire, ils se sont regardés comme pour s'assurer que tout le monde était là, puis ils se sont mis tranquillement en marche en direction du village. Pas de tension, pas de frayeur. Ils ne semblaient pas s'attendre à devoir combattre. Ceux qui portaient des armes à feu se contentaient de les tenir braquées vers le ciel d'un air tout naturel.

Tout était parfait.

– Maintenant ! ai-je grondé dans l'espoir que quelqu'un s'enhardirait à tirer la première flèche.

En vain. Toujours plus de dados ont rejoint les autres pour marcher sur Rayne.

– Pourquoi n'ouvrent-ils pas le feu ? s'est écrié Genj. Il y a un problème.

– Oui, ai-je renchéri, ou ils ont plus de cran qu'on ne l'aurait cru.

Et les dados s'écoulaient toujours. Bientôt, ils seraient des centaines et il serait trop tard pour que nos flèches fassent de l'effet. C'est alors que je commençais à croire que notre plan avait échoué…

Que le premier dado a explosé. Littéralement. Ç'a été si subit qu'on a tous sursauté. La flèche n'avait pas fait le moindre bruit. Le seul signe qu'il s'était passé quelque chose, c'est qu'un des dados du milieu de la ligne s'est soudain retrouvé répandu sur toute la plage. Les autres se sont arrêtés pour regarder autour d'eux, l'air aussi intrigués qu'un robot peut l'être. Ils n'avaient pas la moindre idée de ce qui s'était produit. Quelques secondes plus tard, une douzaine d'autres ont volé en éclats dans un éclair blanc, et leurs pièces ont jonché le sable.

– Ils ne comprennent pas ce qui leur arrive, a constaté Alder.

L'excitation faisait vibrer sa voix. Je ressentais la même. Était-ce possible ? Avions-nous vraiment une chance ?

Les archers ont tiré un feu nourri. Les explosions sont devenues assourdissantes. Un par un, les dados ont volé en éclats. Un nuage de fumée a caché la plage. Pourvu que ça n'empêche pas les archers de viser ! Mais peu importait : les dados étaient si nombreux que les flèches finiraient forcément par atteindre quelque chose.

Les assaillants se sont mis à plat ventre pour ramper sur le sable. Ça n'a rien changé. Les archers ont continué de les réduire en tas de ferraille. Les shrapnels volant dans tous les sens semblaient faire autant de dégâts que les flèches elles-mêmes. Les dados continuaient d'affluer pour entrer dans les rouages du piège et tomber un par un. Ceux de l'arrière devaient enjamber les carcasses de leurs collègues abattus avant d'exploser à leur tour. Toute la scène en est devenue irréelle, comme si le temps s'était ralenti. Je n'avais encore jamais rien vu de tel, et j'espérais bien que ce serait la dernière fois.

Tout allait bien… jusqu'à ce que les dados se mettent à riposter.

Ceux qui étaient armés ont stoppé leur progression. Ils se sont planqués derrière les carcasses des premières victimes et ont ouvert le feu. J'ai entendu le *fump, fump, fump* familier de leurs pistolets. Pas de doute, c'était bien des armes de Quillan, conçues pour neutraliser quiconque se prenait une décharge. Sauf que celles-ci semblaient avoir plus de punch. Des arbres ont explosé. Du sable a volé.

Et des archers sont morts.

J'ai vu tomber trois d'entre eux. Le seul moyen de savoir qu'ils étaient morts, c'est que les estafettes se penchaient sur eux pour prendre leurs arcs et leurs flèches, conformément à leur mission. La bataille était devenue bien réelle.

Les explosions se sont raréfiées : les archers se montraient plus prudents. Se faire tirer dessus peut avoir cet effet. Et pourtant, ils continuaient de décimer les rangs ennemis. La plage était un vrai champ de bataille, mais ils tenaient bon. Les dados encore en mer avaient du mal à aborder. Il y avait bien trop de skimmers sur leur chemin. Et de pièces détachées. On se serait cru chez un ferrailleur macabre. Mais ils continuaient d'arriver. Encore et encore. La baie était déjà remplie de skimmers, et d'autres attendaient leur tour. Les dados n'étaient pas battus, loin de là. Ils avançaient, centimètre par centimètre, se rapprochant de la première ligne d'archers.

Ce que je redoutais par dessus tout, c'était qu'on manque de flèches.

– Il va falloir leur dire de battre en retraite, a déclaré Alder.

– Bonne idée, ai-je renchéri. Ils doivent être presque à court de munitions. Faisons-les revenir.

On a envoyé un autre messager porter cet ordre. La seconde ligne n'avait pas encore tiré une seule flèche. Faire reculer la première nous permettrait d'injecter du sang neuf – et des munitions. Le messager a mis plusieurs minutes pour atteindre la première ligne. Il a transmis l'ordre aux archers du centre qui l'ont fait passer de bouche-à-oreille. En un rien de temps, ils ont battu en retraite.

Ce n'était pas une bonne idée. À peine ont-ils fait mine de reculer que les dados ont progressé. Ils semblaient avoir compris que c'était une occasion à saisir. Un déluge de feu s'est abattu sur les archers. Plusieurs d'entre eux sont tombés. D'autres ont atteint la seconde ligne, mais les dados continuaient d'avancer. Et de tirer. Des cabanes ont pris feu. Des arbres ont été abattus. La seconde ligne d'archers s'est vue prise de court. Quand ils ont été en position d'ouvrir le feu, une douzaine d'entre eux gisaient, morts ou blessés, et l'orée du village était en flammes.

La tonalité du combat avait changé. Maintenant, les archers étaient sur la défensive.

– C'est un cauchemar, a marmonné Genj.

Alder a pris le bras du dernier messager et a aboyé :

– Dis-leur de se replier derrière la troisième ligne !

L'homme est parti aussitôt.

– On a besoin de la protection du tunnel, a déclaré Alder. C'est la troisième ligne qui décidera de la victoire ou de la défaite.

La fumée des incendies s'élevait au-dessus du village. Il y avait des cadavres partout. J'avais l'impression de contempler l'avenir de Halla. Était-ce le sort que Saint Dane réservait aux autres territoires ? Comptait-il marcher sur le village milago ? Sur la ville aquatique de Magorran ? En Première Terre, on avait affronté des dados dans le métro. Saint Dane les y faisait-il déjà passer ?

Le messager a atteint la seconde ligne et a transmis l'ordre de battre en retraite. Cette fois, les archers se sont déplacés avec davantage de précautions et sans cesser de tirer. Je commençais à m'habituer au bruit des explosions. Ou peut-être étais-je à moitié sourd. Au moins, ces mêmes explosions sonnaient le glas pour d'autres dados. C'était le *fump* des armes de Quillan qui me glaçait le sang. Ça voulait dire qu'ils visaient les archers.

La retraite s'est bien passée. Dès que les première et seconde lignes sont passées derrière nos défenses souterraines, une pluie de flèches a strié le ciel. Elles ont provoqué une série d'explosions telle que j'ai cru que mes tympans allaient se déchirer. Le village s'est illuminé, encore et encore. J'ai vu voler des morceaux de ferraille. À l'abri derrière leurs meurtrières, les archers ont continué leur pilonnage. Les dados, eux, ne savaient plus où tirer.

Vous voyez le bouquet final d'un feu d'artifice ? C'est la meilleure façon de décrire ce qui se passait au cœur du village. Les explosions se succédaient, encore et encore, martelant impitoyablement les dados. La fumée était telle que je ne pouvais plus voir la mer. Et pourtant, ce chaos semblait devoir ne jamais s'arrêter.

J'ai regardé les membres du tribunal. Ils fixaient le spectacle, le visage figé, les yeux brillants de larmes. Genj a secoué tristement la tête.

– Comment a-t-on pu en arriver là ?

Je savais pourquoi. La réponse planait au-dessus de la fumée, surveillant le carnage. Je me suis mis à imaginer que chaque explosion visait directement Saint Dane. J'espérais qu'il les ressentait au plus profond de lui.

Le tir de barrage s'est interrompu aussi vite qu'il avait commencé. Pourvu qu'ils ne soient pas à court de flèches ! Pendant un temps, il n'y a rien eu à voir, rien que de la fumée. Les archers attendaient peut-être qu'elle se dissipe pour décider de la conduite à tenir. Bien sûr, les dados ne feraient pas autrement.

– C'est tout ce qu'on pouvait leur balancer, a dit Alder. Quand la fumée retombera, on verra bien si ça a suffi.

Je me suis éloigné de la fenêtre. J'avais besoin d'une pause. Je pouvais à peine imaginer ce que nos braves archers devaient ressentir là en bas. Je me suis dirigé vers la carte accrochée au mur. J'ai alors compris que, même si les dados battaient en retraite, Rayne ne serait plus jamais la même. Un bon tiers du village était en flammes. J'ai regardé le croquis du tunnel souterrain. Si on l'emportait, ce serait grâce à lui.

– La fumée se dissipe, a annoncé Drea.

Je suis retourné à la fenêtre pour voir qu'en effet, une petite brise chassait les volutes qui dissimulaient le champ de bataille.

– Les envahisseurs ne peuvent pas avoir survécu à un tel assaut, a dit Genj. Si ?

– On le saura bien assez tôt, ai-je répondu.

La fumée a fini de se dissiper. Ce qu'on a alors vu était à la fois terrifiant... et magnifique. Du tunnel au rivage, rien ne bougeait. Rien. Une partie du village était détruite, mais ce n'était pas trop cher payé, parce que les dados qui avaient touché terre étaient fichus. La plage n'était plus qu'une immense décharge. Je pouvais à peine apercevoir le sable sous les morceaux de ferraille.

– Est-ce possible ? a demandé Moman. C'est vraiment fini ?

Je n'osais pas y croire, mais il semblait que notre plan ait fonctionné. Le tak avait fait son office. On avait repoussé les dados.

L'armée de Saint Dane avait été vaincue. Je pensais déjà à ce qui allait suivre quand Alder m'a pris le bras.

— Quoi ? ai-je demandé, surpris.

Il m'a désigné la baie. J'ai suivi son doigt, et mes genoux ont failli me lâcher.

— Ce n'était que la première vague, a-t-il dit sobrement.

En effet. Une nouvelle armada de dados s'écoulait déjà par l'embouchure, filant vers la plage.

— La bataille ne fait que commencer, ai-je dit.

Journal n° 32
(suite)

IBARA

— Rappelez mes hommes ! s'est écrié Genj, pris de panique. Dites-leur de battre en retraite ! C'est fini. Nous n'avons plus qu'à implorer leur merci. Ils ne peuvent tout de même pas nous massacrer jusqu'au dernier ! Pas si on se rend ! Je vais aller trouver leur chef. Je lui ferai entendre raison. On devra accepter ses conditions, aussi dures soient-elles, mais au moins on s'en sortira vivants ! Il le faut. Je vais le contacter et...

— Genj ! l'ai-je interrompu. Ce qu'il veut, c'est détruire Ibara. Rien de ce que vous pourrez lui dire ne le fera changer d'avis !

— Mais a-t-on vraiment le choix ? a-t-il insisté, les joues rougies par l'émotion. On ne peut continuer le combat. Ce serait du suicide !

Il avait peut-être raison, mais je n'avais pas l'intention de capituler. Du moins pas déjà. Je suis retourné fixer la carte. Une idée avait pris forme dans mon esprit et y traînait depuis quelque temps déjà. Une solution de dernière chance, c'est vrai. J'aurais préféré ne pas en arriver là, et pourtant, je savais qu'il faudrait s'y résoudre. Comme toujours.

— On ne pourra jamais repousser une autre vague, Pendragon, a dit calmement Alder.

J'ai couru vers la fenêtre pour voir où en étaient les dados. Ils venaient d'entrer dans la baie, se déplaçant lentement et avec un luxe de précautions. Ils avaient appris de leurs erreurs passées. Ça me convenait. Ce dont on avait besoin, c'était de temps.

— On a peut-être une chance, ai-je dit rapidement. Mais il faut s'y mettre tout de suite. Il n'y a pas une seconde à perdre !

– Alors allons-y ! s'est écrié Siry avec assurance. Après tout ce qui s'est passé, on ne va tout de même pas abandonner maintenant.

– Qu'est-ce que tu proposes, Pendragon ? a demandé Alder.

– Siry, il nous reste combien de caisses de tak ?

– Trois, a-t-il aussitôt répondu. Elles sont en bas, dans la montagne.

Je me suis tourné vers le petit groupe.

– Vous avez raison, Genj. Les archers ne peuvent pas garder leur position. Ce serait du suicide. Alder, va les chercher. Prends-en une vingtaine et établis la quatrième et dernière ligne là. (J'ai désigné le trait à mi-chemin entre la plage et la montagne.) Pour les autres, qu'ils rentrent tous – j'ai bien dit tous, jusqu'au dernier – dans la montagne. Pour eux, le combat est terminé. Envoie des messagers, qu'ils fassent évacuer les tunnels.

– Pendragon, a repris Alder soucieux, on ne pourra pas les retenir bien longtemps avec seulement vingt archers.

– Non, en effet. Laissons-les aborder et avancer vers le village. Mais c'est là, ai-je insisté en montrant à nouveau ce trait, qu'il faut les arrêter. Inutile de mettre le paquet, il suffit de les empêcher de passer ce point précis. Et si les dados continuent d'affluer à l'arrière, ça me va.

Alder a scruté la carte en cherchant à comprendre ce que je lui disais. Puis j'ai vu la proverbiale ampoule s'allumer dans son esprit. Il a souri.

– Ça peut marcher.

– Qu'est-ce qui peut marcher ? a demandé Siry exaspéré. Qu'est-ce que j'ai raté ?

– On va les laisser venir, ai-je répondu. En masse. Plus on est de fous, plus on rit. Et le dernier bruit qu'ils entendront sera un grand « boum ».

Siry a ouvert de grands yeux.

– Tu veux faire sauter le reste de tak dans le tunnel ! a-t-il dit.

– Juste sous leurs pieds mécaniques, ai-je confirmé.

Genj et les dames ont échangé des regards inquiets.

– Ça a l'air dangereux, a tenté Drea.

– L'air ? ai-je répété en riant. L'air et la chanson ! En fait, c'est complètement dingue ! (Je me suis tourné vers Siry et Alder.) Si vous êtes avec moi, dites-le maintenant, parce qu'on n'a pas beaucoup de temps.

– Tu rigoles ? s'est aussitôt écrié Siry. Allons-y !

– Je vais chercher les messagers, a dit Alder en partant vers la porte.

Il allait sortir quand je l'ai arrêté.

– Il faudra que tu sois le plus loin possible du tunnel quand tout sautera, mais je n'aurai aucun moyen de te prévenir.

– Ne t'en fais pas, Pendragon, a-t-il répondu. Je garderai mes distances. Mais comment vas-tu faire exploser le tak ?

J'ai haussé les épaules.

– On n'en est pas encore là.

Alder m'a serré contre lui.

– Je sais que je l'ai déjà dit, mais je suis fier de savoir que tu es le Voyageur en chef.

– Et je suis heureux que tu m'aies convaincu de te laisser venir. Maintenant, file !

Alder est parti en courant. Je suis retourné auprès des membres du tribunal.

– Là-haut, dans la montagne, vous ne risquez rien. Si j'échoue, partez d'ici aussitôt. Emmenez les villageois, allez à l'autre bout de l'île retrouver les autres et fuyez. Prenez les bateaux de pêche. Prenez tout ce qui flotte, mais allez-vous en. Quoi qu'il arrive, vous ne devez pas tomber dans les griffes de Saint Dane. Maintenant, c'est *vous* les pèlerins de Rayne.

Genj a acquiescé. Il avait compris. Il était tout pâle, le pauvre. Drea et Moman ne valaient guère mieux.

– Merci, a dit Genj.

– Je compte sur vous. Vous devez survivre. L'avenir de Veelox repose entre vos mains.

– Et entre les tiennes, a-t-il ajouté.

Je me suis emparé de ma matraque anti-dado, l'ai passée dans le dos de ma chemise pour garder les mains libres et je suis parti vers la porte, Siry sur mes talons. Tout dépendrait de notre minutage. Il fallait être prêt au moment où les dados entreraient dans le piège. On a dévalé les escaliers menant à la base de la montagne. L'immense caverne du rez-de-chaussée avait été transformée en

469

hôpital de combat improvisé. Les archers tombés au champ d'honneur étaient transportés dans cet abri et déposés sur le sol. J'ai eu la joie d'entendre grogner certains d'entre eux. Au moins, ils étaient toujours en vie. Plusieurs messagers s'occupaient des blessés, leur apportant de l'eau ou pansant leurs plaies. Une femme en particulier faisait tout son possible.

– Telleo ! ai-je crié. Je croyais que tu étais à l'autre bout de l'île !

– Je suis plus utile ici. C'est de la folie, Pendragon. La bataille est terminée ?

– Bientôt. On va y mettre fin.

– Vous allez déposer notre reddition ?

– Non, on prépare une petite surprise pour nos invités. Ils vont en sauter de joie.

Elle n'avait pas le cœur à rire. Siry non plus.

– Sois prudent, a-t-elle dit avant de retourner s'occuper des blessés.

Prudent ? La bonne blague ! On a couru jusqu'à l'autre côté de la caverne, où un messager gardait les trois dernières caisses d'explosifs. On en a pris chacun une et on les a traînées vers les escaliers menant aux galeries souterraines. Le signal d'évacuation avait été donné : on a dû se frayer un passage au milieu des archers qui abandonnaient les couloirs. Ils ouvraient de grands yeux terrifiés, visiblement encore sous le choc, mais avaient l'air contents de sortir de ce piège.

Cependant ils nous ralentissaient. Par deux fois, on m'a bousculé, et j'ai failli laisser tomber ma lourde caisse. Ouille. Finalement, le flot s'est réduit, nous laissant le champ libre.

– Comment saura-t-on qu'il est temps de tout faire sauter ? a demandé Siry en cours de route.

– On devrait entendre les bruits de la bataille au-dessus de nos têtes. Quand ils nous parviendront, ce sera le signal.

– Et comment déclenche-t-on l'explosion ?

Je n'ai pas répondu. Je doutais qu'il ait envie d'entendre ce que j'avais en tête.

– Pendragon ? a-t-il insisté.

Bon : il voulait l'entendre.

— Il est très facile de faire détoner du tak, ai-je répondu. L'essentiel, c'est d'être le plus loin possible quand il explose.

— Et donc ?

— Et donc, je n'y serai pas. Le plus loin possible, je veux dire.

— Quoi ? s'est exclamé Siry.

Il s'est arrêté et a posé sa caisse. J'en ai fait autant.

— Inutile de chercher à comprendre, parce que je ne suis pas sûr moi-même d'avoir pigé. Mais Saint Dane prétend que les Voyageurs sont des illusions. Et plus j'en vois, plus je pense qu'il dit la vérité.

Siry m'a fixé sans comprendre.

— J'ai tué Saint Dane et il a ressuscité, ai-je repris. Il a assassiné Loor d'un coup d'épée, et pourtant elle est revenue à la vie.

— Mais mon père est bien mort. Et il n'est pas le seul, non ?

— Je ne crois pas qu'ils soient vraiment morts. Enfin, pas complètement.

— C'est n'importe quoi ! s'est exclamé Siry. Où veux-tu qu'ils soient ?

— Je ne sais pas, ai-je répondu. On ignore presque tout de Halla. Qui a créé les flumes ? Quelle puissance les contrôle ? D'où Saint Dane tire-t-il ses pouvoirs ? C'est un Voyageur, comme nous. Peut-être qu'on lui ressemble plus qu'on ne le croit. Je ne pense pas que les Voyageurs puissent mourir, du moins pas au sens qu'on accorde habituellement à ce mot.

— C'est de la folie ! a-t-il crié.

— Je sais, mais je le pense vraiment. L'oncle Press m'a promis qu'on se reverrait. J'ai foi en lui. Ce moment est peut-être venu.

Siry a secoué la tête. Il refusait d'accepter ce que je lui disais.

— Crois-moi, ai-je insisté, je n'ai aucune envie d'en passer par là, mais je pense que c'est le seul moyen de sauver Ibara. Et Veelox. Et Halla.

— C'est à moi de le faire, a dit Siry avec conviction. C'est mon territoire. Et d'abord, tout est de ma faute.

— Pas du tout ! ai-je rétorqué. Sans toi et les Jakills, Ibara n'aurait jamais eu l'ombre d'une chance. Quand cette bataille sera finie, on aura besoin de toi. Tu devras aider à la reconstruction d'Ibara et de Veelox. On doit battre Saint Dane et les dados,

471

mais ce n'est qu'un début. Toi, Genj et les autres, vous serez les nouveaux pèlerins.

– Que vont devenir les Voyageurs sans toi ? s'est-il écrié.

– Je ne pense pas qu'ils devront continuer sans moi. Je serai toujours avec eux, avec toi. Pendant toutes ces années, j'ai eu l'impression que l'oncle Press était à mes côtés. Pourquoi serait-ce différent ? Crois-moi, s'il y avait une autre solution, je…

– Attends, a coupé Siry, qui regardait quelque chose par terre. Je crois qu'il y en a bien une.

J'ai suivi son regard. Là, sur le sol, gisait une flèche abandonnée par un archer pressé de sortir de là.

– Tu as peut-être raison sur toute la ligne, a-t-il dit d'un ton pensif. Peut-être qu'on est des illusions. Peut-être qu'on ne peut pas mourir. Mais tu n'en es pas sûr. Tu ne peux *pas* en être sûr. Alors on le vérifiera un autre jour.

Je le comprenais. En effet, il y avait un autre moyen.

– Va chercher des flèches, ai-je dit rapidement. Je pose le tak.

Siry n'a pas hésité. Il a tourné les talons et s'est mis à courir vers la montagne. C'est alors que la première explosion a retenti au-dessus de nous. L'ultime bataille avait commencé. Siry s'est immobilisé et tourné vers moi.

– Tu m'attends, hein ?

– Dépêche-toi.

Et il est reparti en courant. Je pensais tout ce que je lui avais dit. J'avais l'intention de découvrir ce qu'étaient vraiment les Voyageurs. Étais-je persuadé d'y survivre d'une façon ou d'une autre ? Non, mais j'étais prêt à courir ce risque. C'était une solution de dernière chance pour vaincre Saint Dane. S'il y avait un autre moyen moins radical, je le choisirais. Siry l'avait peut-être découvert.

J'ai ramassé l'une des caisses. J'aurais bien pris les deux, mais elles étaient trop lourdes et je ne voulais pas courir le risque d'en laisser tomber une. Je suis parti en courant le long de la galerie avec mon fardeau. Cinquante mètres plus loin, j'ai atteint l'embranchement situé juste en dessous de la zone dangereuse. Quelques autres explosions ont retenti à la surface. La terre a tremblé et du sable m'est tombé dessus. La bataille avait commencé, et pourtant, les détonations étaient rares. Alder était loin d'être bête. Il ne fallait pas que les dados comprennent qu'ils tombaient dans un piège. L'assaut final n'avait pas encore commencé. Ils n'avaient pas encore débarqué en masse. On avait du temps devant nous.

J'ai posé la première caisse de tak au croisement entre le tunnel menant à la montagne et celui qui suivait le rivage. Avant de repartir chercher la deuxième, j'ai tiré ma matraque anti-dado et l'ai posée à côté de la caisse. Autant l'abandonner : je n'en aurais plus besoin, et elle me ralentissait. J'ai couru récupérer la seconde caisse. D'autres explosions ont résonné. Ça chauffait fort. Pourvu que Siry fasse vite. J'ai ramassé l'autre caisse et je suis retourné à l'embranchement, où je l'ai posée sur la première. Et voilà. Le piège était tendu. J'allais tourner les talons pour aller chercher l'arc quand une idée m'a frappé. Il y avait quelque chose qui n'allait pas.

La matraque n'était plus là. Je me suis empressé de regarder autour de moi. Hein ? Je l'avais posée juste à côté de la caisse il n'y avait pas une minute. Avait-elle roulé à terre ? J'ai entendu une sorte de raclement. Ça venait du tunnel de gauche. Je me suis accroupi, prêt à tout, et j'ai scruté les ténèbres. J'ai vu les échelles menant aux meurtrières, et rien d'autre. Le couloir était désert.

— Y a quelqu'un ? ai-je crié. Ça va ?

Sans doute un des archers blessés, que tout le monde avait abandonné. Je devais le sortir de là, et vite. Sinon, il serait condamné à mort. J'ai entendu des bruits de pas traînants. Il y avait bien quelqu'un.

— Hé ! ai-je crié. Ne restez pas là ! Il va y avoir une…

Je me suis étranglé quand j'ai vu de qui il s'agissait. Ou plutôt de *quoi*. Car c'est un dado qui est sorti des ténèbres d'un pas raide, un survivant de la première vague qui avait dû creuser la terre et tomber sur le tunnel. Il se déplaçait bizarrement, comme si ses circuits étaient déréglés. Il tenait ma matraque et s'appuyait dessus comme sur une béquille. Je ne savais pas quoi faire. Cette machine se déplaçait d'une drôle de façon, comme si elle était au bout du rouleau. Je me suis détendu, pensant qu'elle ferait encore quelques pas avant de tomber raide…

Grave erreur. Le dado a attaqué sans prévenir. Il a cherché à me frapper avec la matraque. Je me suis baissé et l'ai sentie siffler au-dessus de ma tête. Le second coup ne m'a pas raté. Il m'a cogné au front, m'envoyant valser contre la paroi du tunnel. Avant que j'aie pu reprendre mes esprits, il m'a sauté dessus, brandissant la matraque comme un épieu. Il allait me clouer à terre ! Je me suis jeté sur le côté. La pointe s'est fichée dans le sol à l'endroit où je me tenais quelques secondes auparavant.

J'ai empoigné la matraque à deux mains et reculé, fléchissant mes jambes en plantant mes talons dans le sol. Le dado ne s'y attendait pas. Il s'est cramponné à son arme. On a titubé ensemble jusqu'à ce que je perde l'équilibre, l'entraînant avec moi. On s'est effondrés tous les deux au pied des caisses de tak. Si on était tombés dessus, le combat n'aurait pas duré. Mais là, on était emmêlés sans que l'un ou l'autre puisse prendre l'avantage.

Les gestes du dado étaient grossiers et saccadés. Quelque part dans son cerveau mécanique, il y avait bien un court-circuit qui devait affecter son jugement, parce qu'il a commis une dernière erreur. Il a lâché la matraque d'une main pour me décocher un direct en plein visage. Il ne manquait pas de punch. J'ai vu trente-six chandelles, mais j'ai réussi à garder mes esprits. Et je n'ai pas lâché la matraque. C'était ma planche de salut. Quand il a tenté de me frapper à nouveau, je la lui ai arrachée des mains. Il a frappé tout de même, mais cette fois j'ai pu parer le coup et me relever. Avec la matraque. Emporté par son élan, il a atterri sur le dos. J'ai brandi mon arme et l'ai plongée dans la poitrine du dado. Fin du combat. Il s'est désactivé aussitôt. Il est resté planté là comme une statue, la matraque plantée dans sa poitrine. Je me suis relevé tant bien que mal. Avec tout ce que j'avais encaissé, j'étais encore étourdi. Ce qui ne m'a pas empêché d'entendre un sifflement mécanique tout proche.

Je me suis retourné d'un bond. Un autre dado s'avançait vers moi. Il avait l'air encore plus mal en point que le précédent. Ses jambes étaient raides comme si ses joints étaient soudés, et sa tête était animée de mouvements saccadés comme s'il cher-chait, en vain, à s'éclaircir l'esprit. Il lui manquait un bras. Il n'avait pas l'air bien dangereux – sauf que, dans sa main valide, il tenait un de ces pistolets dorés qui devait venir de Quillan. Lentement, bien trop lentement, il l'a levé pour le braquer sur moi.

J'ai plongé vers le dado mort, lui ai arraché la matraque et l'ai jetée comme un poignard. Elle a traversé la caverne pour se planter dans l'estomac du second dado, qui a interrompu son geste sans avoir eu l'occasion de tirer. Il s'est figé avant de s'effondrer. Fini pour lui aussi.

Plusieurs autres explosions ont retenti en surface. Les combats s'intensifiaient. J'étais tenté d'y mettre fin dès maintenant en faisant sauter le tak, mais ç'aurait été trop tôt. Siry était peut-être encore en chemin.

Et le second dado avait une arme !

Je me suis dépêché de lui arracher son pistolet doré. C'était parfait. J'étais sûr que cette arme pourrait faire détoner le tak, et à bonne distance qui plus est. Sans perdre une seconde, j'ai couru vers la montagne et me suis arrêté à hauteur de l'arc abandonné. Pas la moindre trace de Siry. D'autres explosions ont retenti. Ce serait bientôt le moment. Était-ce trop tôt ? Je me suis retourné vers l'ouverture du tunnel et les deux caisses. Difficile de croire qu'elles puissent contenir une telle puissance dévastatrice. Quelle serait la force de l'explosion ? Quels dégâts provoquerait-elle ? Je savais qu'elle détruirait les dados qui se trouvaient au-dessus. Mais que ferait-elle aux vivants ? Alder ? Et Rayne elle-même ?

Les détonations se sont multipliées. Était-ce le bon moment ? Valait-il mieux attendre encore un peu ? Impossible de le dire, et j'étais trop impatient pour ça. J'ai levé le pistolet et visé les caisses de tak. Je comptais tirer une décharge, laisser tomber l'arme et filer comme un dératé. Si le tak n'explosait pas, je n'aurais qu'à revenir et recommencer. Encore et encore jusqu'à ce qu'il veuille bien sauter. Je n'avais jamais tiré avec un de ces pistolets, mais il ne devait pas être bien différent de ceux de chez nous, et je savais me servir d'un fusil. J'étais même plutôt bon. J'avais confiance en moi. J'ai inspiré profondément et mis en joue la caisse du bas. Tout allait changer. Pour toujours.

J'ai appuyé sur la détente.

Clic. Il ne s'est rien passé. J'ai appuyé à nouveau. Encore et encore. Cette arme ne servait à rien. Soit elle était à court de munitions, soit elle avait été endommagée dans la bataille.

— Il s'en est fallu de si peu, a fait une voix derrière moi.

Mon estomac s'est soulevé. La tête m'a tourné. Comment était-ce possible ?

— Comme je le dis toujours, a repris la voix, la défaite est plus amère quand elle survient au moment où on croit avoir gagné.

Je me suis retourné lentement. Saint Dane était là, au milieu du tunnel, et me fixait de ses yeux bleus démoniaques.

— Et tu croyais vraiment que tu allais l'emporter, n'est-ce pas ? a-t-il demandé joyeusement.

Journal n° 32
(suite)

IBARA

– Ce moment est particulièrement satisfaisant, Pendragon, a repris Saint Dane d'un air fat. Je savais que tu finirais par descendre de ton piédestal pour... comment dire... te salir les mains. Tu as fini par comprendre que le seul moyen de sauver Halla est de l'unifier, comme je l'ai toujours dit. Halla ne connaîtra la gloire que lorsque les territoires ne feront qu'un. Alors seulement, la victoire sera complète.

– La victoire ? ai-je répété. Quelle victoire ? Vous n'arrêtez pas de parler de sauver Halla et d'abattre les murs entre les territoires, mais pourquoi ? À quoi bon ?

– À ce stade, tu dois bien en avoir une idée, non ? a répondu ce démon, amusé.

À la surface, les explosions ont continué. Ce n'était pas le moment de discuter, mais Saint Dane évoquait des sujets qu'il n'avait encore jamais abordés.

– Vous dites que vous voulez démontrer que les peuples des territoires sont incapables de prendre en main leur propre destinée. Mais à *qui* voulez-vous le prouver ?

– Tu brûles, a-t-il répondu, railleur.

Mon esprit s'est emballé. Je n'avais jamais été aussi proche de la vérité, et ça me fichait une trouille de tous les diables. Bien plus que les flèches lestées de tak qui explosaient au-dessus de nos têtes.

– Que va-t-il arriver après la Convergence ? ai-je demandé. Si vous l'emportez et que les territoires tombent sous votre influence, alors quoi ? C'est tout ? Vous devenez le roi des territoires, et rideau ?

– Quelque chose comme ça, a-t-il fait avec un petit rire.

– Alors *qui* est le roi en ce moment ? ai-je demandé brutalement.

Saint Dane a fait un pas dans ma direction. J'ai pu sentir le froid qu'il dégageait. Je n'ai pas bronché.

– Enfin, tu entrevois la vérité, a-t-il sifflé.

– Je ne vois rien du tout. Quelle vérité ?

Ses yeux étaient rivés aux miens. Lorsqu'il a parlé, c'était avec une intensité que je ne lui connaissais pas.

– C'est l'avènement d'un ordre nouveau, Pendragon. Halla n'est qu'un début.

Là, j'ai bien failli tomber dans les pommes. Était-ce possible ? Y avait-il encore plus grand que Halla ? J'ai fait tout mon possible pour éviter que ma voix ne se brise :

– Je vais mettre fin à cette histoire. Ici et maintenant.

Saint Dane a eu un sourire moqueur.

– Quelques milliers de dados pourraient ne pas être d'accord.

– Ce n'est pas une question de force brutale, ai-je repris avec un maximum de confiance. Ni d'armes. C'est une question de bien ou de mal. Et peu importe la façon dont vous tournez les choses, ce que vous mijotez est mal.

Les explosions ont continué, faisant trembler la galerie.

– Non, a dit Saint Dane. C'est bien une question de force et d'armées. Et de peur. La peur est mon arme numéro un. Halla sera ma force. C'est ce qui est écrit, parce que c'est moi qui vais l'écrire.

Il ne me restait plus qu'une chose à faire. J'ai tourné les talons et je suis parti en courant. Je devais faire exploser le tak. Mais je ne suis pas allé bien loin, parce que ce démon m'a fait un plaquage digne d'un rugbyman. Après tout ce qui s'était passé, tous ces combats gagnés ou perdus, on en était arrivé là. À ce qu'on se batte comme des chiffonniers, Saint Dane et moi. J'ai cherché à me dégager, mais il me retenait de ses doigts de glace.

– Le temps joue contre toi, a-t-il sifflé. Ils ne peuvent pas retenir les dados bien longtemps.

Je lui ai donné un grand coup de coude dans le nez. Il a hurlé de douleur. Bien. Je voulais qu'il souffre. Il a reculé. Je me suis libéré. J'ai fait quelques pas avant qu'il ne s'empare à nouveau de moi et me projette contre le mur. Il était rapide. Plus qu'un humain ne pourrait l'être. J'ai frappé la paroi si violemment que des pierres s'en sont détachées, tombant sur ma tête pour rouler à mes pieds.

Le tunnel a tremblé sous l'effet d'explosions de plus en plus rapprochées. Je devais faire sauter le tak. Alder ne pourrait pas les retenir plus longtemps. J'ai ramassé une pierre et fait semblant de la jeter sur Saint Dane. Il a levé les mains. C'est alors que je suis passé à l'assaut. Je me suis lancé, les pieds en avant, le corps à l'horizontale. Je l'ai heurté en pleine poitrine, le renvoyant contre le mur. Il a grogné, mais est aussitôt repassé à l'attaque. Je ne m'attendais pas à ça. Il était si rapide ! Ses bras se sont refermés sur moi et il m'a fait tomber. Il était sacrément fort, aussi. Pas moyen de me libérer. En quelques secondes, je me suis retrouvé à terre, avec Saint Dane assis sur ma poitrine, ses genoux clouant mes bras au sol. J'ai tenté de battre des jambes, en vain. J'étais pris au piège.

Ses yeux jetaient des éclairs. Il ne se contrôlait plus. Il a tiré de Dieu sait où un couteau tang à trois lames. J'ai à peine eu le temps de l'apercevoir avant qu'il ne le pose contre ma gorge. Il m'a dévisagé, hors d'haleine, un peu d'écume au bord des lèvres. Les cicatrices rouges sur son crâne pulsaient de sang – ou quoi que ce soit qui coule dans ses veines.

– Es-tu aveugle au point d'être prêt à mourir pour tes croyances illusoires ? a-t-il craché.

J'ai lutté pour me dégager, mais il a resserré sa prise. La pression du couteau sur ma gorge m'étouffait.

– Tu as perdu la partie, Pendragon, a-t-il dit avec une pointe de démence dans la voix. Tu ne sers plus à rien.

J'allais mourir. Mais je vous jure que je n'avais pas peur. Je croyais ce que j'avais dit à Siry. Et ce que Saint Dane m'avait raconté. Les Voyageurs sont des illusions et, d'une certaine façon, je voulais savoir ce que ça signifiait.

C'est alors qu'a retenti un grand cri :

– Ahhhhhh !

Saint Dane s'est envolé par-dessus ma tête comme si un bolide l'avait percuté et a roulé sur le sol avec le nouvel arrivant...

Siry.

– Vite ! m'a-t-il crié tout en luttant pour maîtriser le démon.

Siry ne savait pas se battre, mais ça n'avait aucune importance. Rien ni personne n'aurait pu l'arrêter. Saint Dane a tenté de se dégager, mais il l'a retenu le temps que je me lève et voie ce qui reposait sur l'arc abandonné. Il avait ramené trois flèches garnies de tak.

D'autres explosions ont secoué le tunnel. C'était le moment ou jamais. Saint Dane ne tarderait pas à se libérer. Ce serait déjà beau si je pouvais décocher une flèche. J'en ai pris une dans la main droite, l'arc de la gauche. Ça faisait un bail que je n'avais pas pratiqué, mais ça n'avait pas grande importance. Inutile de faire preuve de précision. Il me suffisait de toucher la caisse.

Je me suis redressé rapidement et j'ai encoché la flèche dans l'arc. Je devais rester concentré. Je n'aurais qu'une chance. Ce n'était pas le moment de la gâcher.

Saint Dane a fini par repousser Siry. Toujours sur le dos, il s'est tourné dans ma direction. J'ai senti sa rage. En un instant, il allait se relever et se jeter sur moi. J'ai brandi l'arc et tiré sur la flèche jusqu'à ce que son empennage me chatouille la joue.

Saint Dane se relevait péniblement.

– Pendragon ! a crié Siry.

– Reste à terre, lui ai-je ordonné, très calme.

Ce serait serré. Dans une seconde, Saint Dane allait s'interposer entre la caisse et moi. C'était le moment. À la seconde même où je lâchais ma flèche, Saint Dane a relevé la tête... pour mordre aussitôt la poussière. Siry s'était à nouveau jeté sur lui, le plaquant au sol.

– Tire ! a-t-il crié.

– C'est fini, ai-je dit en lâchant la flèche.

Une seconde plus tard, Saint Dane s'est dissous en un nuage de fumée noire et m'a dépassé à toute allure. Nous abandonnant, Siry et moi, à cinquante mètres de l'apocalypse.

– Filons ! ai-je dit, laissant tomber l'arc pour partir en courant.

Siry m'a suivi sans sourciller, et on a filé comme le vent. Tout d'abord, j'ai entendu un sifflement sec que je connaissais bien. Le tak s'embrasait. L'instant d'après... c'était l'explosion.

J'ai senti son souffle et son grondement m'a vrillé les tympans. Une langue de flammes a jailli dans le tunnel. La chaleur était insupportable. J'ai jeté un coup d'œil en arrière pour voir une boule de feu envahir la galerie. La terre a tremblé, nous faisant tituber. Je me suis dit qu'on était cuits, mais au dernier moment on a plongé dans un des tunnels adjacents. Cette vague embrasée est passée devant nous, me brûlant le visage. J'ai bien cru que mes vêtements allaient prendre feu. On avait échappé aux flammes, mais la puissance de la déflagration déchirait les galeries comme du papier de soie. Une pluie de terre et de sable s'est écroulée sur nos têtes. Le tunnel principal n'était plus qu'une fournaise. Il fallait s'enfoncer plus profondément dans ce couloir.

– Il doit bien y avoir une autre sortie, ai-je dit en poussant Siry en avant.

Le sol a tremblé, nous faisant perdre l'équilibre. Ces vieux tunnels ne tiendraient pas longtemps. Des pans entiers de roche dégringolaient sur nos têtes, nous obligeant à nous protéger à l'aide de nos bras. Derrière nous, le couloir s'est éboulé. On a continué notre course folle. S'il n'y avait pas d'autre sortie, on allait être enterrés vivants.

Il n'y avait pas d'autre sortie.

Ou plutôt, s'il y en avait une, on ne pourrait jamais l'atteindre, parce que le tunnel s'est effondré droit devant nous.

– Par là ! ai-je crié.

J'ai poussé Siry sous une section du toit. Ou du sol. Peu importe. C'était un long pan de roche qui était tombé d'un bloc, laissant un petit espace en dessous. Il avait l'air assez solide pour nous protéger de tout ce qui pourrait encore s'effondrer. Du moins si cette plaque rocheuse tenait bon. On s'est tassés dans l'ouverture, Siry et moi, et on est restés blottis là en attendant que tout soit fini. Une masse de pierres et de sable continuait de s'écouler sur nous. Je pouvais à peine respirer. J'avais l'impression que mes poumons se remplissaient de poussière. On s'est serrés l'un contre l'autre. On s'en sortirait ensemble ou on se ferait écrabouiller ensemble.

Trente secondes. D'après moi, c'est tout le temps qui s'est écoulé entre le moment où le tak a explosé et celui où les derniers grondements se sont tus. Trente secondes qui ont duré une éternité. Mais on respirait toujours. Enfin, à peu près. Il n'y avait pas beaucoup d'air. On est restés là un long moment, sans oser bouger de peur de déclencher un éboulement.

– C'est fini ? a demandé Siry d'une petite voix.

J'ai jeté un œil entre mes bras croisés. Il n'y avait rien à voir. Lentement, prudemment, j'ai passé ma tête au-dessus de la table rocheuse. L'air était si lourd de poussière qu'il était impossible de distinguer quoi que ce soit. J'ai retiré ma chemise et l'ai posée sur ma bouche afin de ne pas respirer trop de saletés. L'air s'est éclairci peu à peu. Au bout de quelques minutes d'angoisse, j'ai pu voir ce qui nous attendait…

Et j'ai éclaté de rire.

– Qu'est-ce qu'il y a ? a demandé Siry.

Le tunnel s'était éboulé de chaque côté de nous. En fait, c'était une bonne chose. J'ai vu pointer un faible rai de lumière. Alors que la poussière finissait de retomber, j'ai distingué un coin de ciel bleu.

– On peut sortir de là ! me suis-je écrié.

J'ai pris la main tendue de Siry et l'ai arraché à notre abri temporaire. On a escaladé une pente de caillasse qui s'est vite transformée en falaise de sable. En un rien de temps, on est sortis à l'air libre et on a pu voir la montagne du tribunal. Intacte.

– Regarde ! a dit Siry.

Sur les pentes rocailleuses, il y avait des gens. Le peuple de Rayne. Vivant. Ils avaient survécu à l'explosion. Ils se rassemblaient en silence pour regarder leur village… et leur avenir.

Journal n° 32
(suite)

IBARA

Siry et moi sommes sortis des ruines du tunnel pour partir vers la montagne du tribunal. Un nuage de fumée et de sable planait sur le village, rendant impossible d'évaluer les dégâts causés par l'explosion. Par contre, j'ai tout de suite constaté que le relief n'était plus le même. Le tak avait bien eu l'effet d'un tremblement de terre. Les ondes de choc avaient dû se répercuter le long des galeries. Peu importe. En tout cas, il nous était impossible de retrouver le sentier menant à la montagne, parce qu'il n'y en avait plus. Du moins il ne ressemblait plus à un sentier.

— Pendragon ! a crié une voix familière.

C'était Alder. Il s'en était sorti, lui aussi. Il a couru vers nous, traversant les nuages de poussière. C'était le plus beau spectacle que j'aurais pu espérer. Son grand sourire resplendissait au milieu des volutes de fumée. Quand il est arrivé à notre hauteur, on s'est étreint tous les trois, puis Alder s'est dégagé.

— Hé, t'as pas entendu comme un bruit ?

On l'a regardé avec des yeux ronds, Siry et moi.

— C'était une blague, s'est empressé d'ajouter Alder. Tu n'es pas le seul à avoir le sens de l'humour, Pendragon.

Allons, bon ! Alder avait dit une plaisanterie. Pas très fine, certes, mais tout de même.

— Eh bien ! ai-je déclaré en riant. Cette fois, c'est officiel : Halla ne sera plus jamais le même.

Il m'a donné une tape amicale sur l'épaule.

— Et les dados ? ai-je demandé.

– J'ai eu bien du mal à les garder à distance, a-t-il déclaré en retrouvant son sérieux. La seconde vague était encore plus importante. On n'aurait jamais pu les retenir plus longtemps

– Je voudrais examiner le champ de bataille.

Alder nous a menés au milieu des pans de roche déterrés par l'explosion. Apparemment, l'essentiel des galeries se trouvait désormais à la surface. Et pourtant, la fumée était encore si dense qu'on n'y voyait pas à plus d'un mètre de distance.

– Les archers se sont conduits en héros, a continué Alder. J'ai déjà combattu aux côtés de guerriers plus expérimentés, mais n'en ai jamais vu d'aussi braves. Même en voyant à quel point les dados étaient nombreux, ils n'ont pas flanché. J'ai couru entre les positions pour leur dire où diriger leurs flèches afin de surprendre les assaillants. Je ne pouvais pas être partout ! Mais ils ont vite appris à se débrouiller seuls.

– Et quand le tak a explosé ?

– Je les avais prévenus : quand le sol se mettrait à trembler, il serait temps de filer. Et ils n'ont pas hésité : dès les premières secousses, ils ont lâché leurs armes pour s'enfuir. On aurait dit que le sol tanguait sous nos pieds. Il nous a soulevés comme une vague. Mais on a eu de la chance, parce que je crois qu'il n'y a pas de blessés.

– Et les dados ?

Il nous a menés à un grand monticule de terre et de sable qui n'était pas là précédemment. On est montés à son sommet pour mieux voir le champ de bataille. Ou ce qu'il en restait.

La fumée planait sur le spectacle comme une brume spectrale. Lorsque la brise tropicale a fini de la dissiper, mon esprit a refusé d'accepter ce qui s'est dévoilé sous nos yeux. Il devait y avoir une erreur.

– Il n'y a plus rien, a hoqueté Siry.

Le village de Rayne avait été rayé de la carte. Il n'en restait plus qu'un amas de cabanes détruites et d'arbres abattus. Droit devant nous s'étendait un vaste cratère.

– Les dados se trouvaient juste au-dessus du tak, a déclaré Alder. Il y en avait des milliers, et bien d'autres encore se massaient à l'arrière. Je crois qu'ils n'existent plus. Je ne sais pas quel est le mot juste.

— Pulvérisés, ai-je proposé.

— Oui, a convenu Alder. Ceux qui n'ont pas été pulvérisés ont été mis en pièces. Quelques-uns ont peut-être pu repartir par la mer, mais ils ne pouvaient pas être bien nombreux.

Siry m'a regardé d'un air déboussolé.

— Est-ce possible ? On a vraiment détruit une armée entière ?

— Exactement, a affirmé Alder. Ibara est sauvée.

J'ai fait un pas en avant pour regarder ce qui restait du village. Oui, on avait gagné. Contre toute attente. J'aurais dû vouloir célébrer notre victoire. Et pourtant non. J'étais soulagé, bien sûr, mais n'avais aucune envie de faire la fête. La bataille était finie, oui, et Saint Dane avait été vaincu. Mais à quel prix ? Rayne n'était plus qu'un champ de ruines. Il faudrait des générations pour la reconstruire. De plus, le moment de vérité de Veelox était passé, et il avait mal tourné. Notre affrontement contre les dados était crucial, mais ce n'était pas ça le moment de vérité. C'était quand les Utos avaient détruit la flotte des pèlerins. La reconstruction de Veelox devrait attendre. De mon point de vue, on avait certes remporté une bataille, mais perdu la guerre.

Il y avait pire encore. Pour remporter cette même bataille, je m'étais rabaissé au niveau de Saint Dane en important des éléments et des technologies venues d'autres territoires. Cela en valait-il la peine ? Ibara était-elle vraiment sauvée ? En contemplant ce spectacle de destruction, j'étais bien incapable de le dire.

J'ai entendu une sorte de caquètement loin au-dessus de moi. En levant les yeux, j'ai vu un grand oiseau noir survoler le village comme pour estimer les dégâts. Je savais de qui il s'agissait en réalité. Il avait perdu son armée, mais continuerait le combat. Où le mènerait son prochain plan ? Et le suivant ? Et celui d'après ? Cette guerre se continuerait-elle encore et encore jusqu'à ce qu'il finisse par trouver un moyen de déclencher la Convergence et de contrôler Halla ? Et ensuite, que se passerait-il ? Que voulait-il dire en affirmant que Halla était juste « un début » ? Qu'y avait-il de plus important ? C'était désespérant.

C'est alors que je me suis dit que la bataille n'était pas terminée. J'avais encore à faire sur Ibara.

– Il faut qu'on retourne à la montagne sans plus tarder, ai-je dit à Alder et Siry.

– Pourquoi ? a demandé ce dernier. C'est fini !

– Non.

– Qu'est-ce que tu veux dire, Pendragon ? a demandé Alder.

Je l'ai regardé droit dans les yeux.

– Il nous reste à retrouver Saint Dane.

On a traversé le plus vite possible les ruines de Rayne pour gagner la montagne du tribunal. Là, on a dû se frayer un chemin au milieu des archers blessés pour trouver la dernière caisse de tak. Pendant qu'Alder l'amenait au-dehors, j'ai ordonné a Siry de ramasser les armes des dados, toutes jusqu'à la dernière. Finalement, j'ai emprunté un arc et deux flèches à un archer.

– Qu'est-ce que tu comptes faire, Pendragon ? m'a demandé Alder.

– D'abord, on va au flume.

Lorsque Siry est revenu avec les armes, on est partis vers la plage. Traverser encore une fois les ruines du village était déprimant au possible. En quelques secondes, l'œuvre de plusieurs générations avait été détruite. Et j'en étais responsable. Je n'étais pas particulièrement fier de moi. La caisse de tak était si lourde et si encombrante qu'on l'a portée à tour de rôle. Une fois sur la plage, à ma grande surprise, j'ai constaté que les falaises rocailleuses où se cachait le flume étaient intactes. Les ravages de l'explosion ne s'étendaient pas si loin. Le dygo était garé là où on l'avait laissé, à l'entrée du tunnel que j'avais creusé.

J'ai pris le temps de regarder vers le large. Les eaux bleu-vert étaient aussi calmes que d'habitude. Difficile d'imaginer qu'il n'y avait pas si longtemps, une armada de dados avait sillonné cet océan. Ça m'a redonné espoir. Peut-être qu'un jour, Ibara retrouverait sa beauté originelle. Pourvu qu'on puisse en dire autant du reste de Veelox. C'est cet espoir qui m'a convaincu de faire ce que j'allais faire.

– D'abord, ai-je dit, on va ramener tout ça sur leurs territoires respectifs. Siry, tu peux conduire le dygo ?

– Bien sûr.

— Ramène-le sur Zadaa. Alder, retourne ces armes sur Quillan et laisse-les à la porte. Pareil pour le dygo. Tu le gares près de la porte et tu reviens.

— On garde le tak ? a demandé Siry. Pour Saint Dane ?

— Oui. On garde le tak.

— Pourquoi est-ce si important ? a demandé Alder.

— C'est déjà bien assez grave de l'avoir amené ici. Mais maintenant, ces intrus doivent disparaître. Tout de suite.

— Et les dados ? Les skimmers ? a demandé Siry. On ne peut pas tous les renvoyer, non ? S'il faut ramasser tous ces morceaux de ferraille, on n'en finira jamais.

— Ce n'est pas nous qui les avons amenés sur Veelox, me suis-je empressé de répondre. Contentons-nous de ce qu'on a introduit *nous*.

Alder et Siry se sont regardés. Ils devaient se demander si j'étais devenu cinglé. Je pouvais difficilement les en blâmer.

— D'accord, a fini par lancer Alder, si tu penses qu'il le faut.

Siry a couru vers le dygo, tout content de pouvoir le piloter. Il allait monter à bord quand je l'ai appelé :

— Siry ?

Il s'est tourné vers moi.

— Ton père aurait été fier de toi.

Il m'a adressé le genre de sourire chaleureux dont je ne l'aurais pas cru capable. Il a grimpé dans le dygo et s'en est allé vers le flume. Alder et moi l'avons suivi avec le tak et les armes de Quillan. Alder n'arrêtait pas de me regarder à la dérobée. Quelque chose le dérangeait. Ça ne m'étonnait pas vraiment. Il avait oublié d'être bête.

— À quoi penses-tu, Pendragon ? a-t-il fini par demander. Depuis la bataille, tu es bien silencieux.

— J'essaie d'assimiler ce qui s'est passé.

Siry a arrêté le dygo juste devant le tunnel que j'avais creusé et qui menait au flume. Il a ouvert la trappe et lancé :

— Qui veut venir avec moi ? On va bien rigoler !

Soudain, on aurait dit un garçon de quinze ans comme les autres.

— Amuse-toi bien, ai-je répondu.

Il a refermé la trappe, puis l'a rouverte le temps de lancer :

– *Zadaa !*

Il s'est tourné vers moi.

– Tu vois ? J'apprends vite. Je reviens tout de suite !

Le flume s'est animé. L'eau a tourbillonné. J'ai attendu que les notes musicales atteignent leur volume maximal, puis je lui ai fait signe d'avancer. Il a mis les gaz. Le dygo a roulé vers la petite mare, a basculé dans le flume et a disparu.

– À ton tour, ai-je dit à Alder.

Le chevalier a ramassé les armes restantes.

– Et maintenant ? a-t-il demandé.

– Comme je l'ai dit, on va se débarrasser de Saint Dane.

Alder a acquiescé, mais sans conviction. Il avait compris qu'il y avait un os.

– Tu sais que je serai toujours là lorsque tu auras besoin de moi ?

J'ai hoché la tête en guise de remerciement, et pourtant, je vous jure, j'étais au bord des larmes.

– *Quillan !* ai-je crié, et le flume s'est animé.

J'ai étreint le chevalier.

– Je ne sais pas quoi dire.

– Dis-moi que tu y réfléchiras à deux fois avant de faire quelque chose que tu pourrais regretter.

Je n'ai pas répondu. Alder m'a regardé droit dans les yeux, cherchant à deviner ce que j'avais en tête. J'ai détourné mon regard. Ça faisait trop mal. Il est allé se positionner au bord de la mare.

– Au revoir, mon ami, a-t-il dit.

Des éclairs de lumière ont illuminé la caverne, et le flume l'a englouti.

Comme je ne savais pas combien de temps il me restait avant leur retour, j'ai couru vers la caisse de tak et l'ai traînée vers la caverne. J'ai déposé les explosifs sur le sable, contre le flume. Sans perdre une seconde, j'ai ramassé l'arc et les flèches chargées de tak et je suis sorti du tunnel. Une fois en dehors, je me suis retourné et j'ai posé un genou à terre.

– Croa ! a fait un cri familier au-dessus de ma tête.

J'ai levé la tête pour voir ce même oiseau noir planer loin au-dessus de ma tête.

– Maintenant, c'est une affaire entre vous et moi, ai-je marmonné.

J'ai regardé mon anneau de Voyageur. Il brillait toujours. J'ai pris la flèche, je l'ai placée sur mon arc et j'ai visé le tunnel. J'ai fermé un œil, regardant tout au long du manche de bois.

– Adieu, les gars, ai-je dit. Et bonne chance.

J'ai lâché la flèche, qui a sifflé à travers les airs, et je me suis aplati sur le sable. Il y a eu une petite explosion, puis un sifflement, et enfin une éruption. J'ai sauté sur mes pieds pour courir vers l'océan, précédant la boule de feu qui a jailli du tunnel. L'onde de choc m'a projeté sur le sable. J'ai senti sa chaleur contre mon dos. Je suis resté là, sans oser faire un geste. Des morceaux de roche sont tombés en pluie. J'ai couvert ma tête de peur qu'une pierre plus grosse que les autres ne me fracasse le crâne. Le grondement de l'explosion a fini par décroître. J'ai attendu. La pluie de cailloux a cessé. J'ai jeté un œil pour voir ce qu'il restait de la falaise.

Pas grand-chose, en fait. Il n'y avait plus que des décombres. Le tunnel était enfoui sous des tonnes de roche. J'ai regardé mon anneau. Il avait cessé de luire. C'était une preuve suffisante. J'avais détruit le flume d'Ibara.

Saint Dane était piégé sur ce territoire.

Et moi aussi.

Journal n° 32
(suite)

IBARA

J'écris ce journal dans une petite salle au plus profond de la montagne du tribunal. C'est devenu ma nouvelle demeure. Courtney, j'espère que mon récit ne t'a pas choqué. Il y a un certain temps que j'ai détruit le flume, ce qui m'a permis de prendre du recul par rapport à mon geste. Et je crois avoir bien agi.

Dans ma lutte contre Saint Dane, je me suis donné à fond. Certes, j'ai commis des erreurs, mais je ne suis qu'un homme. Enfin, je crois. En réalité, je pense que je ne suis pas tout à fait humain, mais je me comprends. Depuis mon échec sur Quillan, je ne suis plus le même. Ça m'a fait un choc. Dès le début, j'ai toujours cru que ma quête se terminerait un jour, surtout après qu'on a remporté toutes ces victoires. Quillan a changé tout ça. Je commence à croire que cette bataille n'en finira jamais. Qui a dit que chaque territoire ne doit avoir qu'un seul moment de vérité ? Qu'est-ce qui empêche Saint Dane d'y retourner pour chambouler le cours naturel des choses ? Sur Ibara, il a convaincu les Utos d'attaquer les pèlerins de Rayne, ce qui est du Saint Dane tout craché. Mais que dire des dados ? Ce n'était pas un moment de vérité, mais une guerre, tout simplement. Qu'est-ce qui l'empêche de recommencer sur un autre territoire ? Il peut assembler une nouvelle armée sur Quillan ou descendre Stony Brook Avenue.

C'est pour ça que j'ai pris une mesure aussi radicale. Maintenant que le flume d'Ibara est détruit, Saint Dane est pris au piège. Si c'est ce qu'il faut pour mettre fin à cette guerre, ainsi soit-il.

Depuis que j'ai détruit le flume, je ne l'ai pas revu. Mais il est là, quelque part. J'en suis persuadé.

Bien sûr, je me retrouve coincé, moi aussi. C'est dur à admettre, surtout vis-à-vis de toi, mais je pense que c'est une bonne chose. En vérité, Courtney, pour moi aussi, tout est terminé. J'ai l'impression d'avoir oublié les valeurs que l'oncle Press tenait en si haute estime. Voir Rayne en ruine m'a porté un sacré coup. C'est vrai qu'on a arrêté l'armée des dados, mais pour réussir ça, on a peut-être détruit le cœur même de ce monde. Je me suis laissé aveugler par mon obsession de vaincre Saint Dane alors que j'aurais dû me soucier davantage du bien-être de ce territoire. Saint Dane manipule les gens pour les mener à la catastrophe. Sur Ibara, j'ai bien peur que ce soit moi qui me suis laissé manipuler. C'est moi qui ai choisi de mélanger les territoires, moi qui ai changé le destin de ce monde.

Maintenant, ce n'est plus possible. Ni pour moi, ni pour Saint Dane.

Au lieu de mener un combat sans fin pour éviter le chaos, je préfère positiver ; je veux regarder l'avenir en face. Je veux construire quelque chose. Et sur Ibara, je crois en avoir l'occasion. Le village a été détruit, et une partie de ses habitants sont morts. Sa reconstruction prendra des années, et je veux être de la partie. En plus, les Utos sont toujours là, quelque part. Ce conflit est toujours d'actualité. Maintenant, les défenses de Rayne sont affaiblies. Si les Utos décident d'attaquer, les gens de Rayne ne pourront pas forcément les repousser. C'est une autre raison pour laquelle je tiens à rester. Je veux protéger ces gens mieux que je ne l'ai fait jusqu'à présent. On m'a même proposé de rejoindre le tribunal. Étonnant, non ? Je me demande s'ils me donneront un titre. Ma tâche sera de mettre en œuvre la vision d'Aja Killian. C'est peut-être ce qui était écrit.

Telleo est devenue une amie. Elle me fait beaucoup penser à toi, Courtney. Elle est forte, elle a des opinions bien arrêtées et elle ne laisse personne lui marcher sur les pieds, moi compris. Ce doit être pour ça que je l'aime bien. On passe des heures à discuter du passé de Veelox et de l'avenir d'Ibara. Je ne crois pas que je lui parlerai des Voyageurs. Ici, ça n'a plus d'importance. Plus maintenant. Surtout depuis que je ne suis plus un Voyageur.

491

Siry me manque. D'une certaine façon, je crois qu'il devrait être là, avec moi, avec son peuple. Il voudrait certainement les aider à se créer une nouvelle vie. C'est précisément ce que désiraient les Jakills. Mais je ne me voyais pas emprisonner deux Voyageurs sur ce territoire. J'espère qu'il restera avec Alder, ou rejoindra Loor. Ensemble, ils peuvent chercher à apprendre la vérité sur les Voyageurs et sur eux-mêmes. Ils méritent de savoir ce qu'ils sont vraiment. Comme nous tous.

J'ignore si tu rencontreras un jour Siry, mais si c'est ce cas, passe-lui un message de ma part. Plusieurs jours après la guerre contre les dados, j'étais assis sur la plage, tout seul, à regarder la mer au-delà de la baie. Pour une fois, je ne pensais à rien. C'était bien agréable. C'est alors que j'ai vu un point sur l'horizon. C'était un skimmer, et il fonçait à toute allure vers l'embouchure de la baie. Tout d'abord, je me suis dit que c'était des dados, ou des Utos. J'allais courir prévenir les forces de sécurité quand il est arrivé assez près pour que je distingue qui il transportait. Il y avait quatre personnes à bord, mais ce n'était ni des dados, ni des Utos. J'ai eu l'impression de voir des fantômes.

C'était quatre Jakills. L'un d'entre eux était la fouine, dont je ne connais toujours pas le vrai nom, plus un autre garçon et deux filles. Celle qui tenait le guidon n'était autre que Twig. Ils s'étaient cachés à Rubic City en attendant l'occasion de s'emparer d'un des skimmers qui n'avaient pas pris part à l'invasion. Je suis resté planté là, puis j'ai éclaté de rire. J'y ai vu un bon présage pour l'avenir d'Ibara.

De toutes les épreuves pénibles que j'ai décrites dans mes journaux, la pire reste à venir. Courtney, vous êtes mes meilleurs amis, Mark et toi, et vous le resterez à jamais. Mais je crois qu'on ne se reverra jamais. Mon plus grand regret, c'est que je ne saurai jamais ce qui est arrivé à Mark. Cette question me hantera jusqu'à la fin de mes jours. Mais ce qui me réconforte, c'est de penser qu'en agissant comme je l'ai fait, j'ai sauvé Halla. Ce que Saint Dane m'a dit est bien dérangeant. La notion que Halla ne soit que le point de départ d'un autre grand dessein maléfique est plus que je n'en peux supporter. C'était la proverbiale goutte qui fait déborder le vase. Mais maintenant, Saint Dane est hors d'état de nuire.

Et c'est la fin des aventures de Bobby Pendragon.

Je t'écrirai encore de temps en temps pour te dire ce qui se passe sur Ibara. J'espère que ça ne te gênera pas. C'est le seul lien qui me reste avec mon ancienne existence. Il ne se passe pas un jour sans que je ne pense à toi, et à Mark. Je revois ces années qu'on a vécues ensemble, avant tout ce cirque. Ce sont de bons souvenirs. Ils me rendent triste, mais je ne veux jamais oublier. Et je ne suis pas seul non plus. J'ai Telleo, et son père. C'est le moment pour moi de commencer une nouvelle vie et d'aider ces gens à trouver la leur.

J'ignore si c'est ce qui est écrit, mais c'est ce qui va arriver.

Vous me manquez. Je vous aime tous les deux.

Ne m'oubliez pas.

Fin du journal n° 32

Première Terre

Courtney lut le dernier journal de Bobby Pendragon dans sa cellule du quartier d'isolation du *Queen Mary*. Dodger était lui aussi aux fers de l'autre côté du couloir. En attendant sa libération, et de pouvoir retrouver Mark et Dodger, il lui faudrait digérer seule ce qu'elle venait d'apprendre. Le terme « quartier d'isolation » était décidément bien approprié.

Elle ne pleura pas la perte de son ami. Elle ne s'enthousiasma pas d'apprendre qu'un nouveau territoire était sauvé. Elle ne se consola pas en pensant que Saint Dane était peut-être définitivement hors d'état de nuire. Elle se sentait vidée, incapable de ressentir quoi que ce soit. Mais elle restait Courtney : elle se tourna aussitôt vers l'avenir. Quel détour invraisemblable allait encore prendre cette mission ? Plus étrange encore, il semblait qu'il n'y aurait plus de détour. Ni de mission. Il n'y avait plus rien à faire. Juste se poser des questions. Pourquoi les dados n'avaient-ils pas cessé d'exister lorsque Mark avait détruit Forge ? Si Saint Dane était piégé sur Veelox, où était Andy Mitchell ? Avait-il disparu ? Ou peut-être que cela ne changeait rien, parce que la Première Terre existait dans un autre continuum temporel que Veelox. Ou peut-être qu'Andy était coincé ici, parce que s'il partait où que ce soit, il créerait un paradoxe temporel. Ou alors… ou peut-être…

Courtney aurait bien voulu cesser de se tourmenter. Ses questions resteraient sans réponse. Il n'y avait plus que la certitude glacée qu'elle ne reverrait jamais plus Bobby Pendragon, et que leur mission était terminée. Bien sûr, elle aurait dû se réjouir de savoir que Halla était sauvé. Les siens, en Seconde Terre, n'étaient plus menacés. Mais loin d'être enthousiaste, elle se sentait triste à mourir.

Elle passa encore trois jours dans cette cellule. Seule. Sans contact avec qui que ce soit. Une vraie torture. La pièce était confortable et elle ne manquait de rien, mais l'isolation la rendait folle. Sa seule vue sur le monde extérieur était par le hublot. Et encore, il n'y avait pas grand-chose à voir, uniquement la surface de l'océan, mais cela lui évitait de devenir folle.

Le quatrième jour, à l'heure du petit déjeuner, on frappa à sa porte. Mais ce n'était pas le steward et son chariot. C'était Mark.

– Félicitations, lui dit-il, tu es officiellement libre. Désormais, tu es une passagère comme les autres. Une partie de tennis, ça te dit ?

Courtney le prit dans ses bras. Alors, seulement, elle fondit en larmes. Elle donna libre cours à toutes les émotions qu'elle avait refoulées ces derniers jours. Mark tenta de la consoler :

– C'est bon. C'est fini.

– Tu ne sais pas à quel point, a répondu Courtney entre ses larmes.

Mark la laissa pleurer.

Plus tard dans la matinée, ils s'installèrent dans la suite de Mark, là où, quelques jours plus tôt, il avait détruit son invention. Un acte qui aurait dû changer l'histoire, du moins le pensaient-ils. Et pourtant non. Mark et ses parents s'étaient arrangés pour payer les billets de Courtney et de Dodger. M. Dimond était avocat. Il se montra si convaincant que la compagnie renonça à porter plainte. M. et Mme Dimond les laissèrent seuls tous les deux. Ils connaissaient Mark et savaient qu'ils avaient des choses à se dire. Même Dodger préféra ne pas s'interposer.

Courtney raconta à Mark ce qui s'était passé sur Quillan. Elle lui parla des dados et lui dit comment Saint Dane avait importé sa peau de plastique de Troisième Terre. En fin de compte, Andy Mitchell n'était pas un génie, mais un voleur. En plus d'être Saint Dane. Courtney décrivit à Mark ce que deviendrait son invention, comment elle changerait la technologie de Seconde Terre et évoluerait jusqu'à donner les dados de Troisième Terre... Des dados qui ressemblaient à Mark. Elle lui expliqua comment cette technologie avait été importée sur Quillan, où les dados devinrent des soldats et des serviteurs. Finalement, elle lui révéla que Saint Dane avait créé une armée avec laquelle il espérait détruire Ibara, et le reste de Halla.

– Et pourtant, dit-elle d'un air pensif, je ne comprends pas. Quand tu as détruit Forge, tout aurait dû changer, non ?

– Moi, je sais, répondit Mark, la tête basse. Après qu'on vous a arrêtés, Dodger et toi, j'ai envoyé un télégramme à KEM pour leur dire que le marché était annulé. Si je devais aller en Angleterre, c'était pour leur donner le prototype et signer les contrats qui créeraient officiellement la Dimond Alpha Digital Organisation. (Il eut un rire ironique.) C'est moi qui ai trouvé ce nom. Je trouvais ça important. Quelle blague !

– Qu'est-ce qu'ils t'ont dit ?

– Par retour de courrier, ils ont répondu qu'il était trop tard. Apparemment, signer les contrats n'est qu'une formalité. Mon père m'a tout expliqué. On avait déjà reçu leur argent. Ils ont même payé mon voyage ! Légalement, même s'il n'y a pas de contrat, du moment qu'on accepte une somme quelconque, le marché est conclu. Et ils ont continué leurs démarches.

– Mais comment ? demanda Courtney. Comment peuvent-ils développer le projet sans le prototype ?

– Tu te souviens de ce concours scientifique ? Notre présentation ? Elle ne se limitait pas au prototype. On a tracé des plans détaillés expliquant comment il fonctionnait. Andy s'en est occupé et...

– Et il les a envoyés à KEM.

Mark a acquiescé.

– Donc, ce que tu es en train de me dire, c'est qu'une simple présentation scientifique a bien failli provoquer la chute de Halla ?

– Et elle était soignée, en plus. En couleur, avec une police de caractères sympa.

– Ce n'est pas drôle, fit Courtney en fronçant les sourcils.

– Je sais.

– Donc, on n'avait pas la moindre chance de t'arrêter. Le mal était déjà fait. Le flume ne nous a pas déposés au bon endroit et au bon moment.

– Ou peut-être y a-t-il une autre raison qu'on n'a pas encore découverte.

– Oui, je devais arriver à temps pour t'assassiner ! Au moins, on a empêché ça.

– En effet, c'est une bonne chose.

Ils se turent tous les deux, perdus dans le souvenir de ce moment qui avait bien failli mal tourner.

– Au fait, ils sont partis, ajouta Mark.

– Qui ça ?

– Andy et Nevva. Bon, on n'a pas passé le bateau au peigne fin pour les retrouver, mais je le sens.

– C'est peut-être mieux comme ça, dit Courtney. Ça signifie que Saint Dane est peut-être vraiment prisonnier sur Ibara.

Mark se leva et se mit à tourner comme un lion en cage.

– Comment ai-je pu être si bête ? C'était moi la clé. Ça l'a toujours été. J'ai bien failli provoquer la chute de Halla !

– Oui, mais d'un autre côté, ce n'est pas toi qui a créé une armée. Tu as inventé un jouet. Un jouet révolutionnaire, c'est vrai. Mais c'est Saint Dane qui a fait le reste.

– Mais j'aurais dû le percer à jour ! J'ai gobé tout ce qu'il m'a raconté, parce que c'était précisément ce que je voulais entendre !

– Exactement ! s'exclama Courtney. Tu n'es pas le premier à te laisser séduire par ses beaux discours. Il n'y a plus qu'à espérer que tu sois le dernier.

Coutney en avait assez d'être enfermée. Mark et elle se rendirent sur le pont pour respirer un peu d'air frais. C'était la première fois que Courtney pouvait profiter du voyage sans regarder par-dessus son épaule pour voir si quelqu'un était à ses trousses. L'heure était à la guérison. C'était bon d'avoir retrouvé Mark, même si elle savait que rien ne serait jamais comme avant. Mark avait changé. Il avait grandi. Ce n'était plus un ado boutonneux. Ils avaient changé, tous les deux. Ils en avaient trop vu pour rester les mêmes. Courtney trouvait ça normal et triste en même temps. Ils avaient perdu ce qui restait de leur enfance.

Ils se dirigèrent vers la proue du vaisseau. Là, ils s'accoudèrent à la rambarde et regardèrent droit devant eux.

– Tu crois que c'est fini pour de bon ? demanda Mark. Je veux dire, on ne risque vraiment plus rien ?

– C'est une possibilité, répondit Courtney. Mais tout peut-il être redevenu comme avant si on ne revoit jamais Bobby ?

– Il me manque tellement.

Courtney acquiesça et se serra contre lui.

– Ah, je savais bien que je vous trouverais ici ! s'écria une voix derrière eux.

Dodger s'approcha d'eux. Il arborait un grand sourire.

– J'ai là une petite information qui pourrait vous intéresser. Quand j'ai remercié M. Dimond de nous avoir sorti de taule, je lui ai dit qu'il avait fait très fort en convainquant cet officier que j'avais agressé de retirer sa plainte.

– Il est très persuasif, acquiesça Mark.

– Oui, eh bien, pas tant que ça, répondit Dodger. Il ne savait pas de quoi je parlais. Il a dit qu'il n'y avait pas la moindre inculpation. J'en ai conclu que le type que j'ai mis K.-O. ne voulait pas m'envoyer en taule, alors je l'ai cherché pour m'excuser. Et vous savez quoi ? Il n'y a pas de sixième officier Hantin. Il n'y a même pas de sixième officier à bord. Qu'est-ce que vous en dites ?

Courtney fit défiler les événements dans sa tête.

– C'était son pistolet ! s'exclama-t-elle. Mark, l'histoire dit qu'on t'a tiré dessus. Et j'ai bien failli le faire avec le revolver de cet officier fantôme ! Tu crois vraiment que…

– Oui, fit Mark. C'était Saint Dane.

– Il voulait que ce soit moi qui te tue.

– Il faut croire que les choses ne se sont pas déroulées comme il le désirait, constata Dodger.

– Donc, reprit Mark, ça veut dire que son plan était plus retors qu'on ne le croyait ?

Personne ne pouvait répondre à cette question. Ils se tournèrent en silence vers la ligne grise qui se dessinait à l'horizon. Ils atteindraient bientôt l'Angleterre.

VEELOX

Loin au-dessus de la ville morte de Rubic City, une silhouette solitaire se tenait au sommet d'une des pyramides d'Utopias d'où elle surveillait les décombres, son costume noir battant au vent. C'était le point culminant de toute la cité, à l'exception des autres pyramides qui se découpaient dans le lointain. La seule façon d'arriver là-haut était par la voie des airs.

Un énorme corbeau volait entre les nuages. Il descendit vers la pyramide pour se poser à côté de la vigie solitaire. Celle-ci ne réagit pas. Après une brève transformation, les deux silhouettes se rejoignirent au-dessus de la ville déserte.

– Êtes-vous satisfait ? demanda le nouvel arrivant.

Saint Dane resta de marbre.

– Il y a eu quelques surprises en cours de route. Mais qu'importe, puisque le résultat reste le même. Pendragon ne fait plus partie de l'équation.

– Je vous prie de m'excuser, mais peut-on en être sûr ?

Saint Dane eut un soupir las.

– Lui et ses complices s'imaginent avoir déjoué mes plans maléfiques pour le plus grand bien de Halla. Maintenant, il commence à comprendre que le mal est un concept difficile à définir. Il a provoqué bien des souffrances et bien des dégâts. Il a manipulé les peuples des territoires tout autant que je l'ai fait. Il a fallu toutes ces batailles pour qu'il finisse par comprendre. Maintenant, il sait qu'il n'est pas si différent de moi. Cette découverte lui a ôté toute envie de continuer le combat. Pour lui, tout est terminé.

– Cela suffira-t-il à le tenir à l'écart ?

Saint Dane décocha un regard glacial à sa visiteuse.

– Tu oses douter de ma parole ?

La visiteuse frissonna, mais tenta de dissimuler sa faiblesse.

– Bien sûr que non. Je n'ai jamais remis en question votre volonté. Mais il est fort.

Les cicatrices striant le crâne de Saint Dane pulsèrent de colère.

– Pas tant que ça, ou il ne se serait pas laissé manipuler si aisément.

– Croyez-vous qu'il comprenne l'étendue de ce qu'il a fait ?

– S'il ne l'a pas encore réalisé, ça ne devrait pas tarder, répondit Saint Dane. Il y a bien longtemps, je lui ai dit que Denduron serait le premier domino à tomber. En déterrant le tak, il s'en est assuré. Pendragon nous a lui-même apporté la victoire sur un plateau. J'attends avec impatience le moment où il s'en apercevra.

– Êtes-vous sûr que ça suffira à le mettre hors d'état de nuire ?

Saint Dane contempla sa visiteuse avec une affection toute paternelle. Il tendit la main pour caresser ses cheveux noirs.

– Que de questions !

D'un geste rapide, il empoigna une poignée de cheveux et tira violemment dessus, arrachant un cri de douleur à la femme.

– Contente-toi de faire ce que je t'ai demandé, cracha-t-il avec colère. Fais en sorte qu'il aime Ibara. Qu'il désire plus que tout y vivre et contribuer à créer sa version d'un monde parfait. Qui sait ? Peut-être tombera-t-il amoureux. Et à ce moment-là, il sera trop tard pour qu'il puisse contre-attaquer.

Il repoussa la visiteuse. Sa colère s'était dissipée. Il avait repris le contrôle de la situation.

– J'ai hâte de le voir au moment où il apprendra la véritable nature de ce conflit et réalisera la futilité de sa mission. On se retrouvera, lui et moi. Je serai victorieux, il sera mort de honte. Alors seulement, le pouvoir de Halla m'appartiendra vraiment. (Il eut un sourire plein d'assurance.) J'aurai grand plaisir à voir sa tête quand il comprendra que c'est lui qui me l'a offert sur un plateau.

La visiteuse acquiesça sans oser croiser son regard.

– Pardonne-moi, Nevva, dit doucement Saint Dane. Je suis victime de ma propre passion.

Nevva Winter essuya une larme et répondit :

– C'est pour ça que je crois en vous. C'est cette passion qui vous apportera la victoire.

– Notre victoire, corrigea Saint Dane.

– Mais je vous en prie, reprit-elle, ne m'appelez plus Nevva. Pas sur ce territoire.

Saint Dane eut un petit rire.

– J'aime la façon dont tu t'immerges totalement dans tes rôles.

– C'est parce que notre quête est si importante pour moi.

– Et tu seras récompensée pour ça. Quand je détiendrai le pouvoir de Halla, tout pourra vraiment commencer. Pour nous. Ensemble.

Saint Dane fit un pas en avant et commença sa transformation.

– En attendant, au revoir… Telleo.

Saint Dane devint un nuage noir qui prit à son tour la forme d'un corbeau. Il se jeta dans les airs et survola les ruines de Rubic City avant de disparaître dans les nuages…

Pour entrer dans la Convergence.

À suivre

À PARAÎTRE EN 2009

Bobby Pendragon n° 9

Impression réalisée sur CAMERON
par BRODARD ET TAUPIN
La Flèche

pour le compte des Éditions du Rocher
en avril 2008

Dépôt légal : mai 2008
N° d'impression : 47007
Imprimé en France